# 第二届黄河国际论坛论文集

## ——维持河流健康生命

### 第六册

U0268864

黄河水利出版社

**图书在版编目(CIP)数据**

第二届黄河国际论坛论文集 . 第六册/尚宏琦
主编.—郑州:黄河水利出版社,2006.11
ISBN 7 – 80734 – 030 – 4

Ⅰ.第…　Ⅱ.尚…　Ⅲ.黄河 – 河道整治 – 国际
学术会议 – 文集　Ⅳ.TV882.1 – 53

中国版本图书馆 CIP 数据核字(2006)第 001185 号

出　版　社:黄河水利出版社
　　　　地址:河南省郑州市金水路 11 号　　邮政编码:450003
发行单位:黄河水利出版社
　　　　发行部电话:0371 – 66026940　　传真:0371 – 66022620
　　　　E-mail:hhslcbs@126.com
承印单位:河南省瑞光印务股份有限公司
开本:787 mm×1 092 mm　1/16
印张:35.5
印数:1—1 000
版次:2006 年 11 月第 1 版　　　　印次:2006 年 11 月第 1 次印刷

书号:ISBN 7 – 80734 – 030 – 4/TV·447　　　　定价:66.00 元

# 第二届黄河国际论坛
# 维持河流健康生命研讨会

## 主办单位

水利部黄河水利委员会(YRCC)

## 协办单位

全球水伙伴(GWP)
亚洲开发银行(ADB)
荷兰驻华大使馆(RNE)
粮食和水挑战计划(CPWF)
中国经济技术交流中心(CICETE)
美国农业部(USDA)
国际气候及水联合组织(CPWC)
中国水利水电科学研究院(IWHR)
清华大学(TU)
南京水利科学研究院(NHRI)
小浪底水利枢纽建设管理局(XCAB)
世界银行(WB)
中国水利部国际经济合作交流中心(ICEC)

## 资助单位

水利部黄河水利委员会(YRCC)
全球水伙伴(GWP)
亚洲开发银行(ADB)
荷兰驻华大使馆(RNE)
粮食和水挑战计划(CPWF)
中国经济技术交流中心(CICETE)
美国农业部(USDA)
国际气候及水联合组织(CPWC)
中国水利水电科学研究院(IWHR)
清华大学(TU)
南京水利科学研究院(NHRI)
小浪底水利枢纽建设管理局(XCAB)

世界银行(WB)
中国水利部国际经济合作交流中心(ICEC)
澳大利亚 GHD 公司(GHD)
英国合乐集团公司(HALCROW)

# 顾问委员会

## 名誉主席

钱正英　中华人民共和国全国政协原副主席,中国工程院院士
杨振怀　中华人民共和国水利部原部长,中国水土保持学会理事长,全球水伙伴
　　　　中国技术顾问委员会名誉主席

## 主　席

索丽生　中华人民共和国水利部副部长

## 副主席

朱尔明　中国水利学会理事长
徐乾清　中国工程院院士
董哲仁　全球水伙伴中国技术顾问委员会主席
黄自强　水利部黄河水利委员会科学技术委员会副主任
Frank Rijsberman　国际水管理研究所(IWMI)所长,斯里兰卡
William J. Cosgrove　世界水理事会主席,法国
Wendy Craik　墨累－达令流域委员会执行主席,澳大利亚

## 委　员

Christopher George　国际水利工程研究协会执行主席,西班牙
戴定忠　中国水利学会教授
David Dole　墨累－达令流域委员会副主席,澳大利亚
Des Walling　地理学、考古学与地球资源大学教授,英国
Don Blackmore　澳大利亚国家科学院院士,墨累－达令流域委员会原主席
Gaetan Paternostre　法国罗讷河国家管理公司总裁
高季章　中国水利水电科学研究院院长
龚时旸　黄河水利委员会教授
Henk van Schaik　国际气候及水联合组织(CPWC)秘书长,IHE 教授,荷兰
Jamie Pittock　世界自然基金会全球淡水项目主任,澳大利亚
Jim Harkness　世界自然基金会中国项目首席代表
Khalid Mohtadullah　全球水伙伴高级顾问,巴基斯坦
孟志敏　水利部国际合作与科技司副司长
Mona El－Kady　埃及国家水资源研究中心原主席

Pierre Roussel　法国罗讷河流域委员会主席
乔　林　中国经济研究院院长、研究员
Shaden Abdel Gawad　埃及国家水资源研究中心主席
王　粤　中国经济技术交流中心主任
Yves Caristan　法国地质调查局局长

# 组织委员会

## 名誉主席

汪恕诚　中华人民共和国水利部部长

## 主　席

李国英　水利部黄河水利委员会主任

## 副主席

高　波　水利部国际合作与科技司司长
徐　乘　水利部黄河水利委员会副主任
Andras Szollosi – Nagy　联合国教科文组织助理副总裁,法国
Katsuji Matsunami　亚洲开发银行中东亚局农业、环境与自然资源处处长

## 委　员

安新代　黄河水利委员会水资源管理与调度局局长
A.W.A.Oosterbaan　荷兰交通、公共工程和水资源管理部国际事务高级专家
Binsar P.Tambunan　亚洲开发银行(ADB)教授,菲律宾
Bjorn Guterstam　全球水伙伴网络联络员,瑞典
Bryan Lohmar　美国农业部经济研究局经济师
杜振坤　全球水伙伴(中国)副秘书长
黄国和　加拿大 REGINA 大学教授
顾文忠　中国经济技术交流中心处长
郭国顺　黄河水利委员会工会主席、黄河水利委员会办公室主任
侯全亮　黄河水利委员会办公室副主任
胡春宏　中国水利水电科学研究院副院长、国际泥沙研究培训中心秘书长
Huub Lavooij　荷兰驻华大使馆一等秘书
Jonathan Woolley　国际水管理研究所(IWMI)水和粮食挑战计划主任研究员,斯里兰卡
Joop L.G. de Schutter　联合国科教文组织国际水利环境学院水工程系主任,荷兰
Juergen Voegele　世界银行驻中国代表处主任
李桂芬　中国水利水电科学研究院教授、国际水利工程研究协会(IAHR)理事

李景宗　黄河水利委员会总工程师办公室副主任
李乃华　中国经济研究院理事长、研究员
李万红　国家自然科学基金委员会教授
刘栓明　黄河水利委员会水政局局长
刘晓燕　黄河水利委员会国际合作与科技局局长
骆向新　黄河水利委员会新闻宣传出版中心主任
Paul van Hofwegen　世界水理事会水资源管理高级专家,法国
Stephen Beare　澳大利亚农业与资源经济局研究总监
谈广鸣　武汉大学水电学院院长、教授
王光谦　清华大学教授
汪习军　黄河水利委员会水土保持局局长
Wouter Lincklaen Arriens　亚洲开发银行(ADB)教授,菲律宾
吴保生　清华大学教授
夏明海　黄河水利委员会财务局局长
徐宗学　北京师范大学水科学研究院教授
杨含侠　黄河水利委员会规划计划局局长
殷保合　小浪底水利枢纽建设管理局局长
于兴军　中国水利部国际经济合作交流中心主任
张金良　黄河水利委员会防汛办公室主任

**秘书长**

尚宏琦　黄河水利委员会国际合作与科技局副局长

# 技术委员会

**主　任**

薛松贵　黄河水利委员会总工程师

**委　员**

Anders Berntell　斯德哥尔摩国际水管理研究所执行总裁,斯德哥尔摩世界水周
　　　　　　　　秘书长,瑞典
Bart Schultz　荷兰水利公共事业交通部规划院院长,IHE 教授
Bas Pedroli　荷兰瓦格宁根大学教授
陈吉余　中国科学院院士,华东师范大学河口海岸研究所教授
陈效国　黄河水利委员会科学技术委员会主任
陈志恺　中国水利水电科学研究院教授,中国工程院院士
程晓陶　中国水利水电科学研究院教授、所长
杨志达　美国垦务局研究员
颜清连　台湾大学教授

David Molden　国际水管理研究所(IWMI)研究议题负责人,斯里兰卡
Denis Fourmeau　法国国际流域管理委员会副主席
丁德文　中国科学院院士,国家海洋环境监测中心暨国家海洋局海洋环境保护
　　　　研究所研究员、主任暨所长
Eelco van Beek　荷兰德尔伏特水力所教授
高　峻　中国科学院院士
Greg Ruark　美国农业部研究中心主任
李鸿源　台湾大学教授
胡鞍钢　国务院参事,清华大学教授
胡敦欣　中国科学院院士,中国科学院海洋研究所研究员
Huib J. de Vriend　荷兰德尔伏特水力所所长
Ian Makin　国际水管理研究所(IWMI)亚洲地区主任,泰国
杨锦钏　台湾交通大学教授
李行伟　香港大学教授
竹内邦良　日本山梨大学教授
Laszlo Iritz　瑞典工程及环境咨询公司副主席
李怡章　马来西亚科学院院士
黎　明　国家自然科学基金委员会教授
李　锐　中国科学院西北水土保持研究所所长
李　炜　武汉大学教授
李文学　黄河勘测规划设计有限公司董事长、教授
林斌文　黄河水利委员会教授
刘昌明　中国科学院院士
龙毓骞　黄河水利委员会教授
陆佑楣　中国工程院院士
Luis Sautos Pereira　里斯本大学农业高级研究所所长,葡萄牙
马吉明　清华大学教授
Manuel Menendez Prieto　国家水利科学研究院项目总裁,西班牙
Mohamed Nor bin Mohamed Desa　联合国教科文组织马来西亚热带研究中心主任
倪晋仁　北京大学教授
玉井信行　国际水利工程研究协会(IAHR)副主席
Peter A. Michel　瑞士联邦环保与林业局水产与水资源部主任
Peter Rogers　全球水伙伴技术顾问委员会委员,美国哈佛大学教授
王书益　美国密西西比大学教授
孙鸿烈　中国科学院院士,曾任中国科学院副院长、国际科学联合会副主席;中
　　　　国科学院地理科学与资源研究所研究员
Volkhard Wetzel　联邦德国水文研究院院长
王丙忱　国务院参事,清华大学教授
王　浩　中国水利水电科学研究院教授、所长

# 《第二届黄河国际论坛论文集》
## 编辑委员会

# 欢 迎 词

## (代序)

我代表第二届黄河国际论坛组织委员会和本届会议主办单位黄河水利委员会,热烈欢迎各位代表从世界各地汇聚郑州,参加世界水利盛会:第二届黄河国际论坛暨维持河流健康生命研讨会。

2003 年 10 月 21 ~ 24 日,黄河水利委员会在中国郑州成功地举办了首届黄河国际论坛。会议共有 32 个国家和地区的 350 多位专家学者出席,收到论文 258 篇,出版了五册论文集。参加会议代表围绕着"21 世纪流域现代化管理模式与管理经验、流域管理现代技术应用"的中心议题,进行了广泛的交流与对话,交流发表了许多具有创新价值的学术观点和先进经验,对流域管理工作起到了积极的推动作用。

这次会议是黄河国际论坛的第二届会议,中心议题是:维持河流健康生命。中心议题下分维持河流健康生命、流域水资源一体化管理及现代技术应用、河流工程与非工程技术、水环境与水生态保护、跨流域调水技术及水资源配置和水权、水价及水市场政策六个专题。会议期间,黄河水利委员会还与一些国际著名机构共同主办以下 12 个相关专题会议:全球水伙伴(GWP)专题会议、国际气候及水联合组织(CPWC)专题会议、UNESCO – IHE 专题会议、粮食和水挑战计划(CPWF)专题会议、世界水理事会(WWC)区域会议、CIDA 成果交流会、中美项目合作专题会、中国与欧盟项目合作专题会、中荷合作河源区项目专题会、亚行水周专题会议、世界气象组织专题会和挑战计划第三项目组专题会。

目前,已有来自 52 个国家和地区的 700 多位专家学者报名参会,收到论文 350 多篇。经第二届黄河国际论坛技术委员会专家严格审查,选出 319 篇编入会议论文集。与第一届黄河国际论坛相比,本届论坛内容更丰富、形式更多样,全方位展示出中国水利和黄河流域管理所取得的成就,并就河流管理的焦点难点问题进行深入探讨,以期建立更为广泛的国际合作与交流机制。

　　我相信,在论坛顾问委员会、组织委员会、技术委员会以及全体参会代表的努力下,本次会议一定能使各位代表在专业上有所收获,在生活上过得愉快。我也深信,你们在会议上交流的经验与为维持河流健康生命方面提供的良策,必定会对今后黄河及世界上各流域的管理工作产生积极的影响。

　　最后,我希望本次会议能给大家留下美好的回忆。并预祝大会成功,各位代表身体健康,在郑州过得愉快。

李国英

黄河国际论坛组织委员会主席

黄河水利委员会主任

2005 年 10 月于中国郑州

# 前　言

　　黄河国际论坛是水利界从事流域管理、水利工程研究与管理工作的科学工作者的盛会，为他们提供了交流和探索流域管理和水科学的良好机会。2003 年 10 月 21～24 日，黄河水利委员会在中国郑州成功地举办了首届黄河国际论坛。会议共有 32 个国家和地区的 350 多位专家学者出席，收到论文 258 篇，出版了五册论文集。与会领导、专家、学者围绕着"21 世纪流域现代化管理模式与管理经验、流域管理现代技术应用"的中心议题，进行了广泛的交流与对话，交流发表了许多具有创新价值的学术观点和先进经验，并确定了第二届黄河国际论坛的中心议题，对流域管理工作起到了积极的推动作用。

　　黄河国际论坛的第二届会议于 2005 年 10 月 16～21 日在中国郑州召开，会议中心议题是：

**维持河流健康生命**

中心议题下分六个专题：

　　A.维持河流健康生命；

　　B.流域水资源一体化管理及现代技术应用；

　　C.河流工程与非工程技术；

　　D.水环境与水生态保护；

　　E.跨流域调水技术及水资源配置；

　　F.水权、水价及水市场政策。

　　会议期间，黄河水利委员会还与一些国际著名机构共同主办以下 12 个相关专题会议：

　　As.全球水伙伴(GWP)专题会议；

　　Bs.国际气候及水联合组织(CPWC)专题会议；

　　Cs.UNESCO－IHE 专题会议；

　　Ds.粮食和水挑战计划(CPWF)专题会议；

　　Es.世界水理事会(WWC)区域会议；

Fs.CIDA 成果交流会;

Gs.中美项目合作专题会;

Hs.中国与欧盟项目合作专题会;

Is.中荷合作河源区项目专题会;

Js.亚行水周专题会议;

Ks.世界气象组织专题会;

Ls.挑战计划第三项目组专题会。

自 2003 年 10 月第一届黄河国际论坛会议结束后,论坛秘书处即开始了第二届黄河国际论坛的筹备工作。自第一号会议通知发出后,大约收到了来自 52 个国家和地区的 700 多位决策者、专家、学者的论文 350 多篇。总共有约 300 篇论文在本次会议的 49 个分会场和 6 个大会会场上作报告。选出的论文,根据其内容,全部编入如下六册论文集中:

第一册:包括 55 篇专题 A 和专题 B 的论文

第二册:包括 58 篇专题 B 的论文

第三册:包括 56 篇专题 B 和专题 C 的论文

第四册:包括 53 篇专题 C 和专题 D 的论文

第五册:包括 58 篇专题 D、专题 E 和专题 F 的论文

第六册:包括 39 篇论文

在 12 个相关专题会议(As ~ Ls)宣读的论文,根据其相关内容,也分别编入以上六册论文集中。

编者衷心感谢本届会议协办单位的大力支持,他们是:亚洲开发银行(ADB)、全球水伙伴(GWP)、荷兰驻华大使馆(RNE)、粮食和水挑战计划(CPWF)、中国国际经济技术交流中心(CICETE)、美国农业部(USDA)、国际气候及水联合组织(CPWC)、中国水利水电科学研究院(IWHR)、清华大学(TU)、南京水利科学研究院(NHRI)、小浪底水利枢纽建设管理局(YRWHDC)、世界银行(WB)和中国水利部国际经济技术合作交流中心(IETCEC,MWR)等。

我们也要对本届会议提供财政资助的单位表示特别的感谢,他们是:水利部黄河水利委员会(YRCC)、全球水伙伴(GWP)、亚洲开发银

行(ADB)、荷兰驻华大使馆(RNE)、粮食和水挑战计划(CPWF)、中国国际经济技术交流中心(CICETE)、美国农业部(USDA)、国际气候及水联合组织(CPWC)、中国水利水电科学研究院(IWHR)、清华大学(TU)、南京水利科学研究院(NHRI)、小浪底水利枢纽建设管理局(YRWHDC)、世界银行(WB)、水利部国际经济技术合作交流中心(IETCEC,MWR)和澳大利亚GHD公司(GHD)等。

我们也要向本届会议的顾问委员会、组织委员会和技术委员会的委员们,以及本论文集的作者们,对他们为本届会议所作出的杰出贡献,表示由衷的感谢。

我们衷心希望本论文集的出版,将对维持河流的健康生命和流域的现代化管理有积极的推动作用,并具有重要的参考价值。

尚宏琦
总编辑兼秘书长
黄河国际论坛秘书处
2005年10月于中国郑州

# 目　　录

# 维护河流健康与流域一体化管理

## 董哲仁

（全球水伙伴 GWP（中国））

**摘要:** 河流健康的概念既强调了保护河流生态系统的重要性,也承认人们适度开发水资源的合理性。把维护河流健康作为流域管理的战略目标是管理理念的重大突破。维护河流健康不仅需要工程技术的支持,也需要进行立法和机制体制改革,实行流域一体化管理。

**关键词:** 河流健康　生态价值　评价　一体化管理　机制

我国经过 50 余年对于河流的大规模开发建设以后,开始重新思考河流的价值,探求人与自然和谐的发展道路,维护河流健康已经开始成为水资源管理的重要战略目标。

## 1　河流是人类社会与生态系统共享的资源

水,是人类社会发展最重要的不可替代的自然资源,又是生态系统须臾不可或缺的生境要素。无论是人类社会系统还是自然生态系统,对于河流都存在着高度的依赖性。河流不但哺育了自古就"择水而居"的人类,也是数以百万计的生物物种的栖息地。由河流、湖泊、湿地、洪泛平原、河口与生物群落和人类社会交织在一起形成了河流生态系统。河流生态系统为当代人类提供了生态服务功能,这包括河流直接提供的食品、药品和工农业所需材料;间接功能包括河流水体的自我净化功能,水分的涵养与旱涝的缓解功能,对于洪水控制的作用,局部气候的稳定,各类废弃物的解毒和分解功能,植物种子的传播和养分的循环以及江河内在的巨大美学价值。从长远看,河流还留给子孙后代各种自然物种和生物多样性等,这些宝贵的财富,为人类的可持续发展提供了基础条件。工业社会以来人类的大规模开发活动对于河流生态系统形成了胁迫,反过来,河流生态系统的退化会直接或间接损害人类的利益。

有的学者认为,充分开发水利水电资源为经济发展服务应优先于生态保护,以体现"以人为本"的精神,也有的学者认为,"以人为本"的精神是处理社会问题的原则,"人与自然和谐"是处理人与自然关系的原则。笔者认为,从本质上看,"以人为本"和"人与自然和谐"的精神是一致的。保护河流生态也是维护人类自身当前与长远利益,更深刻地体现了"以人为本"的精神。如同一句家喻户晓的名言所说的那样:"保护地球环境,就是保护人类自己"。人类不仅要关心自身的经济社会发展,也要关心河流的健康;不但要利用河流,也要善待河流。珍爱河流生态是社会可持续发展的长远目标,是全社会的共同责任。

如何正确对待河流生态系统? 这需要进一步研究生态学研究的现代走向。现代生态学理论已经摒弃了曾经流行的"维持生态平衡"观念,而单纯的"保护生态"理念也已经被淡化。这些传统理念所以被改变,有两层含意。第一层认为生态系统始终处于一种动态的演替过程中, 变化是绝对的, 而平衡和稳定是一种例外, 所以人们要适应变化。第二层认为, 要承认在生态系统承受能力的范围内人类合理开发自然资源的合理性, 同时要认识到当代人类活动是对生态系统的主要胁迫因子之一, 需要主动对生态系统进行修复和补偿, 以维护生态系统的完整性和可持续性。简言之, 即水资源的开发与生态系统保护应该并重。现在, 趋于成熟的理念更多提倡对于生态系统的一体化管理, 在自然—社会—经济复合生态系统中探讨社会系统和自然系统二者的可持续发展, 以实现人与自然的和谐。

## 2 河流健康的内涵

### 2.1 管理理念的重大突破

在新的生态理念的引导下,国际资源环境学术界对于河流的评价方法从传统的单纯水文评价,扩展到包括水文、水质、生物栖息地质量、生物指标等综合评价方法,相应出现了"河流健康"的概念(Scrimgeour,1996)。河流健康概念是河流管理的工具。河流健康评价是试图建立起一种基准状态,由这个基准出发来评价河流出现的长期变化,判断在河流管理过程中产生的影响。

在我国河流管理工作中提出河流健康的概念,其意义远超过改善河流评价方法的范畴。近年来,水利部提出把维护河流健康作为水资源管理的重要目标。这说明河流的管理者正在实现从传统的水资源开发利用向资源开发与生态保护并重的战略转移,这是管理理念的重大突破。

### 2.2 健康工作河流

科学界普遍认为近一二百年人类大规模的经济活动是损害河流生态系统健康的主要原因。人类活动对于河流生态系统的胁迫主要来自以下几个方面:①工农业及生活污染物质对河流造成污染。②从河流、水库中超量引水,使得河流本身的流量无法满足生态用水的最低需要。③土地利用方式的改变,农业开发和城市化进程改变了河流水文循环的条件;对湖泊、河流滩地的围垦挤占水域面积;上游毁林造成水土流失,导致湖泊、河流的退化。④在河流、湖泊和水库中,不适当地引入外来物种造成生物入侵,引起生态系统的退化。⑤水利工程对于河流生态系统的胁迫,表现为栖息地质量的降低。

一些学者将河流恢复的目标定位在恢复到河流的原始状态;而将河流保护的目标定位在保护原生态河流,反对任何开发活动。有的学者指出"生态健康是一种生态系统的首选状态,在这种状态下,生态系统的整体性未受到损害,系统处于沉睡的、原始的和基准的状态"(Karr,1996)。

但是,对于河流的大规模开发利用,已经彻底地改变了河流的原始面貌。在我国,经过几千年的治理,几乎很难找到没有人类活动痕迹的自然河流,建立原生态的河流基准点已经不可能,何况即使建立起了人类活动干扰前的自然河流基准点,人们也无法以此作为健康标准进行修复。这是由于河流生态系统始终处于一种动态的演进过程中,河流系统永远不可能返回到原始的健康状况。

国际水资源管理领域对于河流健康的概念有多种定义和表述,本文认为"健康工作河流"的概念更具有实用性从而值得借鉴。"健康工作河流"(health working river)的概念来源于澳大利亚的墨累河(River Murray)的环境评价工作(MDBC,2003)。"健康工作河流"的概念提供了一种社会认同的、在河流生态现状与水资源利用现状之间的进行折中的标准,力图在河流保护与开发利用之间取得平衡。"健康工作河流"概念的关键点是,被管理的河流是在一种合适的工作水平上,又处在一种合适的健康状态。所谓"工作"是指供水、发电、航运及旅游等具有经济效益的功能,"工作水平"是可以用水文及水质参数定量规定的,如防洪安全水位、供水及灌溉安全、河道侵蚀或淤积程度、水库蓄水量等。在管理过程中,一旦发现河流低于健康工作水平就会给管理者一种预警信息。

提出"健康工作河流"概念的意义在于,它既强调保护和恢复河流生态系统的重要性,也承认了人类社会适度开发水资源的合理性;既划清了与主张恢复河流到原始自然状态、反对任何工程建设的绝对环保主义的界线,也扭转了"改造自然"、过度开发水资源的盲目行为,力图寻求开发与保护的共同准则。

## 2.3 健康河流理念在中国

由于河流健康对于我国水利界是一个新概念,如何结合我国国情准确把握这个概念,促进河流生态建设,仍有若干问题需要探讨。

### 2.3.1 我国当前维护河流健康的首要任务是治污

根据《2003年全国水资源质量公报》,在评价的河长134 593 km中,Ⅰ类水占5.7%,Ⅱ类水占30.7%,Ⅲ类水占26.2%,Ⅳ类水占10.9%,Ⅴ类水占5.8%,劣于Ⅴ类占20.7%。江河水体污染主要是有机污染,主要超标项目是氨氮、高锰酸盐指数、化学需氧量、五日生化需氧量和挥发酚等。工农业及生活废水污染是对河流健康的最大威胁。现阶段我国维持河流健康的首要任务是水污染的治理与控制。在治理策略方面,强化末端治理同时加强源头预防和全过程控制,提倡清洁生产和探索循环经济的实践。

### 2.3.2 遵循河流保护发展阶段的一般规律

制定我国河流环境保护战略,有必要研究和借鉴发达国家河流保护的经验教训,特别需要研究其河流环境治理的发展历程。西方发达国家针对二战后工业急剧发展造成的水污染问题,从 20 世纪 50 年代开始了以水质恢复为中心的河流保护战略行动。经过 30 多年的不懈努力,到 80 年代初河流污染问题得到基本缓解,开始了以河流生态修复为中心的战略转移,包括生物栖息地建设、恢复河流的生物群落多样性等,其目标是恢复河流生态系统的结构和功能。从西方国家的发展阶段看,综合污染防治在先,河流生态建设在后,治污是河流生态恢复的前提和基础。

我国与发达国家在河流保护方面的差距至少有 50 年。这是因为我国江河湖库水质恶化趋势未能得到有效遏制,我国河流保护工作总体处于水质改善阶段,在治污方面还要走很长的路,全面进入河流生态恢复建设尚待时日。总之,改善河流生态状况的根本措施是治污,超越治污阶段试图改善河流生态状况的努力必然会事倍功半或归于失败。

### 2.3.3 对于为改善生态的跨流域调水工程要持慎重态度

维护河流健康的工程技术措施是多方面的,这包括水质的改善、最低生态需水量的保持、水文周期条件的自然化、河流地貌条件的恢复、生物栖息地质量的提高、生物群落多样性的恢复等。保持生态需水量是其中的一个措施而不是全部措施。"有水就有生态"的提法是有特定条件的。实践证明,靠增加水量改善生态对于沙漠绿洲生态系统和湿地生态系统会有明显效果,而对于工业污染严重、人口密集地区效果不显著,或者带有暂时性。最近,有些流域、省(区)正规划兴建大规模跨流域调水工程,以解决河湖污染问题。这些调水工程的立项需要反复论证,慎之又慎。特别是需要深入研究跨流域调水工程对受水区和调水区生态系统的长远影响,深入研究打破各个流域生态系统之间的现存格局可能出现的变化。

### 2.3.4 对于我国现阶段维护河流健康的建议

在维护河流健康方面结合我国国情建议开展以下工作:①加强对河流生态状况的综合监测和动态评价,研究河流生态系统的演进趋势;②研究制定河流生态恢复的中长期规划的方法和示范;③加强对新建水利水电工程的环境影响评价;④加强对湖泊水库和河口湿地的生态保护;⑤研究水库的生态调度方法;⑥开展中小型河流生态修复工程试点;等等。

## 3　3E - 水资源一体化管理理念

### 3.1　什么是水资源一体化管理

工程技术是实现维护河流健康目标的重要手段,但不是唯一的手段。保护河流的工作不可能仅靠工程技术就可以实现,而是需要综合包括立法保障、执法监督和机制体制的改革,特别是推行水资源的一体化管理等一系列措施,通过综合论证,形成战略性的框架规划才有可能达到预定的目标。

水资源一体化管理理念,是在"都柏林原则"和1992年里约热内卢召开的联合国环境与发展大会通过的《21世纪议程》的精神指导下提出的。它的表述如下:

水资源一体化管理,是以公平的方式,在不损害重要生态系统可持续性的条件下,促进水、土及相关资源的协调开发和管理,以使经济和社会财富最大化的过程。

简言之,就是在经济发展(Economy)、社会公平(Equity)和环境保护(Environment)这3E间寻求平衡。其中"经济和社会财富的最大化"的核心是提高水资源的利用效率。社会公平的目标是保障所有人都能获得生存所需要的足量的、安全的饮用水的基本权利,特别要关注贫困人口的饮水安全问题。"不损害重要生态系统可持续性"的原则,主要是确定河流开发的限度,充分考虑维护河流的健康和可持续性。

### 3.2　保护河流生物群落多样性

上述"不损害重要生态系统可持续性"原则,需要保证河流生态系统具有足够的恢复力以面对来自自然界和生态系统两方面的胁迫。所谓恢复力(resilience)是指胁迫消失后系统克服干扰及反弹回复的容量,具体指标是对干扰的恢复效率及对干扰的抵抗力。如果恢复力降低到一定程度,生态系统失去了"弹性",脆弱性增强,干扰就变得不可逆转,引起生态系统退化。恢复力相当于一种缓冲器,它是通过生物群落多样性起作用的。生物群落多样性越高,系统对于干扰的抵抗力以及干扰后的恢复力就越强。因此,维护生物群落多样性是维护河流健康的重要目标。

为保护河流生物多样性,作为流域管理的目标:①要确定水资源开发的合理程度,保证最低生态需水量;②确定水电资源开发的合理程度,科学布置河流的梯级开发模式,保证河流一定的连续性(continuum);③确定治污的水质目标,防止水污染;④确定提高生物栖息地质量的目标,维持河流地貌特征的多样性,防止河流的渠道化;⑤确定濒危和珍稀生物的保护目标,维护生态系统的完整性。

### 3.3　建立维护河流健康的共同参与机制

水资源一体化管理强调以流域为单元的水资源管理。在流域内以水文循环为脉络,强调在各个水文环节的一体化管理。这包括上中下游和左右岸、河流径流(蓝色水)与土壤水(绿色水)、地表水与地下水、水量与水质、土地利用与水管理等的一体化管理。

　　维护河流健康,不仅需要工程技术的支持,更重要的是政策、管理以及体制和机制的改革。在处理开发与保护、不同开发目标之间利益冲突时,需要建立解决矛盾的协调机制和评价体系。维护河流健康,必然涉及到各个政府部门,包括经济、计划、水利、环保、国土资源、林业、农业、交通、科技、旅游等部门,需要跨部门的合作。水资源的开发与生态保护应建立在共同参与的基础上。共同参与的对象应包括政府部门、流域管理机构、规划部门和各个层次的用水户代表。建立各利益相关者的协调机制是共同参与的保障。水环境治理和维护河流健康关系到流域环境质量和人居环境,与全流域居民的切身利益息息相关。水资源的开发与保护涉及到不同的利益集团和社会公众利益,需要建立一种协商机制,在河流的开发者、保护者及社会公众之间达成健康标准的共识,形成一种被各方可以接受的折中方案。需要扩大公众参与的范围和深度,保障公众的知情权、参与权和决策权。参与方式包括发布河流环境与生态状况公报,公众参加立法、决策、规划、立项等各类听证会和咨询会等。维护河流健康工作还应包括在社会上传播促进人与自然和谐的先进理念,对于青少年进行热爱自然、亲近自然的河流生态知识的普及教育。

## 4 结语

　　把维护河流健康作为流域管理的重要目标,是探索人与自然和谐道路的重大进展。维护河流健康,需要立法保障和机制体制改革。推动流域的水资源一体化管理是促进经济发展、社会公平和生态保护三者均衡发展的重要战略,也是维护河流健康的重要手段。

## 参 考 文 献

[1] Scrimgeour, G. J., Wicklum, D. Aquatic ecosystem health and integrity: problem and potential solution. Journal of North American Benthlogical Society, 1996, 15(2): 254~261

[2] Karr, J. R. Ecological integrity, and ecological health are not same. In Schulze P. C. (ed), National Academy of Engineering, Engineering Within Ecological Constraints. National Academy Press, Washington, DC, 1996. 97~109

[3] Ladson, A. R., White, L. J. Measuring stream condition. In Brizga, S. and Finlayson, B. River Management, The Australasian Experience. John Wiley and Sons, Chichester, 2000. 265~285

［4］ Malin Falken, Water Management and Ecosystems: living with Change, Global Water Partnership Technical Committee Background Papers No9, 2003

［5］ 董哲仁.河流保护的发展阶段与思考.中国水利,2004(17)

［6］ 董哲仁.河流健康的内涵.中国水利,2005(4)

［7］ 董哲仁.国外河流健康评估技术.水利水电技术,2005(11)

# 维持西北内陆河健康生命

## 常炳炎

(黄河水利委员会科学技术委员会)

**摘要**:我国西北地区深居内陆,干旱少雨,因远离海洋和河川径流较少而成为内陆河集中分布的地区。在坚持科学发展观,构建社会主义和谐社会的今天,贯彻河流健康生命理念,维持西北内陆河健康生命就显得尤为重要和迫切。

**关键词**:西北　内陆河　健康生命

## 1　区域概况

西北内陆河地区,西起帕米尔高原国境线,东至贺兰山、乌鞘岭,北自国境线,南迄羌塘高原北缘;分别与黄河、长江、额尔齐斯河、伊犁河、额敏河流域为邻,总面积218万 km²。境内有天山、喀喇昆仑山、昆仑山及余脉阿尔金山、祁连山,为诸山阻隔又形成塔里木盆地、准噶尔盆地、柴达木盆地、青海湖盆地、河西走廊和阿拉善高原等地貌单元。

西北内陆河流域深居欧亚大陆腹地,受蒙古高压和大陆气团控制,为典型大陆性气候,属干旱和极干旱地区。除高海拔山区外,大部分地区年降水量都在200 mm 以下,个别地方甚至在 10 mm 以下;而水面年蒸发量高达 800~2 850 mm,其分布规律与降水相反。如此,除青海湖盆地中心是青海湖外,其他盆地的中心都被地质年代形成的沙漠所覆盖。高山降水和冰川积雪成为当地主要水源,发源于山区的内陆河流经山前冲洪积平原,归宿或消失于沙漠中的湖泊洼地。

流域内居住着新、青、甘、蒙四省(区)的 18 个民族,2000 年总人口 2 021 万,国内生产总值(GDP)1 541 亿元,人均 GDP 7 625 元,低于全国人均水平。

西北内陆河多年平均河川径流量 611 亿 m³,考虑浅层地下水资源,合计总水资源量 669 亿 m³。2000 年,国民经济用水总量 492 亿 m³,耗水量 337 亿 m³,分别占总水资源量的 74% 和 50%。区内用水主要为农业灌溉,2000 年有效灌溉面积 320.27 万 hm²,用水 364 亿 m³,耗水 250 亿 m³,分别占全区的 74% 和 74%。

区内集中了全国最大的内陆河流,主要是塔里木河、天山北麓诸河、柴达木盆地诸河、青海湖水系、疏勒河、黑河、石羊河等七大内陆河流。七大内陆河流域总面积 198 万 km²，总水资源量 644 亿 m³，总人口 1 916 万，国内生产总值（GDP）1 437 亿元，分别占全区总量的 90%、96%、95%、93%。

# 2　西北内陆河对经济社会发展的重要支撑

河流哺育万物，滋养生灵，所到之处，万木葱茏。西北内陆河地区降雨稀少，环境恶劣，河流为人类社会提供了宝贵的资源保障和生态屏障。

## 2.1　河流与古代文明

### 2.1.1　河流与人类文明起源

早在石器时代，西北内陆河谷便有人类活动，考古发现有丰富的古文化遗存。例如新疆塔里木河流域的察吾乎沟口文化，以及河西地区疏勒河、黑河、石羊河流域的西坝文化、大地湾文化、马家窑文化、齐家文化等。大量的考古发掘证明了当地人类文明起源于西北内陆河畔。

### 2.1.2　西北内陆河与古代文明的兴衰

西北干旱地区，文明伴河而生，人类逐水草而居，历史上许多古城的兴衰都与河流直接有关。不管是自然原因还是人为原因，只要河流弃城而去，古城的命运只能是衰亡。例如，在天山以北位于吐鲁番市以西 10 km 的交河古城遗迹和阿尔金山以北古米兰河畔的米兰古城遗址就是例证。

### 2.1.3　西北内陆河与丝绸之路

古代丝绸之路东起长安，经渭河入陇，过乌鞘岭沿河西走廊经石羊河、黑河、疏勒河一路西行，到达敦煌，然后由阳关、玉门关、哈密分为南、中、北三道。以南路为例，经阿尔金山北麓米兰河（米兰）、罗布泊（楼兰）后沿昆仑山北麓与塔里木盆地南缘河网地区西南行，经若羌河（若羌）、车尔臣河（且末）、尼雅河（民丰）、克里雅河（于田）、和田河（和田）、叶尔羌河（莎车）等河流绿洲，然后越葱岭（塔什库尔干）前往阿富汗、印度、伊朗、罗马。试想在人们靠步行和马匹、骆驼代步的年代，要实现长途跋涉，途中没有稳定的补给是无法想像的，由此就必然选择建于河流绿洲中补给充沛的城市作为中转站。绿洲城市丰富的水、粮食和劳务补给维持了丝绸之路的千年兴盛，而丝绸之路也极大地促进了沿线河流绿洲的开发和城市的发展。这条起源于黄河流域（汉都长安），由一连串河流绿洲连接起来的丝绸之路，是航海时代来临之前地球上唯一有效的东西方联系通道，其历史价值难以尽述，它是人类共同的财富，也是中华民族的骄傲。

### 2.1.4　河流与战争

在西北干旱地区，人类离不开河流，由人类进行的战争活动也离不开河流。

以河西地区为例,古今东进西征,无不沿丝绸之路作为行军路线,西汉三国、宋元明清、红军西征、解放军进军大西北,无不遵循这一用兵路线,概因只有这里的河流绿洲才是取得补给和输送军队给养装备的必经之路。石羊河上的凉州(武威),黑河上的甘州(张掖)、肃州(酒泉)、嘉峪关,疏勒河上的安西(瓜州)、敦煌(沙州)均为兵家必争之地。所以,西北内陆干旱地区的地面战争,也即争夺河流的战争。

## 2.2 西北内陆河与经济社会发展

新中国成立以后,西北地区进入社会主义现代化建设时期,期间人口增长,经济发展,耕地扩大,用水增加。西北内陆河为社会主义现代化建设提供了有力支撑,主要表现在两个方面:其一,资源保障——河流承担着 95% 以上的社会经济用水;其二,生态屏障——95% 以上的城乡人口生活在河流绿洲的庇护之中。

# 3 人类社会发展对河流的开发过程

在处于缓慢进程中的干旱气候背景下,由于人类活动的影响,尤其是新中国成立 50 多年以来人类开发河流的加剧,西北内陆河流的演变和开发经历了原始状态、和谐状态、危机状态、尾闾消亡状态等四个阶段。

## 3.1 河流的原始状态

以黑河为例。原始状态下的黑河水系,可谓源远流长,非今日可比。"据我国科学界对古地理的研究发现,黑河在距今 50 万年前曾与黑龙江相通,主河道长达 6 500 余 km,是亚洲最长的湖谷河"(《中国水利报》,郝永平、孙军,1996年);兰州大学冯绳武教授在《黑河(弱水)水系变迁》一文中也提出:"在古第四纪中新世发生最大冰川作用后,气候进入暖湿间冰期,黑河水量充沛,迳越走廊北山,深入蒙古高原,流经居延盆地东北缺口,直达呼伦贝尔盆地。"在人类早期的石器时代,华夏民族的先民即生息繁衍于黑河下游(古称弱水),至大禹疏九川,弱水是其先于黄河而较早治理的一条河流,据《夏书·禹贡》记载禹划九州,"导弱水至于合黎,余波入于流沙"。关于大禹治弱水,至今留下了许多美丽的传说以及与此相伴的当年"遗迹"。

## 3.2 人与西北内陆河和谐共处的时代

在西北内陆河流的开发进程中,所谓人与河流和谐共处,应基于两个前提:其一,主要矛盾为干旱缺水;其二,人口、资源、环境之间总量平衡与总体协调。以塔里木河为例。公元 4~5 世纪,塔里木河改道南流,致使尾闾罗布泊"游移"至喀拉和顺湖(又称南罗布泊),终致依托下游河道和原罗布泊生存的楼兰古国彻底衰亡。1921 年,塔里木河又改道东流,经注罗布泊;至 20 世纪 50 年代,塔里木河流域人口 200 多万,粮食自给,林草繁茂,罗布泊湖面面积 2 000 多 km²(1958

年我国地图标定面积 2 570 km²)。所以,公元 4～5 世纪楼兰绿洲的消亡仍然属于塔里木河流域的局部失衡和危机,从总体上讲,直至 20 世纪 50 年代,人类与塔里木河还是和谐的。全面考察西北内陆河,人与河流和谐共处时代的结束,绝大部分河流止于 20 世纪 50 年代后期,石羊河则较早止于 20 世纪 40 年代后期,而柴达木盆地西部那仁郭勒河、天山北麓东段开垦河等至今仍属人水和谐共处。

### 3.3 河流危机阶段

在一定生产力水平下,全流域出现人口需求、河流承载能力、绿洲生态环境之间总量失衡和总体失调的状态,即说明河流进入了危机阶段。其特征是危机带有全局性,无法通过局部调整而予以彻底改变。至 2000 年,西北内陆河流域人口相当于 50 年前的近 4 倍,生产生活用水相当于 50 年前的 3 倍以上,以致超过河流承载能力,导致人口、河流、绿洲之间用水总量失衡,造成河湖萎缩及一系列危机的发生。在全流域尺度上,主要表现为:其一,水系被肢解,支流脱离干流,河道断流加剧;其二,地下水位下降,土地沙化;其三,绿洲萎缩,物种减少。

### 3.4 河流尾闾消亡阶段

河流危机的持续发展,必然造成尾闾湖泊、湿地乃至下游河道因连年断流而消亡,导致河流因不合理的人类活动而过早进入衰亡阶段。例如 20 世纪 50 年代石羊河青土湖,以及 70 年代塔里木河罗布泊、台特玛湖的相继干涸。

## 4 河流萎缩后的生态灾难

以尾闾湖泊消亡为标志的河流萎缩,严重破坏了长期以来形成的生态平衡,造成了危害严重且波及广大地域的生态灾难,主要表现在以下几个方面。

### 4.1 绿洲萎缩

随着河流的萎缩,直接导致大面积天然绿洲内森林死亡,草原退化,土地沙化,物种减少。从 20 世纪 50 年代到 20 世纪末期,塔里木河干流胡杨林面积由 40 万 hm² 减少到 24 万 hm²,下游胡杨林由 5.4 万 hm² 减少到 0.73 万 hm²;黑河下游天然绿洲面积由 6 300 km² 减少到 2 144 km²,胡杨林由 5 万 hm² 减少到 2.27 万 hm²。

### 4.2 湿地变沙漠

在 20 世纪后半叶的 50 年间,罗布泊 2 570 km²、台特玛湖 150 km²、西居延海 267 km²、东居延海 35 km² 以及西大湖、青土湖等一大批尾闾湖泊先后干涸;青海湖和艾比湖水面分别缩小 300 多 km² 和 400 多 km²。在干旱的气候条件下,干涸后的湖泊湿地迅速成为大片沙漠,由此导致原来被河流绿洲分隔开来的沙漠合拢,例如塔克拉玛干沙漠和库姆塔格沙漠的连接、巴丹吉林沙漠和腾格里沙漠在民勤境内握手。大量湖泊湿地的沙漠化,直接压缩了人类的生存空间,导致了生态环境的劣变。

### 4.3　水质恶化

20世纪末,城市环境监测石羊河校东桥、扎子沟、红崖山水库均为劣Ⅴ类水,失去多种用水功能;其他河流如黑河、疏勒河、塔里木河、玛纳斯河、乌鲁木齐河也都有部分河段受到严重污染,有的甚至成为黑臭河段。

### 4.4　生态难民

随着河流的萎缩,临近沙漠居住的农牧民,由于风沙灾害,水质变坏,已有不少背井离乡到它处求生,留下了一片残垣断壁的凄凉景象。民勤县青土湖区流沙年均推进 8~10 m,1.33多万 hm² 农田被迫弃耕,20世纪90年代自然外流人口达 6 489 户,26 453 人;此种情况同样存在于黑河和塔里木河下游部分地区。

### 4.5　沙尘暴肆虐

沙尘暴是一种自然灾害现象,20世纪30年代曾肆虐于美国西部地区,造成严重灾难。我国西北内陆河流域是沙尘暴的高发地区和沙源地,由于河流及尾闾湖泊的萎缩,直接导致了这一自然灾害发生频率的增加和危害程度的加剧。20世纪50年代以来我国沙尘暴呈急剧上升趋势:50年代5次,60年代8次,70年代13次,80年代14次,90年代高达23次。频频肆虐的沙尘暴不仅给当地造成巨大危害,而且波及并严重影响到我国西北、华北、华东等广大地区。1998年4月形成于西北阿拉善地区的一场沙尘暴在高空西北气流的引导下,向东南方扩散,使华北中部到长江中下游以北大部分地区先后出现了浮尘天气,武汉、南京、上海、杭州等城市天空呈现土黄色;与此同时,韩国济州岛、日本九州,甚至一周后的美国西海岸也都检测到了源自中国西部地区的浮尘微粒。近年来,我国每年因风沙造成的直接经济损失高达540亿元,沙尘暴已成为中国新世纪面临的最大环境问题。

## 5　人类活动的惯性发展对河流和生态将会造成的可能后果

如前所述,人类对于西北内陆河流大规模掠夺式的开发已经持续了半个多世纪。今天,当坚持科学发展观,实现人与自然和谐相处成为治国方针的时候,当人们真诚希望理性地善待河流,而对于过度开发进行"刹车"的时候,却发现由历史积淀形成的人类活动强大的惯性力量客观上造成诸多困难,积重难返,成为最大挑战,使得建设自身健康、造福人类的西北内陆河流难以一蹴而就。

### 5.1　人口的惯性增长

以石羊河流域为例,2000年已有223万人口,29.33万 hm² 灌溉面积,可是全河仅有 16.6亿 m³ 水资源,人口集中的河流绿洲地区,其人口密度已与东部沿海地区相当。尽管如此,由于历史的原因,目前人口结构决定了生育高峰尚未到来,按照一个婚育妇女只生一个孩子,并考虑国家对当地少数民族适度放宽生育的优惠政策,人口仍将持续增长到 2030 年以后。据预测,石羊河流域 2010 年、2020 年、2030 年人口将分别较 2000 年增长 20 万、31 万、38 万人。合理使用水资源是人权的重要内容,今后的河流开发,必然面对持续增长的人口压力。

## 5.2　社会经济持续发展的要求

党的十六大规划了全面健设小康社会的宏伟蓝图,2020 年我国将实现人均国内生产总值 3 000 美元的发展目标。由于历史的原因及受到区位、资源、市场、劳动力素质诸多因素的制约,西北内陆河地区发展相对落后,社会经济发展任务艰巨。以黑河为例,若要达到 2020 年全国平均水平,国内生产总值平均年增幅必须保持在 9%以上,西北内陆河的开发必将面对经济社会持续发展的更大压力,这已成为历史的必然。

## 5.3　传统用水方式的延续

面对增长压力和河流危机,落后的传统用水方式已远不能适应西北地区水资源紧缺和生态环境恶化的严峻现实,必须改变。但是,在如此广大地域进行延续几十年、几百年甚至几千年经济增长模式及用水方式的变革,无疑是一场大规模的社会变革,任务艰巨。期间,社会经济产业结构需要调整,传统的资源开发与用水模式需要转变,大量的基础设施需要建设与改造,相关的法律法规、行政条例、行业规约、民俗准则等管理"软件"需要制定与贯彻。因此,这无疑需要一定的时间与过程。

## 5.4　惯性增长的严重后果

对于人类活动的惯性发展如果不加限制和约束,必将造成西北内陆河流衰亡和生态环境恶化的灾难后果,这将意味着人类自毁家园,无疑是不可取的。正确的对策只能是人类加强自我约束,保护河流,善待自然,与其和谐相处,以求可持续发展。时至今日,人类必须为自己掠夺式开发河流的历史付出代价,包括时间与成本的付出,以及部分选择余地的丧失,这已成为历史的无奈。

# 6　维持西北内陆河健康生命的目标

作为河流代言人,黄河水利委员会率先垂范,创造性地提出了"维持河流健康生命"的治河理念,并且很快在西北内陆河流域产生共鸣,得到广泛响应。如今,维持西北内陆河健康生命已经成为当地政府的决心、民众的呼声、时代发展的要求。

鉴于当前人类需求膨胀,用水失控,危及水资源生态服务功能和生态属性的突出问题,首先需要合理保障河流和天然绿洲的必要用水。维持西北内陆河健康生命主要应满足以下要求:其一,实现全河道过流;其二,维持河流绿洲规模;

其三,阻断沙漠连接。从普遍意义的角度并基于全局和总体而言,维持西北内陆河健康生命的目标体系应具有以下内容。

## 6.1 总体目标

河湖稳定,绿洲茂盛。

## 6.2 主要标志

### 6.2.1 河湖畅通,地表水系稳定

维持地表水系正常的空间展布功能是保持河流水系完整和循环功能的重要基础。主要包括:其一,水系畅通完整,输水到达尾闾湖泊(湿地);其二,时空水量配置基本合理,其中天然生态环境耗水量应达到流域水资源总量的 50%以上。

### 6.2.2 补充及时,地下水位稳定

西北内陆河地表与地下径流交换异常活跃,维持河湖地区地下水系正常的时空补充更新功能是河流健康的重要标志。西北内陆河下游地区多属季节性河流,靠河川径流补充地下水,再通过地下水为人类需水和天然绿洲需水提供时空水源保障。河流健康生命应具以下标志:其一,天然绿洲地下水位保持适当埋深,一般宜控制在 4 m 以内;其二,浅层地下水年内补充及时,水位稳定;其三,严格控制开采中深层地下水。

### 6.2.3 污染不超标,水质稳定

维持地表与地下水体正常的环境自净功能,从而保持优良水质是河流健康生命的又一重要标志。西北内陆河流因其水量少,决定了水环境容量与自净能力有限,在西部大开发的新形势下,控制水体污染就显得尤其重要。其一,要求用水户"达标"排放废污水量;其二,将区域排污总量控制在河流湖泊环境容量以内,保证通过水体正常的环境自净功能使其循环净化,以保证水质符合国家规定目标——《黄河流域及西北内陆河水功能区划》目标。

### 6.2.4 绿洲不萎缩,生态稳定

西北内陆河地区因干旱少雨,生态系统自我修复功能要较我国中东部地区脆弱,水土资源及绿洲生态系统承载能力较低,因此更要求人们多方面爱护天然绿洲,保持其健康正常的自我修复功能。天然绿洲稳定应具有以下条件:其一,保持天然绿洲必要的用水比例;其二,维持地下水位稳定和适宜埋深;其三,保护森林草原,禁止超载过牧,以及对植被区的乱挖、乱采、乱砍、乱伐等破坏行为,对于珍稀物种(如胡杨林)更要重点加以保护。根据各河流具体情况,绿洲情况好的可维持现状,已经遭到破坏的应使其恢复达到一定水平。例如黑河流域,近期建设规划要求恢复下游额济纳绿洲达到 20 世纪 80 年代水平。

# 7 维持西北内陆河健康生命的主要措施

维持西北内陆河健康生命是一项庞大的系统工程,涉及社会、经济、文化诸多领域,需要全社会广泛参与,综合治理。

## 7.1 实行水资源管理的"三统一"原则

西北内陆河作为全社会所拥有的稀缺资源,支撑并制约着地区社会、经济、生态环境的全面发展,同时也对全国可持续发展具有重要作用。西北内陆河的治理与开发,必须基于当地及全社会的利益,体现公平、公正和公众参与的原则,实行以流域为单元的统一规划、统一管理、统一调度。

## 7.2 加强河源及上游区的生态保护

河源及上游山区是内陆河的"水塔",加强保护至关重要。河源区多位于高海拔山区,生长期短,热量不足,高寒草甸植被,生态环境脆弱。河源以下的上游区多位于中山区和浅山区,光热雨量适中,林草繁茂,径流充沛。河源及上游区的保护:其一,要合理养畜,控制超载过牧;其二,要禁止滥伐森林和毁林开荒,部分地区要退耕还林还草;其三,交通、矿山等基本建设活动要重视水土保持和植被恢复。

## 7.3 中游地区人工绿洲面积的控制

在西北干旱地区,人工绿洲是人类生产物质财富的重要基地;同时,高耗水的人工绿洲也是以大面积天然荒漠绿洲的萎缩为代价的。在总水量不足、绿洲此消彼长的干旱地区,1 hm² 灌溉农田的耗水量往往相当于 5 ~ 10 hm² 当地天然绿洲的耗水量。西北内陆河已不适宜大规模发展灌溉面积,要限制和约束人工绿洲面积,控制其扩张。

## 7.4 建设节水型社会

面对水资源极度紧缺的严酷现实,西北内陆河地区社会经济要发展,生态环境要改善,人民生活要富裕,就必须像以色列那样,全面建设节水型社会,实现水资源的优化配置和高效利用,包括建设完善的水权制度和水资源市场、调整经济结构及工业布局调整和农业种植结构调整、灌溉方式改革等措施。在科学技术水平提高、生产力发展、全社会节水观念树立、基础设施建设和生产资源管理全面适应节水型社会要求的条件下,人与河流将会在新的条件下和谐相处。届时,河流生命将更健康,生态环境更美好,经济社会发展也会更迅速。

## 7.5 强化经济杠杆的作用

当前水价偏低导致稀缺资源配置不合理是亟待解决的问题。应当制定经济政策,征收水资源费,用于改善河流生态环境;提高水价,使之逐步达到成本水价;鉴于全社会缺水现实,考虑公平原则,对于超定量用水实行超量加价收费制度。如此,利用经济手段和市场机制引导资源节约和高效利用。

### 7.6 法制体系建设

通过法制体系建设,将全面建设节水型社会的体制和机制以国家和地方法律法规的形式确定下来,得到更广范围、更大力度的贯彻和执行。

### 7.7 水污染防治

通过法制、行政、工程、经济等措施,从源头用户控制排污,加强污水处理,最终实现河湖水质洁净。

### 7.8 扩大宣传和进行社会教育

扩大宣传,教育民众,树立节水意识,保护河流湖泊。

### 7.9 其他措施

其他措施包括局部地区的跨水系调水工程、自然保护区建设、人工增雨措施,以及局部生态移民措施等。

## 8 良好的开端

在党中央坚持科学发展观,构建社会主义和谐社会方针指导下,在国家西部大开发的伟大进程中,黄河水利委员会和地方政府积极实施"维持西北内陆河健康生命"治河理念,首先在黑河和塔里木河流域实施了近期综合治理和节水型社会建设试点工作,取得显著成效。两河经过6年的综合治理,如今已初步实现全流域统一规划、统一管理、统一调度;建设了水权制度,黑河连续5年实现国家分水方案,塔里木河连续4年成功实施了生态输水;张掖市节水型社会建设进展良好。如今,由于连年全河道过水,尾闾湖泊重现生机:塔里木河尾闾台特玛湖在干涸沙化30多年后,湖水面积恢复到200多 km²,枯死胡杨重新焕发生机;干涸13年且已成沙漠的黑河东居延海已恢复20世纪80年代水域面积,如今的湖滨绿洲,芦花飞舞,柽柳茂密,白天鹅翱翔天际,水鸭子浮游绿波,大头鱼潜游水底,碧水蓝天,引来远近游客,已非2000年前湖区干涸、黄沙漫漫的昔日景象。

# 走绿色水利道路,维持黄河健康生命

## 沈坩卿

### (中国生态经济学会)

**摘要:**水之利害,自古而然。千百年来,人们为更好地兴利除害不断追求探索,并取得了可喜的成就。但如何化害为利,要做的工作还很多。在人与自然和谐相处的理念下,本文提出了走绿色水利道路,维持黄河健康生命,以及保证水安全,开创优美绿色水环境的水利模式。

**关键词:**黄河　绿色道路　人与自然和谐相处　生态环境

黄河是中华民族的摇篮,华夏文化的发源地。

几千年来,这条中国第二大河曾为我国的政治经济和社会发展作出过巨大贡献,也给我国人民带来过沉重灾难。

毛主席生前曾专门作出过"一定要把黄河的事情办好"这样语重心长的指示。

我是一名水利老兵,从20世纪50年代初期开始,曾先后参加过黄河规划,三门峡工程设计、施工、管理,并组织领导编写三门峡工程总结,担任过黄河龙羊峡、黑三峡、大柳树工程第一任设计总工程师等,直至2000年还受黄委之聘作为顾问,咨询有关《黄河法》事宜,并提出书面咨询报告。

我还有幸于1958年4月18~26日为黄河及三门峡工程等事宜随周恩来总理出差,有机会零距离接触、亲聆教诲。至今珍贵保留随行日记,特别是4月24日晚周总理所作的三门峡工程现场会议总结。全程追随周总理9天,我除了从心眼儿里钦佩他的伟大人格魅力和无人能比的修齐治平高超才能外,连水利方面的知识都令我自叹不如!周总理清楚地知道治水不易,治黄更是难上加难。黄河水少沙多,泥沙是治黄之关键,也是黄河之所以难治的主要原因之一。但是黄河的水沙资源必须为人民所用,我体会这里有辩证唯物主义。

水之利害,自古而然。《史记·河渠志》中司马迁曰:"甚哉,水之为利害也!"敬爱的周总理日理万机,他也曾表述过,对他来说所有工作中最难是水利和上天(意指航天),而水利比上天还难!

航天方面,从"神一"到"神六"节节攀升。2005年10月12日上午九时,举世瞩目的神州六号载人航天飞行成功发射,到 10 月 17 日清晨返回,再创辉煌,举国欢腾!

水利方面,总的来说还是有成绩的。具体到黄河,50 多年岁岁安澜来之不易,三条黄河是科学发展观的具体化,确实令人鼓舞。水利部近日正式批复《黄河水利科学研究院黄河泥沙重点实验室建设项目初步设计》,标志着黄河泥沙重点实验室项目建设工作全面启动。这将填补高含沙水流量测技术领域中的若干空白,拓展新的研究领域,实现模型试验与数学模拟计算的耦合,成为"三条黄河"联动的典范,为解决治黄泥沙问题,迈出重要的一步。

但应指出黄河的除害兴利,特别是化害为利,在人与自然和谐共处的理念下,还有很多工作要做。在成绩面前我们还要扪心自问,离毛主席提出的"一定要把黄河的事情办好"的要求还有多远? 离周总理要把黄河的水沙资源为人民所用的精神更有多远? 且不谈周总理在上述三门峡工程现场会议总结❶中的要求。

我已谈过无数次了,中国的水问题主要是水多了(洪涝灾害)、水少了(水资源短缺)、水脏了(水污染含泥沙问题),这些水问题黄河都有,而且都不轻。20世纪 80 年代中期以来,黄河出现了一些新问题和新现象,如黄河断流、河道萎缩、小水大灾等,洪水威胁严重,水污染加剧,环境泥沙以及其他生态环境进一步恶化等。

怎么办? 当然,我也有自知之明。这个题目太大,我根本没有条件,也没有能力,更没有资格来谈这个问题。但是,我首先是一个中国公民,也是一个水利老兵,在水利界工作已近 60 个年头,深感匹夫有责,姑妄言之。

早在 20 世纪 70 年代末 80 年代初,中国的专家率先创建环境水利学,其中包括我本人。我在组织领导编写三门峡工程总结中领悟到它的二次扩建改造主要是因为当时缺乏环境意识,水利和环境没有结合起来,水库回水危及八百里秦川甚至西安等,因此认为今后不能就工程论工程、就资源论资源,而必须把水利同环境紧密结合起来。因而,我和有共识的其他几位专家教授共创环境水利学(Environmental Hydro – science)。

之后,在我担任中国生态经济学会副理事长期间,我又率先提出了生态经济型环境水利模式(参见 1990 年 6 月 26 日《人民日报》)。此前及其后曾在另些报刊杂志及国内国际学术会议论文上提及。仅 2000 年就在"21 世纪生态环保与可持续发展国际峰会"、"北京饮用水源保护国际研讨会"等场合宣读过有关论文。

---

❶ 1958 年 4 月 24 日晚周总理(恩来)在三门峡现场会议上的总结发言摘自本人尚未发表的《黄河》一文第 16~21 页,该文从未公开全文发表过,网上也搜索不到。

这是我担任联合国工业发展组织中国投资与技术促进处绿色产业专家委员会专家期间所提"水利走绿色道路"之必由,也是维持黄河健康生命使黄河永葆青春,以及保证水安全、开创优美绿色水环境的水利模式(《走水利绿色道路绘制全国水利新蓝图》❶一文曾作为上述专家委员会培训教材并在其他刊物公开发表出版)。

水利走绿色道路,规划是纲,纲举目张。决不能零打碎敲,头痛医头,脚痛医脚。

传统的水利规划,有些不够理想。亟宜解放思想,实事求是,转变观念,创新思路,在科学发展观指引下,用正确的指导思想编制新的科学的总体规划(至少要有一个生态环境单独专门的篇章),当然还要有配套的专业规划,而且必须把生态环境放在头等重要的地位,实行生态环境一票否决制等。这是使河流永葆青春,维持河流健康生命的最低要求,否则就谈不上科学发展观,更不谈深生态学(Deep Ecology)理念了!

新的科学的总体规划,目标非常明确,旨在多快好省地解决中国的水问题,其他主要思路宜是:治水必先治山,治山必先绿化(如江西的山江湖工程等),把水土(含沙)资源捆绑在一起(因水土必须整体管理,而不是多龙分治)。

具体措施如下:下大力气抓好水土保持工作和生态修复工作(主要是对已经丧失了的自然生产力进行恢复),积极进行生态建设工作,增强生态服务功能,提高水土资源的持续供给能力、水土环境的持续纳污能力、自然的持续缓冲洪涝干旱能力、人类的自组织自调节能力以及自我实现和生物中心主义的平等等。

众所周知,人类中心主义已经走了弯路(参见 George Session Ecocentrism and Realization: An Ecological Approach of Being in the World)。具体到黄河水利规划是否已经完善?是否需要稍加补充修改精益求精?是否需要将水土(含沙)资源紧密有机捆绑在一起,则请参见李奥帕德的《自然沉思沙群岁月》,这本被称为生态平等主义的圣经、土地伦理的倡议书的作者对世界最突出的、最特别的贡献就在于他提出了"土地伦理"观念(所以观念要创新)······我是一个革命乐观主义者,我坚信水利一定会走绿色道路(含河流永葆青春,维护黄河健康生命等)。

---

❶ 20 世纪 90 年代我就提出"水利走绿色道路",旨在将水利这一国民经济的基础产业建设成一个绿色产业。自从 1999 年我参加联合国工业发展组织中国投资与技术促进处绿色产业专家委员会,接触到各种专业的绿色专家,诸如绿色经济、绿色生产、绿色产品、绿色食物、绿色消费、绿色 GDP,乃至绿色奥运等专家后,亲身体验到绿色产业如雨后春笋,绿色浪潮席卷全球! 我就萌发给绿色下一个统一的定义的设想,经过学习求索,有所感悟,遂将其定义为"绿色乃自然之有序,根于天地,具于人心者也"(Green means order of nature, which is rooted in Heaven and Earth as well as possessed by hearth),并在各种场合宣讲!

编制新的科学的总体规划的指导思想宜主要是:

(1)必须从人与自然的关系着眼,从人与人的关系着手,要以人与自然和谐为目标,通过法治(如水法、黄河法等)德治和体制,还要适应新形势,探索新机制,来约束人们的行为,正确处理人与人的关系(如上下游、左右岸、调水工程的调出区、输水区与调入区、蓄滞洪区与特定受益区,以及部门与部门、单位与单位、国家集体与个人等关系),通过正确处理人与人的关系来处理人与自然的关系,达到社会和谐,以及人与自然的和谐。

(2)水利规划是一个系统工程,要用系统论进行指导。在处理社会、经济、生态三者的关系上,应当生态是前提,经济是基础,社会是目标(如和谐社会等),而三者的协调则是其关键,并一定要协调好人类发展和自然承受力之间的关系。

(3)水利规划的对象是一个社会—经济—自然生态复杂复合大系统(例如黄河、长江等)。要解决黄河、长江的问题,没有单一的灵丹妙药,而要靠综合的办法。姑且把水土资源捆绑在一起不谈,单从水的方面说,既要蓄水、调水(含虚拟水等),也要开源(含造水,如人工降水、污水雨水资源化、海水淡化等),更应先节水治污、科学合理用水。既要充分肯定在调蓄径流、防洪、发电、给水、灌溉、航运、水产等方面发挥积极效益的水利工程,也要一票否决在生态环境上利小弊大的水利工程。既要发挥水利工程措施的明显的强大的作用,也要重视非工程措施的不可替代的潜移默化的作用。同时,应当指出,不论采取任何手段或措施,目标只有一个——解决上述水问题。而水问题有其固有的复杂性与不确定性,而我们的任务就在于使复杂性化成易简以及最大程度降低其不确定性(《易系辞传》:乾以易知,坤以简能……易简而天下之理得矣,天下之理得,而成位乐其中矣)。个体化是具体的分解化,具体到黄河则有蓄、泄、疏、导、上拦下排、决口分流、调水调沙等。但在黄河规划中如何体现,大有文章,区区小文,书不尽言,言不尽意!

(4)在编制水利规划时,水利必须与环境相结合,与生态经济(建议看一下莱斯·布朗新著《生态经济》,本人已发表读后感,也包括其另一新著《B模式》),特别是水利与水环境相结合。水环境问题主要包括:水体污染、泥沙冲淤、河道断流、河道湖泊等水体萎缩、湿地退化、地下水超采、地面沉降、地面塌陷、地裂缝、海水入侵、盐水入侵、水土流失、土地沙化、石漠化等。需要强调的是,环境是可持续发展的重要支柱之一,而水环境则是水资源可持续开发利用的重要支柱之一。其对人类的生存、发展有不可估量的重要作用,但至今其重要性往往被一些急功近利者所忽视。黄河断流震惊世界,记忆犹新,1998年大水亦复如是。三门峡工程的失误,至今尚未妥善解决,这些教训应当记取,并引以为戒!

# 域内治理是快速持久性维系
# 河流健康生命的捷径

雷新周[1] 冯 浩[2] 雷相东[3] 钱 峰[4]

(1.洛宁县国家税务局,河南,471700;2.中国科学院、水利部水土保持研究所,杨凌,712100;3.中国林业科学研究院资源信息研究所,北京,100091;4.水利部网站,北京,100053)

**摘要:**提出一种水的"域内治理"模式:用地域内的水治理地域内缺水的水危机;用地域内的治水设施治理地域内多水的水难题。用综合性的治水思路、战略、策略和立体型的治水设施从宏观上开发气态水源和节约雨水的宏观流失量,用在土壤水库多贮存改变地域内水在地域内的存留规律,使其不易被人类和生态系统直接利用的脉冲性函数转变为连续性函数,使地域内水被直接利用的量和时段,均比自然状态下增大 5 ~ 10 倍以上;使日降水 200 mm 以下的强降水在耕地内无径流流失;还不会因增水量太大而形成水患。达到在流域内水量缺少时,能减少农业灌溉分流径流水量和域内水的宏观流失水量,维系、增大河流径流水量;在流域内水量增加时,能减少耕地径流排入河道而抑制水量,防治河道抬升和危及堤防;再与已有传统治水设施配合,能降低河床高度、防止堤防决口、净化径流水质,使其达到有水径流、有水匀流、有净水畅流。

**关键词:**域内 宏观 开源 节流 贮存

## 1 引言

流域与河流是个相互依赖的生态系统。河流生命健康与否,流域起着关键作用。改变流域内水的自然存留规律则对维系河流健康生命起着决定作用。域,在宏观上指流域;在微观上指草本植物根系占据的地表面积和地层深度。

水治理成败的关键是人们的治水思路、战略、策略和设施能否改变水的自然运动规律。在河流水源、水量多时能将流域内水源、水量减少,消除增大的河水径流量从而抑制水多,防止危及堤防和河道抬升;在河流水源、水量缺少时,能减少灌溉等分流河流水量使河流能有径流而不发生断流;用增大河流径流冲刷、减少河水污染等办法,降低泥沙在河床中沉淀,以防止河床抬升;使河流达到有水径流、有水匀流、有净水畅流。

河流生命受域内外水量的自然存在、存留规律影响。在水源、水量缺少时,常发生径流水量减少,且分流水量增加。径流水量减少加剧河水污染甚至引发断流,造成河水中的泥沙沉淀而抬升河床。河床抬升相应降低了堤防高度会引发堤防决口;在水源、水量多时,常发生多个集流面径流汇聚,导致径流剧增,造成游荡性的"斜河"、"横河",阻滞河床,危及堤防,甚则发生堤防决口,危机河流健康生命。

古今中外所有的治水思路、战略、策略、设施和技术模式,均以域外治理为主:在水缺少时,用地域外的水治理地域内缺水的危机;在水量多时,用地域内的治水设施治理地域外多水的难题。治水设施的容积远远小于水的最大变幅变量体积,滞后的应急、防范性措施治理着水的多与缺。水量多时不能将水源、水量减少,更不能消除增大了的河水径流量,抑制水多,防治河道抬升而危及堤防;水量缺少时不能减少宏观流失量,却要分流河流的水量灌溉耕地以抗干旱。分流增大,河流则会因无水量冲刷河床中沉淀的泥沙而抬升河床,甚至发生断流;而自然降水锐减又加剧降水的流失量剧增(指蒸发、引流),加上人为治理失策,这一切都影响着河流健康生命。

流域内河流的径流水源、水量,多数来自天然降水,少数来自泉水。泉水也多来自天然降水。天然降水既是个强度、时空、地域不定的无规律可循的变幅、变量硕大的自然过程,也是个人类及生态系统难以直接利用的脉冲式函数。天然降水只有经过地面及地下水量再分配系统后,才能转变成可以不断被利用的连续性函数。降水只有在地表聚集集中流入"线"(江、河)、或贮存到点(湖泊、塘坝、水库、水窖等)、或分散溶融贮存入土壤中,才能改变脉冲式函数的补充规律而向连续性函数规律转变,延长存留在地域内的时段和数量。

各类天然降水落地后,按照由"面"(流域)聚集到"线"(大、小河道),沿"线"到"面"(湖泊、海洋)的规律运行。流域源头"面"的面积大于流域中、下游"线"的面积。流域末端"面"的面积也大于"线"的面积;流域中段的"线"(河道)系承着"面"上的水来源、流失、利用的宏观变换量。为改变"线"容纳不了"面"上水的来量变换,在源头地域沿"线"建"点"(塘、坝、库、湖),贮存洪流水量。"点"虽粗于"线"但能增大容量,能形成"点"的容积仍小于"面"上水的宏观来量变换,不能对流域"面"上的来水量和对流向下游"面"的用水、消水量有效控制。在源头的"面"上大搞小流域治理节流,把雨水流入径流的洪水给抑制了,结果却使原本应该流入河中的部分洪流水量滞留在源头,多数蒸发流失到空中。这些"域外治理"治水的思路、战略、策略和设施,虽无法改变河流水的自然存留规律却统治着水的治理事业,使维系河流健康生命陷入不可持续发展的困境。

## 2　域内治理为主能快速、持久地维系河流健康生命

快速、持久性维系河流健康生命,须增大地域内年自然降水总量、减少降水

量的宏观流失量。关键是用"多贮存"设施增大、延长水在地域内的存留数量、时段来增加地域内水源总量,增大、延长雨水在地域内的存量、时段,提高水的利用率。

## 2.1 建立宏观开源体系

增加水源总量是第一位。地域内气态水存在量十分巨大,有足量的水源可供人类开发利用。只要遵循地圈、气圈、水圈等自然因素宏观运行规律,在水自然循环运行的各个环节段面上利用系统科学方法找出治理水资源的客观存在与动植物生存对水源需求的可资利用段面的治理思路与设施,就能改变水在地域内自然存在与需求相错位的现状。

传统的开源仅只是把自然降水落地后的异地域间径流"搬家",利用的是客流水,没能增加地域内降水总量,不是真正开源。所有的开源思路、设施均没有能开源。人工增雨作业能增加地域内水总量。但所有的人工增雨作业时机、地域、规模、方式均不适当,使增雨成功率只能达到 60% ~ 70%。宏观开源体系增水成功率则能达到 100%。

宏观开源体系是利用现代科学整体技术建立人工增雨、防雹作业体系,在适当的时机用恰当的方式实施人工增雨,把空中形不成降水的变幻无定的动态气态水,强行在特定的时空内补充一些迫使其形成降水的条件降落到地域内。在年自然降水量 200 mm 以上的县域内的山区建立人工增雨体系,在当地有降水态势和正在降水之时实施增雨作业,增水量能达到自然降水量的 1/2 ~ 2 倍。

特定时空是指有降水态势或正在自然降水之时;恰当的方式是在各县域内山区普遍建增雨设施,用固定的静态增雨设施去捕捉动态的气态降水态势和正在降水时空;尽量减少气态水再在太阳能、地球自转、公转所形成的能源作用之下再返回到海洋上空降落到海洋中的数量。广大地域,是指流域内所有的县域。人工增雨代价极低,每增 1 m³ 水,费用在 0.1 ~ 0.5 元之间,开源水量之大是任何常规水利设施所不能比拟的。

## 2.2 建立宏观节流设施体系

各次、各类降水被蒸发、径流、渗漏等分流后,流失量从宏观上达 90% 以上。自然界水不能被植被生长和人类生存所利用的流失量惊人!植被生长和人类生存所需的水量、时段,占自然水量比例很少。在地域内用土壤水将水"多贮存",就能改变各次、各类降水在地域内各地层间的存留规律。将土壤作为水的调节容器利用,能使贮水设施做得足够大!能利用的水量将大大超过直接需求量,还不会因地域内增水、节水后的水量存在倍数增大太大而形成水患、渍害,这种治理设施称为宏观节流。

在耕地中建立具有"抗蒸发、防渗漏、集径流、多贮存"的立体型、综合性治理工程设施,从改变各次、各类降水在耕地地表及地下各地层间的自然分布、存留规律,来增大、延长雨水能存留到草本植物根系直接需水地层间的水量、时段。用"多贮存"的方法改变雨水在草本植物根系直接需水地层间的水量分布、存留,延长存留时段等自然规律。

宏观节流设施的防洪患能力极强大,能将日降水在200 mm以内的特强降水全部贮存在地域内的植被根系最有效的直接利用地层之间,变水患为水利。

用宏观节流设施把宏观开源体系增加的水源加以贮存,不仅增加该地域内的水源年总量,改变利用时段,提高水源直接利用的数量和效率,而且还能与植被生长相趋一致的供给。

使自然降水和客流水及增降之水中被蒸发、径流、渗漏等不能被植被直接利用的宏观流失水量尽量减少,将治理得到的水全部贮存在草本植物根系利用水量有效的地层范围之内。把土壤作为贮水容器和调节容器加以利用,用"细水长流"形式把治理所得之水利用;把无效降水转化为有效降水,把有效降水转化为更有效的降水,把强降水转化为有效水贮存利用,能干旱、水患同时治理。贮存水的设施设计得相当大,治理面做得大到流域内所有耕地来容纳其径流洪水水量,又不会因耕地径流洪水造成流入江河洪水量减少影响江河径流水量。地域内耕地面与山地相比仍属小范围。贮水设施容积太大容易闲置,须用开源体系增降雨水来保证有水贮、能贮得下、能贮得住。

宏观开源节流从根治自然水源客观存在与植被生长需求不同步入手,干旱、水患一齐治理,投入、产出同步进行,使治水走上良性循环之路。这将是中国乃至世界水问题得到快速、持久性根治的必由之路。

用该模式治理能使300 mm以上年降水地域内根本不会发生水荒和水患,能真正起到改地换天作用。所带来的经济、社会及生态效益,实在是无法用数字来计算!这种治水思路和设施之所以能有如此奇效,关键在于域内治理为主,把治水由地表治理降水拓展到与开发气态水治理,并引向地下60 cm以上的土壤水库治理与地表治理相结合。由单一治理设施与综合多种治理设施相结合,由微观治理与宏观治理相结合,使地域内的自然水源被植被直接利用的数量和时段增大5倍,雨水利用效率由自然状态下的5%～15%提高到60%～80%。

### 2.3 在地域同时建立宏观开源、节流体系

宏观开源体系虽能增大水量,但水的流失量十分巨大;宏观节流设施虽能贮存下百年一遇特强降水量,但在正常年景降水的变化幅度有限,大量的贮水设施容积被闲置呈无水可存。然而,不设置足够大的贮水设施又难避洪灾水患。单靠收集储存自然降水则水量偏少,不能确保植被直接需水量万无一失。用宏观节流设施来贮存宏观开源体系增加的增水量,能提高水的利用数量,能把地域内

耕地植被生长的供水量,增大到自然降水量被植被直接利用量的 8～10 倍,还不会因地域内增水、节水后的水量存在倍数增大太大而形成水患、渍害。

同时,在地域内实施宏观开源体系与宏观节流设施就能将 300 mm 降水地域的耕地改造成相当于 2 500～3 000 mm 降水地域内雨水直接利用水量供植被直接利用。用此思路、设施后就能变无水可留为既有水可留,又有水能留,还有水畅流,更不会因增水量倍数、节水量倍数太大而形成水患及渍害,不仅水荒即能根治,水土流失能抑制,洪水威胁、堤防决口、河床抬高等水患威胁也能防治,更能快速实现根治域内干旱,防治域内外水患。

### 2.4 把农业用水从分流径流水量节省下来

农业用水量占用水量的 80%以上。在耕地内建宏观节流设施,能把农业用水量从分流河流径流水量中节省下来。宏观节流设施能把雨水被草本植物根系直接利用的水量,增大到自然状态下 5 倍以上,农业就不需要再从分流径流水、提取地下水解决用水难题了。

# 论调水调沙与束水输沙 *

## 齐　璞　孙赞盈

(黄河水利科学研究院)

**摘要:**由于黄河窄深河槽在洪水期具有很强的输沙潜力和泄洪能力,因此充分利用河道这一天然特性将成为治理下游河道的主攻方向。在"拦、排、调、放、挖"中"调"是核心,是关键。水库调水调沙的主要任务是在丰水年洪水期,小浪底水库主动降低水位泄洪冲刷,把泥沙尽量调节到洪水期输送,减少小水挟沙,增加洪水的造床和输沙作用,减少全下游河道淤积。平、枯水年份取消输沙用水。河道整治的任务是通过双岸整治,防止清水冲刷河槽展宽,稳定主槽,控导河势,提高游荡性河道的输沙效率,形成顺直、规顺的排洪输沙通道——窄槽宽滩,窄槽用于排洪输沙,宽滩用于特大洪水时滞洪削峰。利用洪水输沙,水库多年调沙与束水攻沙相互紧密配合,是实现黄河下游河槽不抬高的必要条件。

**关键词:**洪水排沙　水库多年调沙　窄深河槽　束水输沙　黄河下游

　　水利部汪恕诚部长在提出资源水利的治水方针后,又针对 21 世纪黄河的治理思路,提出"堤防不决口、河道不断流、水质不超标、河床不抬高"宏观治理目标,其中最难的是"河床不抬高"。由于近年来对黄河输沙规律认识的逐渐深入,对各种水库调水调沙运用方式的适应性的认识也更清楚,为此黄河下游河道的治理方向也更加明确。其中对河道输沙能力认识的突破——窄深河槽具有很强的输沙潜力,为实现河床不抬高提供了可能。

　　早在 1988 年,钱正英在郑州召开的黄河规划座谈会的总结发言中就指出:"在整治河道这个问题上,我感到近些年来对下游河道也有很大的突破。除了利用淤临淤背加固堤外,黄科所同志提出利用窄深河槽输送高含沙水流以及进一步调节中小流量减少淤积等问题,都值得进一步研究。因为这些问题如果能够得到突破,那么对于下游河道输沙所需要的水量以及输沙的能力都可能有很大的改变。"

## 1　目前黄河下游防洪中存在的最突出问题

　　2002 年 7 月小浪底水库调水调沙期,高村以下流量 1 800 m³/s 开始漫滩,濮

---

*　水利部科技创新基金资助项目(SCX2001 - 18)。

阳滩区受淹,形成明显的"小水大灾"。2003 年小浪底水库下泄 2 600 m³/s,在蔡集上首滩地坐弯,冲垮生产堤,淹没河南、山东滩地 1.7 万 hm²,影响人口 12 万,惊动党中央。造成大灾的主要原因是游荡性河段河槽极为宽浅,河势不能得到有效控制与二级悬河的普遍存在。

二级悬河与一级悬河产生的原因相同。因形成游荡性河道的来水来沙条件,小水挟沙过多,河槽连年淤积而又不能大幅摆动,是造成二级悬河的根本原因,生产堤的存在不是产生二级悬河的主要原因。

通过洪水期河床冲刷与滩地清水回归主槽过程分析,说明主槽冲刷与漫滩淤积间没有必然联系,洪水不漫滩河槽仍可发生冲刷。在动床试验中可清楚地看到,在洪水漫滩后在滩唇很快形成自然堤,漫滩的清水缓缓地流动,看不出滩槽水流交换,在洪水降落、主槽水位下降后,清水才回归主槽,此时河槽均处于淤积状态。

河槽极为宽浅不仅输沙能力低,也是造成横河、斜河的主要原因。游荡性河道河槽宽浅,一则对水流约束作用差,河势变化呈随机性;二则是由于河道在 2~3 km 范围内经常摆动,形成河床中耐冲的黏土夹层与易冲的粉沙分布十分复杂,洪水不能沿着最大比降方向流动,极易形成横河、斜河。2003 年,蔡集出险就是这样造成的。在 2003 年 6 月在蔡集工程上游 1 000 多米处主流遇黏土抗冲层开始坐弯,形成畸形河势,在中水流量 2 600 m³/s 长时间作用下,引起河势不断下挫,并右倒直冲蔡集 34、35 坝,造成蔡集工程出大险,直至冲垮生产堤。

## 2　窄深河槽有很强的输沙潜力

20 世纪 60 年代麦乔威、赵业安、潘贤娣等人发现,黄河下游洪水期输沙特性存在着窄深河道多来多排、宽浅河段多来多排多淤、主槽多来多排而滩地多淤的规律。不仅全沙如此,造床质泥沙( $d > 0.025$ mm 粗泥沙)也存在着同样的输沙规律。

20 世纪 80 年代,对黄河干支流不同河段的高含沙水流输沙特性的对比分析表明,窄深河槽有利于高含沙水流输送,造成高含沙洪水在黄河下游河道严重淤积,在输送中产生异常现象的主要原因是河槽极为宽浅。适宜输送的含沙量不是低含沙量,而是含沙量大于 200 kg/m³ 的高含沙水流。目前的山东河道在流量 2 000~3 000 m³/s 不仅可以输送实测含沙量小于 200 kg/m³ 的洪水,而且待含沙量增加到 400~500 kg/m³ 时,会更有利于输送。

造成河道多来多排的机理,在低含沙水流时是因水流的流速达到 1.8~2 m/s,床面进入高输沙平整状态。对高含沙水流而言,是因为黄河泥沙组成细,含沙量增高后流体的黏性增大,而河床对水流的阻力并没有增加所致,仍可利用曼宁公式进行水力计算。

实测河道输沙特性分析表明,利用洪水排沙,水库不必拦粗排细。当河流的来沙主要由高含沙洪水输送,而造成塌滩的清水洪峰很少发生时,可塑造成窄深稳定的河槽。

高含沙水流产生问题,水库水位骤降,造成淤土易滑动的固有特性是造成高含沙水流的力学基础,水库虽然有大小,但淤土的性质是相似的。由三门峡水库2003年汛初泄空后资料分折,可产生 $300 \sim 500$ kg/m³ 高含沙水流,利用洪水排沙是有可能的。

钱宁开创的高含沙水流特性研究表明,由于黄河泥沙组成比较细,含沙量的增加引起流体的黏性增加,使粗颗粒的沉速大幅度降低,含沙量在垂线上的分布更加均匀。利用高含沙特性输沙是一种比较理想的技术途径。因此,为小浪底水库进行泥沙多年调节、利用洪水排沙入海提供了可能。

## 3  黄河水少沙多,水沙不平衡,调节水沙是关键

在"拦、排、调、放、挖"中,"调"是核心、是关键。黄河水沙变化趋势是不可逆转的,只有把泥沙调到洪水期输送才能充分利用下游窄深河道"多来多排"的输沙规律,多输沙入海;只有把泥沙调节成含沙量较高时输送才能节省输沙用水。

调水调沙可分以下三种类型:

(1)改变水沙搭配,利用洪水输沙,使下游河道少淤或不淤,三门峡水库的"蓄清排浑",小浪底水库的泥沙多年调节,利用洪水相机排沙均属此类,其潜力最大。

(2)调节下泄流量过程,人造洪峰,用 $60 \sim 70$ m³ 水冲 1 t 沙,且 70%～80% 在高村以上河段。在小浪底水库淤满 30 亿 m³ 库容之前,不能利用洪水高效排沙时,在丰水年可多造洪峰冲刷下游河道,但不可靠它解决黄河下游泥沙游积问题,使其成为地下河。

(3)同时调节流量与水沙搭配,多库联合运用。如三门峡与小浪底水库的联合调度表明,在利用洪水排沙时,可使小浪底水库提前放空,大幅度提高小浪底水库泥沙多年调节泄空冲刷效率。

在黄河"八五"攻关中,首次对小浪底水库泥沙多年调节,制定了水库利用洪水排沙运用原则,并进行了较详细的方案计算。因此,小浪底水库的运用方式由初期的削减高含沙洪水发展到利用洪水排沙。

近年来的深入研究表明,黄河"八五"攻关中得出的基本认识是正确的,利用小浪底水库进行泥沙多年调节,可使黄河水资源得到充分的利用,输沙用水量较原规划的 200 亿～240 亿 m³ 节省 3/4,且均安排在小浪底无法调节利用的丰水

年洪水期,平、枯水年份取消输沙用水。

在小浪底水库建成后,把游荡性河道治理成窄深、规顺、稳定的排洪输沙通道是唯一的选择。河流的来水来沙条件是塑造河道特性控制条件,是改造下游河道的关键,而河道整治只能改变河道的边界条件。

## 4 缩窄河宽,束水输沙

新中国成立后宽河固堤的思想是正确的,利用河南宽河段滞洪滞沙,削减了洪峰,战胜了 1958 年的特大洪水。龙羊峡、刘家峡等大型水库投入运用以后,大洪水的峰与量也都有很大的削减。三门峡、小浪底等干支流大型水库投入运用后,进入下游洪水的峰与量也相应地减小,且不管黄河中游来水来沙如何变化,都要通过小浪底水库调节进入下游,按泥沙多少调节运用,可以使绝大部分泥沙调节到洪水期输送。

温善章、赵业安等从社会发展、经济效益等多方面分析后,提出窄河固堤的思想。他们主张把生产堤变成临黄堤,现在的黄河大堤作为第二道防线,同时在滩区兴建横堤,分段蓄洪,以减少洪水漫滩造成的淹没损失。需要说明的是,他们提的"窄河"固堤,若只是把大堤的间距缩窄到 2~3km,过水的河槽仍是宽浅的,同样无法稳定河势与提高河道的输沙能力,仍不能解决下游河道存在的主要问题。

明朝嘉靖年间潘季驯虽然提出束水攻沙的主张,修建堤防,减少洪水的淹没范围,排洪输沙入海,但在以前的历史条件下无法实施。钱宁 1965 年针对束水攻沙的治河思想指出,要把全部泥沙输入大海,避免河道淤积,要使各级流量挟沙不淤,在平滩流量 5 000 $m^3/s$ 时,河宽为 512 m,显然在来水来沙条件没有改变之前,把几公里宽河道缩窄到半公里以内,在技术上谈何容易。

窄深河槽的过洪机理,从 1958 年花园口站、洛口站,洪水过程线与河底高程的变化过程可知,涨水期河床不断冲刷,水深迅速增大,最大洪峰时河床最低,过流能力最大。造成窄深河槽过洪能力大的主要原因是河槽的过流能力与水深高次方(1.67)成正比。

缩窄河宽有利于冲刷向纵深方向发展,表 1 的计算结果表明,过水面积相同,河宽 500 m 时过流能力比河宽 3 000 m 时的过流能力大 1 倍。缩窄河宽有利于洪水期冲刷向纵深方向发展。

游荡性河道之所以难治,其根本原因是河槽极为宽浅,河势变化的随机性常造成横河、斜河、钻裆等出人意料的险情。有了稳定的中水河槽不仅可以控导河势,同时可以提高河道的输沙能力,多输沙入海。游荡性河段比降陡,无法通过河床自动调整达到河岸的稳定,而提出双岸整治。治理目标是形成窄槽宽滩,窄槽用于排洪输沙,宽滩用于特大洪水时滞洪削峰,并没有强调窄河固堤,但若主槽能迅速刷深,漫滩流量迅速增大,漫滩机会大幅减少,自然形成窄河。

表1　相同过水面积不同河宽时的过流能力( $J = 0.000\ 2$ )

| 河宽(m) | | 3 000 | 2 000 | 1 000 | 700 | 500 |
|---|---|---|---|---|---|---|
| 河槽冲深(m) | | 0.70 | 1.03 | 2.06 | 2.96 | 4.14 |
| 流量4 000 m³/s时水深(m) | | 1.08 | 1.37 | 2.08 | 2.86 | 3.59 |
| 河槽深度(m) | | 1.78 | 2.40 | 4.14 | 5.76 | 7.73 |
| 曼宁系数 $n = 0.015$ | 平滩流量(m³/s) | 7 380 | 8 160 | 10 080 | 12 300 | 14 400 |
| | 平均流速(m/s) | 1.38 | 1.7 | 2.43 | 3.05 | 3.74 |

历年黄河下游河道整治河宽:

1922年,美国水利工程师费礼门提出整治河宽约为538 m。

1946年,严恺院士提出的整治河宽为500 m。利用对口坝双岸整治,比降万分之一河道能通过的流量在比降万分之二的河道中自然通过(河宽、水深相同时,两者差41%)。葛罗同、萨丹奇、雷巴特对整治河宽500 m表示赞同。

20世纪50年代后期,河道的整治槽宽定为600 m,位山以下定为400～450 m。

以上建议由于受历史条件的限制,在当时无法实现,现在小浪底水库建成后,为实施这些建议提供了可能。

整治河宽采用实测流量与面宽水下限值是600 m,是按小浪底水库利用3 000 m³/s洪水排沙时河槽不会淤积。清水冲刷期起护滩作用,使冲刷向纵深方向发展。

为了有利于排洪输沙,河道整治规划治导线应按大水河势布置。按小弯布置河道整治工程,流路变得弯弯曲曲,不利于排洪输沙。世界上多沙游荡性河流整治成弯曲性河流尚无成功先例。

阿姆河下游是世界上与黄河下游游荡段最为相似的多沙河流,在1981年的治理规划中由原来的弯曲整治改为双岸整治,其主要原因是弯曲整治方案存在着无法克服的缺点,小水时势上提,大水时下挫,河势无法稳定。与目前从黄河下游得出的认识基本相同,控导工程虽不断地上延下接,还无法有效地控制河流的摆动,仍会出险。

整治河宽的减小,对于双岸整治方案而言,可以增大单宽流量,增加河槽的输沙能力;而"微弯"整治方案,规划的流路更加弯曲,不利于输沙排洪,并未引起足够的关注。

## 5 双岸整治方案的可行性

通过花园口—夹河滩河段双岸整治动床模型试验❶,在黄委设计院提供15年系列、小浪底水库泥沙多年调节的运用条件下,试验河段整治河宽采用600 m,能够在3~5年的清水冲刷时间里,双岸整治工程控制滩地的坍塌,河槽展宽,河势流路稳定,平滩流量由试验前期的3 000~4 000 m³/s迅速增大到6 000 m³/s以上。

在后十年小浪底水库利用洪水相机排沙运用期,80%~90%的泥沙由流量大于2 500 m³/s洪水挟带的情况下,河槽宽度虽有所缩窄,主槽输沙能力明显提高。在清水冲刷、洪水输沙、少量小水挟沙的共同作用下,实现了河段输沙基本平衡,为主动减灾、河床不抬高创造了条件。

双治方案要求在主槽两岸构筑汛期不抢险、比较稳定的丁坝,这就需要在工程结构上有相应的技术支撑。

传统的抛石抢险工程结构是历史条件的产物,但随河道整治对工程的进一步要求,2003年9月蔡集控导抢险的被动局面使其缺点充分显示出来。近年来在河道工程整治结构上进行了许多探索和革新,如土工织物沉排、长管袋沉排、插管桩坝、透水桩坝等,做了大量的工作。钱塘江河口整治中采用桩式丁坝,汉江下游游荡性河道航道整治有护底的堆石潜坝,阿姆河一次将双岸整治坝头的设计抛石量堆放到位、汛期不抢险坝等新结构、新工艺都为黄河下游游荡性河道双岸整治方案提供了可资借鉴的技术支撑,为双岸整治付诸实施提供了可能。

游荡性河道进一步整治对下游窄河段的影响。由于底沙的运动状况决定了河床的冲刷或淤积,其运动速度远小于洪水波的传播速度,因此洪水在几百公里、甚至上千公里长、比降变化甚至相差10倍的冲积河道中均可产生强烈冲刷。游荡性河道进一步整治后,平滩流量迅速增加,对洪水的削峰滞沙作用减弱,将会增加下游窄河段洪水的造床和输沙作用。艾山以下河道的淤积主要是小水挟沙过多造成的,游荡性河道双岸整治后不会对下游窄河道造成严重影响。

## 6 黄河下游河道的治理方向

为了实现黄河下游河道不抬高,需要采取多种治理措施。为此,首先要改变进入下游的水沙搭配,这是治理下游的关键。其作用往往不引人注意,如三门峡水库的"蓄清排浑"运用不仅避免了非汛期小水挟沙淤槽,下泄清水后对河槽反而产生冲刷,有利于中水河槽的形成,对稳定河道的作用是功不可没的。

---

❶ 武彩萍,齐璞,张林忠,等.花园口至夹河滩河段双岸整治动床模型试验报告.黄委黄河水利科学研究院,2004

但是三门峡水库的"蓄清排浑"作用是有限的,尤其是不能适应黄河水沙变化的发展趋势,也不能充分利用下游河道可能达到的输沙潜力输沙入海,黄河的水资源也不能得到充分合理的利用。小浪底水库进行泥沙多年调节运用,使黄河的泥沙绝大部分由洪水输送,是我们进一步整治游荡性河道的理由。

只有稳定主槽,才能形成窄深、规顺的排洪输沙通道,充分利用下游河道在洪水期的输沙潜力多输沙入海,才有可能达到河床不抬高。若游荡性河道的治理还停留在减少洪水游荡范围,仍保留滞洪滞沙作用,就无法实现黄河长远的治理目标。

为此,游荡性河道的治理目标应根据治黄的全局需要尽早确定。究竟需要采取什么样的工程措施、方案,都要符合治理目标的要求,保证治理目标的实现。

总之,在"拦、排、调、放、挖"中"调"是核心、是关键;利用洪水输沙、水库多年调沙与束水输沙相互紧密配合是实现黄河下游河槽不抬高的必要条件。

## 参 考 文 献

[1] 钱正英.修订治黄规划,引导治黄事业走上新台阶.见:水利文选.北京:中国水利水电出版社,2000

[2] 麦乔威,赵业安,潘贤娣.多沙河流拦沙水库下游河床演变计算方法.见:麦乔威论文集.郑州:黄河水利出版社,1995

[3] 齐璞,赵文林,杨美卿.黄河高含沙水流运动规律及应用前景.北京:科学出版社,1993

[4] 齐璞,孙赞盈.北洛河下游河槽的形成与输沙特性.地理学报,1995(2)

[5] 钱宁,周文浩.黄河下游河床演变.北京:科学出版社,1965

[6] 黄河水利委员会.历代治黄文选(下).郑州:河南人民出版社,1989

[7] 齐璞,孙赞盈,刘斌,等.黄河下游游荡河段双岸整治方案研究.水利学报,2003(3)

[8] 齐璞,刘月兰,李世滢,等.黄河水沙变化与下游河道减游措施.郑州:黄河水利出版社,1997

[9] 齐璞,孙赞盈.小浪底水库泥沙多年调节运用与下游河道进一步治理研究.http//www.hwcc.com.cn,2001-12

[10] 齐璞,孙赞盈,侯起秀,等.黄河洪水的非恒定性对输沙及河床冲淤的影响.水利学报,2005(6)

# 河流健康指标

Priyanka Dissanaike[1]　　Hugh Turral[1]

Peter Rogers[2]　　Liu Xiaoyan[3]

(1. 国际水管理研究所;2. 美国哈佛大学;

3. 黄河水利委员会)

**摘要**:水是万物之灵,河流是人类文明和繁衍生灵的母体。河流的健康关系到世界上每个物种的兴衰与存亡。本文从自然生态学原理出发,通过对世界各河流的现状分析,综合探讨了河流健康的指标,同时本文还给出了一些健康河流的实例。

**关键词**:河流健康　指标　生态系统　水环境　水质

## 1　自然生态学原理

### 1.1　河流支撑的自然生态系统

河流与小溪支撑和维持着一个巨大的生命多样性, 由于它们提供了一个很大范围的栖息地,并连接着水生和陆生的生态系统,这是一个巨大的范围。从广义角度来说,河流包括了河槽、河岸植被、滩地、湿地和湖泊。

湿地是河流支撑的最重要的生态系统。湿地的特点取决于独特的水文、土壤(下层土)和生物条件。湿地支撑着生物的多样性,并且许多生物是稀有和唯一的。在这些众多的植物中,有许多是用做食物、药品和其他的日用品。这些生物对生态功能是十分重要的,对生态系统的健康来说,是最根本的(http://www.nmfs.noaa.gov/habitat/habitatprotection, Users Guide wetland Restoration)。

河流下游的河口地区是许多稀有珍贵鸟类、迁徙鸟类的栖息地,河口地区包含了多种多样的陆地和海洋生命,混合了陆地和海洋特征。在这个生态系统中,哺乳动物、鸟类、鱼类、爬行动物、贝类和植物都相互影响,形成相当复杂的食物网。这些影响物群结构的种类,包括食肉动物、寄生物及其竞争关系。由于河口地区丰富的鱼类、蠕虫、螃蟹和蚌类,摄取食物容易,适宜鸟类生存。土壤、泥沙和淤泥中有大量的细菌。由于丰富的植物腐朽质,使这些低级生物生长旺盛。由于土壤丰富的营养和可利用的水,植物也很茂盛。

湿地中最小的动物是无脊椎动物,如甲虫、水跳蚤、小龙虾、蜻蜓、蜗牛和蚌类。无脊椎动物,无论是成熟体还是幼体和蛋,对其他动物来说都是重要的食物来源。由于许多青蛙、蛇、海龟和火蜥蜴等需要水环境和干燥的环境来完成生命周期,两栖动物和较小范围的爬行动物与湿地紧密相连。并不是所有的湿地中都有鱼类,但在长期有水的地方,很可能有鱼类,即使是只有季节性的湿地,也许是那些来自邻近长期水域的鱼类的栖息地。

## 1.2 影响河流系统生态不同部分的关键因素

如果保护生态系统不退化,水生的生态系统的许多益处就被维持。正是在生态系统中占支配作用的物理因子(不包括光、温度、混合、水流和栖息地)和化学因子(不包括有机质、无机质、碳、氧和营养物质)决定了生命的种类、繁殖和食物网的结构。生物的相互作用(如放牧和掠夺)在许多水生生态系统结构中也占有一定的作用。

当某一地区土壤足够潮湿,造成土壤厌氧,适宜水生植物,一般存在湿地水文。水文模式由水流的持续时间、水量和频率决定,它是决定其他生态系统成分的具有代表性的主要因子。在那些明显被洪水淹没的地方,以及那些虽然从没有被洪水淹没但饱和土壤接近地面的地方,湿地水文也可能存在。水文特点是最重要的因素,它决定了湿地的种类和功能。湿地水文的特点一般由长时期的水深、水流形态、洪水或饱和的持续时间和频率所决定。像河流这样一些系统有强烈的动态水文模式,这个模式难以重新创造;像长期有水的池塘或沼泽,这样的湿地有静态的水文条件。

水流形态是河流环境的主要组成成分。水流通过大坝、堰和取水建筑物等的调节,已经对许多河流的生态系统产生严重的压力。

水流形态对环境有特殊影响,它由以下六个基本成分组成:

(1)零流量——没有可看得见的水流。

(2)小流量——一直有淹没河槽低部的水流,但没有平槽的水流或更深的水流。

(3)短时洪水——由于短时的强降雨,流量在几天时间内升高。

(4)大流量——在整个秋季、冬季和春季产生的季节基流的基础上,流量一直较大的时段,但水流在河槽内。

(5)平滩流量——河槽内完全充满水。

(6)漫滩流量——河槽不但充满水流,并且漫流在滩地上。

确定湿地植物群落组成的关键因素是营养、浑浊和盐分的高低,另外一个重要的因素是水位与地层土高程的关系。河流系统的水域通常长期被水淹没,并且相关的生物群体不能受干燥的威胁。如果水太深,自然生长和非自然生长的植物都不会生长。如果下层土壤高程太高,湿地会转变为一个"高地",或者变成一个排水正常的土地。如果水太浅,需要全部淹没的植物和浮游的植物都不会生存。

在预报人类带来的对生物系统的影响方面,人口动力学、食物网组成、生物分类结构学的研究已经取得相当大的成功。

## 1.3 生物学和化学性量的传统措施

在过去,大量的资源已经运用在传统的水质量监测中。由于监测与人类的健康问题,特别是与饮用水密切相关,并且水化学比较容易计量,就产生对物理、化学指标的信赖。尽管最近转变向监测河流的健康,但对监测水质的直接变化和帮助解释更多直接的河流健康的措施来说,物理、化学措施依然很重要,一般测量包括 pH 值、盐分、浑浊度、营养成分、有毒物质和溶解在水中的含氧量。在取一个样本时,这些措施可以快速地对环境条件有一个"简单印象"。表 1 给出了澳大利亚热带受轻微影响的河流的临界物理、化学指标。水质条件变化如此之大,造成对偶然的变化或污染的急速变化的监测失败。

表 1 热带澳大利亚受轻微影响的河流的物理、化学未执行临界值
(澳大利亚和新西兰环境保护委员会指导手册数据)

| 影响因子 | 生态类型 | |
| --- | --- | --- |
| | 高地河流:海拔 150m 以上的河流 | 低地河流:海拔 150m 以下的河流 |
| 氯($\mu$g/L) | | 5 |
| 总磷($\mu$g/L) | 10 | 10 |
| 过滤磷($\mu$g/L) | 5 | 4 |
| 总氮($\mu$gN/L) | 150 | 200 ~ 300 |
| 氮氧化物 $NO_x$($\mu$gN/L) | 30 | 10 |
| 铵 $NH^{4+}$($\mu$gN/L) | 6 | 10 |
| 下限饱和度(%) | 90 | 85 |
| 上限饱和度(%) | 120 | 120 |
| pH 值下限 | 6.0 | 6.0 |
| pH 值上限 | 7.5 | 8.0 |
| 盐度($\mu$S/cm) | 20 ~ 250 | 20 ~ 250 |
| 浊度(NTU) | 2 ~ 15 | 2 ~ 15 |

注:资料来自 ANZECC Guideline Values 2000。

浑浊度也是一个重要的水质指标,由于大多数的生物生存需要干净水,并且将受到浑浊度升高的影响(DOQWS,1998)。由于高浑浊度会降低光度水平,降低水温,对植物的生长产生影响。垂向悬移质的沉淀,最终会窒息在河床底的无脊椎动物,这就限制了无脊椎动物的栖息,降低河流系统中生物的多样性。

2000 年,澳大利亚和新西兰环境保护委员会(ANZECC)、农业和资源管理委员会(ARMCANZ)颁布了澳大利亚和新西兰淡水和海水质量指导手册,该手册为评价和管理水质量提供了一套有效的工具。

澳大利亚和新西兰环境保护委员会的手册为每个物理、化学指标和生物指标提供了水系统与几个生态系统交叉的指导临界值(见表1)。

生物方法与物理—化学评估方法的结合,增强了任何可观察的水质变化的恰当属性原因的置信水平:过去和现在暴露的生物变化的综合作用,促进完成管理目标的直接评价发展;在因果关系中物理—化学变量是解释性变量。当在取水样时,监测水化学提供了水质资料,但低级的水生无脊椎动物可以提供在取样前的几周时间甚至几个月之前的水质资料和其他的因子。对许多监测项目,综合的方法较好。水化学监测与利用无脊椎动物的生物评价方法的结合比靠一种方法更能给出完整的水生系统健康的描述。水化学资料对解释不同无脊椎动物的有无有帮助。河流可溶解因子的自然范围见表2。

表2 河流可溶解因子的自然范围

| 可溶解因子 | 溪流(1~100 km²) | | | | 河流(100 000 km²) | | | | 全球平均自然浓度 MCNC | |
|---|---|---|---|---|---|---|---|---|---|---|
| | 最小值 | | 最大值 | | 最小值 | | 最大值 | | | |
| | (meq/L) | (mg/L) | (meq/L) | (mg/L) | (meq/L) | (mg/L) | (meq/L) | (mg/L) | (meq/L) | (mg/L) |
| $SiO_2^5$(mmol/L) | 10 | 0.6 | 830 | 50 | 40 | 2.4 | 330 | 20 | 180 | 10.8 |
| $Ca^{2+}$ | 3 | 0.06 | 10 500 | 210 | 100 | 2.0 | 2 500 | 50 | 400 | 8.0 |
| $Mg^{2+}$ | 4 | 0.05 | 6 600 | 80 | 70 | 0.85 | 1 000 | 12.1 | 200 | 2.4 |
| $Na^+$ | 2.6 | 0.06 | 15 000 | 350 | 55 | 8 | 1 100 | 25.3 | 160 | 3.7 |
| $K^+$ | 3 | 0.1 | 160 | 6.3 | 13 | 0.5 | 100 | 4.0 | 27 | 1.0 |
| $Cl^-$ | 2.5 | 0.09 | 15 000 | 530 | 17 | 0.6 | 700 | 25 | 110 | 3.9 |
| $SO_4^{2-}$ | 2.9 | 0.14 | 15 000 | 720 | 45 | 2.2 | 1 200 | 58 | 100 | 4.8 |
| $HCO_3^-$ | 0 | 0 | 5 750 | 350 | 165 | 10 | 2 800 | 170 | 500 | 30.5 |
| Sum of cations | 45 | | 20 000 | | 340 | | 4 000 | | 800 | |
| pH | 4.7 | | 8.5 | | 6.2 | | 8.2 | | | |
| TSS | | 3 | | 15 000 | | 10 | | 1 700 | | 150 |
| DOC | | 0.5 | | 40 | | 2.5 | | 8.5 | | 4.2 |
| POC | | 0.5 | | 75 | | | | | | 3.0 |
| POC(%) | 0.5 | | 20 | | | | | | | 2.0 |
| TOC | | 1.5 | | 25 | | | | | | |
| N-$NH_4^+$ | | | | | | 0.005 | | 0.04 | | 0.015 |
| N-$NO_3^-$ | | | | | | 0.05 | | 0.2 | | 0.10 |
| N organic | | | | | | 0.05 | | 1.0 | | 0.26 |
| P-$PO_4^{3-}$ | | | | | | 0.002 | | 0.025 | | 0.010 |

**注**:①溪流:分类基于所有岩石类型比例与 Meybeck(1987)估计的全球比例接近的75个未被污染的整个河流,特别是大多溶解的岩石,海洋盐分已经总体扣除。②河流:这些数字来自60个主要的河流(基本数据摘自 Meybeck,1979)以流量为权重的分布,海洋盐分没有修正。除了养分是代表10%和90%的值之外,最大值和最小值对应于2%和98%的分布值。③MCNC(最普遍的自然浓度):最普通的自然浓度,对应于上面所提到的峡谷同的60条主要河流的中值。④TSS:总悬浮固体量。⑤DOC:溶解的有机碳。⑥POC:微粒的有机碳。⑦TOC:总有机碳。⑧POC:有机碳占总悬浮固体总量的百分数。⑨TSS、DOC、POC和营养数据绝大部分来自 Meybeck(1982)。⑩资料来自 Meybeck and Helmer,1989,资料来自水质评价——环境监测中生物区、泥沙和水利用指南,第2版,联合国科教文组织/世界卫生组织/联合国环境规划署,1992。

#### 1.4 关键的河流条件

在确定河流内植物和动物的种类时,一个河流的流量多少,大流量和小流量的值,以及何时极限流量发生是最重要的。例如,小流量就确定了小河流,大流量则产生大江大河,成为鱼的栖息地;大流量塑造河槽,冲刷淤积。一些种类在特定的时期需要一定的流量,如产卵期。

流速和流量决定了水文特性。河流的流速表示水运动的快慢,单位是 m/s 或 cm/s,利用流速乘以过流面积得到流量($m^3/s$)。

大多数河流通过一个叫做基流的条件来描述特点,这个流量是在独立的河流系统中最小的流量,并且在大多数情况下,它由地下流量控制。河流流量的特点很大程度上由流域的特点所决定。渗透到地下水系统的水入渗率的变化,会影响流域地面径流的特点。森林覆盖率的减低和基岩裸露的比例,所有这些对流量特点都有深远的影响。流量也可能由除了暴雨条件之外的其他因素所控制,如大坝(水资源评价资料来自水质评价——环境监测中生物区、泥沙和水利用指南,第 2 版,联合国科教文组织/世界卫生组织/联合国环境规划署,1992。)。

## 2 河流状态和基本指标的代表性

河流系统的特点有连续的下游水体运动、溶解物质和悬浮颗粒,这些因子主要来源于集水面积。流域的气候、地质和植被都影响到河流的水文、生物和化学特性。所以,不管利用何种方法,像土地利用、水文、地质和水文特性都必须考虑。

河流类型不同,很难为所有的河流设立一个标准。在生态地区内部,河流特性也不同。同一条河流的不同河段河流形态不同。利用形态和功能相似来分类,以对多种不同的自然河流形态分类。

#### 2.1 气候和地貌

河流是水流的复杂系统,水流来自流域的地表。在整个流域内,河流的性质与许多特征有关。这些特征包括流域的大小、形状、地质,并且和气候条件特点有关,这些特点决定了河网输送的水量。

能够用于河流分类的物理特点有水文和形态系统、水流条件和潜在的地质条件。许多河流的健康问题直接与河流的集水面积、滩地和湿地的连同性相关。所以,地貌尺度经常证明是适合的(Boulton, 1999)。

河流可以根据水流形态和流量的大小来分类,水流形态很大程度上可能受到自然滞留、湖泊、大坝或水的蓄滞所影响。水流特点也受到运河网或水利用的影响,如灌溉用水或其他水利用。同时,由于农业和城市化的结果,改变了土壤的入渗性质,导致洪水特点变化,也影响到水流特点。

### 2.1.1 干净和浑浊的河流

根据水流中的悬浮颗粒(TSS)总量的多少,河流可以分为干净的河流和浑浊的河流两类。河流中悬浮物的浓度是流量的函数。尽管一般可以观察到悬浮物浓度随流量的增加而增加,但悬浮物的浓度也可能受到流域的影响。悬浮的颗粒来自流域面、河岸和溪沟的侵蚀,也可能是河床上沉积颗粒的再次悬浮。侵蚀率与气候、特别是降雨量和强度有关,也可能受到植被的影响。森林采伐或增加农业可能导致侵蚀的增加。

### 2.1.2 干旱河流——长年河流和季节河流

根据流量对河流分类,一般来说能够得到满意的结果,但对资料有限制。然而,有几个特定的流量,它被广泛地利用来描述河流的流量和变化。这包括平均洪峰流量、月平均或年平均流量和平均小流量。基于流量大小、集水面积和河长对河流大小的分类见表3。表3中没有给出年流量的变化。特别在干旱地区和亚热带地区的河流,较大的河流流量变化很大,从旱季的零流量到雨季较大的流量。许多很大的河流穿越多个气候带,在河流的下游的流量与气候变化相比变化不大,例如密西西比河和尼罗河(资料来自水质评价——环境监测中生物区、泥沙和水利用指南,第2版,联合国科教文组织/世界卫生组织/联合国环境规划署,1992)。

**表3 基于流量特点、流域面积和河宽对河流分类**

| 河流的大小 | 平均流量($m^3/s$) | 流域面积($km^2$) | 河宽(m) | 河流级别* |
|---|---|---|---|---|
| 特大河 | > 10 000 | > $10^6$ | > 1 500 | > 10 |
| 大河 | 1 000 ~ 10 000 | 100 000 ~ $10^6$ | 800 ~ 1 500 | 7 ~ 11 |
| 河 | 100 ~ 1 000 | 10 000 ~ 100 000 | 200 ~ 800 | 6 ~ 9 |
| 小河 | 10 ~ 100 | 1 000 ~ 10 000 | 40 ~ 200 | 4 ~ 7 |
| 溪流 | 1 ~ 10 | 100 ~ 1 000 | 8 ~ 40 | 3 ~ 6 |
| 小溪 | 0.1 ~ 1.0 | 10 ~ 100 | 1 ~ 8 | 2 ~ 5 |
| 支沟 | < 0.1 | < 10 | < 1 | 1 ~ 3 |

注:①*表示取决于具体的条件。②资料来自水资评价——环境监测中生物区、泥沙和水利用指南,第2版,联合国科教文组织/世界卫生组织/联合国环境规划署,1992。

河流的特点也受到流量变幅、洪水历时和大小的影响。一些河流几乎在流域中至少一部分每天都有降雨;另外一些在沙漠地区的河流,只有历时较短、强度很大的暴雨,这些暴雨可能形成山洪(陡涨陡落的洪水)。季节性河流只有在一年内某个季节有水,雨季河槽内输送水流,在旱季就断流。

极高的蒸发率引起的干旱对 2/3 的澳洲大陆造成巨大的打击,对其他 20% 的面积造成部分时间的影响,这使得大部分河流变为季节性河流;一些河流甚至几乎没有水;绝大多数的河流无法汇流入海,并且由于坡度缓和大量的内陆平原使得该地区常遭受世界上最大的洪水。由于洪水所造成的淹没面积非常的大,河流的水量的波动比世界上其他任何地方的河流都大(White,2000)。

融化的雪和冰是许多河流的一种水源。如果河流流动以年为轮回,河流就叫做多年河。通常来源于地下水的缓慢、稳定入流,或者来源于地下的水,给多年河提供部分的水。这部分流入多年河的水对河道和滩地的侵蚀以及泥沙沉积起了很大的作用。多年性河流有足够的时间和能量以大小来分离泥沙。在河水流动很快的地方,水可以移动粗糙的颗粒。河水沉积粗糙的颗粒的速度快于沉积轻的,可以悬浮于流速慢的、不够强大的水流的细颗粒。在多年河中,出现于滩地的缓流(由于土地坡度缓而水流速缓)沉积细粒土在滩地上。

与多年河流形成对比,在一年的大部分时间季节性河流只流动一些天。附加的过程包括风的作用、动物的洞穴、植被的生长,以及人类活动的影响都可能影响河道以及滩地的特征。当河水仅在很短时间流动时,河水不会对泥沙分类,而会沉积从粗到非常细的混合尺寸的泥沙颗粒。

### 2.1.3 岸栖植被

河流的特征带可以依照沿河道长度方向上的动植物的生活环境、现存的生物群落和生物学过程被识别(Hawkes,1975)。生物分类方法包括土壤、植物群落和动物群。河岸带是受淡水规则影响的过渡的半陆地地区,一般从水体的边缘延伸到高地的边缘。河岸的树林和湿地以及河流在生物物理学上通常是动态和变化的,所以在分类上具有挑战性。没有统一被接受的河岸分类方法,但是有一些包括河岸区域的河道分类方法。

一般而言,河岸类型学来源于两个主要的学科。第一种是基于物理上的划分河道的结构以及动力学的地貌学方法;第二种是在生物方面的,罗列或者划分与河道相关的各种地貌表面或物理板块上的植物群落的方法。在现实中,这两种方法的结合形成最有效的分类系统,在最近开发的许多方法中很明显。

岸栖系统的信息可以表示为目录、植物群落、指示物种、生物过程和生物完整性的评价。这些信息在本质上是截然不同的,因此它们的应用是准确的。基于模式、过程以及在不同的时间和空间尺度下的如何表示的岸栖分类系统是一个重要的成功管理的标志(Naiman et al.,2005)。绝大多数地貌分类方法注重河道河床而不是相临的岸坡,但是它们仍旧为截然不同的河岸地形提供有用的创造和维护。

生态学者经常应用分级分类的概念作为一种方法识别特定河道动力学的正确尺度，了解生物物理碎片在这个尺度上的排列是如何影响生态动力学的（Poole,2003；Naiman et al.,2005）。

分级分类方法有两个基本的特征：

(1)可以广泛应用(如地球的、国家的、地区的比例)，但是它们足够灵活来被改进用于子区域的目的。当应用分级分类时，了解控制性因素的比例尺度来决定长期和短期的岸栖特征非常重要，这是因为相对重要的因素随着时间和空间的比例而变化。

(2)分级方法在任何一个级别上比其他的分类系统所需要的变量要少。在大多数地理区域内，管理者和科学家为了分类的目的只需要一个或两个空间和时间尺度。最终，被考虑的问题的范围或者是本质应该是决定正确分辨率的尺度。

由 David Rosgen 创立的河流分类方法是一个用于河流分类的全面指南。它是基于前述的河流特征的形态学的安排组织成相对相同的河流形式，而不是基于地貌和水文过程。这个系统结合了河流地理学和其他的河流特征(如水利学以及物质的运输)。任何一个物理过程的改变导致河道的调整，河道的调整又导致其他河流过程的改变，从而又产生新的河道特征。曾有人争辩 Rosgen 延伸了他的原本作为一种信息工具的分类方法为预测河流过程的领域。他的系统未能证明它所依据的标准，这个标准在地貌方面有重要意义。

Rosgen 的分类方法的特定局限性涉及在地貌过程上的空间和时间差别，包括与时间相关的河段分类时间，与物理环境交叉的不确定应用性，识别作为一个转变状态可以替换另一个的真正的平衡状态的难度，错误决定平滩状态的可能(在一些河流类型中平滩流量难以描述)和分类标准的不确定过程尺度的重要性。

Rosgen(Naiman et al.,2005) 识别四种分类分级方面(见表4)：①广阔的地貌特征；②河道的形态；③河道条件；④确认。前两个方面针对河道物理特征，是他的系统的基础，下面将加以讨论；第三个方面描述了影响河道改变引起反映的现状河道状态并提供明确的预测信息；第四个方面表述了河道过程的用于评价预测河段特定信息的确认。

河流是一个复杂系统，分类表是一个地貌和河流过程的极大的简化。但是，Rosgen 的分类系统是一个有用的参考框架：

(1)从河流的外观预测河流的习性。

(2)对于给定的河道类型和状态形成特定的水力和泥沙关系。

(3)提供通过在特定的河段所收集的数据来推断那些具有相似特征的河段

表4 河流目录的层级

| 细节等级 | 目录描述 | 所需信息 | 目标 |
|---|---|---|---|
| I | 广阔的地貌特征 | 地形;岩石学;土壤;气候;沉积历史;流域地貌;河谷形态;河流轮廓;常规河流形态 | 采用以下方式来描述概要的河流形态:遥感和现状的地质目录、地形演变、河谷形态、沉积历史和相关的河道坡度、地貌和用于主要河流形式的概括种类和相关解释的模式 |
| II | 形态描述(河道形式) | 河道形态,岸坡;宽深比;弯曲性,河道物质组成,坡度 | 描述相同的河流类型通过描述特定坡度,河流组成,尺寸,参考河段测量;提供比级别 I 更详细的解释和推断 |
| III | 河流状态或条件 | 岸栖植被,沉积模式,弯曲模式;限制特征,鱼栖息环境特征;水情,河流尺寸种类,碎片出现;河道稳定性指数,岸坡侵蚀 | 进一步描述 施加的改变引起的河道反映的现状条件,提供预报方法所需的特定的信息(比如河流的岸坡侵蚀计算);提供非常详细的描述以及相关的预报/解释 |
| IV | 确认 | 包括直接的测量和泥沙输送观察,堤岸冲刷率,沉积/侵蚀过程,水力几何学,生物学数据鱼类数量,水生昆虫,岸栖植被进化等 | 提供河段河道过程的详细信息,以往评价预报方法;提供涉及特定河道特性的泥沙、水文和生物信息;评价对河流类型活动的缓解和影响评价的有效性 |

注:资料来自 Naiman, R.J. Decamps, H. McClain.M.E. 2005. 河岸生态学,河滨群落的保护与管理。Elsevier 科技出版社。

的数据的一种机制。

(4)为那些为河流系统工作的不同的专业学科人们制定一个连续的、可再生的信息参考框架。

河流的分类允许从同一生态区域的不同河流来比较和推断。比较相似的河流可以帮助通过一条河流的数据以及对它的观察预测另一条河流的特性。

## 2.2 流域内的位置——河流系统

河流是从高山水源流向湖泊或海洋的淡水载体,它由泉水和支流来补充。河流主要的部分包括水流经的河道和河谷内河道两侧的平坦区域——滩地(在很多河流中,周期性的洪水出现形成了一个区域叫做滩地),通过河道和滩地,水和沙、淤泥和其他物质从山上运输到海洋或者湖泊。河流从山坡上起源时是小河或小溪,小溪与较大的河流或者支流最后联合在一起形成了明显支流,由支流的集合形成了最大的河道就是河,它们可以承载大量的淡水以及泥沙(Mertes,2005)。

一条河流形成一个流域,流域内一大片区域内所有的水都贡献给一条河。流域由山脊或者山坡作为分界与相邻的流域分开。当雨下在山坡上或者雪融化时,水流下山坡聚集成溪流。支流在汇合处加入干流。降落在流域内不同处的雨或雪的量控制了河流的大小。降雨量和流域地质同样控制流域内的排水模式。最普通的排水模式叫做树枝状模式,这种模式看起来像树叶的纹理,排水网络连接了流域内的所有面积。

在河流系统内,河流之间有很大的差异,并且每一条河流沿长度改变(Norris and Thoms,1999)。因此,河流也可以按照流域内位置来分类。从地质剖面图看,通常河流从流域的上游到出口处流经3个地带,也就是上游、中游和下游。水、泥沙、营养物质、化学物质和水生生物从山区移动到下游河道,最后进入海洋。

上游区域位于山区,那里泥沙来源于山坡并且传输到陡峭河道和窄滩地。在这些窄的、陡峭的山谷中,急流使得河床覆盖了许多大石头。当山脉让路于平原时,河道的坡度随之降低。在中游地带,虽然水量增加,但是由于河道的坡度减小,河流切削岩石和运载泥沙的能力降低。当流速减小时,河水的能量减小,河流失去运输大块物质的能力。逐渐地,沉积物的尺寸从大石头减小为鹅卵石再减为砂砾。最后,由于坡度持续减小,沉积物变得非常细,包含大量的沙、淤泥和黏土。当河流在中游区的中间部分,滩地变宽了。

第三个区域受河流末端的海或湖的影响,如果足够的泥沙运输到河的最下游,可以形成一个三角洲。三角洲与滩地的不同之处在于,在三角洲处河分为许多新的支流。如果泥沙不足以形成一个三角洲,河流可能在河口处与河流相遇,河口通常是一个宽河道,那里来自河里的淡水与咸的海水混合。

洪水往往由暴雨产生,有时还结合雪融化,这导致河流漫溢出其堤防。洪水如果产生和消退很快而且仅有一点预报或根本没有事前警告叫做暴洪,暴洪通常由在小范围内的强降雨产生。在河流的上游,洪水通常持续很短时间(少于1天)并且非常强大;在中游地区,洪水持续时间增加,但是因为滩地的面积增加而强度减小;在河口地区或者是河流的三角洲,洪水可以持续数月。河流、邻接的河边土地和滩地会发生横向连接。在低洼的滩地,当洪水定期漫溢过堤坡并且淹没了滩地,横向连接更加重要。

要了解健康的河流如何工作,揭开由于不同的地质和气候情况所导致的河流不同层级内和河流之间的不同位置的不同连接的强度将是非常必要的。连接在三个尺度上进行操作。

(1)沿着河流长度方向的纵向的连接。比如:河流统一体,营养螺旋。

(2)与临近的陆地系统相连的横向连接。比如:河岸影响,洪水脉冲概念。

(3)河床之间和通过河床的纵向连接。比如:侧向河流过程(Townsend, 1999)。

这些连接的相对重要性的变化是河流功能的一些模型的基础,但是我们的关于不同流域层级部分(在一个完整流域的相互作用的河流、滩地、湖泊和湿地)的知识是不全面的。关于河流的综合观点可能太依赖小河流的以及不受限制的大河和主要河道生活环境的资料。因此,填补我们知识的空白是重要的。

其他重要的河流问题是河道和滩地的生态特征。这些地区提供了一个土地和水环境之间的地带。滩地和河道是多样的动植物的栖息地,支持了世界上无数植物和动物物种的家园的湿地。

## 2.3 人类活动

四个人类引起生态系统改变的最终驱动器是人口、资源利用、科技发展和社会机构(Naiman and Turner, 2000)。

河水流量的改变可以由以下方式引起:建坝;建泵站抽水用于饮水、灌溉或其他;抽取地下水(减少流入河流的水量);长期的气候模式,比如干旱和潮湿阶段。人为活动会加强侵蚀和土壤过滤等自然的过程,提高输入河流系统的自然混合物如天然盐和无机肥料,填加自然界中少见的有机综合混合物,如溶剂、农药、芳烃等。由于自然过程中的增长而新增的物质遵循相同的路径,并且与由于土壤过滤产生的化合物如化肥和农药有同样的表现方式。但是,大多数城市污染物作为点源进入河流,通常的形式是经过处理的或未经处理的污水。

建坝会改变周围地区的生态,其中受影响最大的动物是依赖自由流动的水为生的鱼类。一些种类的大马哈鱼、鳟鱼和其他鱼类向下游迁徙在宽阔的海洋中度过它们的生命中的部分时间。等它们长大后,它们返回上游在它们所出生的砂砾河床上孵卵。大坝阻止了这种洄游鱼的通道。

一些大坝工程为了让鱼类可以绕坝游向上游产卵地修建了鱼道。鱼道由一系列的小池排列成梯状。鱼道以及其他努力帮助鱼类绕过大坝,沿着一条河流修建的多个大坝对本地鱼类所造成的严重损失可以由水库中的其他鱼类来补偿。

水坝也会改变坝下游的水温和小环境。从坝后放出的水通常来自水库底部,那里几乎没有阳光透过。这种凉水会显著降低下游被阳光照热的浅水的温度,使得这些浅水不适于某些鱼类和其他野生动植物。天然河流或汹涌激荡、或蜿蜒流淌,造成小的水洼或沙洲,为幼鱼、昆虫及其他河生的生物提供了繁育场所。但是水坝也会通过产生季节性水流而改变河水水流,消除这些小环境,在某些情况下也会消除这些小环境中的生物。

　　水坝会使得富含营养的泥沙不能流到下游进入河谷。湍急河流的河水挟有土壤微粒及其他有机物。河水到达水洼或宽浅河道时,它的流速会慢下来。随着流速减慢,它挟带的有机物会沉入河底或聚集在两岸。大雨或融雪后,河水溢出河岸,将有机物沉积于河滩,造成富饶肥沃的土壤。某些有机物会一直流到河口,在那里沉淀到河口生态系统的肥沃的泥土中,河口生态系统滋养着多达总量一半的世界海洋生物。大型水坝会使水流减慢至近乎静水,使得有机物沉入水库底部。在这些情况下,下游地区就得不到富含营养的泥沙。这也会导致超营养。

　　水质变化取决于河流的水文状况、流速变化、每年洪水次数及其重要性等。在汛期,水质通常会因为径流来源不同而有显著变化。

　　河水的温度、浑浊度和TSS(总悬浮物)会受到人类活动如农业、森林开伐及用水制冷(见表5)的很大影响。不过,在某些情况下,同样这些活动也可能对河流几乎不产生影响。例如,热带河流不会受到供热废水的很大影响。在天然TSS已经超过1g/L的高侵蚀地区(如陡坡、大雨、高可蚀性岩石),高强度农业会加重天然侵蚀速度。很多亚北极地区河流的浑浊度以及一些多雨热带地区的河流(例如扎伊尔和亚马逊河流域)的浑浊度,可能会由于溶解的腐殖质的颜色而自然就很高。

表5　影响河流物理特性的主要人类活动

| 活动 | 水温 | 浑浊度 | 总悬浮物 |
|---|---|---|---|
| 筑坝 | − 至 ++ * | − − | − − − |
| 制冷水排放 | ++ | | |
| 生活污水排放 | + | | + |
| 工业废水排放 | + | + | ++ |
| 高强度农业 | + | ++ | +++ |
| 航运 | | + | + |
| 疏浚 | | + | ++ |

注:①+至+++表示轻微至严重增加;②−至−−−表示轻微至严重减少;③*表示取决于相对于温跃层的水流出口的深度;④资料来自水质评价——环境监测中生物区、泥沙和水利用指南,第2版,联合国科教文组织/世界卫生组织/联合国环境规划署,1992。

　　很多人类活动会直接或间接地导致河流及其河谷发生这样的变化,即改变水生环境而不使河水化学特性发生重大变化这样的改变(见表6)。这类变化会导致生物多样的丧失,因此在这些情况下,由河床和河岸变化进行精心绘图支持的生物监测技术是很适当的。

　　河流系统的主要变化包括用于航运的宽深变化、防洪水库、生活供水水库、

表6　河床直接或间接改动的生态影响

| 活动/变动 | 影响 |
|---|---|
| 修闸 | 超营养增加<br>细沙部分积存会导致缺氧孔隙水 |
| 筑坝 | 超营养增加(底部缺氧,表面水高有机物含量等)<br>泥沙完全积存会导致闸门操作期间潜在的鱼类死亡(高氨、BOD 和 TSS) |
| 疏浚 | 持续的 TSS 高水平,以及由此导致的下游砂砾产孵区淤积疏浚区域上游的溯源侵蚀会妨碍雨类迁徙 |
| 河岸林地采伐 | 持续的 TSS 高水平,以及由此导致的下游砂砾产孵区淤积由受污染的地下水带入的硝酸盐增加 |
| 河槽开垦和河床渠化 | 失去生态多样性,包括生物产孵区<br>失去生物生活环境,特别是鱼类生活环境 |

注:①BOD 为生化需氧量;TSS 为总悬浮物。②资料来源自水质评价——环境监测中生物区、泥沙和水利用指南,第 2 版,联合国科教文组织/世界卫生组织/联合国环境规划署,1992。

筑坝发电、引水灌溉,以及在农业上很重要的河道整治防止河流蜿蜒造成的滩地丧失。所有这些都会影响河流系统的水文状况及相关使用。阿斯旺高坝修筑后尼罗河发生的戏剧性的变化就是有预报的和没有预报的下游影响的例子(水质评价——环境监测中生物区、泥沙和水利用指南,第 2 版,联合国科教文组织/世界卫生组织/联合国环境规划署,1992)。

## 2.4　发展中国家的典型类别

"流域内位置"和"人类活动"对于发展中国家非常重要。在发展中国家,很多人认为水资源开发如筑坝和土地开发如森林采伐可能已经在影响河流水流。湄公河被提到作为发展中国家典型类别的例子。

湄公河是世界上最大的跨国河流之一,也是东南亚最大的河流。它发源于中国云南西藏高原积雪覆盖的山区,全长 4 200km,流经中国、缅甸、泰国和越南的部分地区,以及老挝和柬埔寨的几乎全部国土。湄公河流域总面积 7 954km²,其中24%位于湄公河上游流域,包括中国和缅甸;其余76%位于湄公河下游流域的四个沿河国家,即老挝、泰国、柬埔寨和越南(洪水破坏)(http://www.mekongwetlands.org/)。

湄公河下游国家包括一些世界上最贫穷的国家,有很高的人口出生率,且1/3 人口每天生活费用不足几美元。由于经常得不到政府的帮助,流域内人们的平均生活水准低于流域外的同胞。水资源开发就此而言是非常必要的。居住在湄公河流域内的 6 000 万人口,有 3/4 直接依赖农业和湄公河系统的天然资源来获得食物和生计。对于这些人而言,使生计可以维持的是流域内的河流和湿地提供的水生资源。因此,只有湄公河保持健康,流域内的人们才能继续享有河流的天然利益。这些资源会受到开发的影响,因此怎样在将对河流及其资源的改变保持在可接受的水平这个前提下进行开发,这需要做出决定。人们公认,必须在发电、农业、渔业、防洪、运输,以及当地社会和天然环境之间寻求适当的平衡(湄公河管理委员会 http://www.mekongwetlands.org/,国际自然与自然资源保护联合会,WANI)。

如同任一跨国河流一样,湄公河流域水资源开发会影响数个国家,而不是只影响从事开发的国家。现有的大坝目前只能调节不足 5% 的湄公河流域的河水,但是在近数十年中,人们提议了 100 多个大坝。流域内国家对该河有不同的优先考虑和关心的问题(见表7),使得管理问题更为复杂。

表 7　湄公河流域各国用水

| 国家 | 用水 |
| --- | --- |
| 中国 | 水电用水及贸易航道用水 |
| 老挝 | 供泰国水电用水 |
| 泰国 | 为曼谷附近中心地区及沿湄公河的东北地区供水 |
| 柬埔寨 | 供支撑渔业用水,供灌溉及自浇地作物用水,供凤诺盆地区远洋轮船港口航运用水 |
| 越南 | 供占越南农业生产 40% 的三角洲地区稻米生产用水,供阻止海水向三角洲地区水路侵入用水,供水电用水 |

注:资料来自 http://www.waterandnature.org/flow/cases/Mekong.pdf。

可以看到下湄公河四国的国家用水目标有很明显的冲突。例如,两个下游国家需要河流流量尽可能达到河流的自然水平以维持三角洲地区的渔业和稻米生产,并防止河口地区的盐水入侵。上游的泰国想要从河里引出更多用水,而老挝和中国则建议修建大坝以改变河水流态和体积。经济—水力效益分析指出,从某些水力开发得到的收益会被另外一些开发造成的损失抵消掉。例如,为稻米生产建设的灌溉系统所带来的净收益要小于它导致的在渔业、无脊椎动物、植物以及其他营养资源方面带来的损失。

柬埔寨和老挝在 21 世纪最初几年制定的计划的基础上建立了强大的灌溉农业系统。从那时起已有 50 万 $hm^2$ 土地变为灌溉用地,范围从佟里萨湖附近的越南和萨凡纳科平原到柬埔寨的东部和南部滩地。

依据四国的开发计划以及观测到的地区趋势,湄公河委员会秘书处(the Mekong River Commission Secretariat)及国家湄公河委员会(the National Mekong Committees)联合成立的流域开发计划规程(BDP)队伍使用情景事例方法来描述和评估下湄公河流域水资源在未来5~20年间可能的变化。通过描述建立以下情景事例：

(1)可用的水资源。其由供水和当前用水之间的平衡定义。供水主要由气候条件决定，而用水可以是消耗式的，如灌溉、家庭及工业用水；或者非消耗式的，如渔业和航运业。

(2)能够影响水的使用或可用性的趋势。如人口增长、灌溉增加或者气候变化。

(3)各种人为干涉。其可以是物理性的，例如各类大坝、围堰、灌溉工程；或者非物理性的，比如新的管理系统、收费标准以及用水政策和法规。

通过分析比较不同情景事例，可以了解到河流系统对某类特殊变化反映出的敏感性，以及不同因素之间相互作用的不同。例如，当前条件下在旱季从湄公河进行大规模引水可能是灾难性的，但是如果计划在中国建设的大型大坝能够在水量充沛的时候蓄水，并在旱季时放水，则可以提高下游的灌溉能力而不会造成严重后果。

情景事例分析也在用来帮助各国决定湄公河中应该保留多少水量，即在1995年湄公河流域可持续性开发合作条约中提到的"最小流量"。湄公河委员会的新的环境流量项目将使用由流域开发计划规程(BDP)制定的情景事例来描述可预期的环境变化。各国将决定哪一种情景是"可接受"的，以此作为达成一致的流量的基础。

2000年，四国与渔业及水生资源管理相关的政府部门成立了一个四国技术顾问委员会(TAB)，由湄公河流域委员会渔业署监管。该委员会确立了重要的跨边界条例，包括大型鱼类的管理和湄公河深水池塘的保护。渔业合作管理中的地区训练项目也已开始实施。

湄公河委员会开发了一个水文模型，可以预测建议中的开发项目如水电站、灌溉工程以及变化的土地利用等所造成的水文影响。该模型能够预测不同水文特征在下游不同地点的变化，如不同洪水的规模(如5年一遇、50年一遇)、旱季流量、流量变化率、洪峰和干旱高峰到来的时间，以及淹没的区域等。

2003年，湄公河委员会环境署开始一项新的项目为湄公河的生态监测确定生物指标。这种指标和已有的化学水质数据及水文观测数据一起，可以使人更好地理解河流健康现状以及河流的变化情况。保护方法包括：确认区域计划和国家计划中具有生物多样性的热点地区，制定保护旗舰物种的行动计划，并与国际各大公司进行合作。

在所有这些初期活动中，管理湄公河方面有三个关键点：首先，那些来自刚刚从漫长的政治动荡和创伤中恢复过来的地区的四个国家必须学会与其他上湄公河国家为了共同的利益而进行合作，而且如果必须，还要发展出进行共同协商的机制。第二，以前在整个亚洲，或者在如湄公河这样规模的河流上，或者在一个滩地占主导的河流上从来没做过整体上的环境流量的评估,没有先例可循。第三,很少有河流会有如此众多的基本用水生物所赖以生存的有形或无形的(生命质量)物质处于如此危险的处境。需要找到办法详尽地表示这些物质以便他们能够成为决策过程的关键部分。

## 3　使用指标分组样本用于特殊目的

大致上指标可以分为三种类型:物理、化学指标,生物指标,以及社会、经济指标。前两种类型指标基于较坚实的科学基础,而社会、经济指标则相对更为主观。例如,有关流域的人口、美化,或者某个生态系统用于休闲的比率等因素,也许与环境压力有相关性,但都只能给管理者和政策制定者提供很少的对话信息,尤其是当人口在全球性范围内都在快速增长的情况下。

每一种可测的变量都有某些值可用以评估环境状况。然而,测量出每一种环境变量或把大规模的信息都集成到决策过程中是不可能的。必须仔细选择环境变量或指标,以判断是否已经达到或维持住特定的环境状况。

人们已经进行了很长时间的研究来寻找方法,以惟一地标识在一个群落的环境中污染或任何其他有害改变所带来的影响。生物反应倾向于集成许多压力器独立的和交互的影响,这也是它的一个属性使它们有能力成为比单个化学物质的浓度和含量更强有力的生态条件指标(Cairns Jr.et al.,1993;Clarke,1994)。需要进行试验来确定那些与人类影响有关联的指标变量 (Keough and Quinn,1991;Fairweather,1997;Deeley D.M.,1999)。

为求高效,河流健康指标需要生态(支持生态系统)、有效(要在有限资源下评估许多河段)和快速(这样可以为许多相关河流快速进行评估),也应捕捉可导致指标值变化的任何环境改变的自然的信息。肯定有一些途径,能够使指标反映出河流的规模,并能评估任何河段。一个有用的河流健康指标也应能够比较出有着不同生物的具有生态差别的区域。

### 3.1　通过健康组成——动物、植物、鱼、大型无脊椎动物、底栖有机物等

指标物种的开发集中在代理有机体的确认上。这些有机体结合了生态系统的临界物理、化学和生物属性,并因此可用于判断生态系统作为一个整体是否健康(Cairns Jr. et al.,1993)。总的来说,一组有着已知个体生态学(物种名称)的有机体能够比单一有机体更好地使人理解(Whitton and Kelly,1995)。

Suter(1993)指出健康是生物体的属性。理想的河流健康的指标应该能够在河流极端事件发生前及时警告管理员,使之有充分的时间采取预防措施。最好的河流健康指标应是包含了鱼和大型无脊椎生物指数的组合。

鱼是一种普通的和为人熟知的水生生态系统的组成部分,并被视为有用的

河流健康指标。由于它们不停地运动、有较长的生命周期以及处于食物链的高端,鱼能反映出河流一定规模的扰动。因此,鱼能作为有效的综合指标,反映出扰动对水生生态系统的副作用影响。通常使用本地鱼类的总数来判断一个水生生态系统在整体上的健康状态,因为研究显示出增长的环境压力会带来物种丰富性的减少。外来(引入)物种的存在和相对丰富也反映了水生生态系统的一般状况,也可能代表了河流健康衰退的症状和原因。在两个基本方面外界物种可以作为生物完整性的指标:首先,它们的存在代表了鱼群对在历史自然条件下原有的状态有了一个偏差(如引入之前的状态)。其次,因为猎食、竞争以及/或者疾病的传播,外来鱼种也在一定程度上与当地鱼种的衰退和灭绝有关。

水生大型无脊椎生物是非常有用的河流健康指标,而底栖大型无脊椎生物最经常用来作为富营养化、有机物泛滥、热污染和有毒物质的指标。特殊物种的存在和缺失提供了关于水质的信息。一些物种已知对环境因素如温度或溶解氧含量有特殊的耐受性。也可以从在某地发现的物种数量(生物多样性)、动物数量(生物丰富性)以及所有现存动物之间的关系(群体结构)来获得其他有用信息。在河流中无脊椎生物群的数量可以很合理地代表河流的健康状况,尽管这是一个简化的数据,仅靠它自身并不足以胜任此职。缺乏合适的栖息地或者多种污染物的存在可以导致现有种群数量的减少。

浮游植物以及底栖大型海藻已经在全世界范围成功地用于描述当前的以及历史上的营养富集、盐化和 pH 值情况(Kelly and Whitton, 1995; ten Cate et al., 1993)。矽藻也已用于评价淡水系统现有的和过去的水质。然而,对基础标准数据的需求、对标准化空间和时间相异性的需求、对动植物分类颗粒水平的要求,增加了使用浮游植物作为生态健康指标的难度。

水生附着生物及底栖大型藻类已广泛用于淡水系统的水质监测。作为相对的固着生物,水生附着生物及底栖大型藻类有能力在局部地区提供生态信息,却没有办法传递更大范围地区的情况。由于它们在作为底栖捕食者的食物来源方面的重要性以及它们在产生氧气和富营养方面的角色,底栖大型藻类是使用多种营养组的联合指标中的一个重要组成部分。

浮游动物广泛地用于推断淡水生态系统的状况。因为它们对浮游植物和附着生物在丰富性和多样性方面的影响以及它们在营养能量传输和毒物循环方面的角色,浮游动物群落可以看做候选的健康指标综合评估的一部分。

群落结构方法已作为物种起源压力的指标,没有一个单一的方法可以成为一个统一的生态健康的超级方法。结构性属性包括物种丰富性、物种多样性、相对丰富性、大小尺寸以及食物网结构。在河口地区观察到的生物群落通常有异营养和自营养单细胞生物如浮游植物、固着生物、浮游动物、大型无脊椎生物、鱼和鸟类。物种分布和丰富性模式毫无疑问是河流健康的重要元素,但常常不能解释系统如何工作(Harris, 1994)。

生物指数基于指标有机体的存在或缺乏,而此种指标有机体并非对所有污染物同样敏感,故生物指数通常只与某种类型的污染特别相关。这种指数通常使用大型无脊椎生物数量,因为它们可以更容易、更可靠地收集、操作和确认。此外,常常会有更多的生态信息可应用于这些生态分类组。

对地理区域中河流里大型无脊椎生物群的知识已经达到相当先进的水平,人们正在开发计算机系统来预测在河流某处若河流未被污染时生物群落的状况。将计算机预测的群落与实际取样和确定的动物样本进行比较便可以得到这一地区的实际状况或污染程度。

在英国开发的计算机系统命名为 RIVPACS (River In Vertebrate Prediction and Classification System) (Wright et al., 1993),正在进行国家间河流水质评估和分类的合作。使用观测的和预测的群落状态的比值作为生态质量指数(EQI)对河道和渠道进行生物评级(National Rivers Authority, 1994)。这些级别可以用于评价水质从一年到下一年测量数据的改变(如以色图的方式)。将来 RIVPACS 的应用会包括河流管理、资源保护以及环境影响评估。

RIVPACS 在英国取得了很大的成功并被国家规划署和环境管理局所使用。澳大利亚已开发类似的软件(AusRivAs)并已在西班牙的某些地区应用。在五个大类的基础上,RIVPACS 已用来开发一个英格兰和威尔士的河流生物质量的分级系统,以形成生态质量指数。在"1995 英格兰和威尔士河流域渠道的生物质量"(The Biological Quality of Rivers and Canals in England and Wales 1995 )中有报告(Environmental Agency, 1995)。

尽管有这些成功案例,RIVPACS 却也有一些限制:①没有考虑 taxa 分类;②没有选择河流类型(例如低地、渠道等);③没有提供栖息地物理属性的测量。将来 RIVPACS 的开发会克服这些不足。

正如在澳大利亚所做的那样,基本的 RIVPACS 方法可以扩展并改造以适用于区域条件。在那里 AusRivAs 结合了区域的、栖息地的和季节的不同模型。

## 3.2 化学的和生物的质量

生态系统受许多未被定点采样程序检测到的因素影响,如水质的波动、流态的改变以及栖息地的退化。生物指标能够反映出所有这些压力并提供直接的生态健康测量方法。

关键的物理和化学水质指标是营养(磷和氮)、浑浊度、盐化、pH 值、温度以及溶解氧。水质的退化影响了水生生物群落的健康和组成。营养水平的提高导致了藻类的恶性增长从而降低了溶解氧的浓度。增加的含盐度会造成盐分敏感种类的损失,而水高度浑浊会降低水的光度。

尽管现在更多地朝着观测河流健康方面转变,物理的和化学的测量方法对于观测河流质量的直接改变,以及对河流健康的测量进行辅助解释仍然很重要。

生物指标可以用测量方法层次来描述:①生态系统功能;②群落结构;③生物指标,④指标物种;⑤生物标志;⑥以上的组合。很明显,每种不同的生物指标在不同的空间和时间尺度上应用,同时作为环境压力的指标,也有不同的功能。应小心使用这些指标,因为有机体和群落可能对不同的压力有不同的反映(Bunn, 1999)。

化学方法并不应该比生物方法自动优先,因为两者都有优势和劣势(见表8)。相反地,两种方法都应被考虑。

**表 8　生物和化学水质检测的优缺点**

| 项目 | 生物检测 | 化学检测 |
|---|---|---|
| 优点 | 好的时空集成<br>很好地反映出慢性的、微弱的污染事件<br>信号放大(生物累积,生物扩大)<br>实时研究(在线生物分析)<br>测量水生生物栖息地的物理退化 | 非常精细的时间变化的可能性<br>精确的污染测定可能性<br>污染通量测定<br>能适用于所有水体,包括地下水<br>可进行标准化 |
| 缺点 | 普遍缺乏时间敏感性<br>许多可能的半计量和计量反应<br>难以标准化<br>不适用于污染通量研究<br>尚未在地下水中应用 | 对很多例程分析有很高的检测限制(对大型污染)<br>对水中挖掘出的样本缺乏时间集成性<br>对某些大型污染可能存在样本污染(如金属)<br>测量费用高<br>对连续监测有限制 |

## 3.3　河流状态

国际地理科学联合组织(IUGS)最近列出 16 个区域的 27 个地理指标,用来辅助评估环境中非生物组成的状态。其中 7 种指标直接与河流系统的状态相关,见表 9(Norris and Thoms,1999)。

**表 9　河流系统状态的物理指标**

| 指标 | 组成 |
|---|---|
| 沉降物的时间序列和构成 | 沉降累积速率,沉降物颗粒大小,含矿情况,地理化学 |
| 土壤和沉积物的侵蚀 | 侵蚀速度,侵蚀原因,传输模式 |
| 河流流量 | 年总流量,变化性,流量过程曲线 |
| 河流河道地形 | 坡度,模式,断面尺寸 |
| 河流沉积物存储和提取 | 泥沙通量,输沙模式 |
| 地表水质 | 浑浊度,悬浮物总量 |
| 滩地/湿地构成和水文 | 潮湿及干燥状态,与河流的连接性 |

**注**:资料来自 Norris and Thoms 1999。

### 3.4　流态

流态是河流健康的重要驱动力,正如土地利用、土地管理、水质以及栖息地的变化。通过流量统计,其能够很好地描述河流水力特征(水位、速度、频率)变化,可以发现河流健康与流量之间有很强的关系(Whittington,2000)。

由于从河道内为灌溉和工业用水直接提水,建造用于供水、防洪和水力发电的大坝及水库,以及由于使用在排灌区作为开放性输水管道的河流,河水流动的量和时间性都改变了。使用南澳大利亚河流的分类,可以识别有稳定河流流态的河水以及有高度变化的水流的河水,也能评估变化的水流对无脊椎生物的影响。

所谓的"下游对强制的流量转变的反应"(DRIFT)方法,是一个能对河流的环境流量作出建议的交互的、整体分析的方法。它是通过在南非的一些应用,从早期全景式整体方法中开发出来(Brown and Joubert,2003)。DRIFT 的基本原理是流态的不同形态,如小流量以及小、中、大规模洪水,能够维持河流生态系统的不同形态。

"下游对强制流量转变的反应"(DRIFT)使用以下四个模块。

### 3.4.1　模块一　生物物理学的

在这个工程范围内,科学研究在河流生态系统以下几个方面开展:水文学、水力学、地形学、水质、河岸树木及其水生植物、水生无脊椎动物、鱼类、半水栖哺乳动物、爬虫类、微生物等。所有的研究都和水流联系在一起,其目的在于能预测相应于特定水流的变化时,生态系统的某一部分怎样随之变化。

### 3.4.2　模块二　社会经济学的

社会学研究开展关于所有被用于生存目的的公共财产使用者及这些人与他们的家畜的与河流相关的健康侧面的河流资源,这些被使用的资源被计入成本。所有的研究都和水流联系在一起,其目的在于能预测相应于特定河流的变化时,人们怎样被影响。

### 3.4.3　模块三　情景建设

对于任何未来水情,客户会考虑到处于用模块一和模块二创建的数据库条件下的河流生态系统预知变化,每个有关用于生存目的的公共财产使用者的预知影响也被描述。

### 3.4.4　模块四　经济学

用于公共财产使用者的每个情景的补偿成本也被计入。引起流量大范围波动的主要因素是天气,其决定了全年的降雨分布。温和湿润的气候条件下的流量变化和不均匀是适中的,但是在大草原区域的特定亚热带地区是极端的。下层土壤的组织结构也是重要的因素,巨大差异可以在多孔岩石、黏土、沼泽土及其裂化岩之间观察到。在一些例子或更多例子中,这样的流域地质条件在产流时,其中一个因素也可能会引起变化。

## 3.5 粗分类标准

由于个人健康量度标准的不可避免的局限性,包含了生命和非生命特征的生态系统健康的综合量度标准已经被制定。尽管在综合过程间,几个指标和额外选集缩减了信息量存在有问题,综合量度标准具有不被在具体例子中单个指标所限制的优点。据一个在南非已开展的划分河流等级的研究项目发现,一个生物分类已被制定。一个用于河流动植物群落的国家数据库已经用微软的 Acess 软件包准备好,这个方法采用了未转换的数据和布雷科蒂斯(Bray Curtis)类似索引划分凝聚族分析。采用粗分类标准划分的南非河流类别在表 10 中给出。

表 10  南非河流类别(DWAF,1999 Brown and Joubert 2003)

| 类别 | 描述 |
| --- | --- |
| A | 未改变的,自然的 |
| B | 有微量改变的自然。自然栖息地和生物区可以有微小的改变,但生态系统的本质功能未有改变 |
| C | 适中的改变。自然栖息地和生物区的缺失和改变已经发生,但是未改变的基本的生态系统功能依然占据主导地位 |
| D | 大规模的改变。自然栖息地和生物区的缺失和改变已经大规模地发生 |
| E | 自然栖息地和生物区的缺失和改变已经非常宽泛 |
| F | 改变已经达到临界水平,激流系统已经被完全改变,自然栖息地和生物区彻底缺失和改变。在最坏的例子里,基本的生态系统功能已经被摧毁,改变是不可逆转的 |

澳大利亚的河流健康宽范围评价采用了一个快速和标准化的方法来评价河流的生态健康,其基于生物监测和栖息地评估,名为 AusRivAS。站点已经根据州当局的建议选择好,地方政府、工业界及其流域组织和社会团体已经注意到关键河流和流域管理议题。

在参考条件下(即质朴的和接近质朴的),AusRivAS 由一系列的具有特定情形的野外数据的数学模型组成,用其预测在被调查河流中的水生无脊椎动物种类。这些模型已经用栖息地信息和大量无脊椎动物调查开发,这些信息和调查来自于在大约 1 500 个精心选定的相对质朴和最可能的条件的参考站点。

河流健康评价基于差异,这种差异是测试站点的发现与具有相似地形和物理化学特征的一系列参考站点的预测的不同。

先前的研究已经显示了多样的影响引起敏感动物种类的缺失,例如水质变化。对于每个站点,可以计算观察的大量无脊椎动物种类数量相对于预期种类数量(O:E分数)的比率。O:E值可能在0(表示在那个站点没有发现种类)和稍微超过1(表示在那个站点发现了超过预期数量的种类)之间的范围波动。

AusRivAS O:E分值提供了可靠和综合的河流健康指标,其能反映多种影响,包括水质、栖息条件、水情变化。O:E分值被分配到代表不同生物条件水平的种类或等级,范围从"超过参照"条件(包含超过预期种类)到"贫乏"(包含非常少的预期种类)。这些等级提供了一个全部条件和不同站点的严重影响的"生物学的健康报告",这允许河流的综合健康在一个调查站点被特征化。

当AusRivAS O:E分值不能提供一个明确的干扰原因指标时,这个分值可以把个别溪流的当前条件放在国家范围内,这样强调的或优先的河流可以被界定,以用于更进一步的调查和管理行动。

生态系统功能过程的量度标准被用来表现环境稳定性和对压力的反应,其包括生产、碳循环、分解率和成长率。在生态系统功能或形式是否提供最好的识别方面存在一些争论。生态级过程是河流健康的理想量度标准,因为它们综合反映了宽范围内的流域干扰。干扰包括来自于散播或点源的增加的营养浓度,对于有机碳的数量和组成的变化和对于光到达的范围和沉淀的变化。

直接的生态系统过程的量度标准(比如总产量和代谢率)和在水生食物链中有机碳的最终途径的量度标准应该是河流健康常规评价的综合组成部分,重要的是,这个方法满足了许多的用于评价河流健康的重要生物指标标准(Bunn et al.,1999)。

群落结构方法检验种群的量化的富裕度(每个种类在一个群落中的数量)。这个方法广泛应用于评估水污染,其基于相异性指数或类似指数。一个相异性指数(综合了分类学的富裕度和有机体出现的优势和/或均势信息的指数,被有比较地用做水质的指标)试图把一个群落中相关种类的富裕度数据简化成单个数字。类似指数(类似指数比较站点与最常用的其他种群标准集合结构(质量和数量))通过比较两个样本得到,其中一个就是常用的控制。在说明一个情势是否变得好或坏时,这个方法具有不需要生物学或生态学知识的优点,因为它被表示为指数的数量值(然而,在分析样本时需要分类学的知识)。

# 4 复合指标

原始地区不存在污染,例如河流和湖泊的源头。需要基本数据来判断这样的原始条件。原始河流是以高质量的优美自然资源为特征的,河流沿岸主要是自然的植物,河流走廊一般没有被开发。

从原始和未治理河流到现今被过度开发的水道是一个有着丰富的社会和经济价值的经历,其养育着灌溉农业和对河流自然资源的调节。

相应于澳大利亚河流日益恶化的条件,澳大利亚政府于1992年设立了国家河流健康项目(NRHP)。其主要目的是监测和评估澳大利亚河流的生态条件及当前管理的实践,给基于数据的管理决策提供较好的生态和水文数据。澳大利亚河流评估计划(AusRivAS)是一个国家生态评估项目,其应用水生大量的无脊椎动物来应对NRHP的初始目标:澳大利亚河流的健康评估或生态条件评估(Schofield and Davies, 1996)。

在澳大利亚,超过一半的位于开发过的河流漫滩湿地可能不再有洪水。在澳大利亚所有的河流流域中,墨雷达令(Murray-Darling)流域所受影响最为显著。一些漫滩湿地现在永久地改变了它们的动植物储量(墨雷的热点话题),重要的是,澳大利亚依然有大量的河流系统。

基于有关水文、栖息地、流域干扰和营养悬移质的数据,已经发现墨雷达令河的许多河段的环境已被改变。这种变化可以总结如下:

(1)在墨雷达令流域,超过被评估长度95%的河段的环境条件已经退化,其中的30%相对于原始条件有很大的变化。

(2)在流域中,流域的干扰和营养悬移质是引起河流环境条件退化的主要因素。

(3)在这个流域的下游,许多河段东侧的改变很大,自然栖息地条件差,过营养的悬移质条件。沿岸植被流失与沙石河床的相互作用,对洪水期的河床质运动产生了长期主导性的影响。

(4)在被评估河段中,超过半数的水文条件已被改变,随即带来了大坝下游和用于灌溉的低地河段的巨大变化(Norris et al,2001)。

在Murray-Darling河里,洄游的鱼类被超过3 600座大坝、围堰和调节措施所减缓或阻塞,当地金河鲈和银鲈已经在大坝的上游局部灭绝,比如Hume大坝。在新南威尔士的Murray地区,半数有记载的鱼类,其中的33%来自Darling区域,在近期的调查中已经消失。

下面是在Murray河水流的主要变化:

河流流量减少,减少在季节水流循环里的低水周期,河流的可变性减少(可靠性的供水减少),减少再结合和淹没漫滩栖息地和湿地小洪水的频率,增加了平水之间的持续时间。

在南非的uMngeni和uMlazi流域,河流被大坝、围堰和用于提供饮用水和灌溉用水的小型农场坝大幅度调节。这些河流也处于这个地区稠密人口的压力之下,人们依靠这些河流生活。大坝和城市开发对这些河流的健康有着巨大的影响。

在uMngeni和uMlazi流域,有129座大坝记录在案,其中5座被认为是大型

的，分别是 Midmar、Albert Falls、Nagle、Henley 和 Inanda，这些坝的容量合在一起有
7.53 亿 m³，超过整个流域的年平均径流（7.40 亿 m³）。大坝可以储蓄洪水，并提
供了休闲娱乐场所，可是它们也造成了河流健康问题。这些问题包括：

（1）所有建在 uMngeni 河上的大坝主要用作供水，不是为了适应下游生态需
求，这样就改变了大坝下游的栖息地，这可能会引起有益多样性的减少（比如鱼
类河芦苇的减少）。

（2）大坝拦截了泥沙河营养物质，导致下泄高能清水，这样的水会侵蚀河流
的沉淀物，非常清的水还可能改变动物区系的构成，因为清澈的水会使用视力捕
捉猎物的肉食动物看得更远，比如，黄鱼可以很好地适应浑浊的水。

（3）大坝的下泄生成的水流是非自然的，导致水生动物生活周期变化（一些
水生动物会因此死亡），例如，在冬季中间的洪水可能会触发不适当的繁殖，从而
加大后代的死亡率。

（4）通过溢流道下泄的水里含有大量的藻类，而在 uMngeni 这样大流速和浑
浊的河流里，藻类不是主要的，引进了一个新的食物源，这会导致无脊椎动物社
区的改变。

（5）通过大坝底部（例如 Alert Falls 和位于 uMngeni 上的多数大坝下泄水的
温度要比河水低得多，含有溶解的锰、铁、硫磺和氨水，所有这些都潜在地对水生
物有害，其中的一些危害可以超过下游 20km。

（6）减少下游的水量会引起植物的侵蚀，例如 Phragmites australis 芦苇，甚至
是陆生种类，导致缩窄河床。在大洪水期发生时，河床不再有行大洪的能力，这
可能有灾难性的后果。洪水拔起下游的植物会拥塞（有时会破坏）桥梁或别的基
础设施。

（7）大坝是鱼类洄游的障碍，幸运的是这个影响比较小，在 uMngeni 河里只有
两种洄游的鱼类。鳗鱼设法爬上大多数的坝，黄鱼将会在坝下面的区域里适应。

大坝影响源自河流的产品和服务，尤其是影响依赖直接与河流的生态系统
相关的产品的人们，幸运的是，这些影响可以用大坝泄水这种方式来适应下游的
需求。

## 5　水质分类标准

### 5.1　I 类水：未被污染到非常轻微的污染

水体纯净，氧饱和，低营养，低细菌含量，适量密度的藻类、薛类、扁型虫和昆
虫幼体，鲑鱼产卵区域。

### 5.2　I-II 类水：轻微退化

水体含有轻微的有机质或无机质营养，但没有氧损耗，稠密的多样性的种

类,但鲑鱼占据主导。

### 5.3 II 类水:适度退化

水体受到适度污染,但有良好的氧气供应;大量稠密的藻类、有壳类、昆虫个体;相当多的大型植物;鱼类丰富。

### 5.4 II-III 类水:严重退化

水体含有机质,氧气的消费能导致严重的氧损耗;在氧气不足的短期内鱼类死亡;大型有机体的数量下降;某一个物种产生大量污染;藻类经常覆盖大部分水面;通常富产鱼类。

### 5.5 III 类水:严重污染

水体含有大量的有机质,氧损耗污染;通常氧气含量偏低,缺氧沉淀物局部化沉淀,西丝状污水菌和静止有纤毛原生物群体超过藻类和高等植物的生长,偶尔的对缺氧不敏感的微小生物大量生长,比如海绵、水蛭和水虱;鱼类产量低,周期性发生鱼类死亡。

### 5.6 III-IV 类水:非常严重污染

水体由于严重的有机质和缺氧污染而鲜于具备生存条件,经常混合有毒物质,偶而发生绝氧。来自下水道的浑浊,大量的缺氧沉淀,稠密的红蚯蚓幼虫或沉积和管状虫。西丝状污水菌含量下降,除非本地类的鱼类,其他基本不存在。

### 5.7 IV 类水:过度污染

水体被有机质和氧耗过度污染,腐败过程主导,低氧或绝氧期延长;细菌、鞭毛虫和运动纤毛虫,没有鱼类,在严重有毒物的注入下,缺少生物生命。

退化意味水质方面的轻微恶化一般不影响正常的水生生命和可以接受,然而受污染的水会引起绝大多数物种的消亡和不可接受。

## 6 检测变化

### 6.1 监测

评估水生环境质量是为了验证被观测的水质量是否适合用于某种用途。监测的使用也已经演化到帮助决定水生环境质量的趋势,质量如何被其他的人类活动和/或废物处理(效果监测)影响。近来,更多有关评估河流注入河流、湖泊或跨过国际边界线的营养或污染的监测已经展开。对决定水生环境的背景质量监测现在也广泛开展,因为它提供了与效果监测一个比较方法。它也被简单地用于检查是否有任何不希望的改变发生在原始条件下,例如,通过大范围内的大气污染传输(注释:然而,依据本地条件,自然水质量是非常易变的)。

原则上,会有和监测目标一样多的监测项目,水体、污染物、水使用和它们的混合。实际上,评估被限定于 10 个不同的操作种类,其被概述在表 11 和表 12

中,并给出了不同监测操作的细节。应该提及的是,在过去没有开展被认为必要的初级调查的情况下,许多国家或水管理当局已经建立了多目的或多目标的监测项目。经过几年的运行后,严肃的详细审查导致第二代的项目,拥有更多区别目标,诸如效果评估,趋势分析或运行管理决策。

**表 11　水质评价的操作种类和主要特征**

| 操作类型 | 站点密度和地点 | 取样或观测频率 | 变量的数量 | 历时 | 解释滞后时间 |
|---|---|---|---|---|---|
| 多目标监测 | 中等 | 中等(12年) | 中等 | 中等(>5年) | 中等(1年) |
| 其他普通的水质监测操作 | | | | | |
| 趋势监测 | 低:主要用途和国际站点 | 很高 | 低:单目标;高:多目标 | >10年 | >1年 |
| 基础调查 | 高 | 取决于所考虑的媒体 | 由中到高 | 从每年一次到4年一次 | 1年 |
| 运行监测 | 低:对特殊用途 | 中等 | 特定的 | 不定 | 短(月/周) |
| 特殊水质的监测操作 | | | | | |
| 背景监测 | 低 | 低 | 同低到高 | 不定 | 中等 |
| 前期调查 | 高 | 总是低 | 由低到中等(同目标而定) | 短<1年 | 短(月) |
| 紧急调查 | 中等到高 | 高 | 污染物清查 | 很短(天-周) | 很短(天) |
| 影响调查 | 有限的下游污染源 | 中等 | 特定的 | 不定 | 短到中等 |
| 模型调查 | 特定的(比如剖面) | 特定的(比如昼夜循环) | 特定的(比如氧气和生物耗氧量) | 短期到中等两个阶段:率定和生效 | 短 |
| 预警监测 | 很有限 | 连续的 | 很有限 | 不限 | 瞬时的 |

**注:**资料来自水质评价——环境监测中生物区、泥沙和水利用指南,第2版,联合国科教文组织/世界卫生组织/联合国环境规划署,1992。

没有相关的液体比重资料库对水质评价的分析结果会是毫无意义的。因此,所有的水环境监测应当考虑水体的水文特征,这些水文特征可由前期的调查资料而定。

水质评价所需水文信息如下:流域图、流量历时统计资料、河流的季节特征、河流的抽样水位、河流的抽样流量、持续流量。

监测站点的选择应多种多样,要能够代表水路的类型以及土地和水的利用及其对流域的影响。

传统的水质评价方法是用物理和化学的方法,即通过评估生态损失来间接

**表 12　水质评价操作的典型目标**

| 序号 | 操作类型 | 水质评价的重点 |
|---|---|---|
| | | 一般操作 |
| 1 | 多目标监测 | 水质的时空分布 |
| 2 | 趋势监测 | 污染的长期演变（浓度和含量） |
| 3 | 基本调查 | 主要调查问题的鉴别和位置和他们的空间分布 |
| 4 | 运作的监督 | 特殊用途的水质及与水质有关的描述（变量） |
| | | 特殊振作 |
| 5 | 背景监测 | 自然过程研究的背景水平；用作污染和影响评价的参考点 |
| 6 | 前期调查 | 污染物清查和监测程序设计之前污染物的时空可变性 |
| 7 | 紧急调查 | 污染物的快速清查和分析，快速的灾害后评价 |
| 8 | 影响调查 | 时间和空间有限的取样，一般集中在几个变量，污染源附近 |
| 9 | 模型调查 | 在时间、空间和选择变量有限条件下的高强度的水质评价，例如，超营养模型或氧平衡模型 |
| 10 | 预警监测 | 在临界的用水区域比如饮用水或渔业用水取水口；连续的和敏感的测量 |

**注**：资料来水质评价——环境监测中生物区、泥沙和水利用指南，第 2 版，联合国科教文组织/世界卫生组织/联合国环境规划署，1992。

地对水质进行评价。生物指标法在水质评价上运用的时间不长。尽管用物理和化学指标进行水质监测在理念和技术上与生物指标法有所不同，但两种途径都是以环境科学的实践为基础的。

影响河流生态建康的因素有很多：地理形态特征、水文和水力学过程、化学和物理水质以及河内河边生态环境的特性。对所有这些进行详细的测量是不实际的。河流健康计划主要是选择那些能够代表较大的生态系统和可测量的生态指标组。这样，收集到的那些复杂的资料就可以用生态指标进行概括，并以易于理解的方式进行表达。

## 6.2　基准和快速生物评价

基准研究是指在事件发生之前所完成的旨在探查不曾预料的环境变化和变化趋势的研究。基准资料通常是指从没有被干扰的站点收集而来的被影响之前的资料。这种方法在大规模的水质监测网以及规划良好的发展中得以体现。

快速生物评价以对一条河流的现状环境、水质和生物措施与同一条河流的预期状态进行比较为基础，或是以没受人类活动干扰的同一类型的河流的现状条件作为参考。快速评价或快速生物监测途径旨在为可能的进一步调查提供最初的印象。

快速生物评价协议综合了水资源代理机构目前所使用的生物评价方法。快速生物评价草案的概念如下：生物调查的成本效益和科学有效的程序；为某一区域一个季节的多站点调查提供条件；迅速地为管理决策反馈结果；将科学报告转化为面向管理人员和公众的信息。

这个协议可用于以下目的：

（1）确定一条河流是否适合某种指定水生物在特定的水质标准下生存。

（2）描绘水资源的现状及其受损程度。

（3）帮助鉴别破坏水资源的源头和成因。

（4）评价控制措施和恢复行动的效果。

（5）支持利用所获得的研究和累积的影响评价。

（6）描述参考条件的区域生物特性。

快速评价技术的使用最显著的成果是促进了参考条件方法的发展，参考条件是指最低限度被干扰的一组站点所代表的由物理、化学和生物特征组成的一组条件。

参考条件方法是生物监测上的一个重大发展。当对一个生物稠密的系统进行研究的时候，用参考条件方法可以解决设置近区控制或参考站点的问题。这个问题对传统方法来说是一个很难解决的问题。通常所使用的是一组在生物学上相似的、受影响较小的分布在整个流域或地区的站点而不是河流上游的参考站点。参考条件一旦建立，任何一个可疑的受影响的站点都可以通过与参考条件相比较来进行评价，并确定它的状态。参考条件资料库的存在可以是不变的。

参考条件方法是通过评价最低限度损害的河流站点来建立的，因为很少有可能找到没有受到干扰的河流。参考站点的建立应当代表该区域不同类型的河流。区域参考特征代表具有相似物理特征的所有河流所能达到的最好的条件。特定的控制站点是被研究的河流的一部分，它代表了河流的最好的可能达到的条件。

河流的站点按照理想条件下的相似水生群体进行分类。分类是建立在站点的内在特征（比如海拔、流域面积、河流比降、土质、地质和其他因素），而不是人为因素所引发的结果。

在评价前对河流进行站点划分是有必要的，因为参考不同类型的河流进行比较会导致错误的条件结论。对不同类型的站点进行比较就如同拿苹果和桔子相比较，它们的差别没有相关性。当差异被分类的时候，相似的站点被组合在一起，评价和比较会更有意义。参考条件为每一种类型的河流之间进行比较和探查水生物的损害打下了基础。

因为在世界上已不存在不被干扰的河流，参考条件的建立要求在考虑很多标准之后确定可接受的参考站点。应对备选的参考站点进行评价以确定它们相对于地理区域内的其他站点的受损程度。对于不同的区域(或不同类型的河流)来说,其可接受的没被干扰的条件特征可能会有很大的变化。目标是建立一种预期的条件,这种条件最好能够代表所希望找到的没有被干扰的生物特征和对过去有限的信息的认识。在定义这种预期条件的时候,区域的物理特性是最关键的信息。除了使用参考站点外,参考条件也是以历史资料、经验模型和专家的意见为基础的。

## 6.3　趋势探查和分析

趋势监测以高的取样频率为特征。趋势监测仅考虑在特定的取样时段的平均浓度 ,比如小流量时来自点源的污染物的稀释浓度最小,此时的富营养化效果最为显著,或在洪水期间检验悬移质和污染物的最大浓度。

表 13 提供了溪流、小河、大河、湖泊以及地下水以化学分析为基础的趋势监测的试验优化频率,同时考虑了化学成分的可变性。需要特别注意的是:①混合和存储颗粒物质的混合样本满足每年只分析一个样本的概率;②在湖水水体完全混合时取样;③在低水位的时候,也就是水质状况最差时来确定生物目录;④通过自动取样来抽取混合水样。

表 13　水质趋势监测:频率优化

| 项目 | 溪流与河流 | 大河① | 湖泊 | 地下水 |
|---|---|---|---|---|
| 水 | <24/年 | <12/每年 | 1 每年完全混合②或在每次完全混合③ | 1~4/年④ |
| 颗粒物质 | 1/年⑤ | 1/年⑤ | 1/年⑥ | 不相关 |
| 生物监测 | 1/年⑦ | 1 每年生物目录⑧ | 8~12/年⑨<br>0.2/年⑩ | |

注:①流域面积大于 100 000 km², 所需频率取决于流量的变化。②如果水的滞留时间大于 1 年。③如果水的滞留时间小于 1 年。④取决于水的滞留时间。⑤12 种总体悬浮固体的混合物取样,根据悬浮固体的流量,或在不可能的条件下可根据水的流量来称重。⑥2~4 种沉积物的混合样品。⑦用来监测生物体内积累的元素和混合物的有机物。⑧在小流量时。⑨为夏季叶绿素取样。⑩大型植物清查;每 5 年一次。

一个站点的流量可以通过测量并绘出水位曲线。水位曲线可以描绘年内的水位变化和土壤的饱和深度。一些湿地具有相对稳定的水位曲线,而大多水位波动是由于季节性的降水、气温和蒸发所致。很多湿地的面积在年内或年间是动态的和波动的。

随着流域形态的变化,流量和沉积物的状态也在变化,这样会大大改变河道的物理特性,并导致生物的生活环境的也发生变化。

## 6.4　管理的指标

生态指标是指生态环境的特征,用来量化承载力、生活环境特征、对施载者的暴露程度或对暴露的生态响应程度(Hunsaker and Carpenter, 1990)。生态指标直接涉及到管理,所以它理所当然地要体现目前社会和生物学上相关的解释。

### 6.4.1 河流质量目标和最小值

在对受干扰站点进行恢复和重建的管理中存在的一些特殊问题,需要在设计监测和评价程序的时候一并考虑。

最低限度的水质要求一般是通过生态系统的条件来认识的,可分为三个生态系统的条件标准:①保护完好/生态价值(条件1);②轻微或适度地干扰(条件2);③严重干扰(条件3)。每一种条件都有相关的保护标准。

在第一种条件下要求周围环境的质量。在第二种和第三种条件下的低风险触发值已经开发。为了开发低风险触发值,要研究物理和化学协迫物的生态学和生物学影响,要测量水质指标的统计学分布。根据水体保护的等级,触发值可以在同利益相关者磋商和听取专业建议后或多或少适当地加以定义。

因为引入的鱼类与退化的河流情形明显地有很强烈的关系,并且它们对当地物种有潜在的影响,所以通常把引入的鱼类用做生物完整性和河流健康的评判指标(Kennard,2005)。

### 6.4.2 流量目标与最小值

从河流系统中引水用于发展灌溉,满足工业和家庭用水,会改变河流的自然水情。引水引起水量的不充足,会潜在地退化流域的环境,确定并落实一个适合的环境流量是确保河流引水量和河流生态需要平衡的关键一步。目前,以保护河流生态系统为目标的水量调配在世界范围内都被公认为是合法的。

环境流量一般指从大坝中泄放的,用以平衡社会、经济和环境需要的水流量。通常寻求模仿一个流量以达到满足开发前的可行条件。环境流量的定时、数量和质量都是关键因素,就像河流的自然流量中的这些因素一样,这些因素的不同组合将对每个生态系统带来不同的好处。环境流量寻求确保在功能上提高对维持健康的河流生态系统很必要的化学的、地貌的和生态的过程。

环境流量的目标是为维持河流和其他水生生态系统的健康在数量、质量和定时方面提供一个充足的水情。然而,河流应维持的良好健康的程度是一个社会的评判,它随国家和地区的不同而变化。对一个特定河流,适当的环境流量将取决于被管理的这个河流系统的价值。这些将决定怎样维持环境、经济和社会期望和河水的用途等方面的平衡。

有人估计,在澳大利亚,当水量少于自然水情的2/3时,拥有健康河流的可能性将从高降到中等(IUCN WANI)。这似乎是个合理的数字,但缺少科学的证据支持。确实,从理论上来说,不可能定义一个能维持河流理想状态的水情。从实践的观点来看,环境流量的评估是实用的河流管理的工具。然而,应该指出的是,只要水生环境的知识有限,制定初始的环境流量将不可避免地需要专家或政治判断的因素。

特别指出,环境流量与大坝无关。然而,大坝通常是河流自然流量最重要和直接的改变者,并且是改善环境流量的起点(IUCN WANI)。从大坝中向下游放水主要取决于大坝的可供水量和运行方式。

通常,通过大坝改变水流取决于一些综合因素,如大坝的类型、大小、设计和出口建筑物的维修情况。出口建筑物包括通过大坝如闸门、溢洪道和管道等过水方式。如果大坝上游有水库,水库的运行方式取决于每天和季节的泄水方式。这些通常反映在水库入流、蓄水方式以及主要服务区的需水时间表等方面,如灌溉、发电或环境流量。

## 7 Murray 河环境流量的好处

(1)在自然和频率方面改进以更接近反映在河道、死水和滩区中不同级别流量(高、中、低)的自然可变性。

(2)移去滩区和湿地的碳(滩区上沉积物质的分解产物),科学显示这些碳是维持河流健康的关键因素。

(3)改善能稳定河岸和减缓侵蚀的河岸植被的健康生长。

(4)刺激当地鱼种如鳕鱼、黄腹鱼和鲶鱼移到 Murray 滩区去繁殖和喂养。

(5)为河口地区的鱼类和贝类提供淡水和食物。

(6)为水鸟如朱鹭、鸬鹚、夜鹭,提供足够深度和历时的流量来筑巢、繁殖和饲养雏鸟,为植物生长和发育提供土壤湿度。

(7)补充含水层和稀释存留在湿地和由于蒸发导致的干河道中的含盐水。

(8)刺激无脊椎动物卵孵化和植物种子发芽。

(9)滩区植被提供给当地的动物和家畜作为食物,并且通过在滩区上沉积土壤和营养物来补充滩区养分。

在澳大利亚和其他国家已经开发了许多方法来决定河流的环境用水需求。Doeg(2000)建议环境流量决定方法分为以下三类:

(1)水文方法是指利用历史上的流量资料,建立年平均流量或特定水文指标的百分比来达到特定目标的方法。

(2)基于栖息地的方法是努力定义流量和适合于鱼类的栖息地数量和种类关系的方法。

(3)整体方法是指聚集专家综合来自生态、水文、水质和地形等不同学科的信息的方法。

在澳大利亚条件下,流量、自然生态区(可用性和条件)和生态过程(如产出与呼吸作用的比率)的关系在许多研究项目正在发展。栖息地如何受流量改变影响是理解河流管理生物成果的关键。因此,把栖息地和生物区如鱼类和无脊椎动物自然指标的连接也包括在这个分析中是很重要的(Whittington, 2000)。

对于世界上大多数河流系统来说,还没有确定明确的生态目标。表 14 举例概述了英国河流系统的生态目标。

**表 14　英国河流系统的生态目标示例**

| 河流 | 总体管理目标 | 流量目标/水位目标 | 使用方法 |
|---|---|---|---|
| Babingley 河 | 维持野生棕色鳟鱼的数量 | 满足生态上的流量历时曲线 | 自然栖息地模型(PHABSIM)和从降雨径流模型中得到流量—历时曲线 |
| Kennet 河 | 维持野生棕色鳟鱼的数量 | 不应降到引起棕色鳟鱼自然栖息地的面积减少超过 10% | 自然栖息地模型(PHABSIM) |
| Avon 河 | 保护三文鱼迁徙 | 每年关键时期的最少流量 | 对三文鱼的无线电跟踪 |
| Pevensey Levels wetland | 恢复和维持到 1970 年的生态水平 | 从 3 月到 9 月,水位在地面以下不超过 300 mm;从 10 月到来年 2 月,水位不超过地面以下 600 mm | 对湿地物种生态需水的专家研究意见 |
| Somerset Moors and Levels | 正在繁殖的涉禽的数量恢复到 1970 年的水平 | 在冬天提高水位来产生洪峰,在春天地表水位维持在 200 mm 之内 | 对涉禽生态学的专家意见 |
| Chippenham, Wicken, Fulbourn Fens | 植物群落的保护 | Granta and Lodes 河确定的目标流量 | Lodes-Granta 地下水模型,抽水试验,水文研究 |

注:资料来自 IUCN WANI。

# 河流生命的伟大复兴

## ——河流健康生命:理论、背景与实践

### 郎　毛　胡述范

**摘要:**(1)河流的自然生命:作为一种自然本体的存在,河流生命是一个既古老而又年轻的命题。河流的流量、流态、洪水、湿地、水质和动植物共同构成了一种波澜壮阔而又互相耦合的生命关系和生命形态。其中洪水是河流的生命高潮,是河流动力的高峰体现。河流生命的许多功能都是通过洪水来实现的。

(2)河流的文化生命:河流自然生命是文化生命的基础,河流文化生命是自然生命的延伸。各个族群源于河流或在河流背景下生成的认同和倾向又进一步赋予河流以一种崇高品格,使河流成为民族文化的象征和传统文化的载体。河流不仅仅是经济资源、战略资源,还是不可替代的文化资源,是全人类亟待保护的珍贵的自然文化遗产。一个可持续发展的社会不仅仅表现为经济的可持续性,还必然意味着河流以及河流审美和文化价值的可持续性。

(3)人水关系的四个发展阶段:河流与人类的关系走过了神化和妖魔化阶段,目前正处于由工具化向本体论阶段的转型之中,即由片面追求对于河流的工具化开发利用向尊重河流的本体价值、维持河流健康生命、追求人水和谐方向进行根本转型。

(4)河流的五大权利:河床地貌、河流生态系统以至流域保持完整的权利;河道、水体保持连续的权利;维持河流生命底线的基本流量权利(即河道用水权);保持水体清洁的权利;孕育和支撑整个河流生态系统繁衍成长的造物权利。

(5)在中国,黄河治理理念和实践的根本转型正在引发一场关于河流伦理的革命。黄河防断流的新使命、河流生命理论的提出、治河终极目标的重建以及调水调沙等重大科学实验的实施,标志着河流生命全面复兴时代的来临。这是具有强烈实践理性的河流宣言:承认河流完整存在的理由和内在价值,尊重和保障河流的各项基本权利,精心呵护河流的健康生命,人类将从对河流的异化阶段跨入一个与河流共生的和谐阶段。

**关键词:**河流生命　河流伦理　本体　终极　复兴　内在价值

没有人可以否认河流在地球生命共同体和文明起源中的主导作用。作为陆地与海洋之间最长的生命带,河流吸纳着土壤中的剩余水量,昼夜不停地腾挪和搬运,以一种巨大无可替代的力量维持了地球水分、盐分、泥沙、生态环境和能量交换的总体平衡。其所到之处,大千世界充满生机。

然而,随着人类活动急剧扩张,河流本身却在一天天走向枯萎和消失。从小溪到巨川,从支流到干流,从内陆到沿海,曾经洁净万物的本源惨遭污染,曾经汹

涌澎湃的江河频频断流。因此,一向高歌猛进的浮士德式人类文化模式理所当然地受到追问和质疑。

于是,重新认识自然和河流生命成为当代伦理思想的一个重要转型,"维持河流健康生命"成为当代生态和河流伦理思想及其实践的重要成果,而河流生命的复兴成为可持续发展时代的强烈呼声和必然要求。

## 1 河流的自然生命

河流生命是一个既年轻又古老的命题。在几乎每个民族的史诗和神话传说中,都闪烁着"水神"、"河神"的身影,各民族发育期差不多都经历过对河流的敬畏阶段。河流的流量、流态、洪水、湿地、水质和动植物共同构成了河流的生命形态。

### 1.1 流量是内涵

每条河流都有大小不同的径流量,每条河流的径流量在不同季节产生不同的变化,在上下游又有不同的空间分配。自然情况下,这些不同量级的运动水体演进在不同流域及其河段使其都形成了具有完整功能的生态体系,其流域内的多年平均径流量应该是一个相对稳定的数值。只是由于人类社会经济发展对水的需求日益增长,使水资源的时空分配发生了剧烈的变化,河川径流量不断减少,以至造成入海流量的锐减甚至消失。

事实证明,合理遏制人类的开发冲动,千方百计防断流,保证足够充沛的入海流量,是河流存活的首要因素。由于人类几乎在所有大江大河上都筑起了高坝大库,径流量大部分被拦截在库容巨大的水库之中,所以许多国家正在开展对于水库下泄流量和河道生态用水的研究,以确保维持河流生命的最小流量和基本流量。而在关于水量分配的流域规划中,则把河道用水作为基本用水户加以充分保证。

### 1.2 流动是本质

与流量相关的流动状态,是河流生命的又一个要素。没有流动,河流就丧失了在全球范围内进行水文循环的功能,从而不再是河流,而退缩为古地质时期一连串各自独立封闭的内陆湖泊。

流态之所以和流量密切相关,是因为人类防洪和用水不仅改变了河流水量的空间分布,而且通过一系列大坝水库和河道整治,深刻影响和改变了河流的天然流态,使径流过程平均化。许多河流因流量减少而流速过缓,大量泥沙落淤,河槽隆起,缩短了河床的生命周期。

### 1.3 洪水是高潮

洪水是河流的生命高潮,是河流动力的高峰体现。没有洪峰的水流,充其量只是一条排水沟,而不是活力澎湃、具有多样化生命内涵的河流。河流生命的许多功能都是通过洪水来实现的。陆地上的洪涝本是自然界水资源的自我循环和可持续再生产的机制之一,其重要的功能与结果是不断补充地下水储藏量,改善地表水的可再生过程,加速夏季水资源再生产速度和水流量;季节性的洪涝是陆地上动植物获得水源、繁殖生长的有规律的生命之源,而不是专门跟人类过不去的妖魔鬼怪,洪涝成灾的真正原因是洪涝发生的不确定性和人类对之预期不准确性以及得寸进尺地与水争地(汪祖杰,2002年2期《社会科学论坛》)。如果人类不是非要和河流见个高低不可,而是给河流让出一个必要的空间,界定一个人类不可擅自逾越的洪泛区,那么洪水所带来的福祉就不仅仅是河流生命本身的繁盛。从非洲、中东到南亚次大陆,几个大体平行的人类古老文明,恰恰正是源于大河系的泛滥农业。

### 1.4 湿地是保障

在河流生命体系中,湿地是一个不可分割的重要成员,是陆地与水域之间的过渡地带,是水陆相互作用形成的独特生态系统。在湿地这一自然界极其富于生物多样性和遗传多样性的生态环境中,保存着大量已知未知的生命基因。同流量、流速和洪水一样,湿地是河流健康生命的重要指标。

需要指出的是,在天然湿地之外,人类大规模拦河筑坝所修建的水库,形成了事实上的大型人工湿地。除不可避免地对环境造成的负面影响以外,现存水库作为人工湿地系统所发挥的积极作用同样应该得到科学关注和适当评价。

### 1.5 水质是品位

如果说流量、流速代表了河流生命的规模和强度,湿地代表了河流生命的多样性的话,那么洁净的水体则代表了河流生命的内在品质。一条洁净的河流源源不断地为生命共同体提供着高品位的营养,而污染的水流则对生物圈中所有的生命造成威胁。这种威胁的起因当然来自人类对于河流生命的不敬甚至亵渎。

水体污染是工业化早期河流所遭遇的必然命运。如果说流量减少乃至消失严重动摇了河流生命本体的话,那么水质污染则可谓病入膏肓了。

河流自然生命是文化生命的基础,河流文化生命是自然生命的延伸。河流自然生命的衰退必然引起文化生命的巨大危机和严重后果。

## 2 河流的文化生命

人类文明的第一行脚印,是踩在湿漉漉的河边的。通过逐水而居,原始人获得了一种简朴然而充满希望的生活和初级生产方式,并对河流产生了亲和、依赖和畏惧,推动了人类想象力和终极观念的形成。

在很大程度上，人类早期文明又称大河文明。在黄河、尼罗河、幼发拉底河和恒河、印度河流域，通过洪水周期性泛滥和引水灌溉，形成了最早的农业，并诞生了与之适应的科学技术、政治文化和社会分工。埃及的神秘来自尼罗河，正是饱含乳汁的尼罗河母亲哺育了埃及的 7 000 年文化。正如古希腊史学家希罗多德所说：埃及是尼罗河的馈赠。

而且，通过河流，纷争不已的部落和相互隔膜的族群获得一种标志性的文化认同，产生了一种后来被称为民族凝聚力的文化倾向。在此基础上演化和提升的民族精神，形成现代民族国家的本土文化品格和深层意识形态。

反过来，这些源于河流或在河流背景下生成的认同和倾向又进一步赋予河流以一种崇高品格，使河流成为民族文化的象征和传统文化的载体。

河流的文化生命就这样产生了。在第二次世界大战的中国战场上，国都沦陷、山河破碎，一曲悲愤雄浑的《保卫黄河》却成为连接重庆和延安、前线与后方的共同旋律，成为超越所有党派的精神旗帜，动员起抗日救国的巨大力量。改革开放新时期，黄河作为民族摇篮，为成千上万的海外华人寻根问祖、顶礼膜拜提供了可知可感的实体和空间，成为凝聚民心、引领民气的"精神图腾"，以至有关国家学者断言，如果听任黄河断流不复，则预兆着中华民族的衰亡。

河流文化生命在于它的超越性。你可以通过河流的故事触摸一段历史，一个族群；你也可以通过历史的故事复活一条河流，一种刻骨铭心的记忆；你甚至可以通过知识、经验和想象把河流与历史抽象和简约成一种符号，赋予它更加丰富和充满变数的内涵。这时，河流文化生命就由超越性而获得了一种稳定的虚拟性，是各民族发生、成长和可持续繁衍的文化资源。

在地球景观中，没有什么比河流更神奇、微妙和难以穷尽了。河流是最具运动性、可视性和永恒美学价值的自然景观。有声有色、奔腾不息的河流焕发了所有大地景观的活力，激发了人类无穷无尽的想象力和自然情怀，产生了独特的河流美学，掀开了地球自然和生物史诗中瑰丽壮美绵长的诗意篇章。从中国的《诗经》《黄河大合唱》、俄罗斯的《伏尔加船夫曲》到美国的《老人河》，河流无一例外地成为文学和文艺创作的源泉。每一条河流都有自己独特的历史、文化、音乐和诗歌。不能想象没有河流滋润的人类情感和文学作品，就像不能想象没有文学和音乐伴随的河流。浩荡的巨川，湍急的洪水，柔美的溪流，神奇的峡谷，作为历史文化的空间载体，艺术创作的永恒母题，想象力的起点和极致，作为人与宿命搏斗的见证，在人文史上具有经久不衰的原初价值。河流不仅仅是经济资源、战略资源，还是不可替代的文化资源，是全人类亟待保护的珍贵的自然遗产。一个可持续发展的社会不仅仅是经济的可持续性，还必然意味着河流以及河流审美和文化价值的可持续性。

当然,人与河流不仅产生诗歌和音乐,也产生了漫长的崇拜和恐惧、蒙昧和算计,恩恩怨怨,难解难分。

## 3 被人类异化的河流

人类是自然进化中的一个普通物种,也是从河流中受益最多的一个特殊物种。正因为如此,自从人类登上地球演化的历史舞台,河流生命就一步步变形和扭曲,走过了三个异化阶段[1]。

### 3.1 神化阶段

人类早期所经历的大洪水,在各民族集体记忆中都留下了深刻烙印。中国上古时期产生了"女娲补天"的传说,人们希望有一种超自然的力量能把"天补上",不再下雨,或者把水"排"掉、"堵"上,从而归纳出大禹与父辈们"疏"与"堵"两种治水方法,并为后世一直沿袭;而《旧约·创世纪》则把大洪水视为耶和华对人类的惩罚。

在难以理喻的巨大自然力面前,人类童年的恐惧、崇拜和迷信油然而生,由自然崇拜诞生了最早的原始宗教。中国的河神崇拜由来已久,凡有河流的地方就有河神庙。

神话的意识形态特点是敬畏,实践的结局却免不了暴虐。在中国和埃及,"河伯娶妇"、"河神娶妇"曾经作为一种庄严而荒唐的仪式,年复一年地在大河两岸上演。

中国的战国时代,魏国人传说漳河神每年通过巫祝表达旨意:要娶人间美女为妻妾,否则水患立至。在埃及,盛行在一年一度的泛滥节中,将一位花季少女活活投入尼罗河中,以取悦河神给人们带来平安和富足。

与东方河神充满强制和恐怖色彩的"祭祀婚姻"不同,希腊神话中的河神阿耳法斯只是一个寻欢作乐的情种和百折不挠的追求者。

这是一个美丽的隐喻。河神咆哮万里,甚至上天入地,只是为了爱情和繁衍。显然,无论东方还是西方,在人与河流的关系上,都经历过一个漫长的神话阶段。这一时期主导意识形态是泛神论和万物有灵论。

### 3.2 妖魔化阶段

当对河流神化的结果屡屡不能奏效时,对河流的妖魔化就是必然的。敬畏

---

[1] 关于人与河流、与自然关系的三个阶段或三种形态,钱正英认为,农业社会是局部斗争;工业社会是全面治理;知识经济时代是与洪水协调共处。李国英认为,一般说来,人类和自然界,即经济社会系统和自然生态系统之间的相互作用可以形成三种基本形态:一是经济社会系统与自然生态系统相互促进、协调和可持续发展状态;二是经济社会系统与自然生态系统相互矛盾、恶性循环状态;三是经济社会系统与自然生态系统相互对立、经济发展和生态平衡均遭破坏的状态。后两种状态都应称为不可持续发展状态,只有第一种状态才是目前被全世界公认的人类应选择的可持续发展之路,才是既满足当代人的需要又不危害后代人满足其自身需要能力的发展状态。

与仇视往往相伴而生,或者说,人类对河流的情感投射模式本身就是一个双面镜,一面是普渡众生的神祇,一面是青面獠牙的魔怪。

在中国流传最广也最久远的是大禹治水传说。在史籍记载大禹"以水为师、因势利导"的同时,民间版本的大禹却是一位威猛擒妖的大力士。他的故事除三过家门而不入以外,还有降妖传奇。这种水妖在典籍中叫"巫支祁",民间俗称"蛟",是洪水的化身。从山东济南的禹王锁蛟庙,到河南禹州的禹王锁蛟井,这种对河流的妖魔化定位深深浸透到中华集体无意识的深层。

人类对河流的妖魔化从原始的神化开始,最后演变为工具化和泛人类中心主义思潮。在人与河流关系史上,对河流的妖魔化从此成为一个挥之不去的情结,时不时浮出水面,使人类沉浸在"征服者"、"主宰者"和"终结者"的虚妄幻想中,不能自拔。

### 3.3 工具化阶段

随着科学技术时代的到来,人类很快获得了向自然开战的能力。人类走出混沌,意识到并确立了自己的主体地位,于是着手对河流进行改造、利用,进而"征服"。人与河流关系史的第二个阶段开始了。在功利主义和泛人类中心主义者眼中,河流生命所体现的目标不是为自身的,而是为人类的。河流的本体价值被遮蔽了,凸现出来的唯有使用价值或工具价值。河流自此进入工具化时期。

其实,上帝创造出自然界为人类谋福利这种概念,早已在基督教世界根深蒂固。德国大诗人歌德赞同《圣经》的观点,即认为人是宇宙中最有价值的存在,是"宇宙的精华,万物的灵长",歌德多次在诗剧《浮士德》中把人称为"神子",把悲剧主人公浮士德描写成巨人以及超人,坚信知识就是力量,有了知识就能驾御自然,获取权力和财富。人作为神之子,他比大自然,比海涛、岩石和太阳更加本质地体现出神的无限性和绝对性。魔鬼靡非斯陀是这样描述浮士德的:

"他野心勃勃,老是驰骛远方,也一半明白到自己的狂妄;

他要索取天上最美丽的星辰,

又要求地上极端的放浪,

不管是在人间或天上,

总不能满足他深深激动的心肠。"

浮士德的形象在西方文化中意味深长。直到百岁之年,他仍然带领人民填埋湿地,围海造田,进行所谓征服自然的豪迈事业。

"铲锹的声音使我多么愉快,

那是为我服役的民夫,

将围垦地与陆地连在一起,

给波涛划出它的疆界,

筑一道坚堤围住海洋。"

这里所呈现的人文主义理想不仅是人类挣脱自然的自由,而且还有一种为自然立法的霸气与豪情。浮士德因此成为文艺复兴以来人类精神的象征,浮士德精神成为人类知识理性极限追求的代名词。它以人的价值为中心,以人的需要为尺度,一切都从人的利益出发而将自然万物视为工具和征服对象,形成泛人类中心主义意识形态。在歌德的诗剧中,老浮士德的人生轨迹暗示了欧洲人文主义向人类中心主义的衍变。

在人类中心主义和科技主义的旗帜下,人类几乎义无返顾地要去战天斗地和气吞山河了。于是河流的生命本体被忽视了,美学价值被省略了,而其经济价值却被盲目追逐和过度利用,致使河流命运发生了悲剧性的变化。从1936年美国人在科罗拉多河布莱克峡谷上竖起地球上第一座现代化的大坝——胡佛坝,仅仅不到70年,已经有80多万座钢筋混凝土坝矗立在地球上不同区位的河谷中,急剧膨胀的农业灌区使河川径流量很快脱离河道。大坝甚至被一些发展中国家当做现代化标志和"发展圣殿"。而中国则在1950年代响亮地提出了"征服黄河,征服长江"的口号。1959年,三门峡刚刚成功截流,建设者踌躇满志地宣称:"水利建设是一项改造自然的伟大斗争。在这场斗争中,亿万人民要从自然手里夺取主动权,使自己从自然的奴隶,变为自然的主人。"

正是这种主人感、征服欲使人与河流的关系产生了深刻的危机。人类试图通过工业文明的宝剑一劳永逸地使江河驯服,不料这锐利的剑锋却很快指向了自身。至20世纪末,黄河告急,尼罗河告急,科罗拉多河告急,南亚的恒河、独联体的阿姆河和锡尔河等世界著名河流,都因其入海流量太小,枯水季节甚至断流,断送了天然状态下河流对于下游的供水能力,或由于水量太小而使得下游及入海口水质恶化,土壤盐碱化,多种生物消亡或濒临绝境。

据说全世界还算健康的河流只剩下两条,一条是非洲的刚果河,一条是南美的亚马逊河,它们因处于所谓欠发达地区而幸免于难。而其他流淌了亿万年的河流生命似乎真的终结了,它们或因洪峰坦化而活力衰竭,或因上中游过度用水而下游沦为季节河,或者干脆被精心设计次第开发的梯级水库封闭起来,成为一连串相对静止的湖泊。

河流的终结使我们所有的收获都变得乏味,所有的业绩都显得可疑,所有的成功都显得后患无穷。50多年来,渭河流域过度用水,使渭河水文环境发生很大变化,渭河来水逐年偏少,水沙比例严重失衡,大量淤积入黄口,成为潼关高程积高不下和渭河河床抬高的重要原因之一,并严重威胁黄河干流。

尼罗河阿斯旺水坝原设计思想是五百年后泥沙才会淤满死库容,以为淤积问题对水库的效益影响不大。可是大坝建成后泥沙并非按照人的设计在死库容区均匀地淤积,而是在水库上游的水流缓慢处迅速淤积。结果,水库上游淤积的大量泥沙在水库入口处形成了三角洲,大大损失了有效库容和预期效益,还带来了一系列的环境灾难。

综观被强加于河流和自然万物的工具化过程,会发现人类正处于一个非常尴尬和危险的境地。一方面智性人类很可能只是自然本体实现其最高意志的工具,同时人类也在役使着自然万物,使其成为自己意志的工具。当人类以最高存在的工具的身份对自然之本真的最高存在进行反抗时,河流和自然万物也在以自己的方式对人类进行反抗、起义和暴动,包括河水频频断流、河床横向恶性变形和灾害曲线的快速飚升。

## 4 河流的权利

在地球－河流生命体系中,人类是唯一拥有理性的物种。人类因此可以认知和欣赏自然,也可以利用和开发河流,但河流以及其他自然主体却并非如《圣经》所宣称的那样,是上帝专门安排好了为人类造福的。古往今来,河流昼夜不息地为地球上各种生命提供支撑。尤其在科学技术的帮助下,人类从大小不等的河流上获取了大量的资源和福利。这是因为,河流在为自身目的而存在的生命过程中,客观上成为人类和其他生命伙伴繁衍的基本条件。然而这依然改变不了人类只是河流生命共同体中成员而非主宰的事实,并不具有决定生命共同体命运的统治地位。在人类面前,河流并非只有义务而没有权利。

同大千世界一样,河流是为自身目的而存在的,因此拥有为自身目的而存在的基本权利,并拥有为完成和实现其自身价值而存在的其他权利。这些权利包括以下几方面。

### 4.1 完整性权利

河流是完整的。河流不应以任何理由化整为零甚至瓜分殆尽。人类只是河流的儿女,尊重河流的完整性应该成为人类的伦理义务。传统发展主义理论认为,既然大自然是为人类而安排的,对自然资源不加以充分利用势必就是浪费,而将其吃光喝尽来为人类造福几乎就是天经地义。20 世纪 60 年代中期,关于黄河治理有一个著名的理论就是"吃光喝尽"论,这种治理方案在当时被认为是浪漫主义的、幻想的。但几十年过去,工具浪漫主义的幻想变成了悲哀的现实。从 1972～1999 年,黄河下游几乎年年断流,自古以来咆哮入海的民族之母成了无家可归的浪子,哺育世界最大族群的万里巨川成了时断时续的季节河,自古以来贯通三大高原、四大地理台阶的历史长河成了支离破碎、首尾分离的无尾河川。

作为大气和地球水文循环不可或缺的链条以及民族文化的自然支撑体系,

河流完整性权利被屡屡侵犯的后果是流域生态系统的紊乱乃至崩溃以及民族文化心理的巨大缺失。20 世纪 90 年代,黄河大断流曾引起海内外华人、社会舆论和政府高层的巨大震动,由此促使黄河水资源迈向统一管理和调度、恢复河流完整性权利的新时期。

河流完整性权利还包括湿地以及流域的完整性要求,即保留和存续天然湿地,并将洪泛区纳入流域生态系一体考虑,恢复河滩地以及蓄水洼地等(尚宏绮,等.国内外典型江河治理经验及水利发展理论研究.2003 年)。

### 4.2　连续性权利

生态系统是有机耦合的,流域是一个连续的整体。流域的连续性表现在流域内水域的连续性,包括地表水和地下水的连续性、水域和陆域的连续性。作为地球上最长的生命带,河流无疑是流域生态系统连续性的最重要保证。但是,由于传统人类活动无视河流及生态系统的这一权利,大量水工建筑无情地切割了水域之间、水陆之间的生命链条,破坏了水陆的连续性,造成大量天然湿地消失,栖息于湿地的大量物种惨遭灭绝。

### 4.3　清洁性权利

流域的气、水、土圈对一些污染物可以通过物理、化学、生物等作用,使其降解,对污染物具有一定的净化能力。但在很多流域,或流域的一些地区,污染物的排放量已经大大超过流域或地区的净化能力,造成流域内总体环境质量的持续下降,流域环境总体质量下降又导致流域净化能力的下降,使流域的环境状况陷入恶性循环。

### 4.4　为维持生命存活而必需的基本水量的权利

如果把全流域用水户看做一个社区的话,河流则是这个水社区的最重要的成员,是对所有其他用水户具有控制性的主要因素。河流拥有从自身所汇集的水资源中获得保证其自身生存的水量的基本权利。如果说"给河流以空间"体现了不与河争地思想的话,那么合理遏制人类社会对水资源的开发利用率——以力保维持河流生命的基本水量乃至健康水量,则可称为"不与河争水"原则。鉴于人类利益集团对河流水量的占用一向无所顾忌,在所有河流尤其是资源性缺水流域规划或修订规划的水量分配中,必须将河道作为一个基本用水户进行初始水权的分配;而在枯水年发生经济用水和河流生命用水矛盾时,则首先保证河流生命用水的下泄流量。

### 4.5　造物权利❶

河流的广大中下游平原地区大多是河流泛滥形成的冲积平原,河流的洪水泛滥过程不仅是一个灾害的形成过程,也是一个形成冲积平原的生态过程。当

---

❶　关于河流权利的观点可参考刘树坤《中国水利现代化和新水利理论的形成》(中国水利网)。

越来越活跃的人类活动以各种理由改变或终结了河流的原始状态时,也就改变或终结了这一丰富多彩的生命图景。

河流作为流域生命的共同保障,拥有创造并哺育所有物种生长繁衍、让"所有存在物的自我实现!"、"最大限度的多样性"、"最大限度的共生"以及"让共生现象最大化"的权利。人类单方面超限度用水,既危害了其他物种的生存权,也侵害了河流的造物权。

## 5  河流生命的复兴

由于不少发达和欠发达国家视 GDP 增长为发展指标,其大规模扩张的经济行为严重损害了河流的各项权利,使许许多多河流处于急剧衰竭之中,引起全世界的警惕和不安,引发了"重新定位人与江河关系"的社会思潮。一些生态科学家提出"还河流以生存空间、退田还湖、减少堤坝、重建河流生命网络"的政策建议,一些河流和流域开展了"生命之河"项目,提出"与洪水共生(Living with floods)"、"给河流以空间(Room for the river)",重建河流生命活力,促进了河流生态的恢复以及河流文化的回归❶。

在中国,作为河流生命复兴的标志性事件,近年来黄河的转型正在引起越来越多的关注,正在引发一场关于河流伦理的革命,人与河流的关系将从此进入本体论阶段。

### 5.1  河流生命论:一种新的伦理原则

早在 1997 年黄河断流达到历年顶点和 1998 年长江特大洪水之后,中国政府就对水利基本建设的传统模式和经验教训进行了反思,并开始酝酿基于国家可持续发展战略的新的水利方针和治水新思路。水利部部长汪恕诚对黄河治理明确规定了"四不"指标:即堤防不决口,河床不抬高,河道不断流,水质不超标。他说,把黄河水用光,"母亲"就变成"干娘"了。

2002 年 2 月 12 日,全球水伙伴中国地区委员会治水高级圆桌会议在江苏无锡召开。黄河水利委员会主任李国英大声疾呼:河流是有生命的。在一个不足10 分钟的简短发言中,这位年轻的河官两次强烈呼吁,必须建立"维持河流生命的基本水量"概念。

应该说,河流生命是一个十分古老的命题,人类对河流生命有一种与生俱来的亲近和敬畏,只是百年来单边发展主义的潮流把它淹没了。即便在绿色文明正在崛起的今天,人们在谈论河流时,更多的仍然是将其定位在工具和资源的功能上。只不过为了人类社会可持续发展,必须使"工具"能够可持续利用,"资源"足以可持续开发,其立足点依然是以人类为中心的,很少有人真正意识或不愿意

---

❶  关于国际河流的论述参见尚宏琦《国内外典型江河治理经验及水利发展理论研究》。

识到河流也是一个值得尊重的生命本体,母亲河同样存在生命极限并拥有生命的基本权利。世纪之交,针对黄河断流的严重局面,曾有专家以海河和美国科罗拉多河已经断流为例,提出黄河断流合理论。时任水利部总工程师的李国英则同样以两河断流为例反得出黄河径流量绝不能被"吃干喝净"的结论(《水利水电技术》2000年第4期)。两种观点的分野其实是要不要承认河流生命的基本权利。

现代生态伦理学从美国的梭罗和利奥波德开始,提出尊重大地和自然的权利,但尚未见有人从决策角度承认河流的生命。近些年西方水务实践中引人注目地涌现出"与洪水共生(Living with floods)"、"给河流以空间(Room for the river)"、"生命之水"(Water for life)等新理念,大大推动了人与河流的亲近,但实质性的突破仍然姗姗来迟。可以说,在无锡会议以前,既源远流长又充满时代色彩的河流生命这一概念还没有被现代人真正破题。所以,一旦掀开其面纱,它理所当然地吸引了世界,并产生了明显的实践效应。

很快,李国英进一步阐明了黄河"基本水量"的涵义。他说,无论从情感上,还是理性上,我们都不能让母亲河断流。在全球更加注重可持续发展的今天,树立这个概念有着极其重要的意义,它体现了人与自然和谐相处的价值理念。对于黄河而言,如果单从数学的角度讲,只要有一个流量也可以说她还活着,但正如一个生命垂危的"植物人"一样,这个生命已经失去了功能。那么,要保持母亲河正常生命活力的基本水量究竟是多少,还有待于我们进一步的研究论证。目前有一点是可以肯定的,这个水量至少要考虑3方面的要求:一是通过人工塑造协调的水沙关系(即调水调沙措施),使黄河下游主河槽泥沙达到冲淤平衡的基本水量;二是满足水质功能要求的基本水量;三是满足河口地区主体生物繁殖率和生物种群新陈代谢对淡水补给要求的基本水量。

显然,这里的"基本流量"观有一种战略意义,从理论上为保护河流生命设置了一条不可逾越的技术底线。

2003年3月12日,作为全国人大代表,李国英在分组讨论会上大声疾呼:黄河是我们的母亲河,黄河水是母亲的乳汁,我们不能把她的乳汁喝干了,连冲沙的水都喝尽了,那样等于我们再抽干母亲河的血。

2003年11月4日,李国英指出:目前确保黄河不断流的基础还很脆弱,所有这些说明维持黄河健康生命的使命已迫切地摆在我们面前。流域机构应当作为维持河流健康生命的代言人,黄委应当做维持黄河健康生命的代言人。今天,我明确提出黄河治理的终极目标就是"维持黄河健康生命"。

李国英的河流生命理论至少实现了四个方面的重大突破:一是河流生命本体存在的理论确认;二是人类对于维持河流健康生命的伦理义务;三是流域机构角色的根本转变:过去仅仅代表人类控制河流并向河流索取,现在要代表河流向无度扩张的人类社会索回被长期损害的生命权利了。人与河流的关系因此发生了180度大转弯;四是响亮地提出河流治理的终极目标不是从河流中索取什么和索取多少,而是多目标管理中的一元追求,实现人水和谐、统筹发展。

2004年新年伊始,黄委党组正式确立黄河治理的终极目标是"维持黄河健康生命"。这是一个历史性的转折,它意味着从黄河开始,中国这个拥有几千年治水传统的古老国家,从治水模式到管理理念正在发生着一场革命。在这场革命中,人与河流的关系将走向真正的理性与亲和,河流生命将从枯萎与濒危走向复活。

"河流生命论"作为一种新的伦理精神,并没有仅仅停留在理论层面。最近,黄委主任李国英向全国人大郑重建议将《黄河法》的制定列入立法计划,迈向了将现代河流伦理思想提升为法律规范的关键一步。至此,河流生命论从生命关怀到技术指标、从职能转换到终极理念、从伦理思想到立法原则,有了一套较为完整的理论框架与实践标准。

作为创新理论的源泉,我国近年对大江大河水资源实施统一管理以保护和拯救母亲河,客观上推动了新的治水理念以及河流生命论的产生,实现了理论与实践的良性互动。

### 5.2 退耕还湖还林草:对江河战略妥协

1998年发生长江特大洪水后,国家总结在经济增长中积累的经验教训,决定对经济发展和水利建设目标进行战略调整,迅速实施"封山植树,退耕还林;退耕还湖,平垸行洪;移民建镇,疏浚江河",显示出人与自然从对抗走向和解的决心。

### 5.3 水量统一调度:恢复河流完整性权利

#### 5.3.1 黄河

1999年3月,为拯救母亲河于危亡之中,国务院授权黄河水利委员会负责全河水量统一调度,以应对黄河日趋严重的断流危机,保证水资源在包括生态在内的主要用水户之间达到最优化配置。黄委采用生态用水优先的"倒算账"办法,强化"精细调度",保证了维持黄河生命的基本水量,实现了黄河在连续4年大旱之年不断流。

#### 5.3.2 黑河

黑河是中国第二大内陆河,同时也是中原文化向古代西域和北漠地区延伸发展的过渡带、战略枢纽和生态屏障。

然而,由于长期以来对河西走廊地区的盲目开发,黑河大部分流量在中游就被一再耗尽,于是河流生命的底线被突破了,黑河尾闾西居延海、东居延海先后湮灭。

自 2000 年国家实施黑河水资源统一管理和水量统一调度以来,三年中黑河水先后抵达东、西居延海,长期残损的河流得以初步修复,干涸数十年之久的西北大湖注水重生。

### 5.3.3 塔里木河

被称为"无疆野马"的新疆塔里木河,是中国最长的内陆河。1972 年,为了向新疆开辟的塔里木垦区 3.5 万 hm² 农田灌水,在塔里木河道上修建了大西海子水库,截蓄塔里木河所有来水。一年后,塔里木河下游断流河道向上延伸至 363km,超过了河流全长的 1/4,断流河道沿途胡杨林成片枯死,沙漠面积急剧扩展并合龙。

由国家组织实施的塔里木河应急调水工程从 2000 年开始,初步恢复了塔里木河的流程。

"三河"成功调水,修复生态,表明人类有能力对河流实施有效退让和综合治理,向大地与河流偿还剥夺已久的基本权利。这一生态行动被中国政府誉为一曲绿色的颂歌。

## 5.4 调水调沙:河流生命的狂欢节

事实证明,尽管人类活动给河流造成了沉重负担和严重损害,但面对经济用水仍在增长、河流生命总体上依然衰微的严峻局面,人类理性并不是无所作为的。"一个健康的生态系统不意味着人类必须停止对自然的干预,而是指人类活动不能超过自然系统的承受能力和其自我恢复能力。"(Fawad Saeed.巴基斯坦印度河流域生态保护与可持续发展.)为缓解黄河近年来水减少、洪峰坦化造成的下游主河槽严重淤积趋势,黄河水利委员会针对小浪底水库以下来水较清的特点,进行了世界上最大的调水调沙试验,有效地减少了小浪底水库和下游河道的泥沙淤积,促使河道过流能力从 2002 年的 1 800m³/s 恢复到现在的 3 000m³/s。

调水调沙实际上是人工模拟洪水,在河道内导入人造洪峰,塑造协调的水沙关系,实现河流生命的终极价值。调水调沙是人类恢复河流自然流态并人工强化河流动力来搬运非自然储存的泥沙的勇敢探索,是化解大坝未来风险、对地球环境和子孙后代负责的责任补偿和伦理行动。

2004 年 3 月 9 日,全国人大代表李国英向社会进一步呼吁共同维护黄河健康生命,并宣布维持黄河的生命功能,将成为黄河治理开发与管理各项工作长期奋斗的最高目标。这是对一条伟大河流的庄严承诺。它意味着人类将从对河流的异化阶段跨入一个与河流共生的和谐阶段。承认河流完整存在的理由和内在价值,尊重并保障河流的各项权利,精心呵护河流的健康生命,推动河流生命走向全面复兴,必将成为全人类责无旁贷的义务和神圣使命。

# 黄河流域水资源统一管理简介

## 黄自强

### (黄河水利委员会)

摘要:黄河是中华民族的母亲河,近几十年来由于气候变化等因素影响,黄河来水量偏少,加之人类活动影响的加剧,黄河水资源开发利用中问题越发突出。根据黄河自身的特点,黄河水利委员会采取了一系列措施,有效解决了黄河水资源利用中的问题。同时,黄河在水资源统一管理问题上还面临着诸多挑战,本文就此提出了一些对策与建议。

关键词:黄河流域　水资源　管理　可持续利用

## 1　黄河流域水资源基本概况

### 1.1　水资源概况

黄河是中国第二大河,发源于青藏高原巴颜喀拉山北麓约古宗列盆地,流经青海、四川、甘肃、宁夏、内蒙古、陕西、山西、河南、山东等9省(区),注入渤海。黄河干流全长 5 464 km,流域面积 79.5 万 km²。黄河流域是中华民族的发祥地之一,在中国的南宋以前,曾经一直是中国的政治、经济和文化中心。

黄河作为我国西北、华北地区的重要水源,其水资源量仅占全国的 2%,却担负着占全国 12% 的人口、15% 的耕地和 50 多座大中城市以及中原、胜利两大油田的供水任务,同时还向流域外的天津、青岛和河北等地远距离输水。据测算,黄河水资源支撑了全国 9% 的国内生产总值。

由于气候变化等因素影响,黄河来水量在近几十年内偏少,据 1919~1975年 56 年系列资料分析计算,黄河花园口站多年平均天然径流量为 559 亿 m³,加上花园口以下支流金堤河、天然文岩渠、汶河的天然径流量 21 亿 m³,黄河流域多年平均天然径流量为 580 亿 m³。根据地矿部门研究成果,黄河流域的地下水资源去除与河川径流重复计算量后为 148 亿 m³,黄河流域的水资源总量为 728亿 m³。而 1997~2003 年,黄河天然径流量只有 358 亿 m³。自 20 世纪 80 年代以来,随着流域内及相关地区经济社会的高速发展,人类活动对黄河水资源产生了诸多影响。黄河水资源开发利用中出现了一些问题,已经成为制约流域内及相关地区经济社会实现可持续发展的瓶颈。

## 1.2 水资源开发利用的突出问题

### 1.2.1 洪水威胁依然存在

黄河流域曾经是洪水灾害频发的地区。据统计,自公元前602年至1938年的2 540年间,黄河决溢1 590次、重要改道26次,所谓"三年两决口、百年一改道"。频繁的洪水灾害对沿黄两岸人民带来了毁灭性的灾难。如今宋代开封遗址埋在地下10 m左右、明代遗址在地下4 m左右、清1841年的开封地基在地下2~3 m。1949年以来,中国政府高度重视黄河的治理与开发,在黄河干流修建了一批水利枢纽和洪水控导工程,加高加固了黄河下游两岸大堤,并采取了一系列非工程措施,取得了黄河50多年伏秋大汛岁岁安澜的伟大成就。但由于黄河沙多、水少、水沙关系不协调的自然特性并未改变,河道淤积严重、行洪能力下降,黄河下游河道的平滩流量有的河段已不足2 000 m³/s。小浪底水库以下到花园口区间尚有27 000 km²以上的产流区洪水尚未得到控制,其百年一遇设计洪水仍达12 900 m³/s,花园口站仍会出现15 700 m³/s的洪峰。一旦黄河下游堤防决溢,将可能影响两岸12万 km²约9 000万人口的生命财产安全。因此,黄河下游的洪灾威胁仍然是心腹之患。

### 1.2.2 水资源供需矛盾突出

近20多年来,随着沿黄地区工农业生产的不断发展,耗用黄河水量大幅增加,20世纪50年代年均耗水量为122亿 m³,到了80年代,仅监测统计的年均耗水量已增加到300亿 m³左右。图1和图2是近50多年来人类消耗黄河河川径流量的变化轨迹。由图可见,20世纪80年代后,人类消耗黄河河川径流量一直处于波动状态,其中1986~2003年,人类每年消耗黄河河川径流量为296亿 m³。加上因地下水超采和支流取水、滩区取水及用水漏测等因素所导致的河川径流减少量,人类每年实际引用的黄河河川径流可能已达350亿 m³以上,而同期河川年均天然径流量仅460亿 m³。水资源过度开发的结果不仅使流域内经济社会发展受到制约,也使河流本身的功能退化,并出现断流。始于20世纪70年代初的黄河下游断流是黄河水资源供需矛盾紧张的直接表现。1972~1998年的27年中,有21年下游出现断流(见表1)。进入20世纪90年代,几乎年年断流,且断流历时增加、河段延长。1997年情况最为严重,距入海口最近的利津水文站全年断流达226天,断流河段上延至河南开封附近。断流不仅造成局部地区生活、生产供水困难,而且使河流水循环受损、主槽淤积严重、生态环境恶化。1999年实施全河水量统一调度后,虽消除了断流现象,但利津断面非汛期流量曾连续4年徘徊在30~60 m³/s之间。维持这样的流量虽然直观上未断流,但并不能满足河流的塑槽、输沙、生态和自净等功能的需求,实际上处于功能性断流状态。

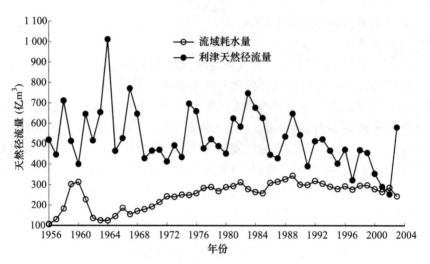

图1 1956~2003年黄河天然径流量及人类耗水量变化

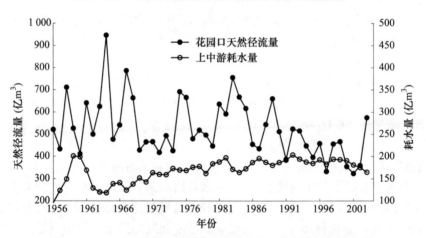

图2 1956~2003年花园口天然径流量及黄河中上游耗水量变化

黄河的断流危机不仅表现在下游,近几年上中游的河口镇和潼关断面流量也数次告急,渭河、汾河和沁河等重要支流入黄断面更是长期处于功能性断流状态。

### 1.2.3 水污染严重,多数河段水质恶化

近20年来,黄河各主要水文断面实测径流量均大幅度减少,如花园口断面减少了50%以上;与此同时,入黄废污水量却由20世纪80年代初的22亿t增加到21世纪初的42亿t。地表径流减少与入黄废污水量增加的叠加结果使黄河水体质量急剧恶化。20世纪80年代后期,黄河干流评价河段中Ⅳ类及其以上污染程度的河长占评价河长的21.6%。2004年,全年Ⅳ类及其以上污染程度的河长已占72.3%。枯水期水质更差,尤其是Ⅴ类以上污染河长的比例一直呈逐年上升态势。最近几年,黄河石嘴山河段、包头河段、潼关河段和花园口河段的

表1 黄河下游断流情况

| 年份 | 断流最早日期(月·日) | 7~9月断流天数 | 断流次数 | 全年断流天数(天) | | | 断流长度(km) |
|---|---|---|---|---|---|---|---|
| | | | | 全日 | 间歇性 | 总计 | |
| 1972 | 4.23 | 0 | 3 | 15 | 4 | 19 | 310 |
| 1974 | 5.14 | 11 | 2 | 18 | 2 | 20 | 316 |
| 1975 | 5.31 | 0 | 2 | 11 | 2 | 13 | 278 |
| 1976 | 5.18 | 0 | 1 | 6 | 2 | 8 | 166 |
| 1978 | 6.3 | 0 | 4 | | 5 | 5 | 104 |
| 1979 | 5.27 | 9 | 2 | 19 | 2 | 21 | 278 |
| 1980 | 5.14 | 1 | 3 | 4 | 4 | 8 | 104 |
| 1981 | 5.17 | 0 | 5 | 26 | 10 | 36 | 662 |
| 1982 | 6.8 | 0 | 1 | 8 | 2 | 10 | 278 |
| 1983 | 6.26 | 0 | 1 | 3 | 2 | 5 | 104 |
| 1987 | 10.1 | 0 | 2 | 14 | 3 | 17 | 216 |
| 1988 | 6.27 | 1 | 2 | 3 | 2 | 5 | 150 |
| 1989 | 4.4 | 14 | 3 | 19 | 5 | 24 | 277 |
| 1991 | 5.15 | 0 | 2 | 13 | 3 | 16 | 131 |
| 1992 | 3.16 | 27 | 5 | 73 | 10 | 83 | 303 |
| 1993 | 2.13 | 0 | 5 | 49 | 11 | 60 | 278 |
| 1994 | 4.3 | 1 | 4 | 66 | 8 | 74 | 308 |
| 1995 | 3.4 | 23 | 3 | 117 | 5 | 122 | 683 |
| 1996 | 2.14 | 15 | 6 | 123 | 13 | 136 | 579 |
| 1997 | 2.7 | 76 | 13 | 202 | 24 | 226 | 704 |
| 1998 | 1.1 | 19 | 14 | 113 | 24 | 142 | 515 |
| 1999 | 2.6 | | 1 | 32 | 2 | 34 | 278 |

水质几乎常年处于Ⅴ类或劣Ⅴ类状态,有些河段水功能完全丧失(见图3)。水污染加剧使本已十分紧缺的黄河水资源利用价值严重下降,不仅影响到人类的生存和健康,同时也对河流生态系统造成严重危害。

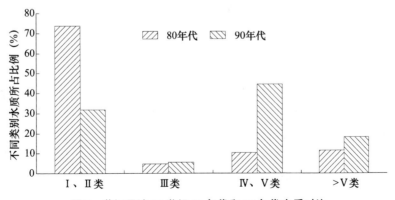

图3 黄河干流20世纪80年代和90年代水质对比

### 1.3 近期水资源供需分析

根据新的黄河流域水资源评价及维持黄河健康生命体系研究成果,1956～2000 年系列,平均降雨 447.1 mm,流域地表水资源总量 594.4 亿 $m^3$,地下水资源总量 376.9 亿 $m^3$,水资源总量 706.6 亿 $m^3$,黄河天然河川径流量为 534.8 亿 $m^3$,而黄河花园口断面在中常来水水平年的健康生命需水为 256.2 亿 $m^3$、低限生命需水为 146.9 亿 $m^3$,即在维持黄河健康生命前提下人类的可耗损水量(包括因人为因素导致的不平衡水量,下同)只有 278.8 亿 $m^3$、在维持黄河生命低限条件下的人类可耗损水量大约为 388.1 亿 $m^3$。

随着黄河流域经济社会的发展,黄河将长期面临水资源供需矛盾和水污染的巨大压力。根据 2010 年水平黄河的供水能力,采取地表水、地下水联合运用,经过供需分析计算分析:总供水量要求达到 614 亿 $m^3$,其中开采利用地下水 147 亿 $m^3$,引用河川径流量 467 亿 $m^3$(包括回归水的重复利用),耗用黄河河川径流量为 367 亿 $m^3$,已接近国务院的分水指标。可见,黄河缺水已十分严重,若不采取有效的措施,黄河缺水将更趋严重,经济发展将受到更大的限制。

据估计,约到 2030 年,上述地区需要黄河供水将达 660 亿 $m^3$,耗用河川径流将达 520 亿 $m^3$,届时,必须依靠外水调入,才能缓解黄河水资源的供需矛盾。

## 2 黄河水资源管理的经验及存在的问题

### 2.1 流域水资源管理经验

#### 2.1.1 加强水资源规划工作,提出黄河可供水量分配方案

黄河水利委员会经过大量调查研究,于 1984 年提出了《黄河水资源开发利用预测》,为 1987 年国务院批准的《黄河可供水量分配方案》提供了依据(见表 2)。1997 年审查通过的《黄河治理规划纲要》提出了今后黄河水资源开发利用的原则和规划意见。

《黄河可供水量分配方案》是我国大江大河中首次制订的分水方案,自 1987 年经国务院颁布执行以来,在一定程度上起到了加强宏观调控、合理布局水源工程,促进各省(区)的计划用水和节约用水的作用。

#### 2.1.2 全面实施了黄河取水许可制度

根据国务院《取水许可制度实施办法》和水利部"关于授予黄河水利委员会取水许可管理权限的通知"的规定,黄河水利委员会对黄河干流及重要跨省(区)支流的取水许可实行全额管理或限额管理,并按照国务院批准的黄河可供水量分配方案对沿黄各省(区)的黄河取水实行总量控制。同时,加强了对新、改、扩建取水工程(预)申请的审批和取水许可监督管理,开展了取水许可证年度审验。

表2  南水北调生效前黄河可供水量的分配方案(国办发[1987]61号)

| 省(区) | 年分配水量(亿 m³) | | |
| --- | --- | --- | --- |
| | 农　业 | 生活及工业 | 合　　计 |
| 青　海 | 12.1 | 2.0 | 14.1 |
| 四　川 | — | 0.4 | 0.4 |
| 甘　肃 | 25.8 | 4.6 | 30.4 |
| 宁　夏 | 38.9 | 1.1 | 40.0 |
| 内蒙古 | 52.3 | 6.3 | 58.6 |
| 陕　西 | 33.6 | 4.4 | 38.0 |
| 山　西 | 28.5 | 14.6 | 43.1 |
| 河　南 | 46.9 | 8.5 | 55.4 |
| 山　东 | 53.5 | 16.5 | 70.0 |
| 冀、津 | — | 20.0 | 20.0 |
| 合　计 | 291.6 | 78.4 | 370.0 |

### 2.1.3　编制下游配水计划,协调水量配置

1996年以来,为了加强下游用水的计划性,黄河水利委员会每年都根据来水的预报和用水需求,编制下游1~6月份的配水计划和冬四月配水计划,实时调度好三门峡水库,减少下游用水矛盾。

利用骨干水库调节水量是黄河水量统一调度的关键措施。2000年7月潼关站曾发生0.95m³/s的小流量,濒临断流,立即采取加大万家寨水库下泄等措施,才使黄河中游脱离了断流威胁。2002年9月、10月份,为完成黄河下游及引黄济津应急供水,实施了从上中游到下游的全河大跨度接力式调水,采取了依次挖掘小浪底水库、万家寨水库水量,然后从上游龙羊峡、刘家峡水库向下游补水的措施,既满足了山东的秋种用水,又保证了引黄济津应急供水的要求。共从上中游紧急调水15亿 m³。

### 2.1.4　制订水量调度方案,加强黄河水量实时调度

1998年,黄河水利委员会在《黄河可供水量分配方案》的基础上,进行了黄河枯水年份水量分配方案研究,提出了《黄河可供水量年度分配及干流水量调度方案》和《黄河水量调度管理办法》并上报原国家计委和水利部,同年底经国务院批准并颁布实施。该办法授权黄河水利委员会统一调度黄河水量并对调度原则、权限、用水申报、审批、监督以及特殊情况下的水量调度等都作了规定。为贯彻落实水量调度管理办法,黄河水利委员会专门成立了水量调度管理机构,并从1999年3月份开始实施黄河干流水量调度。

### 2.1.5　加强了对黄河水资源的监测保护

黄河水利委员会采取积极措施,加强水质监测,及时向有关部门通报水质变化情况,并与当地环保部门积极配合,及时处理水污染事件。黄河水利委员会在黄河流域布设了50个基本断面、13个部控重点断面的水质常规监测,同时对重

点排污口及省界断面进行水质监测,并定期发布黄河流域水质月报、季度简报与水环境质量年报。

### 2.1.6 建设"黄河水量调度管理系统",提高水资源管理与调度水平

"黄河水量调度管理系统"是"数字黄河"的重要组成部分,该系统旨在利用先进的水情测报、信息采集、传输和处理技术,提高黄河水资源管理与调度的科技水平。系统涉及 7 个省(自治区)、5 个重要骨干工程。目前作为核心的黄河水量总调度中心已经投入使用,并实现了对千里之外的引黄涵闸实施远程监测或监控;开发了黄河水量调度管理决策支持系统及枯水调度模型,有效提高了水资源管理与调度工作的效率和决策水平。

## 2.2 黄河水资源管理中存在的主要问题

多年来,不论是流域管理机构还是流域内各省(区),在黄河水资源管理方面做了不少工作,但还存在一些问题。

### 2.2.1 观念问题

黄河流域所属省(区)大多是我国经济欠发达地区,经济社会发展相对落后。由于受到传统生产、生活方式的影响,流域内干部群众对水作为一种短缺资源,在市场经济条件下具有商品属性的认识还不足,节约用水的意识还有待提高,突出表现为农业生产上大水漫灌、工业生产上盲目建设高耗水项目等现象还大量存在。这与实现可持续发展的循环经济要求还有很大差距。

### 2.2.2 水资源统一管理体制和有效监督的机制尚未建立

黄河水资源实施统一管理还有一些亟待解决的问题,流域机构缺乏强有力的法律地位、行政管理手段和经济措施,技术措施也比较落后,取水许可制度虽已经全面实施,但有效监督尚不到位,而且与省(区)在管理职责、权限的划分方面不够明确,影响了流域水资源的统一管理。黄河干流上的一些大型水库和引水工程分属不同地区和部门管理,流域机构缺乏强有力的约束机制和管理手段,不能有效控制引用水量。

### 2.2.3 片面追求经济效益,用水管理粗放

在以往的规划和建设中,主要着眼于水资源本身的兴利除害,未能将其纳入到人口、资源、环境整个系统中,以可持续发展为目标研究和处理问题,表现在一些地区片面追求经济效益,盲目上马高耗水的项目、不考虑资源条件扩大供水范围等,粗放管理,各自为政。只重视开源,抓节水还不够,不能很好地协调社会、经济、环境三者之间的关系。

### 2.2.4 保障机制不健全

由于还没有建立科学、合理、完善的水价、水市场体系,利用经济杠杆调节人们用水方式的手段和能力还不能适应水资源开发利用与管理的要求。随着黄河流域内及相关地区经济社会的高速发展,当前的技术手段和水平已不能满足水

资源的利用与管理工作要求。主要表现在:对相关地区和行业耗用水量、沿黄闸坝工程引用水量、各干支流断面水质等的监控、监测手段和技术水平还有待进一步提高;流域内工农业生产和群众生活节水技术落后,急需创新、引进、推广先进的节水技术。同时,由于现有相关法律法规不配套,有些甚至相互之间存在矛盾、而相关实施细则制订滞后等原因,黄河流域水资源管理工作的法制保障能力还很薄弱。水资源管理利用的法律、法规体系亟待完善。

## 3 对策与建议

### 3.1 完善水法规体系,建立和完善水资源的统一管理和监督监测机制

加快《黄河法》、《黄河水量统一调度条例》等法律、法规的立法进程,制定黄河水资源费征收管理办法、流域建设项目水资源论证管理办法。修订《黄河取水许可实施细则》、《黄河水量调度管理办法》,真正形成具有黄河特色的、能够规范和调整黄河治理与开发中各个方面的关系,保障黄河治理开发有序进行的黄河水法规体系。

要坚决贯彻原国家计委、水利部批准的《黄河可供水量年度分配方案及干流水量调度方案》和《黄河水量调度管理办法》。在执行中不断总结完善管理制度,并制定具体的、可操作的配套办法。

### 3.2 切实节约用水,构建节水农业、节水社会

要制定《黄河流域节水规划》,明确节水目标、节水标准、节水措施等,推广小畦灌溉、地膜覆盖等先进节水技术;同时要把纳入流域内产业结构调整中,通过对产业结构、产品结构、作物结构和工业布局的调整,实现节约用水。黄河流域是缺水地区,要以水定产、以水定规模,适当控制发展速度和规模,新建工程要依靠节水来解决水源,严禁建设高耗水项目。

### 3.3 建立促进黄河水资源可持续利用的市场经济机制和法治机制

一是国家要尽快在黄河流域征收水资源费,建立全河统一的水资源费征收管理制度。二是建立适应市场经济原则的水价体系,对现行引黄水价重新核定并制定水价的调节机制。三是建立超计划、超定额用水加价收费制度。四是研究并建立保护水资源、恢复生态环境的经济补偿机制。

同时,以建立入河排污总量控制监督制度为中心,加大黄河水资源保护工作力度。加强对入河排污口、省(区)交界断面和重污染支流入黄口的监督监测,建立水量水质统一管理的科学基础。制定黄河流域水资源保护规划,通过水功能区划确定有关河段或水域的安全纳污量,限定有关河段污染物排放总量,并据此加强总量管理。针对黄河水资源贫乏的特点要制定严格的污水排放标准,明确各省(区)的排放总量和排放标准,把总量控制指标逐级分解,加强对排污口进行

监督管理。防止水污染特别要加强对污染源的治理和管理,按照部门分工各负其责,明确责任,共同搞好黄河水资源的保护工作。

### 3.4 远期采取工程措施,增加水量,提高水沙调控能力

黄河属于资源型缺水,必须采取工程措施增加调蓄能力,并通过实施南水北调工程为黄河补水。要加快黄河中游干流开发步伐,安排兴建碛口或古贤水利枢纽,提高调节水沙、综合利用能力。

# IJsseldelta 的未来:现代河流流域管理的范例

Teunis Louters[1]    Jos Pierey[1]    Tjibbe van Ellen[1]    Arjan Otten[2]

(1. DHV Environment and Transportation, P.O. Box 1076, 3800 BB Amersfoort, the Netherlands; 2. Province of Overijssel, P.O. Box 10078, 8000 GB Zwolle, the Netherlands)

**摘要:**现今,河流流域管理越来越聚焦在实现考虑区域内所有相关方面和利害关系方在内的整体观念上。这种方法的主要目的是为未来谋求一个可持续发展的环境。荷兰的"IJsseldelta 的未来"项目就是一个这种整体方法和现代河流流域管理极好的例子。

在 IJsseldelta 地区,大规模工程的启动,比如城市的发展和主要基础设施布局,与洪水管理和相关的河流主题结合是得失攸关的主要问题。为能够指导发展而不是被动承受发展带来的后果,有关各方积极参与到其中,而不是坐以等待。通过这种途径,他们一道提出了多套在未来数十年内地区该如何发展的方案。

为编制如此大规模和复杂的规划,合理的管理基本原则是极为重要的。有关的主要团体包括国家、省、流域和市等政府机构以及各地方利益相关方。DHV 环境和交通部门也参与到这个项目中,在过程管理方面提供援助并派技术和金融方面的专家给予支持。正确的协作、协调所有相互之间的行为,以及对关键问题的深刻(技术)理解,是这个项目成功的关键因素。

这是明确地调整所有问题之间的关系的一个最好办法,这一办法得到了广泛共识。其涉及到的问题包括基础设施、交通、城市和工业的发展、生态和娱乐。这种方法的主要目的是保证 IJsseldelta 地区在未来能保持自身独一无二的生态特色,同时在地区经济发展中能承担其相应的责任。本文描述了取得合理的整体方案所采用的基本原理。

**关键词:**现代河流流域管理  空间规划  洪水管理

## 1  IJsseldelta 项目简介

现今,河流流域管理越来越聚焦在实现考虑区域内所有相关方面和利害关系方在内的整体观念上。这种方法的主要目的是为未来谋求一个可持续发展的环境。荷兰的"IJsseldelta 的未来"项目就是一个这种整体方法和现代河流流域管理极好的例子。本文介绍 IJsseldelta 项目。

### 1.1  区域概况

IJsseldelta 地区位于荷兰境内 Kampen 的南部(见图 1)。这个地区属于流入

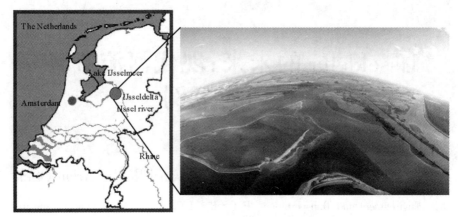

**图 1　IJsseldelta 地区的位置和三角洲地区环境**

附近 IJsselmeer 湖的 IJssel 河三角洲。

由于地理和低海拔位置,目前 IJsseldelta 地区很容易受来自 IJssel 河和 IJsselmeer 湖洪水的影响。此外,由于气候变化,预期未来洪水威胁会有所加剧。在 IJsseldelta 项目中,对 IJsseldelta 地区的社会—经济发展的可能性也进行了研究。此外,地区空间质量的保护和加强在项目中也得到关注。通过这个途径,将建立一个可持续的三角洲河流环境。

## 1.2　IJsseldelta 项目背景

在未来数十年内,IJsseldelta 地区的居民将面临生活环境和地区空间布局巨大的变化。地区主要已规划好的项目包括建设一条新的从 Lelystad 到 Zwolle (Hanzelijn)的铁路,从 IJssel 河修建一条流路用于大洪水情况下的分洪渠(该项目背景将在后文中得到进一步介绍),Kampen 市的扩展以及地区(N50 和 N23)内高速公路的延伸,这些计划都需要占据 IJsseldelta 地区的空间。然而直到现在,这些项目大部分并未考虑相互之间的协调。这可能导致在不同空间利用规划上的冲突。

IJsseldelta 项目旨在将所有这些 IJsseldelta 地区空间利用规划项目放在一起,将这些项目彼此耦合,统一集成到一个地区空间利用规划中。这个过程需要有恰当的技术、金融知识和过程管理的支持。

## 1.3　参与方和利益相关方

Kampen, Zwolle and Zwartewaterland 市政当局连同 Overijssel 省和 waterboard Groot Salland 最初启动这个项目旨在编制出一个 IJsseldelta 地区可持续发展规划。在这个初衷下,国家有关部门对此项目也作出保证,并决定将荷兰 IJsseldelta 项目作为强调空间利用规划的现代河流流域管理的先驱试验项目。有关国家各部门包括 Ministry of Housing、Spatial Planning 和 Environment (VROM)、农业部、Nature and Food Quality (LNV) 以及交通和公共建设工程部。此外,几个利益相关方和相关团体也积极参与到发展规划的编制过程中。包含这样多参与方和利益相关方的目的旨在为规划的实现赢得广泛的支持。

如上描述,IJsseldelta 项目的参与各方一直为实现 IJsseldelta 地区最优的空间利用规划而努力工作。最优项目规划将以首选方案提出,并将在 2005 年底之前完成。一旦首选方案完成,就首选方案的实现,不同参与方之间将签署正式协议。

### 1.4 论文的内容

论文中,现代河流流域管理的理论体系将得到进一步详细阐述,在考虑 Kampen 附近是 IJsseldelta 地带所有相关方面的情况下,集中形成一个合理的全面的方案。这个项目一直在进行中,预期 2005 年年底获得最终成果。本文阐述的是 IJsseldelta 项目的初步成果。

## 2 河流流域管理是 Kampen 附近修建新开分洪渠的触发器

在未来的数十年内,荷兰会面临着防洪和洪水管理方面巨大的挑战。在 1993 年和 1995 年大洪水后,人们意识到需要在特定地区采取强有力的措施来提高防洪水平。以下描述的是荷兰河流流域管理最新的发展状况。

### 2.1 防洪安全标准

在荷兰,防洪强制性安全标准由法律强制推行。安全标准按照防洪建筑物失事几率被明确指定。对应于这些安全标准的特殊水位被称为设防洪水位。依法律要求堤防必须抵御这些设防洪水位。设防洪水位对应于某一超过一定频率的设防洪水流量。

IJssel 河是荷兰境内莱茵河下游的一条支流。莱茵河设防洪水流量为 1 250 年一遇的洪水流量。IJsseldelta 地区构成了 IJssel 河和 IJsselmeer 湖之间的过渡地带。由于地理位置的原因,IJsseldelta 地区易受 IJssel 河和暴风雨诱发的 IJsselmeer 湖洪水的威胁。因此,该区的防洪安全标准更高,为 2 000 年一遇。

### 2.2 发展

在 1993 年和 1995 年大洪水后,莱茵河洪水流量的统计值被重新核查。核查结果提高了设防洪水流量标准。Lobith(莱茵河)段设防洪水流量由 15 000 $m^3/s$ 提高到 16 000 $m^3/s$。这个设防洪水流量在 2001 年开始被依法强制实施。按上述标准,对 IJssel 河,设防洪水流量由大约 2 400 $m^3/s$ 提高到约 2 700 $m^3/s$,对应的最高设防水位有 10 ~ 50 cm 的提高。

此外,基于气候模型结果,由于气候变化,在未来一段时期内(2050 ~ 2100 年),在 Lobith(莱茵河),设防洪水流量将提高到 18 000 $m^3/s$。对 IJssel 河,设防洪水流量值将提高到约 3 200 $m^3/s$,对应的设防洪水水位有 80 ~ 100 cm 的提高。

### 2.3 给河流空间

堤防的安全评估显示，IJssel 河沿途许多地点的堤防并没有达到法定的安全标准。因为加高堤防并不总是现实的和令人满意的解决方案，近期河流管理变得更加强调通过在洪泛区采取空间措施来减小水力荷载(换句话说降低对应的设防洪水水位)来提高防洪的安全标准。为达到此目的，"给河流空间"项目已经展开。在这个项目中，主要研究在洪泛区采取综合运用多种措施来获得最好的方法以达到国家要求的安全标准。

除增加安全度外，在"给河流空间"项目中对扩展河流区的空间的质量和河流系统的可持续性和健康给予了特别关注。这个项目的目标旨在使莱茵河和IJssel河在 2015 年之前满足法定的安全标准。

除上所述外，在"给河流空间"项目将草拟一个长期措施(2050～2100 年)来应对荷兰在未来因气候变化而导致设防流量增加的安全标准。

### 2.4 **Kampen 分洪渠**

在"给河流空间"项目框架中，修建 Kampen 南分洪渠被认为是一个非常有希望的和可以接受的 IJssel 河的洪水和安全问题的解决方法。一条新的连接 IJssel 河和 Drontermeer 湖的河流支流将被修建。在 IJssel 河大洪水期间，洪水的一部分将被导向分洪渠以减轻河流上下游堤防的压力。在 IJsseldelta 项目中，分洪渠可能的位置和线路将被进一步系统地研究并设计出了几个方案(概念模型)。此外，也研究了不同方案的技术和经济可行性。

## 3 现代空间河流流域管理方法在 IJsseldelta 的应用

### 3.1 问题分析

IJsseldelta 项目研究可持续经济发展、保护和增强地区空间质量的多种可能。在未来的数十年里，Kampen 南部 IJsseldelta 地区的居民面临在他们的生活环境和地区空间布置巨大的变化。这些变化和由此导致的空间冲突由图 2 可以显示，并在下面进行了更为详细的描述。

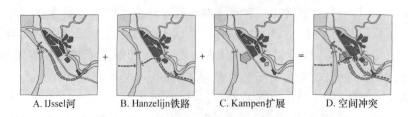

A. IJssel河   +   B. Hanzelijn铁路   +   C. Kampen扩展   =   D. 空间冲突

图2　**IJsseldelta** 项目空间冲突图示

### 3.1.1 IJssel 河

根据前述的解释,就 Kampen 和 IJsseldelta 地区的安全性而言,IJssel 河的泄洪能力在今后必须要得到提高。预期 2015 年后的设防洪水流量(在莱茵河 Lobith 达到 18 000 m³/s)按目前的河流断面并不能满足。因此,需要一个在洪水期间能过 500 ~ 700 m³/s 的分洪渠,通过 Drontermeer 泄流入 IJsselmeer。分洪渠仅在超过 500 年一遇频率洪水时使用。在这种洪水情况下,分洪渠会使水位下降 30 ~ 60 cm。这条分洪渠仅可能的位置在 Kampen 南部。

### 3.1.2 Hanzelijn 铁路

2006 年,自 Amsterdam 到 Kampen 和 Zwolle 市的 Hanzelijn 铁路将开始修建。按照规划,铁路将必须在 2012 / 2013 年间投入运行。这条铁路的线路已被确定。已确定的铁路的路线和高度仅允许微小的变化,水平方向允许变化的范围值是几米,垂直方向上为 0.5 m。在一定条件下,别的变化可以通过修订过去确定的规划做到,然而,这个正式的修订过程可能需要很长的时间。这需要半年到两年半的时间,时间的长短取决于变化的性质。时间的变化可能导致 Hanzelijn 铁路工程建设不可接受的延期。

### 3.1.3 Kampen 的扩展

Kampen 市现在有 50 000 居民,占地面积大约 162 km²,其中约 27 km² 是水域。Kampen 市在未来数十年内可能有相当大的扩展。在 2010 ~ 2030 年间,预计要开发 4 000 到 6 000 套住宅,并伴随 Kampen 市北部工业区可能的扩张。Kampen 市的西边被指定作为可能扩展的居住区。

### 3.1.4 空间冲突

预期荷兰政府在 2006 年初将对荷兰境内河流流域安全的投资作出重要决定。在这些决定中 Kampen 分洪渠将扮演重要角色。通过集成上述提及的发展的空间规划,调整这些发展规划以相互协调,将给 IJsseldelta 地区带来盈余价值。这些发展规划的一部分项目可能在较长的时间开始,通过对这些发展的预期,将获得额外的协调优势。

为能使不同空间发展相互协调,需要制定地区内空间和功能质量的远景框架。这样的远景应该包括在不同地区的规划之间合理的平衡,同时也应该在技术和经济上是可行和可实现的。这个过程中一部分将有投资效益的项目和无投资效益项目连接在一起。优化远见措施的重要手段就是可视化这些项目不同的方案。此外,利益相关各方和居民之间的沟通和交换意见,将有助于形成一个受广泛支持的 IJsseldelta 地区规划项目的首选方案。

## 3.2 项目的目的

图 2 清楚地显示 IJsseldelta 项目的主旨:制定一个综合的可行的规划以应对地

区可预见的将来的急待解决的问题。这个规划应该最终导致产生一个协议,在协议中方案应该在技术上是可行的,并且其经济合理性也被证明。该方案的实现应该被所有参与者支持。在探索可能解决方案和想法上,下列条件应被满足:

(1)在洪水期 Kampen 和 IJsseldelta 的安全性必须得到显著提高。

(2)已规划的 Hanzelijn 铁路在 2012 年年底投入运营不能被延期。

(3)在 Kampen 市西边保留容纳 4 000 到 6 000 套新增住宅的空间。

(4)考虑到荷兰生态结构(法律赋予的自然位置),IJssel 河和 Drontermeer 之间自然演变必须被关注。

(5)最终的方案必须得到执政当局和民众广泛的支持。

### 3.3 方法

为了获得执政当局和民众广泛支持的首选方案,采用了如图 3 显示的方法。图中显示的步骤在下面有更详细的描述。

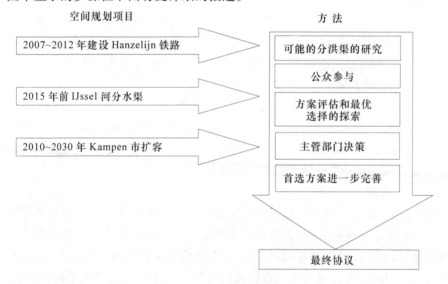

**图 3 IJsseldelta 项目总的研究步骤**

第一步:可能的分洪渠的研究

首先研究分洪渠的可能性,目的在于提出并可视化所有 Kampen 南部分洪渠的实际可能性。所有相关和技术的可行的分洪渠的线路均被研究,所有实现工程项目必备的条件和情况均已计算得到。这步的结果是显示所有初步方案可能解决措施的范围。

第二步:公众参与

居民、企业家和别的利益相关各方被邀请提出他们自己对首选方案的要求。这个公众参与阶段首先是旨在提供信息给这些利益相关各方,其次是让这些利益相关各方在思考未来发展和 IJsseldelta 地区规划的过程中提出自己的要求。这个参与阶段包含三个部分:①信息公告;②讨论;③形成观点。

第三步:方案评估和最优选择的探索

公众参与过程结束后,这些方案在评估方案框架的基础上得到评估。有关参与方和最重要的利益相关方一道提出方案框架的主题、涉及内容的方方面面和标准。方案框架评估时,所有方案都应进行评价打分。基于不同方面的评价得分,通过方案的合并和优化,提出首选方案。

第四步:主管部门决策

接下来的步骤是主管部门的决策,主管部门包括有关的市政当局、省和国家政府部门。这些主管部门必须基于首选方案的未来发展作出必要的决策。基于这些决策,主管部门将给更多的方法指导,以使被评估的方案和公众参与成为首选方案逐步得以完善的基础。这个步骤的结果是确定可变化程度更小的首选方案和首选方案进一步完善的一些辅助条件(所谓的建设单元)。

第五步:首选方案进一步完善

在这个步骤中,首选方案将基于前述过程的决策和辅助的条件(建设单元)被更详细的设计计算。建设单元要通过技术和经济可行性的检验。此外,建设单元之间也将进行互相比较和权衡。这个评估情况定期反馈给主管部门和重要投资人。通过这种办法,将保证得到更为广泛支持的方案。最终首选方案,应该经所有参与者的同意,并被写入参与方之间的协议。在这个协议中也包括首选方案实施的经济可行性。

在完善不同方案和优化首选方案的过程中,几个技术和经济因素被紧密联系在一起进行研究。下面对最重要的几个方面作一总结并进行简要阐述。

(1)公路和铁路。就 Hanzelijn 铁路的适应性、地区的可达性、建筑方面和建设期分阶段可能性方面,需要从技术、程序和法律方面认真考虑。

(2)水。充分考虑分洪渠要求的规模、防洪的安全、堤防高度和结构、河流的动态系统和形态、水系统,确定水位和水质。

(3)自然、风景和文化遗产。关注河流的环境、自然区域的保持、考古和历史文物和地点,改善适宜鸟类的环境和荷兰国家生态结构。

(4)农业。农业面积的流失扮演重要的角色,实施影响的范围。

(5)娱乐。娱乐主要是关注水和自然的娱乐以及扩展消遣娱乐住宅群的可能性,重点关注地区的通航性和吸引力。

(6)人居与工作。重心放在探索出创造围绕水域独一无二的生存环境的机会上,研究人居与自然之间的相互影响和探索对地区生活和工作的影响。

(7)经济方面。强调计算出土建工程和地区规划直接和间接的成本和效益。

## 4  初步成果

以下简要介绍在确定首选方案过程中各阶段的成果。

### 4.1  制定方案的过程

在研究分洪渠穿过地段可能的线路时,两种截然不同的类型被加以区别:①明显自然形成的线路;②围海造田消失的线路。在所有线路的设计中,必须留心重要的文化—历史和考古区比如 terp 和老的农庄以及过去的教堂和河堤等。前人修建的堤防着重于老 Kampen 岛屿,是连续开垦荒地的产物(见图4)。

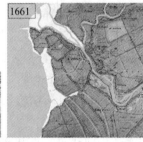

图4  **Kampen 附近围海造田的历史演变**

由于地形高度和土壤成分以及结构变化,IJsseldelta 地区以相对较大的植被变化为自己的特色。造成植被变化的另一个原因在于风和邻近的 IJsselmeer 湖动态的水位控制(在冬天水位较高)造成的水位动态变化,在编制方案中这种多样性被一并考虑。因为地区生态的重要性,自然保护区"de Enk"也被包含在方案中。

分洪渠的形式、规模和设计构思,直接导致了对潜在的生态系统的演变、生物多样性和自然价值的评价的不同。拟定的设计尺寸已通过水力模型确定,对地下水位和水质的影响也通过地下水模型计算进行了量化,分洪渠的两种基本运用方式也得到了评估。

(1)绿色分洪渠,仅在500年一遇洪水或更稀遇洪水时使用的分洪渠。

(2)蓝色分洪渠,一直有水的分洪渠。

沿分洪渠堤防的尺寸和所有必要的建筑物比如水闸、抗风暴栅栏、堰和桥梁已按照荷兰对此类建筑物的规定进行了设计,已有的以及规划好的项目比如高速公路、桥等内含的修订工作也得到评估并已完成初步设计。此外,地区的使用功能划分和土地所有权也已进入勘界阶段。这个地区主要是农村,有着独立的农业人口。所有这些均被输入到方案的计划中。

### 4.2  方案

发展方案的探究形成了五个不同的基本方案(见图5)。这些方案被认为是对发展全方位的指导。在项目接下来的阶段,对不同的方案进行了合并和优化。

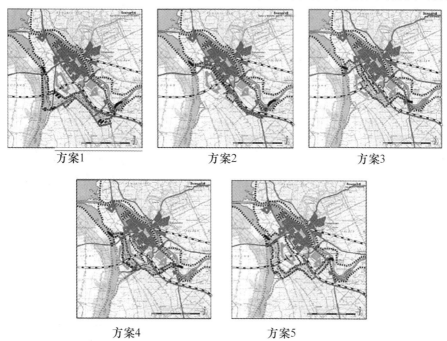

方案1 方案2 方案3

方案4 方案5

**图5 不同方案纵览**

方案 1 选择 IJssel 河和 Drontermeer 湖之间的南部线路。分洪渠将演变成自然湿地。在分洪渠的河床上,修建适于这种条件的小规模建筑物是有可能的。

方案 2 与已有和规划好的工程项目有关。分洪渠是一条运河并可以用作小规模的娱乐航行。

方案 3 是绿色分洪渠。在正常条件下,分洪渠是不通水的,实际上在区域内不可见。只有在洪水条件下(IJssel 河 500 年一遇洪水或更稀遇洪水),分洪渠才运用进行分水。在这种情况下 Hanzelijn 铁路和高速公路受淹,停止运营。Terps 上的农场住房需充分防御洪水。

方案 4 修建一条新的弯曲性河流。这条河流也可用于小规模的娱乐航行。这条分洪渠提供了沿河生活和 Kampen 新滨水区域的可能性。

方案 5 是可以作为边界的分洪渠。这条路线沿方案 1 的南线方案。沿 Drontermeer 湖的区域是敞开的,湖中的水可以自由地流入分洪渠。在水边的生活区可以欣赏变化的水上风景。

每一个方案都进行了成本效益分析。对成本而言,应区别土建成本和设计成本。土建成本包括所有堤防、建筑物的成本和加固基础的成本,设计成本包括区域分洪渠自然状态的开发和加固的成本。

各个方案总费用不同,总计达几亿欧元。总费用的 70% ~ 85% 是土建成本,这意味着首选方案应进行投资优化以减少土建成本。直接效益和间接效益的分析显示,主要是间接效益决定分洪渠的经济可行性。与城市发展相关的财务分摊,"给河流空间"项目预算,未来河道管理的维护预算在确认工程的可行性上扮演重要角色。

### 4.3 公众参与

公众参与是首选方案组成的重要的输入量。这个输入量与分洪渠的设计相关:可能性自然形成的或多或少自然的、弯曲性河流是最优先选项。此外,设想修建一条可能成为娱乐航道的分洪渠也被强调。分洪渠的水体应该与新的生活区域运河系统相连。生活在 Kampen 南部小团体的关于分洪渠路线和其局限性课题的讨论显示这几个方案中并未充分考虑这些团体的社会凝聚力。

### 4.4 首选方案的完善

公众咨询后,有关当局作出他们的选择,形成首选方案。这个方案主要的建筑物如图 6 所示。

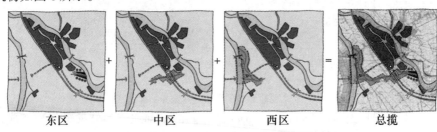

东区　　　　　中区　　　　　西区　　　　　总揽

**图 6　S 首选方案建筑物示意图**

(1)东区。就河流管理而言,与 IJssel 河相连的分洪渠占据的空间有管理功能。自然演变进一步被计算。分洪渠与 Hanzelijn 铁路和高速公路的交叉应该与这些合法工程相适应。

(2)中区。分洪渠的中间部分应设计为具备可能的自然形成的弯曲性河流形式。这样可以促进地区的生态结构。区域的空间限定性需考虑 IJsseldelta 南部小村庄居民的打算和愿望。

(3)西区。在设计中,Dronteremeer 湖和 Kampen 新生活区之间的地区应获得充分的关心。在乡镇边界和河流之间的过渡带需要进一步确认。保持现存的小运河和沟渠的水系、连接这些运河、沟渠与分洪渠的水系的可能性以及由此产生的必要的桥梁应该被研究。

(4)整个首选方案概念总揽。首选方案在未来几个月内要进一步完善,得到一个更详细的规划。工程的费用也将更深入的计算,资金筹措建议也将被准备。带费用估算和资金筹措的首选方案在 2005 年年底定案并在参与者之间形成一个正式的协议。

## 4.5 综述

从防洪到洪水管理是一个重要的趋势,这在过去的几十年里可以清楚地表现出来。这个趋势指的是从修建防洪工程措施到非工程措施的转变。越来越多的政策制定者认识到加高堤防和整直或加深河道不是一个可持续的解决方案。现在推荐的解决方案是自然过程的恢复和探索营造更多的河流空间的可能性。

修建新的分洪渠,给河流提供更多的空间。在 IJsseldelta 项目框架中,修建一个分洪渠的可能性作为长期解决地区洪水问题的方案被研究。应给予洪水管理和洪水风险以及如何应付洪水,在空间规划上不同方案的分洪渠路线有怎样的效果特别的关心。在这个项目中,综合空间规划将被开发,更多的注意力放在景观美化、自然演变和整体环境条件的提高。寻求提高空间质量的可能性也是这一长期方案的重要一面。

Kampen 分洪渠首选方案是在有关地方、地区以及国家政府和别的利益相关方(农场主和这个地区的居民)逐步相互交互的基础上产生的。政府机构从一开始就协同工作。地方支持这个空间规划是按时实现规划非常重要的因素。空间规划的完成证明,有经验且训练有素的内行和专家一道应用在 Ijsseldelta 的空间规划的方法是成功的。

## 致谢

作者衷心的感谢 DHV 的 Joost ter Hoeven 先生、Odelinde Nieuwenhuis 女士、Marius Sokolewicz 先生、Jans Zwiers 先生、Hans Burger 先生和 Rick Peters 先生,H + N + S Landschaparchitecten 的 Lodewijk van Nieuwenhuijze 先生、Yttje Feddes 女士和 Pieter Schengenga 先生对这篇论文给予的帮助。

# 基于 FY – 2C 卫星数据的
# 黄河流域有效降雨量监测

Jasper Ampt[1]    Andries Rosema[1]    赵卫民[2]    王春青[2]

(1.EARS(环境分析和遥感应用公司),Kanaalweg 1, 2600 AK 德尔伏特,荷兰;
2.黄河水利委员会水文局)

**摘要:**作为中国黄河流域水监测和河流预报系统卫星建设的一部分,一种建立在能量与水平衡监测系统(EWBMS)基础上的大范围监控有效降雨的方法被提出,从 EWBMS 系统输出的有效降雨量将作为水文模型的输入。我们的方法是利用地球同步卫星图像来传递表面能量通量和降雨的分配,这使得我们能够评估全流域基于像素的有效降雨。本文介绍的是一种适于结冰/融化状态的计算方法,模拟了冬季积雪及相应的春季融雪,以便尽可能精确地评估河流流量。

**关键词:**FY – 2C 卫星    数据    黄河流域    有效降雨量    监测

## 1    简介

中国—荷兰"黄河流域水监测和河流预报系统卫星建设"合作项目,是利用能量与水平衡监测系统(EWBMS)来获取整个黄河流域有效降雨的最新实时数据,这些有效降雨数据将被输入水文模型(Maskey, 2005)来评估黄河的流量。这一项目的最初着眼点是黄河的上游,这一地区位于青海高原,那里空气稀薄,平均海拔将近 4 000 m,年平均气温 0℃,一年中大部分时间气温在 0℃ 以下,就有效降雨监测而言,冬季地表水的储存成为了一个关键问题,老版本的 EWBMS 系统运用的固定前提条件是不出现冰冻状态的地区,因此为了精确地监测有效降雨,EWBMS 系统需要改进。

## 2    能量与水平衡监测系统

图 1 是用一个数据流程链表示的流程图,产生结果的流程始于 FY – 2C 号地球同步卫星每小时接收的数据、降雨点数据等,通过世界气象组织的全球电传通信系统(WMO – GTS)网络也可获取最近实时数据。有两条基本的过程线:①降雨过程线,用来生成降雨图;②能量平衡过程线,用来生成温度、辐射、显热通量和蒸散

量图。这些基本的输出成果又被用来推求某些二级过程线,如干旱、荒漠化产品和作物产量预测等。用来生成河流径流的三级过程线将在当前的项目中开发。

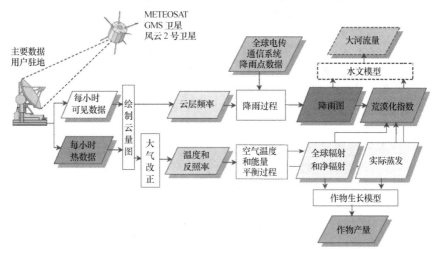

图 1　能量与水平衡监测系统(EWBMS)简图

## 2.1　表面温度和反照率

EWBMS 系统主要以表面反照率和温度为基础来计算表面能量平衡的组成,表面温度和反照率的处理以每小时可见的最近红外线卫星图像为基础,经过校准后,这些数字化数据将被按照透过大气的观察及测量转换成行星的反照率和行星的温度等。随后,这些通过大气改正程序的方法转换为表面温度和表面反照率。大气改正是第一位的,并以图像范围内参考数据为基础。为了频道的可视化,我们采用了 Kondratyev 于 1969 年发明的总辐射传输模型的改进版本,区别在于我们的版本还包括通过大气吸收辐射。对热红外线,我们以最高的行星温度为参照,由此,假定蒸散量值为零,我们可得出大气改正系数,大气改正程序不需要大气成分的信息,但利用图像对照,图像对照会随着大气浑浊度的增加而减少,以可见波段的最黑像素作为参照,这个模型可使我们计算出大气的光学厚度值。这些像素代表最小的表面反照率,一般为 7%。利用最小的表面反照率和最小行星反照率,可计算出光学厚度和大气透射率。关于热红外线波段可利用以下关系式:

$$(T_0 - T_a) = \frac{K}{\cos(i_m)} \cdot (T_0' - T_a) \tag{1}$$

式中:$K$ 为大气改正系数;$i_m$ 为卫星天顶角;$T_a$ 为边界层顶部的空气温度;$T_0$ 为表面温度;$T_0'$ 为行星温度(Rosema 等, 2004)。

## 2.2　空气温度

得到了正午和午夜的表面温度后,空气温度可以通过利用电声额定系统开发的新程序得出,回归方程 $T_{0'n} = a \cdot T_{0'm}$ 决定了正午行星温度($T_{0'n}$)～午夜温度($T_{0'm}$)图呈线形关系,当与大气充分进行热量交换时,表面和大气没有温差,因此 $T_{0'n} = T_{0'm} = T_a$。结合这两个关系式,空气温度可由回归常数 $T_a = b/(1-a)$ 得出,这个温度被认为是大气表层顶部的温度。这一程序被应用到一个子窗口且空气温度被赋予中间像素值。随后,窗口转换到"图像"项,并对每一个像素重复执行程序,通过这种方法便可得到一张完整的空气温度图。

### 2.3  云探测

一种能够区分晴天和多云像素的算法被用于云探测,一张最小反照率图($A_{min}$)是从一组 10 天序列的正午可见图像中提取出来的,一张最高正午表面温度图($T_{max}$)是通过在一个 $200 \times 200$ 像素的切换窗口内搜索最高温度而获得的。两者都被认为代表晴朗无云状态,随后进行一系列实验来确定某一像素是否表示多云,最重要的一组判别公式如下:

$$A' \geqslant A_{min} + \Delta A \tag{2}$$

$$T'_0 \leqslant T_{max} - \Delta T \tag{3}$$

式中:$\Delta A$ 和 $\Delta T$ 是临界值,已通过经验确定。

### 2.4  辐射计算

对晴朗无云像素,正午总辐射($I_{gn}$)可由下式得出:

$$I_{gn} = S \cdot t \cdot \cos i_s \tag{4}$$

式中:$S$ 为太阳常数($1\,355$ W/m$^2$);$t$ 为传输系数;$i_s$ 为太阳天顶角,由一个与经度、纬度、每天时间和每年天数相关的函数确定;日均总辐射 $I_g$ 通过对函数 $\cos i_s$ 从日出到日落进行积分得出,当某一像素被标记为多云时,根据云的反照率来估算穿过云的辐射传输,并随后被转而使用。

接下来,用下式计算净辐射:

$$I_n = (1-A)I_g + L_n \tag{5}$$

式中:$A$ 为表面反照率;$L_n$ 为净热(长波)辐射通量。

$L_n$ 由一个来自表层的向上放射和一个来自大气的向下放射两部分组成,净结果由下式得出:

$$L_n = 4\varepsilon_0 \varepsilon_a \sigma T_a - 4\varepsilon_0 \sigma T_0 \tag{6}$$

式中:$\varepsilon_0$ 为表面发射率,假定值为 0.9;$\varepsilon_a$ 为大气发射率,根据以空气湿度的气候评价为基础得出的冲击方程来估算。

底层云的向上向下通量可以忽略($L_n \approx 0$)。长波的辐射通量可简化表示为:

$$L_n \approx 4\varepsilon_0(1-\varepsilon_a)\sigma T_a + 4\varepsilon\sigma T_3(T_0 - T_a) = L_{nc} + H_r \tag{7}$$

等式(7)右边的第一部分是气候净长波辐射($L_{nc}$),第二部分叫做辐射热通量($H_r$)。我们的净辐射产物是气候净辐射,$H_r$ 被视做显热通量的一部分。

### 2.5  显热通量

正午的显热通量由下式计算:

$$H = H_c + H_r = Cv_a(T_0 - T_a) + 4\varepsilon\sigma T_3(T_0 - T_a) \tag{8}$$

式中：$H_c$ 为对流显热通量；$T_0 - T_a$ 为表层空气温度差，由卫星在正午时测出；$C$ 为热对流交换系数，取决于地球表面的糙率，对裸露地($LE = 0$)而言，$C$ 值采用 1，对有植被的地表($LE \neq 0$)，$C$ 值可随着植被的开发呈线形缓慢增长，直至最大值 2.4；$v_a$ 为平均风速。

日均显热通量在假定能量分配不变(不变的鲍文比)的前提下得出。系统的默认输出为日对流显热通量 $H_c$，这一结果适于和基于涡度相关法或闪烁计量法的对流通量测量法相比较。

## 2.6 降雨图绘制

降雨量的估计方法以来自气象站的降雨测量法(WMO-GTS)和从风云 2 号 C 卫星数据得出的多云频率数据为基础，两种数据来源 24 小时内有效。在分析图像柱状图的基础上，区分出四种云层。一个第五参数是超温度下限(TTE)，是指超过最低临界温度的数值的个数。对每一小时、每一像素，我们确定一片云是否存在和属于哪一种云层，这些资料天天更新。

表 1 为云层的定义及相应的温度和高度。

**表 1　云层的定义及相应的温度和高度**

| 云层 | 温度范围(K) | 高度范围(km) |
| --- | --- | --- |
| 寒冷 | < 226 | > 10.8 |
| 高 | 226 ~ 240 | 8.5 ~ 10.8 |
| 中高 | 240 ~ 260 | 5.2 ~ 8.5 |
| 中低 | 260 ~ 279 | 2.2 ~ 5.2 |

在云持续时间和每一个雨量站的 GTS 雨量数据之间做一个多元回归可推导出以下方程：

$$R_{j,ext} = \sum a_{j,n} \cdot CD_n + b_j \cdot TTE \tag{9}$$

式中：$CD_n$ 为云在 $n$ 云层的持续时间。

每一个雨量站($j$)都建立这样的回归方程，然后用下式确定估计和观测降雨量之间的残余 $D_j$：

$$D_j = R_{j,obs} - R_{j,est} \tag{10}$$

随后，回归系数 $a_{j,n}$、$b_j$ 和残余 $D_j$ 在所有的雨量站两两之间被内插，基于降雨图用反距离加权插值法得到像素($i$)(如下式)：

$$R_i = \sum a_{i,n} \cdot CD_n + b_i \cdot TTE + D_i \tag{11}$$

用这种方法，站点的估计降雨总是和报告的降雨相等，正如用制动跳动方法进行质量控制的手段一样(Rosema 等,2004)。

## 2.7 蒸散量图绘制

能量与水平衡监测系统(EWBMS)计算多云和晴朗无云状态下的表面能量

通量,其能量方程为:

$$LE = I_n - H - E - G \tag{12}$$

式中:$LE$ 为潜热通量;$I_n$ 为净辐射;$H$ 为显热通量;$E$ 为光合电子传输;$G$ 为土壤热通量(全部,$W/m^2$),在日均条件下,$G$ 可视做0。

一个小的修正用到了这一能量平衡上,即考虑到有植被的地表上的光合能量利用量约为吸收的总辐射的 5%。当有云时,显热通量不能被直接确定,但如上所述,有云时的净辐射能被估计出来。用能量分配以及多云天气的鲍文比和以前的晴朗天气一致这样的假定,实际的蒸散量便可被估算出来。我们认为当地上没有雪时,潜热通量完全用于蒸发;但当有积雪时,需用到将在 3.2 节讲述的另外一种方法。

## 3 对能量与水平衡监测系统(EWBMS)的改进

### 3.1 温度确认与修正

为了区别冰冻与非冰冻状态,我们需要能量与水平衡监测系统(EWBMS)精确地估算温度。为了确定冰是否融化,我们需要尽可能准确地记录下 0℃点。一种 EWBMS 系统的确认来自 1.5m 温度($T_a$),而世界气象组织的全球电传通信系统(WMO-GTS)报告的 $T_a$ 是为青海高原周围地区内的站点所做的,两种数据都是 24 小时平均数据。相比之下表面温度会更精确,因为它们与卫星记录的红外线数值直接相关,然而在全球电传通信系统网络上表面温度是不被有规律地报告的。图 2 所示的是一个实例的确认曲线图,通过此确认,我们得出的结论是两种来源的 $T_a$ 的全部走向匹配良好,EWBMS 系统呈现出稍被高估,特别是当温度超过 0℃时,这种高估随着站点所处海拔的升高而增大。EWBMS 系统内 $T_a$ 值的较大变化可解释为多云所致,有云的时候,$T_a$ 必须用以前某天的参数来估计,这些数值会因此不太精确而可能出现两天间差别较大的情况。

注意:这是一个地区平均值和点数据的比较,可以预料这些数值是不同的,特别是在山区。两组数据不同的另一个根源在于 EWBMS 系统应用了大气和温度修正的缘故。我们的理论是:在高海拔处空气稀薄,因此较少需要修正。在青海高原,EWBMS 系统 1.5 m 温度和 WMO-GTS 系统 1.5 m 温度的修正产生了一个接近0 的 $r^2$ 值,一个以海拔作为第二参数的多元回归将 $r^2$ 由接近 0 增加到约 0.6,由此我们推断海拔是一个起重要影响的因素。为了改进这一问题,在海拔和从以下标准关系式得出的其与大气密度关系的基础上,引进一个额外的修正系数:

$$\rho_z = \rho_h \cdot EXP^{-(h-z/H)} \tag{13}$$

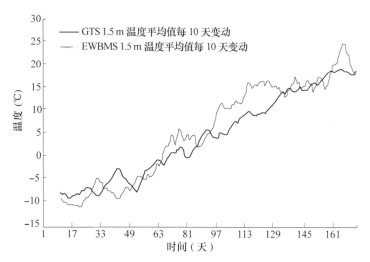

图 2　黄河河源地区 GTS 站点的 WMO-GTS 系统与 EWBMS 系统
1.5 m 温度平均值每 10 天变动比较

式中：$\rho_z$ 为高度 $z$ 处的大气密度；$\rho_h$ 为参照高度 $h$ 处的大气密度；$H$ 为压力标度高度。

对高度 $z$ 积分并取相对值 $h = 1\,000$ m，$H = 7\,400$ m（因国际标准大气），由此得出：

$$\rho_z = EXP^{-(1\,000 - z/7\,400)} \tag{14}$$

基于从美国地质勘探局的 1km 数字式海拔模型得到的平均像素正面图，式(14)可用来改正大气和温度两者的修正系数，这一大气密度修正系数对 EWBMS 系统 1.5 m 温度的效果如图 3 所示。

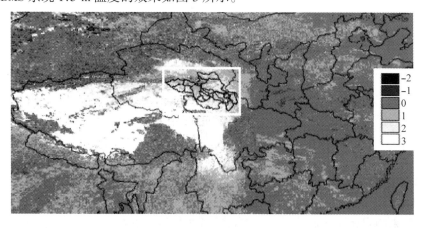

图 3　实施大气密度修正系数后零上温度的差别
（白框内为黄河上游地区）

从图 3 我们可以看出,在黄河上游,高海拔地区的 EWBMS 系统 1.5m 温度估算值被减少了多达 3℃,这种减少弥补了误差的一个重要部分。

## 3.2 结冰和融化模块

结冰/融化(F/T)模块将被加到 EWBMS 系统中来处理黄河上游的结冰和融化状况,在 EWBMS 系统获取表面反照率、表面温度和年内蒸发热量支出($LE$)值的基础上,F/T 模块被设计用来追踪降雪与融雪。F/T 模块方案如图 4 所示。

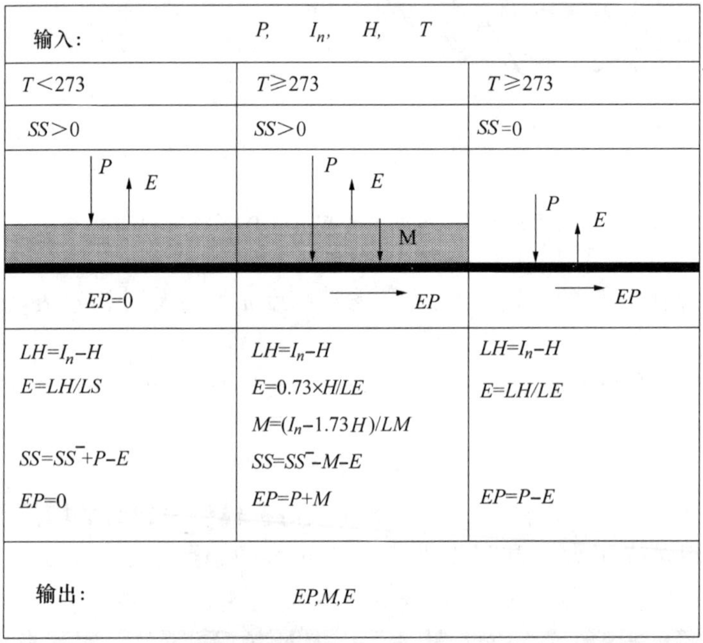

| 输入: | $P$, $I_n$, $H$, $T$ | |
|---|---|---|
| $T<273$ | $T\geqslant273$ | $T\geqslant273$ |
| $SS>0$ | $SS>0$ | $SS=0$ |
| $P\downarrow\ \uparrow E$ | $P\downarrow\ \uparrow E\quad\downarrow M$ | $P\downarrow\ \uparrow E$ |
| $EP=0$ | $\longrightarrow EP$ | $\longrightarrow EP$ |
| $LH=I_n-H$<br>$E=LH/LS$<br><br>$SS=SS^-+P-E$<br>$EP=0$ | $LH=I_n-H$<br>$E=0.73\times H/LE$<br>$M=(I_n-1.73H)/LM$<br>$SS=SS^--M-E$<br>$EP=P+M$ | $LH=I_n-H$<br>$E=LH/LE$<br><br><br>$EP=P-E$ |
| 输出: | $EP,M,E$ | |

**图 4　结冰/融化模块示意图**

图 4 中:$P$ 为降雨量;$I_n$ 为净辐射;$H$ 为显热通量;$T$ 为表面温度;$SS$ 为积雪量;$SS^-$ 为以前天的积雪量;$E$ 为蒸发量/升华量;$M$ 为融化量;$EP$ 为有效降雨量;$LH$ 为潜热通量;$LS$ 为升华热;$LE$ 为蒸发热;$LM$ 为熔化热。

图 4 示意性地描述了关于有效降雨量的三种主要情形:当表面温度低于 273 K 并出现积雪时,所有可利用潜热将被用于升华;当表面温度达到或高于 273 K 并出现积雪时,可利用潜热将被分别用于蒸发/升华和融化;当无积雪出现时,所有可利用潜热将被用于蒸发。

用来确定融化所需的可利用能量数量的值用以下方法得出,首先,我们用如下方法将潜在蒸散量与显热通量相关起来:

$$LE_p = \rho L(s_a - s_0)/r_a \approx \rho L(s_a - s_0)/r_a$$

$$\approx (L/c)(\partial s/\partial T)\rho c(T_a - T_0) = 0.73H \,(\text{at}273\text{K}) \qquad (15)$$

然后,我们用能量平衡来计算用于融化的热量:

$$LM = I_n - H - LE_p = I_n - 1.73H \qquad (16)$$

式中:$LE_p$ 为潜在蒸散量;$\rho$ 为空气密度;$s_a$ 为特定空气湿度;$s_0$ 为饱和特定湿度;$r_a$ 为空气动力阻力;$c$ 为空气容积热容量;$L$ 为蒸发热;$T_a$ 为边界层温度;$T_0$ 为表面温度;$LM$ 为融化潜热。

### 3.3 积雪量图绘制

积雪量($SS$)可定义为水在地表的固相储存量,可在 EWBMS 系统生成的降雨图和温度图的基础上绘制出来,如果在表面温度低于 0℃期间有任何降水,我们都可认为这种降水是雪并将其增加到积雪量中。在温度低于 0℃期间,雪会因升华而有所损失;当 EWBMS 系统测到表面温度达到或略高于 0℃时,积雪量将会因融化和蒸发而被耗尽。

### 3.4 积雪图绘制

在冬季,雪会覆盖黄河上游的部分地区,积雪的位置和范围将从降雨图和温度图得出,我们将利用表面反照率值作为积雪的第二指标,当表面反照率值高于 0.45 时,我们便可认为地表有积雪。一个主要的问题是要将积雪与云量区分开,为了做到这一点,我们会用到高反照率的持续时间,如果某一像素显示一个日表面反照率值高于临界水平,那么它将会被监测,如果那个像素的表面反照率在好多天内持续高于临界值,那么这个像素代表的地表有积雪便变得更加肯定。我们还在化雪期间跟踪表面反照率以核对当积雪量耗尽时表面反照率是否会下降。

用我们的方法产生的一个问题是相对于约 5 km×5 km 的像素分辨率,积雪子像素不会出现,我们可通过全过程跟踪像素表面反照率的变化来解决这一问题。在化雪期间,像素表面反照率值会降低;同时,因为不完全积雪,像素表面反照率是一个混合值,当所有雪都化尽时,表面反照率值会在植物开始生长时再次升高,表面反照率最低的点很可能就是所有雪都化尽的点。数据评价和确认会有望使我们认识到这种现象的意义。

### 3.5 结冰/融化算法模拟

结冰/融化算法的思想是用一个电子数据表来模拟的,这种模拟基于一个随机发生器来获取整个模拟过程中的随机降雨数值,一组模拟的结果如图 5a、图 5b 所示。通过这种模拟,我们可得出的结论是当温度低于 0℃的时候,有效降雨量也为 0,那个期间的所有降雨以雪或冰的形态储存在地表;当温度达到或高于 0℃时,储存的雪或冰会融化,导致累计有效降雨量急剧增加,所以融雪的时期会引起江河流量大大增加;另一项发现是累计有效降雨量在某一时期减少,这是因为蒸散发仍然存在的缘故,即便在无降雨时蒸散发也会存在,这会导致可用水的净损失。

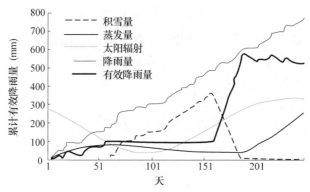

图 5a　近一年期间累计降雨量、积雪量、蒸发量和有效降雨量(输入到水文系统内的水)的模拟,以第 260 天为起点(太阳幅射显示出太阳活动周期和这一年的时间,雪包融化约需 30 天,主要是在 3 月,位置是北纬 40°)

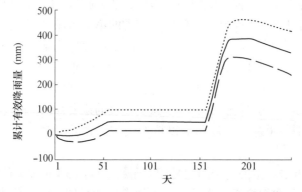

图 5b　累计有效降雨量(实线表示 100 次随机降雨输入平均值,点线、虚线表示标准偏移)

## 4　有效降雨量与流量过程线的比较

　　为了研究 EWBMS 系统生成的有效降雨值和现场数据之间的关系,我们针对黄河上游一片单独的流域来分析有效降雨量与流量过程线之间的关系,这片流域的出口处有一座水文站。假定除了蒸散发外无其他水量损失,每年的有效降雨量应多于或至少等于流量。图 6 所示为在该片流域上汇集的有效降雨量与唐乃亥水文站测到的流量过程线的比较(资料来源于黄委会)。

　　从图 6 我们可以推断出在该片流域上汇集后,流量和有效降雨量具有相同的数量,两个参数之间有一个明确的关系,降雨事件与流量之间可以预见的时间延迟也能从图上看出来。有效降雨呈现出大的变化和负值,负值是由于无降雨时蒸散发仍然存在的缘故;然而过大的负值是使我们想到在无降雨期间蒸散量可能被高估,因此需要做一些修正。汇总的数值在表2列出。

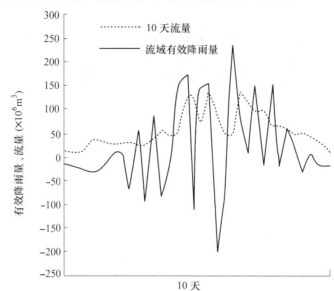

图6  2000年唐乃亥水文站测量的每10天流量过程线与流域汇集有效降雨量的比较

表2  唐乃亥水文站年流域流量与流域汇集有效有效降雨量的比较
（列出了包含及排除负的有效降雨值两种情况）

| 项目 | 流量 $Q$(亿 m³) | 有效降雨量 $P_e$(亿 m³) | $Q - P_e$(亿 m³) |
|---|---|---|---|
| 包含降雨量负值 | 19.30 | 6.01 | 13.28 |
| 排除降雨量负值 | 19.30 | 15 | 4.20 |

从表2我们可以看出,排除负的有效降雨值的确对流量—有效降雨关系有重要影响,尽管实际上负的有效降雨值的确会出现且完全排除它们是不合理的,但从表2可明显看出蒸散发对有效降雨的影响。

## 参 考 文 献

［1］ Rosema, A., Verhees, L., Sun, S., Fu, R., Li, F., Zhao, Z., Wu, R., Hu, L., You, R., Zhang, Y.Y., Wang, N., Yang, X., Jiang, D., Liu, H.H., Ma, Z., De Bruin, H., Bink, B., Wu, X.(2004). 中国能量与水平衡监测系统(CEWBMS).促进发展的出口和环境与经济自足援助计划98/53项目科学总结报告.项目来源:国家林业局

［2］ Kondratyev, K.Y. 大气中的辐射 . 学术出版社,纽约,伦敦,1969

［3］ Maskey, S., Venneker, R., Zhao, W..黄河上游流域利用卫星获取降雨数据的大尺度分布式水文模型系统,2005

# 黄河水量调度系统中的关键技术剖析及改进

尚　领　王志坚　许　峰

(河海大学计算机及信息工程学院)

**摘要:**黄河水量调度系统的建成,弥补了传统的水量调度由于技术手段落后,很难及时、全面地收集黄河水量调度信息,调度指令也难以迅速下达的缺陷。建立进行调度管理和分析计算所需的计算机软、硬件环境,形成一套较完善的适用于黄河水量调度的分析计算方法等。本文研究了黄河水调中应用到的先进的计算机技术,剖析了基于中间件的黄河水量调度系统的体系结构,并提出了改进措施。

**关键词:**黄河水量调度　XML　中间件　数据库

黄河水量调度系统的建设目的是通过优化配置黄河水资源,缓解供需矛盾,改善生态环境,使有限的黄河水资源发挥最大的综合效益,实现流域的可持续发展。现阶段主要是根据流域内的水资源管理体制和管理水平,以国务院颁布的分配方案为基础,以各区域的需水为依据,制订黄河水量的调度方案。

黄河水量调度系统是"数字黄河"工程的重要组成部分,它包括了水调业务自动化、水调信息综合监视、水调信息服务、水调专业数据库建设和水调模型建设等几部分。实际上类似企业的 ERP 系统,水量调度管理系统就是黄河水量调度管理局的 WSP(Water Service Processing)——水事务处理系统。该系统的建设是提高流域的水资源管理水平的重要措施。该系统的核心是如何合理规划利用流域的有限水资源、如何实现水量的实时合理调度。

黄河流域是我国水资源最为缺乏的大型流域,又是向流域外调水最多的流域,黄河担负着流域内及下游沿黄地区约 1.4 亿人口、0.16 亿 hm² 耕地、50 多座大中城市和晋陕蒙能源基地及中原油田、胜利油田的供水任务。因此,建设黄河水量调度管理系统具有很大的实际意义。

黄河的水量调度需要考虑的技术因素几乎是其他流域的水量调度需要考虑的技术因素的总和,如水权因素、来水变化因素、发电因素、需水及墒情因素、水质因素、传播时间因素、生态用水、输沙用水、防汛和凌汛及沿程损耗等因素;同时黄河的水量调度涉及我国十几个省(区),空间地域跨度达 4 000 多 km,覆盖用水的方方面面和社会的许多部门,因此建设黄河水量调度管理系统将面临很大的挑战性。

# 1 相关技术

## 1.1 GIS(Geographic Information System)

### 1.1.1 概况

地理信息系统(GIS, Geographic Information System)是以采集、存储、管理、分析、描述和应用整个或部分地球表面(包括大气层在内)与空间和地理分布有关的数据的计算机系统。它由硬件、软件、数据和用户有机结合而构成。它的主要功能是实现地理空间数据的采集、编辑、管理、分析、统计、制图。

地理信息系统处理、管理的对象是多种地理空间实体数据及其关系,包括空间定位数据、图形数据、遥感图像数据、属性数据等,用于分析和处理在一定地理区域内分布的各种现象和过程,解决复杂的规划、决策和管理问题。

### 1.1.2 GIS 平台软件的基本功能

为了可用来求解现实世界的有关问题,一个 GIS 应该包括 6 个基本功能:获取数据、存储数据、数据查询、数据分析、数据可视化、输出数据等。

GIS 是基于计算机的信息系统,其处理的对象是地理空间数据。地理空间数据是指以地球表面空间位置为参照的自然、社会和人文景观数据,可以是图形、图像、文字、表格和数字等,由系统的建立者通过数字化仪、扫描仪、键盘、磁带机或其他通信系统输入 GIS,是系统程序作用的对象,是 GIS 所表达的现实世界经过模型抽象的实质性内容。

地理信息系统只是一种技术手段或工具,它的作用是人自身分析思想的延伸。它的作用在很大程度上取决于用户(规划人员,管理人员,领导者)的水平、技能和经验。系统可快速地采集和显示所需的资料(按地理位置分布的空间信息),执行指定的分析计算,提供结果信息,帮助用户制定决策,但系统本身并不作决策,它只是辅助和支持用户,而不是代替用户决策。

### 1.1.3 在水调系统中的实际应用

综合监视及预警系统作为水量调度的重要组成部分是目前重点建设项目。以 C/S 模式为主,兼有少量可公开信息的 Web 查询模式。在大型彩色电子显示屏和图形工作站环境下,以 GIS 为平台建立综合监视系统。以电子地图(流域图、河道图、大型灌区图等)为背景,实现了地图上水库、涵闸、雨量站、水文站的准确定位。利用 MO 控件进行二次开发可以进行流域界不同颜色渲染、用户可以对自己的需求图层的控制、可以在地图直观显示报警点等,为决策者提供及时准确的信息。

## 1.2 中间件

### 1.2.1 概况

中间件(Middleware)是位于系统软件和应用软件之间的通用服务,它的主要作用是用来屏蔽网络硬件平台的差异性和系统软件与网络协议的异构性,使应用软件能够比较平滑地运行于不同平台上。同时,中间件在负载平衡、连接管理和调度方面起了很大的作用,使企业级应用的性能得到大幅度提升,满足了关键业务的需求。

中间件是基础软件的一大类,属于可复用软件的范畴。中间件处于系统软件与用户的应用软件的中间,具体地说,在操作系统、网络和数据库之上,应用软件的下层,为处于自己上层的应用软件提供运行与开发的环境,帮助用户灵活、高效地开发和集成复杂的应用软件。

中间件是一种独立的系统软件或服务程序,分布式应用软件借助这种软件在不同的技术之间共享资源,中间件位于客户机、服务器的操作系统之上,管理计算资源和网络通信(见图 1)。中间件不仅实现互连,还要实现应用之间的互操作;中间件是基于分布式处理的软件,最突出的特点是其网络通信功能。

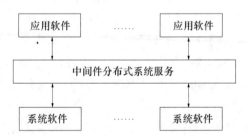

**图 1　中间件与应用软件及系统软件的关系**

### 1.2.2 中间件技术在水调系统的应用

在水调项目中采用了"数据存储过程"和"DataAccessServices"的中间件技术,实现了数据库与应用程序的分离,应用程序只需要调用 DataAccessServices 中的类来访问数据库,与数据库的表结构进行了分离,实现了数据库的逻辑独立性。数据存储过程实现了实时采集的数据及时地存入数据库。

## 1.3 XML

### 1.3.1 概况

XML(eXtended Markup Language)是从 SGML(Standard Generalized Markup Language)进化来的,最初 SGML 是为了解决文档及其格式问题的一种标记语言,

所以非常的复杂和难以使用,那时计算机的应用水平还处在很低的阶段,并且那时人们只需要传递和显示一些简单的数据。

XML 包括 XML 元数据文件、Schema 文件、XSLT 显示文件、XLL 链接、Xpath 等一系列相关部分,但是对于不是计算机方面的专业人士来讲,最好只看它的元数据文件,而把别的问题交给开发和制作人员,这样就可以让非专业人士脱离看懂那些头疼的术语的痛苦。

### 1.3.2 XML 的特点

(1)数据与现实的分离。为说明这个功能本文举一个简单的例子:比如我们手头上有篇 XML 格式的资料,如果你想让另一个人通过互联网看你的资料,那我们可以使用一个 aaa.xsl 把那个 XML 的数据格式化为 HTML 的格式,如果另一个人想把资料打印出来作为报表,我们可以用同一个数据写一个 bbb.xml 的数据文件,输出为一个美观的报表形式就可以了。

(2)灵活的开发。因为 XML 是数据和格式分离设计的,所以 XML 元数据文件就是纯数据的文件,这样就可以使用同一个数据源,显示多种样式了。

(3)面向对象的特性。XML 的文件是以树状方式存储,同时也有属性,这非常符合面向对象方面的编程,而且也体现了以对象方式存储。

### 1.3.3 XML 技术在水量调度系统中的应用

通过 XML,我们可以在不兼容的系统之间交换数据,在黄河水调系统中,计算机应用软件系统和数据库系统所存储的数据有多对多种形式,数据交换是个问题,把数据转换为 XML 格式存储将大大减少交换数据的复杂性,可以使数据被不同的程序读取,很方便地实现预定的功能。

## 1.4 Web Service

### 1.4.1 概况

所谓的 Web Service 是指由企业发布的完成其特别商务需求的在线应用服务,其他公司或应用软件能够通过 Internet 来访问并使用这项在线服务。Web Service 是下一代的 WWW,它允许在 Web 站点上放置可编程的元素,能进行基于 Web 的分布式计算和处理。

### 1.4.2 Web Service 的体系结构

Web Service 是独立的、模块化的应用,能够通过网络,特别是 WWW 来描述、发布、定位以及调用。Web Service 的体系结构(见图 2)描述了三个角色(服务提供者、服务请求者、服务代理者)以及三个操作(发布、查找、绑定)。

服务提供者通过在服务代理者那里注册来配置和发布服务,服务请求者通过查找服务代理者那里的被发布服务的登记记录来找到服务,服务请求者绑定服务提供者并使用可用的服务。在 Web Service 中,三个操作都包含三个不同的技术。发布服务使用 UDDI(统一描述、发现和集成),查找服务使用 UDDI 和 WSDL(Web Service 描述语言)的组合,绑定服务使用 WSDL 和 SOAP。在三个操作中,绑定操作是最重要的,它包含了服务的实际使用,这也是容易发生互操作性问题的地方。正是由于服务提供者和服务请求者对 SOAP 规范的全力支持才解决了这些问题,并实现了无缝互操作性。

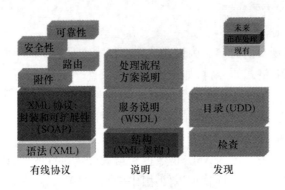

图 2　Web Service 的体系结构

当开发人员开发新的应用时,可以通过 UDDI Operator 或 UDDI Search Engine 的 Web 界面在 UDDI Registry 上找到需要的 Web Service;然后在 UDDI Registry 内,或通过 UDDI Registry 中的链接找到该 Web Service 的调用规范,该调用规范一般使用 WSDL 描述。开发人员可以使用开发工具或通过手动方式调用该规范,然后在自己的应用中加上该调用规范定义的 Web Service 调用。这样开发出的应用就可以通过 SOAP 来调用指定的 Web Service 了。

对于具有自动集成相关应用的服务(Service)或应用(Application),用户应用通过 SOAP 协议访问 UDDI Operator 或 UDDI Registry,找到需要的 Web Service,UDDI Operator 和 UDDI Registry 通过 SOAP 协议响应 Web Service 的调用规范和调用规范的链接,应用程序得到使用 WSDL 描述的服务调用规范文本,通过解析该描述文本,自动生成本地调用接口绑定,并将所需的调用参数适当绑定并完成调用。

### 1.4.3　Web Service 的特点

Web Service 是封装成单个实体并发布到网络上供其他程序使用的功能集合。Web Service 是用于创建开放分布式系统的构件,可以使公司和个人迅速且廉价地向全世界提供其数据服务。Web Service 是下一代分布式系统的核心,它具有如下特点:

(1)互操作性:任何的 Web Service 都可以与其他 Web Service 进行交互。由于有了 SOAP(Simple Object Access Protocol)这个所有主要供应商都支持的新标准协议,因而避免了在 CORBA、DCOM 和其他协议之间转换的麻烦。还因为可以使用任何语言来编写 Web Service,因此开发者无需更改其开发环境,就可生产和使用 Web Service。

(2)普遍性:Web Service 使用 HTTP 和 XML 进行通信。因此,任何支持这些技术的设备都可以拥有和访问 Web Service。

(3)易于使用:Web Service 背后的概念易于理解,并且有来自 IBM 和微软这样的供应商的免费工具箱能够让开发者快速创建和部署 Web Service。此外,其中的某些工具箱还可以让已有的 COM 组件和 JavaBean 方便地成为 Web Service。

(4)行业支持:所有主要的供应商都支持 SOAP 和周边 Web Service 技术。例如,微软的 .Net 平台就基于 Web Service,因此用 Visual Basic 编写的组件很容易作为 Web Service 部署,并可以被 IBM VisualAge 编写的 Web Service 使用。

### 1.5 数据库

#### 1.5.1 面向对象技术

以三层数据库模式为数据库设计基础,然后结合决策支持系统模块的面向对象设计技术使数据库设计向面向对象模型扩展,即由系统的模块对象模型直接向数据库二维表进行映射变换。

#### 1.5.2 信息封装技术

信息封装(隐蔽)是软件工程最重要的原则之一。即信息的作用域越小越好,数据库的透明度越大越好。数据库黑盒化(透明度高)的方法很多,除了设计上的局部化处理外,还可以利用 DBMS 的触发器、存储过程、函数等,把数据库中无法简化的复杂表关系封装到黑盒子里,隐藏起来,放到服务器端。

## 2 黄河水量调度系统体系结构

黄河水量调度逻辑上由三个层次组成,分别是基础数据层、信息服务层和业务应用层,三个部分通过标准协议和接口形成有机的整体(见图 3)。

基础数据层由系统所需的各类数据库组成,包含了所有水量调度部门的和其他业务部门采集的与水量调度有关的各种类型的数据信息。

业务应用层是"黄河水量调度管理决策支持系统"的功能表现。按业务逻辑主要包括:水量调度信息服务、综合监视与预警、水量调度业务处理(包括省区、枢纽和两局)几个部分。按分布式对象技术的基本原则,在信息服务平台中建立专用的应用服务器实现其业务逻辑。因此,业务应用主要是一种应用逻辑的划分,其功能的实现及运行支持主要在信息服务平台中实现。

信息服务层是系统的核心。其服务设施建设同步于业务应用系统的建设。在业务应用系统建立的同时,根据共享的需要,划分出今后作为提供共享服务的

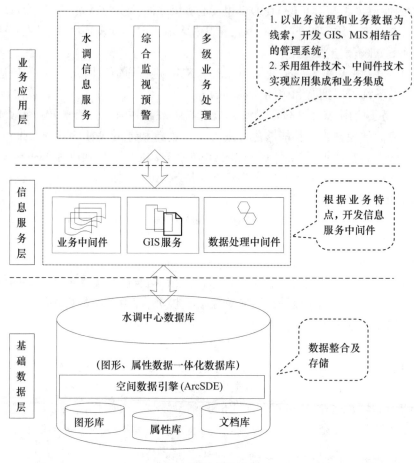

图 3　系统层次结构

部件和业务应用专用部件,并用中间件的形式实现,放入信息服务层,并通过信息服务层的管理机制向授权用户提供服务。随着业务应用的不断开发,信息服务层中的服务设施不断完善,随之业务应用开发的构件化程度也越来越高,并逐渐呈现出基于分布式对象技术的系统构成形态。业务应用系统的功能则通过访问信息服务层提供的各项功能中间件来实现。

## 3　系统实现中的关键技术的改进

### 3.1　架构改进

对水调系统中的综合监视最好把 C/S 架构转换为 B/S 架构,因为 B/S 架构采用的是瘦客户端模式,用户端不用装任何控件,不用装任何安装程序,可以随时随地浏览最新的水质、水温、预警等重要信息。

## 3.2 平台改进

对业务处理系统,最好把 ASP 程序升级为 ASP.NET,这样可以充分发挥.NET 框架的优势,提供更快捷更及时的服务。

## 3.3 数据库的改进

数字水利是对流域及其相关地区的自然、经济、社会等水利要素构建一体化的数字集成平台和虚拟环境,所有的水利应用如防汛减灾、洪水预报、防洪工程、联合调度等都是在这个平台上运行。由于不同的应用对数据的需求是不同的,因此数据共享就显得十分重要。由于数字水利中采集的数据来源多种多样,各种数据的格式、精度以及含义描述等随着获取设备和采集单位的不同而有所不同,这就需要将这些数据进行标准化,建设一个功能完善的水利信息门户,为不同的应用提供一致的水利信息服务,消除正在不断形成的水利信息孤岛,统一管理结构化、半结构化和非结构化等各类数据,在确保安全的前提下统一并简化水利信息的访问手段,以实现广泛而有效的水利信息交换。

在数字水利中,水利信息资源包括空间、气象、水情、工情、险情、水调、水保、水质、工管、办公等各类水利要素的数据,实现对这些数据的采集、传输、处理和存储,以满足防汛减灾、水量调度、水土保持、水质监测、工程管理和电子政务等水事活动的需要。水利信息交换平台相当于一个数据集线器,完成各类数据的清洗、整理、存储、格式化等功能,交换的数据格式和数据本身都统一采用标准的 XML 进行描述,对元数据采用 XML Schema 进行数据建模,实现数据的高度共享,保证数据交换的透明、简便、可靠、安全。平台提供数据交换标准定义/维护工具(见图 4)。

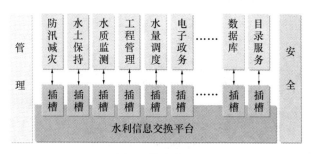

**图 4 数字水利**

水量调度系统数据库的建设目标是综合应用地理信息系统、数据库及相关技术手段,在统一的规范和标准下,构建黄河水量调度所涉及的黄河干流及灌区的基础数据、专业数据、政务信息、模型方案等数据库系统。主要包括:水调方案库、引水数据库、地图信息库、水文数据库、旱情数据库、水质数据库、卫星云图库等;同时,参照总调中心的数据库结构,结合相关的业务流程为相关省(区)和省局开发水调水量调度系统数据库的建设目标是综合应用地理信息系统、数据库及相关技术手段,在统一的规范和标准下,构建黄河水量调度所涉及的黄河干流及灌区的基础数据、专业数据、政务信息、模型方案等数据库系统。主要包括:水调方案库、引水数据库、地图信息库、水文数据库、旱情数据库、水质数据库、卫星云图库等;同时参照总调中心的数据库结构,结合相关的业务流程为相关省(区)和省局开发水调业务数据库、引水数据库,为水库管理单位开发水调业务数据库。并建立相应的数据提取、维护管理体系,为实现流域水量调度方案编制、实时调度提供数据支持和辅助决策。

在水量调度系统数据库中,信息的种类是多种多样的,包括结构化、半结构化和非结构化的数据,它们分别属于不同所有者,如何将它们映射成统一存储机制(如数据库、文件系统)的数据实体,是数据网格首要解决的问题。元数据的提出,使得各种数据可以通过元素属性与值之间的关系来表达,它抽象了数据对象的描述,我们将这种元数据叫做数据表示的中间层。XML 实现了 Web 文件的内容和数据表示形式的分离,是一种有效的数据页面表示和描述语言。XML 与元数据的结合将使界面表示和数据存储统一起来。随着 LDAP(Light Directory Access Protocol,轻量级目录访问协议)技术的兴起和应用领域的不断扩展,目录服务技术成为许多新型技术实现信息存储、管理和查询的首选方案,特别是在网络资源查找、用户访问控制与认证信息的查询、新型网络服务、网络安全、商务网的通用数据库服务和安全服务等方面,都需要应用目录服务技术来实现一个通用、完善、应用简单和可以扩展的系统(见图5)。

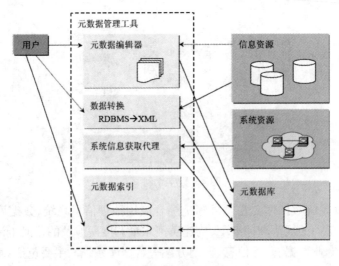

**图5 数据库结构**

元数据与目录服务的结合，为数据交换提供元数据目录服务 MDS（MetadataDirectory Service），使得物理上是分布的水利信息在逻辑上实现共享。MDS 基于分布式、跨地域的网络环境，对该环境中数目巨大的、地理上分布的并且具有相对动态性的数据资源提供元数据服务，并存储在目录树之中，方便应用系统的访问。MDS 的主要内容应该包括数据资源的发现、描述、监视和更新，以满足组织中各类应用系统的不同需求。

### 3.4　GIS 平台转化为 WebGIS

WebGIS 是 Internet（主要是 Web 平台）和 GIS 相结合的产物，是在 Internet 网络环境下的一种显示、存储、处理空间地理信息的计算机信息系统。

WebGIS 是 Internet 技术应用于 GIS 开发的产物。从 WWW 的任意一个节点，用户可以通过互联网浏览 WebGIS 站点中的空间数据、制作专题图，以及进行各种空间检索和空间分析。

WebGIS 具有以下特点：

（1）全球化的 Client/ Server 应用。任意 Internet 用户都可以通过浏览器访 WebGIS 站点提供的各种 GIS 服务，甚至还可以进行 GIS 数据更新。

（2）WebGIS 给更多用户提供了使用 GIS 的机会。WebGIS 可以使用通用浏览器进行浏览、查询 GIS 空间信息，额外的插件（plug2in）、ActiveX 控件通常都是免费的，这样可以降低终端用户的经济和技术负担，很大程度上扩大了 GIS 的潜在用户范围。

（3）具有很好的扩展性。WebGIS 很容易与 Internet 上的其他公用信息服务融合在一起，实现无缝集成，从而可以建立灵活多变的 GIS 应用。

## 参 考 文 献

[1]　KIM Hyoungdo. Supporting B2B Business Documents in XML Web Service. Journal of Electronic Science an Technology of China, 2004.

[2]　孟小峰，周龙骧，王　珊. 数据库技术发展趋势. 软件学报，2004

[3]　Zhaohui Tang, Jamie Maclennan, Peter Pyungchul Kim. Building Data Mining Solutions with OLE DB for DM and XML for Analysis in SIGMOD Record, 2005, 34(2)

[4]　Wolfgang Hoschek, Gavin McCance. Grid Enabled Relational Database Middleware

[5]　褚红伟，等. 基于 WebServices 的分布式工作流的研究与实现. 计算机应用研究，2005(8)

# 黄河暴雨洪水预警预报水文模型

## ——在伊河流域的试验研究

Jan Hoybye[1]　　Laszlo Iritz[2]　　陈冬伶[3]

(1.ViSKon 公司；2.瑞典工程环境咨询公司；3.黄河水利委员会水文局)

**摘要:**该项目的主要目的是提高黄河水利委员会(黄委)在水文预报模型方面的能力,通过对输入数据的预处理及寻找更优的水文预报模型等手段,以期达到理想的预报精确度及预见期。为了更好地管理洪水,了解降雨的产生机制是非常必要的。本文展示了以时空分析降雨数据作为降雨径流模型输入数据,从而进行洪水预报以及洪水管理的结果。本文所展示的结果是亚州开发银行(亚行)技术援助项目"黄河小花间暴雨洪水预警预报系统"(GETINSA, 2004)的一部分。

**关键词:**伊河流域　洪水预报　新安江模型　预见期

## 1　概况

洪水预警预报系统是目前黄委大力开发的洪水管理系统的一部分。洪水预警预报系统包括观测网络、数据的采集与处理系统、实时降雨模型、降雨径流模型、河道洪水演进模型及通信系统。

自小浪底水库投入运行以后,通过小浪底水库和三门峡水库的联合运用,小浪底以上的洪水得到了有效的控制。这样黄河中游(小浪底水库到花园口水文站,即"小花"间)约 40 000 km² 的集水面积所产生的洪水便成了下游防洪的主要威胁,加之泥沙淤积致使下游河床抬高,进一步加剧了下游防洪的困难。黄河及黄河下游流域模型如图 1 所示。

亚州银行在了解了情况之后,随即启动技术援助项目,支持黄委进一步完善洪水预报模型,以保证黄河下游的防洪安全。该技术援助项目由黄委和西班牙 GETINSA 公司联合开展,GETINSA 公司委派本文作者进行该项工作。

＊　该项目得以顺利开展,要感谢黄委的大力支持,尤其感谢黄委朱庆平副总工;同时,感谢黄委水文局总工赵卫民在项目进行中所给予的帮助,以及水文局水情信息中心工作人员的协作。

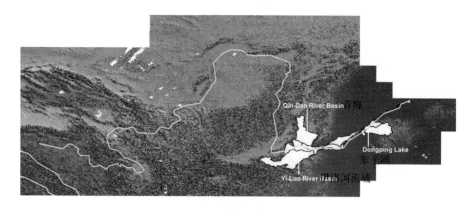

图 1　黄河及黄河下游流域模型

项目的具体目标如下(GETINSA，2004)：

(1)对黄委现有的水文预报系统的更新提出建议,以提高水文预报的预见期。

(2)对水文模型系统的更新提供技术援助,包括模型的模拟与校准及模型的选择,从而提高预报的精度。

(3)对基于 GIS 的数据的整合与模拟提供技术援助。

(4)培养黄委水文局在"小花"系统的规划、开发、操作及维护等方面的能力；

(5)对黄委现有的洪水预报、防洪信息的发布及防洪前期的规划与管理等措施进行评估,并提出改善建议。

该项目的最终目标是使花园口水文站洪水预报的预见期由原来的 8 小时提高到 30 小时。由于一些支流汇流时间很短,若以实时降雨作为输入数据,花园口水文站则无法达到 30 小时的预见期,而降雨又是必需的输入数据。基于以上原因,在降雨径流模型中必须加入降雨预报模型。

由上述可知,"小花"系统的完善必须包括：①雨量站网的升级；②X 波段多普勒双极雷达的布设；③信息采集与传输系统的升级；④基于 GIS 的分布式水文模型的开发；⑤整合"小花"系统所有元素的数字水文平台的开发。

雨量站网及雷达测雨数据与水文模型的可靠性之间的关系检验也是本项目研究的一部分。同时,项目中还对空间降雨数据的精确度及水文模型参数与洪峰流量及洪水量精度之间的关系；进行了研究,应用的方法有 Wood et al.(2000)、Mazetti and Todini(2002)及 Seo and Smith(1993)。

## 2　研究区域——"小花"间

花园口水文站以下为黄河下游地区,花园口水文站的水量观测是黄河下游包括郑州及周边地区防洪的关键。

模型的最初检验是在黄河支流伊河上进行的,即龙门镇以上流域。伊河流域面积约 6 000 km²,约分为以下四个子流域,即潭头(P1)、1 695 km²;东湾(P2)、2 623 km²;陆浑(P3)、3 473 km²;龙门镇(P4)、5 318 km²(见图2)。

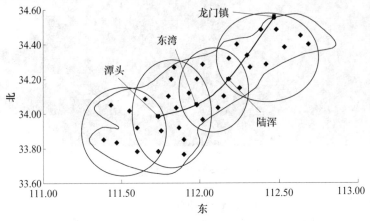

图2　伊河:流域边界、雨量站及水文站分布图

## 3　降雨分析

典型流域降雨的评估是非常重要的,因为在集总模型中典型流域通常作为降雨径流模型的基本单元。

可利用的降雨数据有:①伊河37个雨量站1980~1982年、1994~1996年的日降雨量;②伊河37个雨量站1996年6~9月的连续降雨系列。

### 3.1　区域降雨评估

通过雨量站的实测降雨量计算所在流域,P1~P4的平均降雨量(Bras and Rodriguez-Iturbe,1985)。每个雨量站的控制区域通过相邻两个雨量站之间距离的插分得出(见图2),每个子流域的平均降雨量通过流域内各雨量站降雨量的加权平均得出:

$$\bar{P}_N(t) = \frac{1}{A_T} \sum_{i=1}^{N} A_i P_i(t)$$

式中:$N$ 为雨量站的个数;$A_T$ 为 $N$ 个雨量站总的影响区域面积;$A_i$ 为每个雨量站的影响面积;$P_i(t)$ 为每个雨量站的降雨量。

通过计算所得的各个子流域的空间平均降雨量,可以推断出一些共有的特征。由于受东湾水文站上游熊耳山的影响,来自西方的降雨系统集中到了下游地势较低洼的地区。

图3中的降雨统计值可以反映上述事实。从图3我们可以看到,上游的平均降雨量较大,下游逐渐减少,而日降雨量的最大值却在陆浑水库周围,上游两个子流域的日降雨量的最大值反而最小。但由于所用分析资料的时间序列较短,该序列是否具有代表性还有待进一步考证。

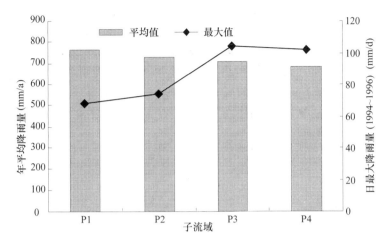

图3　四个子流域的年平均降雨量及日最大降雨量示意图

　　37个雨量站降雨量的另一种分析方法可以形象地显示降雨的空间分布特征(见图4)。从图4中可以看出,地形对于平均降雨量的影响是很明显的,山区的降雨量较少,流域的边缘地区降雨量逐渐增大。由西南向东北,即沿河道方向,日最大降雨量明显增大,其中陆浑水库的最下游日最大降雨量最大。两个时间序列的分析情况大体是一致的,虽然1980～1982年序列中,1982年7月的降雨量特别的大(其中一个雨量站的观测值达到了547 mm/d)。该区域空间降雨是一致的,降雨的空间相关图再一次证明了这一点。

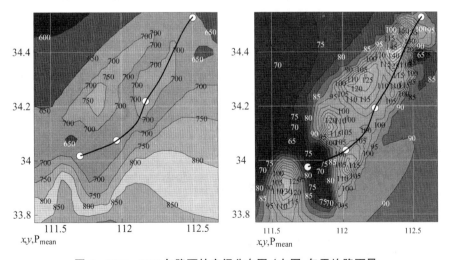

图4　1994～1996年降雨的空间分布图(左图:年平均降雨量;
右图:日最大降雨量;图中的黑线代表伊河)

### 3.2 降雨历时与降雨强度

该区域次降雨(1980/1982 和 1999/1996)的平均降雨历时小于 2 天,最大降雨历时为 13 天。沿着河道向下平均降雨历时逐渐减小,即下游子流域(陆浑子流域及龙门镇子流域)的降雨历时较小,除 1996 年 8 月陆浑子流域的最大降雨历时 13 天外,最大的降雨历时是恒定的(见图 5)。

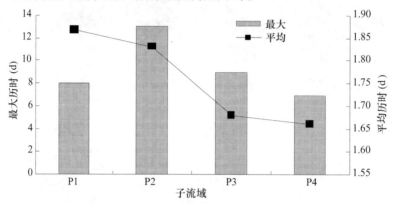

图 5　伊河流域 1980～1982 年及 1994～1996 年降雨历时示意图

降雨历时—降雨强度关系曲线支持了前面的观点。这里有两种完全不同的降雨形成机制,一种是短时强降雨后为长时间弱降雨机制(降雨历时小于 5 天),另一种是较为少见的长时强降雨机制(大约持续 1 周的时间)(见图 6)。

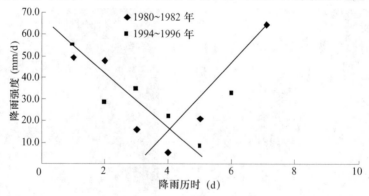

图 6　陆浑—龙门镇子流域(P4)降雨历时与降雨强度关系图

## 4　伊河流域洪水预报

技术援助组检验了三种模型在伊河流域的应用情况,即 TOPKAPI (Todini, E. and Ciarapica, L., 2004)模型、新安江(Singh, V. P., 1995)模型和线性流域模型(Wilson, B. N., 2005)。本文主要介绍新安江模型及线性流域模型的应用结果。

### 4.1 线性流域模型

线性流域模型可以根据降雨数据迅速直接地预报洪水过程。模型主要基于水量平衡原理,将子流域看做线性水库(见图7),则有如下方程:

$$\frac{\mathrm{d}W(t)}{\mathrm{d}t} = P_e(t) - Q_s(t) - E_a(t)$$

式中:$W(t)$ 为流域 $t$ 时的蓄水量;$P_e(t)$ 为空间有效降雨量;$Q_s(t)$ 为直接径流量;$E_a(t)$ 为实际蒸散发。

线性假设也可以表示为以下形式:

$$Q_s(t) = kW(t)$$

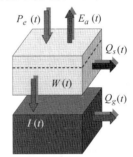

式中:$k$ (T$^{-1}$)为蓄泄系数。

空间有效降雨量即空间平均降雨量减去土壤

**图7 线性水库空间模型示意图**

下渗量,空间平均降雨量由 $N$ 个雨量站实际观测雨量值通过前述方法可得。

实际蒸散发与实际蓄水量、蒸散发能力 $E_p$ 成正比,再除以流域最大蓄水量 $W_{\max}$。

下渗量由菲利浦方程计算,每个子流域的下渗系数假设为常量。

将连续方程数值化,可以近似表示为如下方程:

$$Q_s(n+1) = Q_s(n) + \Delta tk(P_e(n) - \alpha Q_s(n))$$

式中:$\alpha$ 为蒸散发系数。洪水期实际蒸散发量是微不足道的,此时,$\alpha$ 可以假设为1。

线性流域模型有 4 个参数需要确定,即蓄泄系数 $k$ (T$^{-1}$)、降雨前期吸附能力 $S_0$(L/T$^{1/2}$)、下渗系数 $f_e$(L/T)及蓄量排空所需的最大时间 $t_{\max}$(T$^{-1}$)。

应用 1980 年日降雨资料对该模型进行了检验,其中,伊河被划分为潭头、东湾、陆浑及龙门镇四个子流域。

对地形图的粗略分析显示该流域的集水时间在 20 ~ 30 小时之间,其中前 1 ~ 3 个子流域的集水时间为 16 ~ 20 小时,第 4 个子流域集水时间为 24 ~ 30 小时。由此可以看出,在缺少数据资料的情况下,线性流域模型可以应用于日水量预报。

应用该模型对伊河每个子流域分别进行了模拟,其中河道径流量由马斯京根河道演算法获得。模型参数如图8所示。

结果显示该模型可以很好地模拟日流量,同时也可以进行流量过程模拟(见图9)。

但仅对日流量过程进行模拟是不够的,需要进一步模拟每小时的流量过程及洪峰流量值。这里采用单位线法对每小时的流量过程进行模拟,参数系列应用日模型参数,即: $S_0 = 5.8\text{mm}/\text{h}^{1/2}$, $f_e = 0.083\text{mm}/\text{h}$, $t_{\max} = 4\text{h}$, $k = 0.085$ $\text{h}^{-1}$ ($t_l = 3$ h)。

应用单位线对伊河 1982 年 7、8 月的洪水过程进行模拟,结果发现,模拟过程与实测流量过程完全吻合(见图 10),其中潭头站洪水峰植较降雨峰值滞后 3 h。

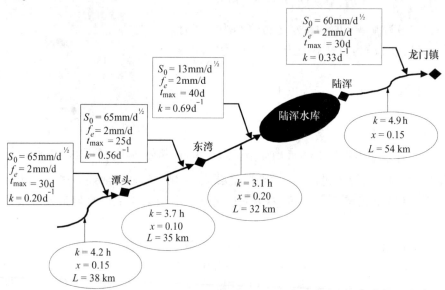

图 8  伊河流域参数分布图

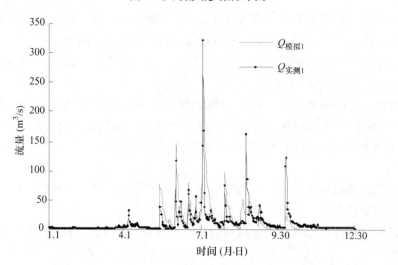

图 9  潭头水文站 1980 年实际观测流量与模拟流量关系图

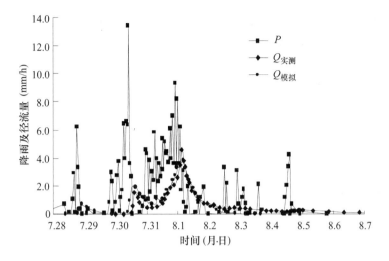

**图 10  潭头水文站 1982 年 7、8 月洪水过程线**

用简单的线性流域模型可以模拟每个子流域的流量过程,结合马斯京根河道演算法就可以模拟流域整个流域的流量过程,其中流域地形参数由 DEM 模型获得。线性流域模型简单方便,易于模拟验证。上述模拟中,日流量及径流总量的误差为 5% ~ 10%,每小时流量过程的误差为 10% ~ 15%(Hoybye and Rosbjerg,1999)。

## 4.2  新安江模型

新安江模型是著名的水文预报模型(Singh,V. P.,1995),自 20 世纪 70 年代就得以的广泛应用。本项目应用的新安江模型系统是 2002 年开发的,最初用于小浪底水库的运行管理。

表 1 中所列的参数系列是应用 1994 ~ 1996 年的水文数据对新安江模型日模和次模进行模拟率定所得的最优参数系列。其中,初始参数采用小浪底水库的参数系列。

参数率定采用试错法,确定性系数由下列公式求得(Wilson,B. N.,2005):

$$DS = ABS \left( \frac{\sum_{i=1}^{n} (Y(i) - \bar{Y}_0)^2 - \sum_{i=1}^{n} (Y_c(i) - Y_0(i))^2}{\sum_{i=1}^{n} (Y_0(i) - \bar{Y}_0)^2} \right)$$

式中:$Y_0(i)$ 为实测系列;$Y_c(i)$ 为计算值;$\bar{Y}_0$ 为平均值;$n$ 为系列长度。

模拟时,一方面要保证水量平衡,另一方面要保证模拟过程及峰值与实测情况吻合。前者主要通过调整 $WM$、$IM$、$B$、$K$ 及 $C$ 来保证,后者主要调整 $KG$ 和

KI,当然,调整的同时一定要保证各参数值在有效的物理意义范围内。模拟过程自上游潭头向下游龙门镇依次顺序进行。

表 1 新安江模型参数

| 参数 | 参数的意义 | 参数值 | | |
|---|---|---|---|---|
| | | 潭头 | 东湾 | 龙门镇 |
| | | TT | DW | LN |
| K（EK） | 蒸散发折算系数 | 0.960 | 0.990 | 0.960 |
| IM（Imp） | 不透水系数 | 0.10 | 0.01 | 0.05 |
| WM（WM） | 流域最大蓄水量（由三部分组成） | 160 | 160 | 160 |
| UM | 上层土壤最大蓄水量 | 20 | 20 | 20 |
| LM | 下层土壤最大蓄水量 | 60 | 60 | 60 |
| DM | 深层土壤最大蓄水量 | DM = DW – UM – LM | | |
| B（B） | 蓄水容量曲线分布指数 | 0.50 | 0.15 | 0.30 |
| C（C） | 深层土壤蒸散发系数 | 0.10 | 0.10 | 0.10 |
| CG | 地下水消退系数 | 0.995 | 0.995 | 0.995 |
| CI | 壤中流消退系数 | 0.10 | 0.90 | 0.20 |
| KG | 地下径流系数 | 0.50 | 0.60 | 0.20 |
| KI | 壤中径流系数 | 0.20 | 0.10 | 0.50 |
| SM（SM） | 流域平均自由蓄水容量 | 12 | 7 | 70 |
| EX（EX） | 自由蓄水容量曲线指数 | 1.50 | 1.30 | 1.50 |
| KE | 马斯京根河道演算:蓄量系数（相当于水波的传播时间） | 4 | 2 | 1 |
| XE | 马斯京根河道演算:权重系数 | 0.1 | 0.2 | 0.4 |
| N | 马斯京根河道演算: 特征河长的数量 | 2 | 2 | 5 |
| AA1 | 子流域面积 | 1 695 | 928 | 1 826 |
| AA2 | 流域总面积 | 1 695 | 2 623 | 5 318 |
| DI | 一天的时间步长数 | 24 | 24 | 24 |
| L | 河道演算滞后时间 | 1 | 1 | 1 |
| CS | 地表水消退系数 | 0.10 | 0.20 | 0.7 |

模拟过程中,我们遇到的难题就是一个参数系列可以很好地模拟一年的流量过程,但不适合于其他年份。但我们发现,潭头和东湾两个子流域模拟结果与实测过程吻合得很好。

由实测水文资料分析,龙门镇子流域,即陆浑下游流域,1994 年和 1995 年的水文特征差别很大,从而导致两年最优参数的不同。因而,必须对该区域的水文特征进行深入的调查。

采用 1 小时时间步长,应用新安江次洪模型对伊河 1982 年 7、8 月的洪水过程进行了模拟(见图 11 和图 12),其中河道演算应用马斯京根河道演算法,潭头和东湾河段分别分为 2 个特征河长,陆浑和龙门镇分别分为 5 个特征河长(见表1)。特征河长的划分符合马斯京根演算特性,即河道比降较小的情况下,下游的洪水波更为显著。

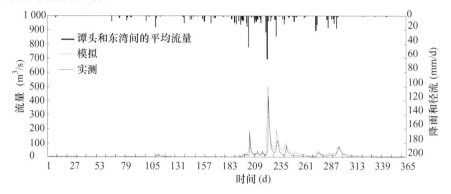

图 11  东湾 1995 年日平均流量模拟与实测过程线

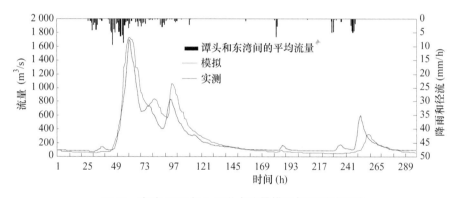

图 12  东湾 1996 年 8 月洪水流量模拟与实测过程线

## 5  结论

伊河流域径流过程简单,采用线性流域模型就可以模拟。在流域近似线形,且为二级或二级以下流域(500~1 000 km²)的情况下,建议采用流域线性模型进行流量模拟。线性流域模型可以争取预报时间(采用雷达图像预测降雨数据),同时分析计算简单。

由新安江模型的模拟结果,可知新安江模型是适合用于洪水预报的。与一般的水文模型类似,初始条件会影响模拟结果,同时模拟需要历史数据,要求模型参数对所有的水文条件具有代表性。这样一来,对于实时洪水预报,参数的实时更新就显得十分重要。

潭头到陆浑洪水的平均传播时间为 24 h,与龙门镇子流域的汇流时间大体相同,但洪水从陆浑水库下泄还有 5~6 h 的传播时间到龙门镇。因而,必须控制陆浑水库的运用,以确保水库下泄洪水的洪峰与流域汇水的峰值错开。水库的适当调控与各部门之间协同合作对于避免龙门镇的洪灾是非常重要的,尤其在遇到长历时(7 天左右)降雨的情况下。

随着"小花"系统的开发,水文模型已不再是洪水预报的限制因素,当然必须采用最新的水文数据进行资料的实时更新即模型参数的回归更新。

提高"小花"间降雨预报精度是满足期望预见期的唯一途径。应用遥感、测雨雷达进行降雨预报,并结合数值计算是提高降雨预报精度的有效途径(Hossein and Anagnostou,1996)。当然,目前定量降雨预测还没有达到要求的稳定性,有待进一步提高,但其仍然可以作为洪水预报的参考,以避免潜在的危险。

目前,黄河洪水预警预报由黄委水文局负责,防洪决策由水资源管理与调度局负责。因为双方的责任是分开的,因而建议通过奖励的办法将洪水预报与防洪决策等一系列过程结合起来,以实现预期的理想结果。

## 参 考 文 献

[1]　Bras, R. L. and Rodriguez-Iturbe, I.. Random Functions and Hydrology, Addison-Wesley Publishing Company, 1985

[2]　GETINSA, Flood Warning and Forecasting in the Yellow River-Xiaolangdi-Huayuankou (ADB-TA 3712L-PRC), Finale Report, Zhengzhou, China, 2004

[3]　Hossain, F. and Anagnostou, E.. Sensitivity of Radar Rainfall Estimation Error to Hydrologic Models of Varying levels of Conceptualization, 1996

[4]　Hoybye, J. and Rosbjerg, D.. An Analysis of the Effect of Input and Parameter Uncertainties in Rainfall-Runoff Simulations. An Application in Flood Control in a Chinese River Basin. Journal of Hydrologic Engineering, ASCE, Vol. 4, No.3, 1999

[5]　Mazzetti, C. and Todini, E.. Development and application of the block Kriging technique to rain-gauge data. University of Bologna, MUSIC-report, 2002

[6]　Seo, D.-J. and Smith, J. A.. Rainfall Estimation Using Raingages and Radar: A Bayesian Approach, Journal of Stochastic Hydrology and Hydraulics, 5(1), p 1~14, 1993

[7]　Singh, V. P.. Computer Models of Watershed Hydrology, Water Resource Publications, p215~232, 1995

[8]　Todini, E. and Ciarapica, L.. The Topkapi Model in Mathematical Models of Large Watershed Hydrology (edited by Vijay P. Singh and Donald K. Frevert), Water Resource Publications ISBN Number 1-887201-34-3, 2004

[9]　Wood, S.J., Jones, D. A. Moore, R. J.. Accuracy of rainfall measurement for scales of

hydrological interest. Hydrology and Earth System Sciences, Volume 4, Number 4, p 531 ~ 541, 2000

[10] Wilson, B. N.. Hydrologic Modeling of Small Watersheds Lecture Notes (BAE 8513), University of Minnesota, Spring Semester, 2005

# 黄土高原可持续流域治理
# 管理模式探讨

冯　省[1]　王还珠[1]　程献国[2]　李跃辉[3]

(1.黄河上中游管理局　西安　710021;2.黄河水利科学研究院　郑州　450003;
3.黄河水利委员会国际合作与科技局　郑州　450003)

**摘要:**黄土高原水土保持世行贷款项目取得了世人瞩目的成就。文章以这一流域治理的成功范例为基础,引入了可持续流域治理的理念,通过分析范例项目内容及其实施的特点,总结出了可持续流域治理的特点,应将以人为本作为模式的指导思想,将具体的项目措施的选择与流域内人民群众的生活水平的提高相结合,注重参与式工作方法的运用和能力建设的实施,可持续流域治理的模式是一种成功的流域治理模式。

**关键词:**可持续性　流域治理　模式　黄土高原

## 1　黄土高原水土保持世行贷款项目概述

黄土高原水土保持世行贷款项目是我国政府利用国际金融机构贷款开展的大规划水土保持项目,迄今为止已成功地实施了两期,历时15年,项目涉及内蒙古、陕西、山西和甘肃四省(区)。其中一期项目包括四省(区)的7个地(市)22个县的7个流域(片),总面积15 600 km²,其中水土流失面积13 992 km²,利用世行贷款1.5亿美元,加上国内配套资金,总投资折合人民币21亿元;二期项目区分布在四省(区)的12个地(市)、37个县(旗),总面积19 489 km²,其中水土流失面积18 094 km²,利用世行贷款1.5亿美元,加上国内配套,总计投资20.95亿元。

### 1.1　项目目标

黄土高原水土保持世行贷款项目的总体目标有两个,第一个大目标是提高覆盖黄河支流流域的黄土高原地区土地的农业生产能力和当地人民的收入;第二个大目标是改善流域生态环境,减少入黄泥沙。

### 1.2　项目内容

为了实现上述目标,项目主要通过实现高产农田的可持续性生产,进而取代易于产生水土流失的坡耕地耕作,在坡地上修筑梯田、植树种草,以固土保地,在沟道建拦蓄工程,从而大大减少坡面和沟道挟沙径流。项目的内容构成可分为两大部分,第一部分是水土流失防治工程和土地开发建设,第二部分是机构能力建设。具体的工程措施包括梯田建设、植树种草、修建淤地坝等拦泥沙工程,灌溉工程以及培训、科研和新技术的引进。

在一期项目实施的后半段中,根据项目区群众的要求以及巩固项目区植被恢复成果,对项目建设内容进行了调整,增加了经济林的种植面积和封禁措施。

### 1.3 项目效果及评价

通过黄土高原水土保持一期世行贷款项目的实施,各项水保措施使得项目区每年减少土壤流失 3 800 万 t,农民人均纯收入由 306 元提高到 1998 年项目结束时的 1 263 元,人均粮食供应由 378 kg 增加到 532 kg,使 120 多万人从项目建设中受益。

黄土高原水土保持二期世行贷款项目的实施,人均粮食由 365 kg 增加到了591 kg,农、林、牧各业生产有了长足发展。农民人均纯收入由 585 元增加到了1 624 元。社会效益更加明显,交通道路、农村用电、人畜饮水等显著改善,适龄儿童入学率显著提高,使 200 多万人从项目建设中受益。治理措施使年减沙能力由项目评估时的 2 500 余万 t 增加到了 5 300 多万 t。

世界银行对两期黄土高原水土保持世行贷款项目的实施都给予了"非常满意"的最高评价,在其竣工验收报告 ICR 中,对项目作了这样的评论:项目实施超前于评估报告,所完成的各项措施都是高质量的;项目第一目标已经实施,减少入黄泥沙的第二项目目标也稳定地得到实现。项目的实施证明,该项目是世界上最大的、实施最成功的水土保持项目之一;项目树立了一个经济可行和环境可持续性发展的流域综合治理的示范典型。

## 2 可持续流域治理的概念

可持续流域治理是指流域治理所要产生的目标效益不会因流域治理项目的结束而终止,效益具有可持续性,流域治理成效可以持续地保持下去,最终为流域的可持续发展奠定基础。

本文试图从方法论和理念的角度,立足于黄土高原水土保持世行贷款项目的实践,对可持续流域治理管理模式作一探讨。

## 3 黄土高原水土保持世行贷款项目模式特点与可持续性分析

### 3.1 以人为本的理念作为流域治理的指导原则

黄土高原地区水土流失量大、面广,生态环境脆弱,农业生产粗放落后。可以说贫困既是生态环境不断恶化的原因,也是必然结果。就项目的行业性质而言,黄土高原水土保持世行贷款项目是一个水土保持项目,但它又不同于传统的水土保持项目的做法,即措施主要以骨干坝、淤地坝建设和植被恢复为主。项目在沿承了传统的水土保持措施的同时,将"增加粮食产量和农业产值和农民收入"作为项目的第一大目标,将提高项目区人民生活水平放在首位。这不仅充分体现了流域治理以人为本的理念,而且也找到了从根本上解决流域所存在问题的办法。

### 3.2 措施的可持续性

畜牧业是项目区产业经济结构的主要组成部分,包括养牛、养鸡和养羊等,是项目区人们传统的生计手段之一。在项目实施之前,所有羊都是自由放养的。羊这种家畜在啃食草时是将草连根拔起的,因此对植被的破坏是毁灭性的。针对这一现象,在项目区采取封禁措施,采取自然恢复的形式提高项目区的植被覆盖率。这一措施取得了非常好的成果。但因封禁不再允许自由放牧,这一措施与项目区农民求生存与经济发展的愿望相冲突,如果没有相应的配套措施,当地人民的收入会大大降低,这一措施会遭到当地群众的抵触,效益也就没有可持续性。为此,项目为圈舍、种草和蓄牧等方面提供所需投资资金与提供技术支持,同时扶持调整畜牧结构,如引进适合圈养、有市场潜力的小尾寒羊和波尔山羊,这一举措使项目区生产力和农民的收入迅速增长,禁牧完全得到农民的支持,这样使项目措施的成果被很好地保持了下来。

梯田建设是项目工程措施的重要组成部分。梯田可直接减小土壤表面侵蚀达 95%,拦蓄 90% 的径流,从而不仅提供了农作物的生长所适宜的墒情,也保存了土壤的肥力。由于梯田的上述特点,其亩产量是坡地的 3 倍。大面积的梯田建设,使得在项目区总的耕地减少的情况下,粮食总产却大大提高。基本的口粮得到保证,当地农民可利用富余的土地种植牧草,从而支持畜牧业的发展;有的农民还向外卖饲草从而增加了收入;有的农户还从事饲草加工业。农民的收入提高了,改变了过去广种薄收、开垦坡地的耕作方式,不仅产生了显著的水土保持效益,而且使这一效益得以巩固和保持。

植树造林也是水土保持的重要手段之一。但单一的植树造林不能带来直接的经济效益,易出现毁林现象,因而植树造林的预期效益常不能实现,即使实现了,也不能保持。黄土高原水土保持世行贷款项目在支持生态林建设的同时,加大了果园建设。果园建设将环境效益与农户的经济效益很好地结合起来。由于果园给园主带来了可观的经济收入,果农对果园倍加爱护。树保住了,相应的生态效益也就巩固了。

### 3.3 可持续性的机制保障

一个流域治理项目要取得效益的持续性,必须得有相应的保障机制。植树种草是黄土高原水土保持世行贷款项目的主要措施之一。为了保持相应的效益,对在荒坡荒山上植树造林,通过采取承包、拍卖、租赁等形式。明确了承包人的权利与义务,明确了利益主体,加强了承包人的责任意识,从而使林草的效益得以保证。

黄土高原水土保持世行贷款项目强调还贷机制的落实,这一点世界银行官员特别关注,要求项目区每个贷款农户必须与当地政府签订还贷协议,明确还贷金额与期限。由于有了还贷的"压力",贷款人在使用贷款时关注所投资项目的经济效益,对具体项目措施的实施与产出的管理会投入更多的精力,这一点在项目措施的初期没有效益产出时特别关键。如以果园为例,项目区一般果园里的果树在挂果之前需2~3年的育苗期,在这期间没有任何产出,而且需投入大量的资金和精力。在经济"压力"(还贷)与经济期望(收益)的双重作用下,项目区农户表现出了极大的主动力。当然,在果园挂果有了经济效益之后,农户已有了足够的还贷能力,农户的投入是受利益牵引的。但在果树栽植初期,果树的收益还存在着诸多不确定性因素的情况下,还贷机制所产生的"压力"是农户投入的主要动力,正是这一机制为以后的收益打下了坚实基础。因此,这样的机制保证了项目预期效益的实现。可以说,这一机制增加了项目区群众对项目的主人翁意识,增加了对项目的拥有感。实践也证明了这种机制对保持项目效益持续性有着至关重要的作用,如我们常听到有的项目扶持提供的羊摆在了被扶持人的餐桌上,贷款成了贷款人的买酒钱等现象,在这一项目中从没有出现。

从黄土高原水土保持世行贷款项目措施内容来看,如梯田建设、舍饲养羊、园果建设、支持蔬菜大棚建设、土地承包等,这些项目措施的一个共同特点就是项目区群众可从中直接得到经济收益,而且因使产业结构得到调整,农户从中得到的收益远大于传统的广种薄收式生产方式所带来的效益,经济效益的牵引使这些项目措施得到很好的保护,从而效益可持续地得以发挥。因此,流域治理的长远目标必须与项目区群众的现实利益紧密结合起来。这一点也是保持项目可持续性的重要指导原则。

### 3.4 注重参与式方法的应用是实现流域治理可持续性的基础

参与式方法是发展主体积极全面地介入发展项目中有关决策、实施、管理和利益(费用)分享等全过程的一种方式方法。作为项目实施的主体,项目区农民参与项目的实施,同时通过参加村委会组织的项目方案讨论会参与项目的前期规划。另外,农户作为债务人,还参加项目的竣工验收,项目验收书须经农民签字认可方可作为支付凭证。

农民的参与使农民的发展意愿得到充分的反映,使流域内存在的问题得到充分的展现;农民通过参与,发挥其乡土知识的作用,增强其对项目的主人翁意识,有助于全面深入地了解项目与社会的相互适应性,避免社会风险,并为确定发展项目的内容奠定决策基础。由于农民的参与,使项目规划设计具有较为广泛的社会基础,从而保证项目尽量按规划和设计的内容顺利实施。另外,农民的参与,可使项目进行的调整有的放矢,使项目措施更利于项目目标的实现。如在一期项目实施期的 1997 年,项目中期调整时,根据农民意愿以及项目前期的实施效果、市场变化,适时地增加养殖业投入和适当减少灌木林,发展经济林。

通过参与式方法运用,项目区农民的能力得到提高,观念得到更新,而能力与观念正是可持续流域治理管理的基础。同时,因采用参与式的工作方式,项目内容符合农民的发展愿望,作为流域治理的主体,流域治理可持续性就有了原动力。

## 3.5 能力建设是流域治理可持续性的重要保证

能力建设是黄土高原水土保持世行贷款项目的重要内容。能力建设分两个层面,一是对各级项目管理机构人员培训,包括提高各级项目管理机构人员管理项目的能力、运用 GIS 等先进技术、计算机技术的培训等组织考察学习经验;二是由农、林、牧等各行业专业对项目区农民进行实用技术培训,包括林木、果树栽培与管护,病虫害防治,田间管理技术以及奶牛、羊、鸡等养殖技术的培训等。

黄土高原水土保持世行贷款项目的实施培养了一大批高素质的项目管理人才,使项目区农民掌握了一两门生产技能,提高了他们改善其生计手段的能力,拓宽其发展的道路。能力的提高为项目区农民更好地参与流域治理项目奠定了良好的基础。

能力建设使项目区农民具备和增强了自我发展的能力与意识,使项目所促成的农村产业结构调整的成果得以巩固。因此,能力建设是可持续流域治理的重要保证。

# 4 结语

可持续流域治理模式的目标是实现流域可持续发展,且可持续流域治理是实现流域可持续发展的重要手段。黄土高原水土保持世行贷款项目以水土保持为切入点,把改善生态环境和生产生活条件作为出发点,将环境改善与农民致富紧密结合起来,创建出了一种可持续流域治理模式。以人为本是这一模式的指导原则,也是这一流域治理模式取得成功的关键因素。在这一指导思想的指导下,将项目措施与项目区农民的生计发展很好地融合在一起。参与式方式是可持续流域治理模式的纽带,是实现流域治理可持续性的基础,能力建设是流域治理可持续性的保证。总之,可持续流域治理模式的特点就是经济效益与环境效益并重。可持续流域治理模式使流域治理走上一条良性循环与发展的道路。

# 参 考 文 献

［1］ 陈少军,王越,等 . 案例研究——中国黄土高原水土保持项目与农村减贫 .2003.12

［2］ 周月鲁 . 黄土高原水土保持世界银行贷款项目的经验与启示 . 中国水利,2005(12)

［3］ 世界银行 . 黄土高原水土保持世界银行贷款项目评估报告 .1994.5

［4］ 黄土高原水土保持世界银行贷款项目(一期)竣工报告 .2002.8

［5］ 黄土高原水土保持世界银行贷款项目(二期)竣工报告 .2005.8

# 区域性水资源管理规划框架

## Jasper Fiselier

（荷兰阿莫斯福尔特市 DHV 公司）

**摘要：**水资源框架指令的引入需要各成员国齐心合力,精心制作出一份完善的河盆管理方案。该方案的出台基于生态保护及节约经济的考虑,并依赖其形成阶段中各投资方的热心参与,此外也与在水资源管理决策过程中发挥直接或间接作用的各方息息相关。同时,新成员国及提前履职国家也有义务全力推行该水资源框架指令。

**关键词：**水资源管理　规划　框架

在推行该水资源框架指令时必须实现指令要求与本国制度的、法律的、经济的能力及自身水资源管理的要求相统一。指令旨在保证整个水资源处于良好状态,维护欧盟指令中其中一份要求特别保护的功能,这些指令包括饮用水指令、洗浴用水指令、禽类及栖息地指令。

同时,各国家有充分的自由添加其他目标,例如国家或区域性关切,像娱乐用水(洗浴用水指令未作规定),或者欧盟立法未界定的自然保护的目标。总的趋向在于扩大规划涉及的范围,更多地强调地区发展水平及经济可持续性发展。当然实现经济可持续性发展与方案的整合有多条道路,比如已经敲定的水资源框架指令,只是目标与执行模式各不相同而已。

我们将借助欧盟各成员国及提前履职国的经验讨论制定区域性水资源管理方案的要旨与方式。讨论的重点是规划过程的模型、决策步骤、系统分析的相关问题,及投资方的参与、资金和法律问题。

## 1　区域性水资源管理的必要性

### 1.1　水资源框架指令作为驱动力

虽然水资源遍布世界各地,然而优质的淡水资源正日渐短缺。数十年来,欧盟致力于更有效地管理该珍贵物品,已起草并颁布了众多指令,而迄今为止尤以这份水资源框架指令为重中之重。

水资源框架指令是其他水资源相关指令的综合。理论上它已超越了其他欧盟立法在于它要求整合的规划、生态保护的目标、资源的可持续利用及成本有效性管理;同时,它还采集公众信息,激励公众参与及经济性的管理方案的讨论。其中不只是获得水服务和水管理的足够费用,还有要在 2015 年前实现所有水体(地表水、地下水、沿海集水区)的良好生态是该指令努力的重点。不过防洪不属于该指令的涵盖范围,对于这个问题制定另一指令的必要性正在讨论之中。

水资源框架指令可被视为一份水资源规划的 ISO – NEN 程序,拥有 3P 的特性。它基于生态的考虑,旨在维护水资源的可持续利用(星球,第一个 P),它要求投资方和公众的全力投入(人力,第二个 P),同时推进决策过程中经济分析的使用(效益,第三个 P)。然而,在此要强调的是实现水体的良好状态,评估此目标的可行性只利用了人力和效益两个 P,因此没有充分符合全球水伙伴组织关于整合的河盆管理的定义:整合的河盆管理(IRBM)是一个协调特定河盆水、陆及相关资源的保护、管理及发展的过程,从而在维护、必要时恢复淡水生态的同时以公平的方式将得益于水资源的经济及社会利益扩大化(摘自"综合水资源管理",《全球水伙伴组织技术咨询委员会文件》,2000 年第四期)。不过该指令仍然是个很好的规划框架,并依赖欧盟各成员国以经济及社会利益为重点来执行。

在磋商过程及如何达成协议问题上水资源框架指令没有包含明确的方针或规定。公众信息的采集要充分集中于工程方案、管理问题及河盆管理方案的起草。我们鼓励公众的充分参与但未作硬性要求。数十年来公众在策划方面,尤其是在物质规划、生态修复计划、湿地管理计划、整合的沿海地区管理及整合的河盆管理领域发挥着至关重要的作用。在执行水资源框架指令时如何吸纳公众策划是当前的日常关切。

很多国家将水资源框架指令视为区域性水资源规划更为综合形式的一部分。然而该指令只给出了大概框架,却未呈现具体的磋商尺度及综合规划。而这些元素、综合及磋商的架构却是起草区域性水资源管理方案过程中极其重要的环节,同时也是本篇文章的着重泼墨的地方。

## 2 实现 3W 方案的目的性

### 2.1 水体的地位

囊括水资源管理目标明确表述的一系列文章是水资源框架指令的基础之一。解决问题的关键在于针对性,直击"靶心",策划亦是如此。如果对目标缺乏明确的表述,就难以制订有成本效益的方案。所有这些文章都是为维护地表水的良好生态而努力的,同时为如何界定不同水型的内在生态特性创建一个坚固的框架。由于良好的生态循环依赖于众多因素,我们目标或标准的确立不仅要考虑中小型植被和动物,还要考虑到生物形态、水文地理及物化水的品质。对于大多数国家来说这就意味着从排放标准向水质标准的转换,从物化标准向生态标准的转换。

　　我们的着眼点是保证水资源在自然状态下呈现优良的生态循环,集中反映于非生物和生物因素的协调一致。对于非生物因素我们用等级来界定,而生物因素我们则以动植物的存在与充裕为标准。所要维护的所有地表水体的良好生态是能充分接近于其自然条件的。而对于地下水体目标则在于实现其优良的化学品质、可持续使用的地下水平衡及相连的地下水水准和流程。水体是一个中心概念,它不仅是目标分析管理及检测的共称,同时也是基础的管理环节。

　　方案以水态为中心即以土壤为中心,同时作为土壤科学的相关代表,尤其是生态学家迄今为止常常掌控着水资源框架指令的实施。于此紧密相连是种相当决定性的方案,它与基本的看法有些差别,认为谈到人类压力与他们对水的生态体系之间的经验联系,几近完美的认知是完全可能实现的。在变幻莫测、纷繁芜杂的环境中定义确定不变的地理(水型)和等级界限(品质等级)确实是门艺术。

　　总体来说,实现良好的生态、水资源框架指令需要采取两个步骤进行可行性评估(见图1)。第一步是核实将水态恢复到自然的形态及水态是否可能。若是

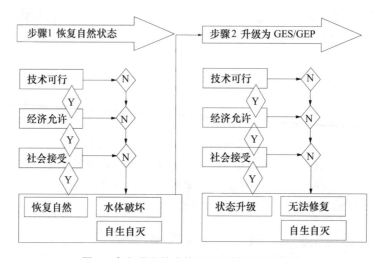

图1　定义现实的水体环保目标的评估结构

恢复可能实现,那我们的着眼点即是使生态达到良好水平,所谓的水平是建立于自然条件的基础上的。而若恢复不能实现,着眼点则是为所谓已严重改变的水体培养良好的生态潜质,并以最接近自然状况为参照。这些步骤中包含着一个评估——依照更好的环保方法,功用能否更有效地发挥。图1罗列了到底是修复亦或实现良好生态的随后产生的问题:

　　(1)技术可行。比如由于陆地的下沉水体不可逆转地发生了变化,此种情况下自然状态绝对是难以回复的。然而借助 Ersatzstrukturen(德语,"替代组织"),

创立相应的方法来保证天然状态水体的生态功能仍然很有可能。

（2）经济允许。通常为了将某一功用最优化，比如航运（水上运输）或者水力发电（包括流经的水渠和大坝），水体的水文和形态已发生了巨大变化，回复水体的天然状态会导致其用途及相关经济活动的惨重损失。通常只有当现有巨资投入的设施，例如发电站超过了使用年限，更为环保的方法才有望施行。必要的措施有时代价高昂，完全创造不了成本效益或负担不起。

（3）社会接受。水态的回复也可能对生态或当地的风景和文化遗产（例如联合国教科文组织命名的遗产地）造成破坏。这些对功用和相关资本配置的破坏很可能为人所不容。而一旦对水态的修复不被社会所接受，它是否会成为水态进一步遭破坏的论据又是个问题。所以，一方面鼓励公众参与，而另一方面又不允许公众的观点影响最终的决策，至少这个问题处理起来相当棘手。也有人会说经济应该囊括更为广泛的含义，比如文化价值就可被视为无形资产。

如若恢复完全不可能，对于严重变化或失去环保意义的对象只能任其自生自灭了。

## 2.2　使用水的地位

水资源框架指令中将水的利用划分为三种方式。首先，欧盟饮用水指令、洗浴用水指令涵盖下水的使用属于受保护一部分。与这些指令相关的目标和标准必须适合发挥此功用的水体。我们的基本思想是将欧盟相关指令的规定和河盆管理计划统一起来。还要指出的是，即使作为实施框架的水资源指令也未能涵盖水的利用的所有相关形式。例如对更社会化的（文化历史价值）、社会经济或其他经济形式（冷却水、灌溉水和发电用水）的水的利用就没有明确的指令。这要经由各成员国省份或县市根据目标构成来确定它们在决策过程中的适当位置。其次，水资源框架指令借助一个基础环节来测试由于自身发展的水体，比如人口的增长带来的水消耗和污染物的激增，还能否回复到我们的目标状态。第三，它还要评估既定目标对 POM 经济领域的影响。因此，在确定水体目标或定义管理措施时水的利用并未进行充分考虑。水资源框架指令将保护生态和解决问题视为首要任务，却没有包括对水的利用的解释。

## 2.3　水管理的地位

水管理是融合了软件（例如许可证制度的规定）、硬件（例如堤防、水渠）及进行水管理的人力的统一体。在水资源框架指令中，水管理除了涉及到在策划和措施施行过程中发挥的作用，同样没有明确的规定。它没有规定水供应的广范围覆盖，没有规定水利设施的经济的利用，没有规定周全的灾难处理方案。水资源框架指令的诸条款旨在维护水资源的可持续使用，却并未强调可用水资源附加值的最大化。现实操作中水管理或者水质保护计划却已经存在，而且它们还建立在资源控制、优良技术、优质农业操作、有时甚至是水管理水服务最优化基准的合理原则上。水管理相关的目标和措施本质上应是区域规划的一部分。

## 2.4 关于"3W"方案

整合的河盆规划事实上已有很长的历史。很多国家像荷兰和比利时已对水资源框架指令的实施付出了各自的努力。水的利用和水的管理设施都应和水体有相似的地位,从而实现它们和规划过程的统一。这就需要为水的利用和水的管理规定明确的、管理指令未涉及的目标。"3W"方案意味着水体水的使用、水的管理共同成为分析的关键性因素,拥有明确的目标、定义和措施(见图 2)。

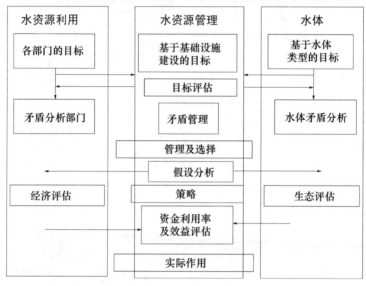

**图 2 "3W"方案结构**

水资源框架指令目标的实现要求下水道、处理场排放量缩减及生态工程符合当地的工程规模。整合规划取决于区域水平,一份成功的区域方案需要在系统水平、政策领域、利益集团、土地及政治经济宽限的短期考虑间进行平稳调整。

一份更加整合的方案的关键部分是超越简单基线的环节分析。破解河盆水管理的战略必须经过多个环节,包括基本环节以及现存情况和符合评估技术支持经济负担可能性的其他分析环节。社会认可需经磋商讨论,决不能仅仅依靠环节而定。

区域性水管理规划仅是许多现行区域水平努力的一部分。每个国家都在规划基础设施、房建、经济活动、环境治理以及水管理,着重是水保护、水治理、水供给及城市排水系统。所有这些规划都是根据现有法律制度制定的,而且其中大部分还建立在决策、各单位的作用、涉及到职责团结的道德及法律原则考虑的基础上。通常众多法律、次法规及规章搅和在一起时就像一团乱麻,而整合的区域性水管理方案却是乱麻中的一棵新苗(虽然多少有些鹤立鸡群的味道)。

## 3 磋商及决策过程

### 3.1 组织磋商

截至目前,大多数欧盟成员国还没有形成磋商及决策过程的框架,几乎所有的努力都投入到第五条的报告职责、对河盆特征的描述中。这些国家也确实建立了完成任务的组织或正在建立有利规划方案的组织。但是需要指出的是磋商步骤是当前亟待解决的问题。

许多欧洲国家致力于研究磋商及公众参与的问题(文学用词,Hamonicop)。公众策划过去并且现在仍是很多试验性策划的关键环节,尤其是在东欧国家,这种策划参与到政府及非政府的试验性研究中(例如英国的带状集水区计划)。荷兰有很多试验性的区域方案,针对区域水板进行次集水的规划尝试,着力实现水资源框架指令的整合要求以及解决其他水管理问题,例如防洪、特制的地面排水设备。很多东欧国家已经启动的试验主要针对区域规划过程结构及对OPP(公众策划)的培训。

欧洲国家的政治文化史多种多样,磋商过程亦是如此。一些国家采取自上而下的方法,比如英国、意大利、比利时,这种方法公众只有很少的参与机会,因此公众的利益就被区域代表或政府咨询委员会所代替。而另一个极端存在于荷兰,该国采用完全自下而上全体表决通过的方式,区域及当地股东充分参与其中。由于磋商过程必须适合本国文化,因此决不可能千篇一律。

鼓励公众参与主要是为了采集信息和促使决策过程平稳进行。公众参与是解决问题的利器,尤其当很多法律问题亟待商榷或者计划采纳速度延缓时。但是,公众参与社会学习以及互惠的社会网络的最终目的却很少作为一个目标或副产品被提及。

人们通常认为真正的公众参与只能在更加本土化的水平上才可能实现。荷兰很多例子都体现该国竭力压缩策划环节,从而和土地所有者和市政当局这些重要股东保持紧密联系。而其他很多国家却反其道而行之,它们细分次集水规划环节,从而接触到真正的股东。从整个国家来看,磋商过程是经由委员会和理事会内部极少数正式的地方机关经济区和非政府组织的代表来决定的。因此,大多数国家的规划过程是以下多层模型的变体:

(1)集水区秘书处,组成单位负责技术协调和制定计划,要职通常由责任机构担任,其他部门的专家做辅助,国家可能会筹建一个专门的部委间机构来推动工作进行。

(2)集水区委员会,拥有决定权,由相关单位代表组成。

(3)集水区理事会,通常是个由来自工业水供给部门非政府组织的股东代表组成的咨询机构。

国家通常也会创建一个另外的科学顾问机构提供咨询并验证方法论的问题。而地方上不仅是当地的股东而且大部分公众都会参与进来。而地区范围内则通常会有一个协调的焦点。大部分组成要素(尤其是委员会),是由程序来安排,在不需要制度重组的情况下也能很好地协调任务和职责。当然这只是一个简单化的形式,现实生活中很多现存的咨询理事会(比如进行物质规划或经济发展的)并没有团结作战而是独立门户。当然还有一些依托地区水利部门和水利机构的其他单位。

亟待解决的关键问题如下:

(1)如何确保市政当局参与到决策过程中来。多数执行整合水管理的权力属于地方县局,很多国家执行权也属于一个大股东,在水管理方面作为排水系统处理厂和水供给公司的所有者,拥有正式的权力。而问题是这些国家有着太多且大部分又没有真正参与规划过程能力的机构。比如法国、匈牙利、克罗地亚有数以千计的松散的市局,在一个很小的集水区甚至都能存在一百多个局机构,且权高位重。

(2)如何在地方规划过程中确保比如防洪、航海、生态网络的高层次目标。洪峰情况依赖于很多保持地方作用的措施,然而地方的规划很可能仅体现这些具体的措施对它们来说有无可能以及它们自身的执行能力。排放量的缩减就显示了类似的起伏不定的功能型。

这两个关键问题只能在一系列反复的磋商中提及,磋商或是自下而上或是自上而下有时又或是自中间而上下,形式根据目标和措施的不同而变化。总体来说,磋商的过程无非是先确定了方案和国家的目标,随后转变成地区以致地方的任务,待程序确定后提呈上层领导审议。如果自上而下的目标在地方难以实现,放宽地区乃至国家的限制即成必需之举。在现实中这样的任务在不同级别间循环往复,现在依然如此。而由此所浪费的时间却不可小觑。荷兰已经决定每年绘制一个措施程序原型并在不同阶段修改精制,这样做的好处是重要的问题在规划过程的最初而不是最后阶段就被确定下来。

规划过程的大体结构如图 3 所示。

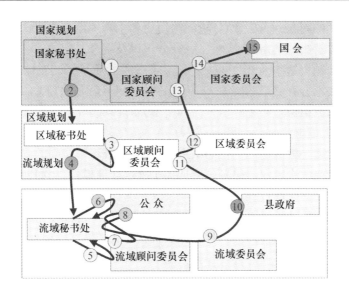

(第10步和第15步代表地县和国家规划采用模式,第3、5、7、11、13步包含咨询理事会,集水区委员会的同意在第9、12、14步达成。同时,由于工作方案的磋商需要公众信息,公众在第6步和第8步参与到管理问题和管理方案的起草中)

**图3 规划过程的大体结构**

## 3.2 磋商的步骤

水资源框架指令所规定的正式(外部)磋商和涉及相关职责的其他机构和以土地所有者为代表的重要股东参与的内部磋商有着明显的区别。水资源框架指令的要求仅仅是针对前者而非后者。前者包含工作方案管理问题以及管理方案的起草资料。然而无数实例证明很多其他重要步骤需要股东的参与,在规划的最初阶段就应该建立起相互信任。

第一步必须简单明了地说明磋商过程本身。许多国家也确实进行了磋商,但并未对决策过程产生任何影响,而知晓这一切的股东也就不会乐意参与其中。即使从当初水资源框架指令开始实施、方案递交到现在已经历了4年,大多数国家仍然还没有构建起磋商过程。

第二步要做的是就需要提及的实况、愿景、目标和管理问题达成一致意见。指令中第五条报告涉及到这方面,涵盖了水体的实况和目标。虽然它可能是经由生态学家全体通过,但它肯定没有体现管理和使用水资源方的看法。无数案例研究表明,大多数股东认为所使用的术语让他们迷惑不解甚至心生怨气,所以不会欣然地表示就某些水体在良好生态情况下他们的需求。确立的目标必须同时强调水体、水使用者、水管理。水资源框架指令仅体现了水体的远景,而水使用者和水管理的定位工作要由地区规划框架来完成。同样,不只是未达到目标的水体有管理的问题,面临差距分析的水使用和水管理设施也有这样的问题。

第三步要解决的是措施、战略、任务、分工以及资金分配的问题,可能的话还要包括利润问题。这些因素共同决定了决策过程的质量,如若没有关于资金分配的概念就决不会有真正的决策。一些东欧国家制订和采纳的方案根本没有内部的实施性财务担保。布鲁塞尔方面期望POM得以推行,然而由于执行滞后于财务担保,没有能够实现环保目标。

基本的问题是内部磋商过程的结果如何,合适或可被接受的方案怎么样,政府方面拥有最终的决定权。很多国家选择了外部磋商模式,比如匈牙利,但是这主要由于匈牙利的磋商过程没有直接涉及政府方面。环境影响宣言和欧盟关于战略环境影响评估的指令也与此类似,无不强调发展性战略。荷兰政府已经参与到临时决议中,因此有时方案得以通过,且在正式采纳前已确立了财务担保。

外部磋商和内部磋商的必要步骤见图4。

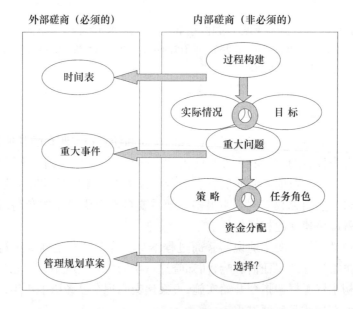

图4 外部(与公众)磋商和内部磋商(与股东)的必要步骤

## 3.3 相关日程、领域、顾问

之前所讨论的大体结构已经在规划过程中展示过,然而规划的步骤却仍然没有归纳出来,我们必须做些特别的改变。磋商应该充分符合策划文化和需求。整合水资源管理常常非常复杂,涉及到众多不同层面的机构和股东集团,应尽可能实现整合或许是基本的目标,但是考虑到其复杂性,策划工作确实有些力不从心。荷兰曾经进行了无数尝试为全部环境创建地区方案,包括物质规划、水管理和环境管理,或多或少取得了成功。实际上全体环境方案是一个由基于定位过程和前提框架以及基于区域期望相容性分析标准的综合体。

在所有问题上进行全面磋商是决不可能也难以执行的,因此首先根据主题和地域的差异对整合的需要进行评估,并确定磋商范围、合理的日程及相关股东是至关重要的。这就暗含着具体的步骤必须统观管理问题,只有投资过的股东才能参与进来。例如达而马提亚海岸绵延数千公里却只有 4 条永久河流有主要的地方管理问题。根据水资源框架指令,该地区要制订一个地区性方案,但它同时也可能由 4 个独立的集水区方案和 1 个沿海集水区地区方案组成。单个的集水区方案的磋商在相关县市进行,而本地的问题则由相关市区解决。

良好的生态建设需要生态修复、排放量缩减等。采用的方法应以国家为先,规划时保持协调一致及公开透明。按照常理这可能会促使一个包含所有相关标准的决策框架产生。水资源框架指令只为水体确定了执行目标和标准,但是其他的比如生本效益标准亟待确立。由此整个国家范围内便会形成一个多种标准结构,地方机构至少会权衡其中部分标准最终得出结论。

### 3.4 把握"神奇时刻"

当然,并不是所有方案都可能成功,它们或许不符合股东的需求,超越机构能力范围,或者没有资金保证,由此方案就会被束之高阁、被重新修订或者被抛掷脑后。能够赢得公众的广泛认可并且得以实施是方案的最终目标。水资源框架指令明确规定所制订的方案必须兑现许诺、推行制定的措施、实现环境目标。在高度集权的国家,计划的实施只是一个自上而下推行的事情,但是真正成功的实施必定依赖于地方股东的广泛认可。

我们进行了很多研究来探索一份规划过程成功与失败的原因。其中成功的关键在于良好的管理、协调与齐心合力。其间当然也需要重大突破,最近荷兰一个针对实质方案的研究将此命名为"神奇时刻"(Kersten et al., 2001)(见图 5),这就相当于在流动的管理中迅速地寻求需求和能力的平衡(Csikszentmihaly, 1990)。根据以往尤其是整合规划的经验,可以说规划中流动的管理在于瞬间掌控四种关键态度,它们是:

(1)紧迫感。最初常常被谨记于心,随后很可能被大家淡忘。

(2)主动态度。若没有它,一旦相互交错的复杂情况出现,消极态度就会占据上峰。能否辨识出有望成功的事情,关键是要看能否高瞻远瞩地描绘出方案的资金能力。

(3)方向感。这是让策划者能够看破复杂的关键要素。做到这一点需要细致的环节分析及反复的验证。

(4)责任感。这可以被昵称为所有规划活动的亲密回浪。缺少了它,我们根

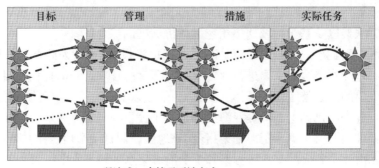

紧迫感 = 事情需要被完成 ——————
主动性 = 自己可以做某件事 — · — · —
方向感 = 事情可以被做好 ·············
责任感 = 自己可以做些什么 — — — — —

**图5　规划阶段把握"神奇时刻"结构图**

本不可能基于真正的职责做出决定。

这四种态度分别代表规划的原因、时间、内容及策划人。同样,水管理规划也能采用流动管理,这样地区性的规划依据一系列步骤也就可能创造出巨大突破或"神奇时刻"。当四种态度同时被掌握时,股东就能识别规划过程中自己的位置,比如哪些是自己的依据、角色和职责。荷兰最近甚至使用了文化识别激励地方股东的参与。规划的关键是重要的政府官员至少要思路清晰。

## 参 考 文 献

［1］　Beirle,T. and Cayford,J.现实的民主.见:环境决策中的公众参与.美国未来资源出版社,2002

［2］　Craps,M.河盆管理社会研究.HarmoniCOP项目报告2.比利时荷语鲁汶大学—组织及人事心理中心,2003

［3］　Enserink,B.,Kamps,D.,Mostert E.大家的关切.荷兰国家报告,代尔夫特理工大学,RBA中心,2003

［4］　Csikszentmihaly,M.流动,理想的心理状态.纽约哈波柯林斯出版社,1990

［5］　欧盟—共同执行档案.欧盟水资源框架指令网站 http://europa.eu.int/comm/environment/water – water – framework/index _ en.html

［6］　Kersten,P.H.,Eekhout M.J.J,Kranendonk R.P,de Poel K.R,Geenen,J.J.N.追寻实际规划的神奇时刻.阿尔特拉366报告,荷兰瓦赫宁恩,2001

［7］　Mita Patel,Jan H. Stel,editors.欧洲河盆管理的公众参与.见:国家方案与背景研究.来自9个欧洲国家整合研究国际中心(ICIS)的综合经验.马斯特里赫特大学,2004 www.harmonicop.info

［8］ Solanes M. , Gonzales – Villareal F. 整合水资源及水管理的制度和法律安排的比较性评估所体现的都柏林原则.全球水伙伴组织,1999

［9］ Rotmans, J. , van Asselt, M. B. A. 整合评估:现行操作及未来挑战.见:生态经济学与整合评估:包括公平、高效、可持续行决策的尺度的参与过程.2001

［10］ R. Costanza, S. Tognetti.巴黎、美国环境问题科学委员会世界自然基金会.整合河盆管理良性操作的要素—实施欧盟水框架指令的现实资源.比利时布鲁塞尔.2001 http://www.panda.org/downloads/europe/wfdpraticalre

# 黄河治理开发现状及存在的问题探讨

高　航[1]　陈志凌[2]　王普庆[1]

(1. 黄河水利科学研究院　郑州　450003;

2. 黄河水利委员会水文局　郑州　450004)

**摘要:**本文在对黄河治理开发历史进程简要回顾的基础上,高度评价了"三条黄河"建设和黄河调水调沙试验等治黄策略成就。由于黄河是多沙河流,在黄河治理开发过程中仍然存在不少问题,黄河治理开发的难度和症结在于泥沙,由于大量的泥沙使下游河道严重淤积,形成"地上悬河",直接威胁到两岸甚至整个黄淮海平原人民生命财产的安全,成为中华民族之忧患。近年来,又出现了缺水断流加剧及水污染严重等新问题。因此,黄河防洪减淤仍然是一项长期而艰巨的任务,同时,强化水资源保护,提高用水效率,逐步建立有中国特点的、适合21世纪发展要求的新型流域管理体制,从根本上解决黄河水资源紧缺问题。

**关键词:**黄河治理　防洪工程　断流　防洪减淤

中国水利发展的历史始于黄河,黄河水利是中国水利的先驱,也是世界水利发展史上的典范,黄河流域又是中华民族的发祥地和中华文明的摇篮,其经济开发历史悠久,文化源远流长,在中华五千年的文明历史中,黄河流域作为我国政治、经济和文化中心已达3 300多年。

从大禹治水到黄土高原大规模的流域综合治理,从智伯渠到如今的引黄济津,从20世纪中叶三门峡水利枢纽的兴建到小浪底水利枢纽的蓄水运行,从过去的洪水泛滥到新中国成立后的岁岁安澜,无处不凝结着中华民族智慧的结晶和镌刻着中国水利发展的轨迹。作为流域治理和江河治理的特例,众所周知,黄河的问题几乎包含了我国河流所有的问题,诸如生态环境、水资源及防洪等。近几十年来的实践表明,黄河治理开发是我国水资源开发的关键问题,已被比喻为解决中国水资源问题的"钥匙"。有关专家做过一个假设,即:假如黄河的问题得到了妥善的解决,解决中国河流开发与治理中存在的问题便有了希望。研究中国水利和水资源的问题首先从黄河开始,研究和解决黄河的问题具有重大意义。

## 1　黄河治理开发现状

黄河是中华民族的"母亲河",她不仅是中国水利的象征,也是中华民族的象征,黄河在中国占有重要的地位,在世界水利宝库中也是重要的典范。经过半个多世纪的艰辛工作,黄河治理开发取得了世界瞩目的成就,但也存在一些重大问题。

黄河发源于青藏高原,穿越沙漠,流经黄土高原,横跨九省(区),注入渤海,是世界上著名的多泥沙河流,干流多年平均输沙量约 16 亿 t,平均含沙量 35 kg/m³。流域年径流总量为 580 亿 m³。黄河上游为峡谷地段,中游为黄土高原水土流失区,下游为"地上悬河"。黄河的主要特点是水少沙多,水沙异源,时空分布不均,水沙年际变化大,年内分配不均匀,最大相差 8 倍。

黄河下游的水患历来为世人所瞩目。黄河一年中有"桃、伏、秋、凌"四汛,都可使黄河决口。从公元前 602 年到 1938 年 2 540 年中,有记载的决口泛滥年份有 543 年,决堤次数达 1 590 余次,经历了五次大改道和迁徙。洪水波及范围北达天津,南抵江淮,包括冀、鲁、豫、皖、苏五省的黄淮海平原,纵横 25 万 km²,造成了巨大的灾难。黄河下游防洪保护范围为以郑州为轴心,北至海河,南至江淮,总面积为 12 万 km² 的区域。

新中国成立后,在党和政府的领导下,我国的水利事业取得了巨大成就,治黄事业取得了前所未有的成就,结合下游防洪和堤防建设,相继在黄河干流上兴建了三门峡、刘家峡、龙羊峡、小浪底等多项水利枢纽,变"水害"为"水利",同时在中游黄土高原地区实施了大规模的水土保持工作,有效地减少了入黄泥沙,形成了"上拦下排、两岸分滞"的治黄方略,改变了历史上"三年两决口"的局面,为黄河的安澜、国民经济的持续发展、社会的稳定起到了积极的促进作用,在中国水利史上写下了光辉灿烂的一页。

标志黄河管理现代化的"数字黄河"工程规划编制完成,"数字黄河"第一期工程"黄河小花间暴雨洪水预警预报系统完成总体设计"已完成,黄河干流水量调度系统已投入使用,这是目前世界上最先进的远程监控水量调度系统。

在党和政府的大力支持下,经过半个多世纪几代黄河人的艰苦工作,黄河治理取得了巨大成就。主要表现在如下几方面。

## 1.1 防洪工程及非工程体系建设

为保证黄河安澜,黄河下游在"宽河固堤"方针指导下,逐步形成了"上拦下排,两岸分滞"的防洪工程体系。包括:上拦工程、下排工程、堤防工程、险工及控导工程、黄河下游滩区建设及分滞洪工程(包括:东平湖水库、北金堤滞洪区、齐河展宽区、垦利展宽区、大功分洪区)。黄河下游现已形成 1 700 多 km 的黄河堤防,黄河花园口可防御千年一遇的洪水。

为促进黄河现代管理,黄河下游完成了非工程措施建设,主要包括:防汛组织体系建设、防汛通信系统建设、水文测报预报系统建设、防汛调度指挥决策支持系统建设、滩区分滞洪区管理等。非工程措施的形成为黄河防汛决策提供了有效的决策服务。

黄河下游自 1946 年回归故道后,全线四次培修加固堤防、石化险工、开辟滞洪区、组织军民联防,大大提高了防洪能力,战胜了 1958 年特大洪水,包括历史上视为人力不可抗拒的 6 次严重凌汛,取得了连续 57 年伏秋大汛不决口的重大胜利,取得防洪减灾总效益可达 4 000 亿元。

### 1.2　水资源开发利用

黄河是中国西北、华北地区的重要水源,不仅要满足流域内经济和社会发展对水资源的需求,同时还要向流域外邻近地区供水和保持必要的输沙入海水量,维持河流的生态需水量,从而达到维持河流生命的目标。

目前,黄河干流上已建、在建了龙羊峡、三门峡和小浪底等 15 座水利枢纽和水电站,总库容达 566 亿 $m^3$,发电装机容量 1 113 万 kW,每年可为国家提供 401 亿 kW·h 的电能。黄河干流工程的建设,不仅开发了黄河的水电资源,而且在防洪、防凌、减淤、灌溉、供水等方面都发挥了巨大的综合效益,对促进国民经济的发展和治理黄河起到了很好的作用。

### 1.3　流域水污染监测评价及保护

黄河流域水资源保护机构于 1975 年成立,水资源保护工作在水质监测、科学研究、水环境管理与规划方面做了大量工作。2000 年底,全流域水质监测站点已达 340 个,水质分析室 30 个,监测项目达 40 多项。取得水质数据 120 多万个,刊布了 3 300 多站的年水质资料和 70 多站的年监测资料,并建立了黄河水质数据库,基本上掌握了黄河水系的水质状况。

### 1.4　环境及生态保护

黄土高原是中国水土流失最严重的地区,水土流失面积 45.4 万 $km^2$。50 多年来,经过综合治理,兴建各类基本农田 9 700 万亩,营造林草 11.5 万 $km^2$,造经济林与果园 1 113 万亩。建设治沟骨干 1 390 万座,各种小型蓄水保土工程 400 多万处。共治理水土流失面积 18 万 $km^2$,占流域水土流失面积的 40%,取得了显著的经济效益、社会效益和生态效益。现在的基本农田每年可增产粮食 50 多亿公斤,为 1 000 多万农民解决了温饱问题和饮水困难问题。黄河流域的水利水保措施平均每年减少入黄泥沙 3 亿 t,是黄河多年平均年输沙量 16 亿 t 的 18%。

## 2　重大科学实践分析

黄河是世界上最复杂、最难治理的河流,人民治黄 50 多年来,取得了举世瞩目的巨大成就,但黄河存在的三大问题依然十分突出,许多自然规律仍未被人们认识和掌握,洪水威胁依然是国家的心腹之患,水资源供需矛盾日益尖锐,水土流失和生态环境恶化尚未得到有效遏制,特别是进入 20 世纪 90 年代以来,黄河断流和污染问题非常突出,这一切都制约着黄河流域及其相关地区的经济社会发展。因此,寻求黄河治理的大计和长治久安的措施是历代中华民族的愿望。

黄河来水量和可调节水量大大减少,水资源供需矛盾尖锐,防断流形势异常严峻,种种不利因素引起了各方面的广泛关注。正像黄委主任李国英强调的那样"要从维持河流生命的高度,千方百计确保黄河不断流"。由于黄河多泥沙的特性,使其比任何一条清水河流断流所造成的危害都大。不仅给工农业生产、城市居民生活带来巨大损失,而且造成沙漠化,给周边的生态环境带来灾难性后果;同时,造成主河槽的严重淤积、萎缩,造成河口地区生态系统恶化,生物多样性受到威胁。这种形势和状态对洪涝灾害都可能同时发生的黄河来说变得异常严峻。

维持河流的生命也就是维护人类自己的生命。维持健康的河流与人类的生存联系在一起,它体现了人与自然和谐相处的价值理念。下面是近年来为维持黄河河流生命及谋求黄河长治久安所进行的重大实践,也是举世无双的科学实践与探索。

## 2.1 "三条黄河"建设治黄策略

为实现黄河"堤防不决口、河道不断流、水质不超标、河床不抬高"(简称"四个不")目标,谋求长治久安,黄委提出了建设"三条黄河"(即"原型黄河"、"数字黄河"、"模型黄河")的现代治河战略。

"原型黄河"是自然界中的黄河,是我们治理开发和管理的对象,治理的目标是实现"四个不",最终实现黄河的长治久安。

"数字黄河"是"原型黄河"的虚拟对照体。就是利用现代化手段及传统手段采集基础数据,对全流域及相关地区的自然、经济、社会等要素构建一体化的数字集成平台和虚拟环境,以功能强大的系统软件和数学模型对黄河治理开发与管理的各种方案进行模拟、分析和研究,并在可视化的条件下提供决策支持,增强决策的科学性和预见性。

"模型黄河",是通过实体模型对"原型黄河"所反映的自然现象进行反演、模拟和试验,从而揭示"原型黄河"的内在规律。"模型黄河"主要包括:黄土高原模型、水库模型、河道模型及河口模型。它的作用是,一方面直接为"原型黄河"提供治理开发方案,另一方面为"数字黄河"工程建设提供物理参数。同时,"模型黄河"还应成为"数字黄河"通过模拟分析提出"原型黄河"治理开发方案的中试环节。

在实际应用中,通过对"原型黄河"的研究,提出黄河治理开发与管理的各种需求;利用"数字黄河"对黄河治理开发方案进行计算机模拟,提出若干可能方案或预案;利用"模型黄河"对"数字黄河"提出的可能方案或预案进行试验,提出可行方案或预案;最后"模型黄河"提出的可行方案或预案在"原型黄河"上布置或实施,经过"原型黄河"实践,逐步得以调整、稳定,确保实现各种治理开发方案在"原型黄河"上做到技术先进、经济合理、安全有效,从而使黄河的治理开发走向科学的轨道。

## 2.2 "数字黄河"工程建设及黄河水资源综合调度

作为"三条黄河"建设及治河策略实施的重要标志,"数字黄河"第一期工程:数字水调、数字水文启动,收到非常满意的效果。如:①黄河水量总调度中心正式启用;②引黄涵闸远程监控系统和水资源调度监控指挥系统在黄河下游得到成功运用;③全国第一座数字化水文站——花园口水文站投入运用;④花园口水质监测站及第一座建在省界断面的潼关水质自动监测站正常运行。为保证"健康黄河"提供有力的保障措施。特别是实施黄河水量调度,有限的水资源在时空分配上得到调整,协调了生活、生产和生态的用水关系,提高了水资源的利用效率,取得了明显的效果。

众所周知,黄河断流始于 1972 年到 1998 年,累计断流 1 050 天,平均断流 50天,1997 年断流 226 天。自 1999 年实施水量调度,尽管 2000~2002 年,在来水持续偏枯和流域旱情严重的情况下,提供水量统一调度实现了黄河全年不断流,保证了沿黄省区的生活、生产按调度计划用水。

黄河水量调度在大旱之年保证了黄河不断流,使黄河有机生命体得到康复和生命的延续,调度保护的不仅是河流生命,也是人类自己的生命,受到全国乃至全世界的高度评价,这是一曲"绿色颂歌"和生命的赞歌。水量调度,缓解了黄河下游持续 10 年之久的断流局面,并使黄河三角洲地区的生态系统明显得到恢复和改善。"珍稀鳋鱼十年又洄游,奇异鸟兽数载再回头",通过调水,生物多样性得到恢复,各种鸟类和生物由 187 种增加到 269 种。同时,防止了海水入侵,减少了河道淤积,维持了入海流路,改善了生态环境。

黄河水量调度是世界水利史上的创举,据有关资料报道,世界上没有哪一条河流能像黄河这样,能在如此艰难的情况下实现跨度长达数千公里的河流上调水,来维持河流生命和人类自己的生命。这只能在黄河上实现,这就是黄河。

## 2.3 黄河调水调沙试验探索根治理黄河的新思路

黄河首次调水调沙试验是迄今为止世界水利史上最大规模的原型试验,被称为治黄史上的里程碑。这次试验主要目的是寻求解决黄河下游的淤积和河道萎缩,维持河流的生命,提高防洪能力的方略和未来黄河治理的战略。经过周密策划、精心组织和实施,黄河首次调水调沙试验取得了圆满成功。

因为,黄河在今后相当长的时期内,泥沙问题难以根本解决,黄河依然是一条多泥沙河流,由于黄河来水量的减少,上、中游工农业用水日益增长,黄河下游汛期水少沙多和水沙不平衡的矛盾更趋严重。长远而言,大力开展水土保持,进行综合治理,是减少入黄泥沙的根本措施,但需要经过几代人长期不懈的艰苦奋斗才能取得显著效果。在达到此目的之前,黄河下游河床仍将继续淤积抬高,防洪形势将更加严峻。实施调水调沙试验是实现治黄手段转折的标志,是利用在水库实时调度中形成合理的水沙过程,有利于下游河道减淤甚至全线冲刷,以利长期开展以防洪减淤为中心的调水调沙运用。同时,利用小浪底水库调水调沙,减缓黄河下游河道淤积,逐步探索黄河干支流水库联合调度的运用方式,在较长时期内稳定黄河的现行河道,维持河流健康生命。

(1)调水调沙是减淤的有效措施,达到了黄河下游河道减淤的目标。黄河下游河道净冲刷量为 0.362 亿 t。调水调沙期间入海泥沙共计 0.664 亿 t。

(2)检验了黄河下游河道整治工程的作用,为今后河道整治打下科学基础。

(3)试验中提供对三门峡和小浪底水库水沙联合调度,进行了异重流联合调度尝试,为今后调水调沙中通过水库调度实现设计的出库水沙过程积累了宝贵的经验。可提供一系列的试验确定黄河下游不淤积的临界流量和临界时间问题,为河流的运用提供科学依据。

# 在黄河流域使用 FY2 人造卫星数据进行干旱监测和水量配置

Andries Rosema[1]　吴瑢璋[2]　赵卫民[3]　王春青[3]

（1.荷兰德尔伏特大学 Kanaalweg 1，2628 EB EARS 有限公司；

2.中国国家卫星气象中心；

3.黄河水利委员会水文局）

**摘要**：在黄河流域建立一个卫星监测和水量预测系统,利用这个系统进行干旱监测,可以为水量分配提供决策。这个系统将以能量和水量平衡为基础,利用风云-2C卫星图来监测降雨、光照和土壤水分蒸发总量。在文中,我们讨论利用相对土壤水分蒸发(实际或潜在)总量,来进行农业干旱监测。资料显示,相对土壤水分蒸发总量并不是完全与土壤含水量相关联的。但是,相对土壤水分蒸发总量与作物产量有相当密切的关系,它是衡量作物干旱程度的一个很好的指标。所以,土壤水分蒸发损失总量干旱指标(*EDI*)被建议使用。*EDI* 等于平均两个月的相对土壤水分蒸发总量。在作物生长季节,*EDI* 提供了一个因干旱而减少产量的评估。文章最后讨论了怎样利用监测系统来评估农业水量消耗与灌溉需水的关系。

**关键词**：黄河　干旱　土壤水分蒸发损失总量　土壤水　卫星数据

## 1　简介

在中荷项目"在黄河流域建立卫星系统进行水量监测和水量预测"中,下面的监测设备将被建立：①覆盖黄河流域的干旱监测系统；②覆盖上游的水资源预测系统；③在黄河中游覆盖渭河的洪水预测系统。这些监测系统将会以能量和水平衡为基础(EWBMS),并结合黄河人工模型,EWBMS 利用每小时可视的详细的红外线卫星数据(特别是在辐射、实际和潜在的土壤水分蒸发总量、降雨量方面),为水利和农业服务。在中国,以前的这样一个系统被应用于进行食口安全和荒漠化研究(罗茨曼,2004)。在那个框架中被广泛用来进行输出产品的检测。在另一篇文章中也对 EWBMS 系统进行了描述(安普,2005)。

在黄河流域中,用水几乎全部由黄河提供,大部分的水用来进行农业生产。水管理的挑战是怎样把紧缺的水资源合理、经济地分配。这需要关于可利用水和水需求的客观信息。现有的系统能够满足现在及以后这两点的需要。在这方面,水资源预测系统和干旱监测系统能够相互补充。水资源预测系统的重要性在各个论文中都被阐述过(安普,2005;马思克,2005)。在这篇文章中我们将从理论和实践前景上讨论干旱监测的方法。

天气和气候数据新的一个来源就是EWBMS。这个系统是独一无二的,它能提供可操作的、丰富的且接近实际的土壤水分蒸发总量数据。这种信息非常重要,因为它不仅与土壤湿度情况相关,而且是作物生长的关键。一个重要的问题是怎样把EWBMS数据应用到现存的干旱理论框架中。现有的干旱的定义总是建立在现有数据的基础上,因此土壤水分蒸发总量从未出现在这些定义中。在这篇文章中,我们的目的是探索怎样把EWBMS数据应用于干旱监测之中。

人们研究不同类型的干旱依靠的是常用的方法。它们分别是:①气候学干旱;②气象学干旱;③水文学干旱;④农业干旱;⑤社会经济干旱。气候干旱与联合国大会框架内沙漠化减少相关。在那个框架中,沙漠化被定义为在干旱地区土地退化。干旱地区由气候湿润指标确定,这个指标是降水量与潜在土壤水分蒸发总量的比例。EWBMS能够提供所需的这些数据。气象学干旱,通常用降雨量与平均降雨量的偏差来定义。因为EWBMS能够产生以日为基础的降雨量数据,所以这些(定义)气象学干旱的方法能以每个单元为单位产生,气候特征特别明显的代表年份也可以用这个系统来监测。水文学干旱,通常根据河流流量和水库标准来定义。这个指标可能显示偏离平均数的值或偏离对水的需求的值。河流的流量通常通过测量或通过模拟的径流模型来测算,有效降雨量也就是降雨量减去实际土壤水分蒸发总量。在目前的项目中我们将会利用EWBMS数据模拟并且预测河流的流量,从而以此为基础提供水文学干旱指标。农业干旱反映了农作物或植物可利用的水量。实际的土壤水分蒸发总量能直接显示作物对水的利用情况,并且非常明显地显示农业干旱的情况。虽然如此,但是实际的土壤水分蒸发总量过去从未被应用过,农业干旱指标通常有不同的基础。满足用水需求的指标确实能计算出作物从降雨中所利用的土壤水以及土壤水量平衡计算方法。帕默干旱指标是建立在相似条件下,但同时也考虑了持续时间。在中国大约有300个农业气象站连成网络定期地对土壤湿度进行监测。这虽然非常有价值,但缺点是,这个网络没有连续覆盖全国,不能够充分地描述出气候在空间上的变化。我们看到,另外的一个重要观点是,土壤湿度不是测量作物可利用水量的一个好方法;社会经济的干旱,通常用来描述社会不同地方可利用水的重要性。75%的黄河水用来进行农业生产。EARS作物生长模型(EARS-CGM)可用来计算基本EWBMS的辐射,利用实际土壤水分蒸发总量可用来计算干旱对作物产量的影响。这些结果直接影响农民的收入和国家的经济,也可以作为社会经济干旱的基本要素。

EWBMS有着丰富的降雨量和实际土壤水分蒸发总量数据资源,也可以进行作物产量估计。这个系统覆盖全国,其监视器的分辨率可以达到 5km,所以它能为国家大面积的干旱监测提供有用的数据。起源于气象干旱指标的降雨量数据的应用在原理上简单,我们在这里就不再进行讨论了。在这篇文章中,我们讨论的重点是实际土壤水分蒸发总量的应用。这对农业干旱监测将是一个新的成果。图 1 说明了这个成果和它的监测能力,并显示了亚洲大部分地区 2000 ~ 2001 年与季节相关的土壤水分蒸发损失总量图。

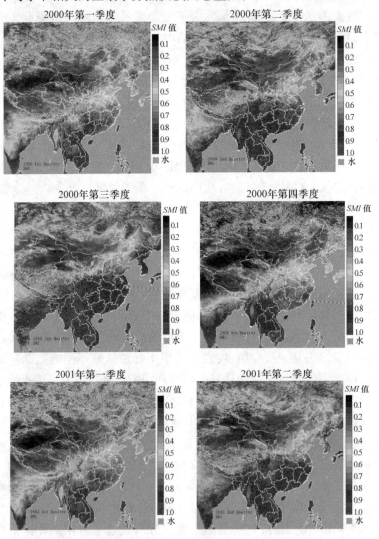

图 1　2000 ~ 2001 年与季节相关的土壤水分蒸发总量图

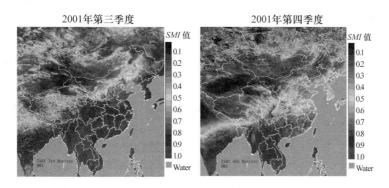

续图 1

## 2 土壤水分蒸发总量与土壤水分容量之间的关系

在中国,相对含水量被作为衡量农业干旱程度的标准。图 2 和图 3 显示了中国气象局发布的河南省与相应的 EWBMS 的行政湿度地图,显示相应的 EWBMS 土壤水分蒸发总量。然而土壤水分蒸发总量图显示了更多的细节,它像空间一样连续。当土壤湿度图内插在农业气候的 80 点时,土壤水分蒸发总量比土壤湿度图更容易得到。那么,问题的关键是能否用相对土壤水分蒸发总量图来代替土壤湿度测量网络呢? 这提及到在土壤湿度与相对土壤水分蒸发总量图之间的关系和这种关系是怎样与农业产量相关联的。

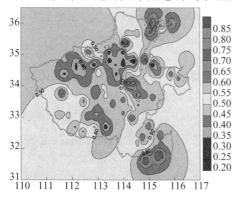

图 2　2001 年 5 月河南地区 10 ~ 30 cm 相对土壤湿度图

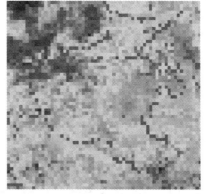

图 3　2001 年 5 月河南地区与 EWBMS 相关 相对土壤水分蒸发总量图

### 2.1 土壤与水之间的关系

土壤中的水是以矩阵形式存在,也就是被土壤粒子和毛细管力所吸附。这种能量需要从土壤中吸出水分,被称为土壤水分势能 $\psi$(J/kg)。

土壤水分势能是指水在土壤毛孔中的表面曲度,$\sigma$ 是指表面张力,$r$ 是指水

面半径,即

$$\psi = -2\sigma(\rho_\omega \cdot r) \tag{1}$$

从这里我们能够理解较细的土壤与比较粗的土壤颗粒更能吸附水分。图4和图5显示了三种土壤之间土壤水分势能与土壤含水量(土壤湿度特性)的关系。土壤中的水因重力而被排出。尽可能多的水保留在土壤中,被称为田间持水量。田间持水量等于土壤湿度势能减去10~35J/kg。从图4和图5中可以看出,与黏土相比,田间持水量在粗料土壤中非常低。当含水量低于田间持水量时,作物需水越来越困难,因为需要消耗能量来补充水分。最低的植物存活的土壤势能叫做枯萎点(WP),这通常被减去1 500J/kg。从图4和图5中可以看出,不同的土壤类型对应的土壤含水量非常不同。

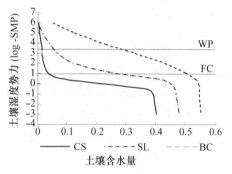

图4　三种土壤间土壤湿度势能与土壤含水量的关系

砂土(CS),沙壤土(SL),黏土(BC)

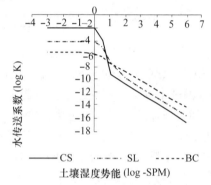

图5　液态水传送系数 $K$ 在三种土壤间与土壤湿度势能的关系

在土壤水势能和湿度梯度作用下,土壤中水分的传递能在液体和汽体状态下发生。在潮湿的土壤中液态水的传送通常占主导地位,水薄薄地流过土壤矩阵的表面并穿过土壤颗粒间的小孔。这种在不饱合土壤中水分的传递的描述体现了土壤水传递系数 $K$ 和土壤湿度势能(土壤传递特性)之间的关系。这种功能体现在相同土壤中。

水汽传送是由于空气具体湿度不同导致的结果。这些差别被水汽和液态之间的平衡所控制并依靠湿度和土壤湿度势能。下面的公式(Rosema,1975)应用于明确的湿度:

$$s = 0.015\,6(T/273.14)^{-4.237}\exp[22.44 - 6\,578/T] \times \exp[\,\Psi/(461.9 \times T)\,] \equiv \hat{s} \times h \tag{2}$$

其中 $s$ 代表饱合湿度, $h$ 代表相对湿度。图6和图7显示了饱合湿度对温度以及土壤相对湿度对土壤水势能各自依赖的关系。图7显示出了田间持水量和植物枯萎点的关系。需要提出的是在整个作物可利用的水的范围内相对湿度达到等于 1。

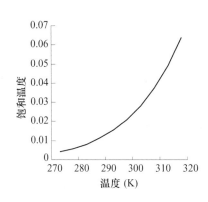

图 6　饱合湿度 $\hat{s}_a$ 与温度之间的关系

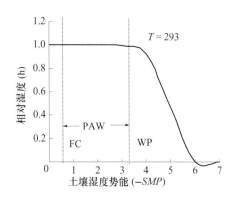

图 7　土壤相对湿度与土壤湿度势能
之间的关系（$SMP = \Psi$）

## 2.2　土壤水分蒸发损失总量

从裸露的和有植被的土壤都可以用下面的阻力类型的方程来表示：

$$E = \rho_a(\hat{s}_0 - s_a)/(r_a + r_d) = \eta\rho_a(\hat{s}_0 - s_a)/r_a \tag{3}$$

其中 $r_a$ 是大气的传送阻力，它取决于风速和所处环境的粗糙程度。$r_d$ 是另外一个干扰阻力。在这种赤裸的土壤情况下，这种阻力是由水蒸气通过空气干燥的土壤上层扩散产生的。在有植物的情况下，这种扩散阻力是由水蒸气通过干燥的土壤上层产生的。在有植物遮挡情况下 $r_d$ 视为气孔遮挡阻力。这样非常方便利用蒸发阻力因子 $\eta = r_a/(r_a + r_d)$ 来代替 $r_d$。非常明显的是，当土壤水分蒸发总量下降时，$r_d$ 增加，同时表面温度升高。这将反馈给饱合湿润度 $\hat{S}_0$（方程(2)，图6)和土壤水分蒸发损失总量。为了消除这种影响，我们将包括能量平衡并推导出组合方程。在每日平均的基础上，净辐射等于感知的热流量和潜在热流量的和：

$$I_n = H + LE \tag{4}$$

由于饱合湿润度依赖于表面温度，所以作者的分析，把 $T$、$LE$ 将被转换为

$$LE = \eta\gamma H + LE_i$$

其中

$$\gamma = (L/c)(\partial\hat{s}/\partial T) \tag{5}$$

$LE_i$ 是发生在大气分界面的湿度时的土壤水分蒸发总量。当这个湿度很低时，$LE_i$ 通常会与净辐射相比较，因此被忽略不计。结合以上两个方程，当 $LE_i = 0$ 时，我们推导出潜在热流量方程：

$$LE = \eta\gamma I_n/(1 + \eta\gamma) \tag{6}$$

在潜在土壤水分蒸发损失总量中通过设定 $\eta = 1$，我们得出相对土壤水分蒸发总量方程：

$$RE = LE/LE_p = \eta(1 + \gamma)/(1 + \eta\gamma) \tag{7}$$

相对土壤水分蒸发总量是 EWBMS 系统的一个输出成果。从以前的方程中我们可以明确看出,在数值上它与辐射无关,并且通过扩散阻力参数,它反映了作物的土壤水量。

### 2.3 土壤水分蒸发总量和土壤湿度之间的理论上的关系

水流经土壤,土壤就补充了土壤水分蒸发总量。用准确的公式表示非常困难。通过第一个近似值,我们假设在土壤水 $\Psi$ 可能利用,并且水被输送到作物根部时土壤水势能接近枯萎点,也就是 1 500J/kg。根据图 4,输送系数 $K$ 与 $\Psi$ 函数有关,水输送距离是 $d_2$。所以,我们得出到农作物的水量公式:

$$W = K(\Psi - \Psi_{WP})/d_2 \tag{8}$$

我们可以理论上推导出土壤湿润状态和相对 $\Psi$ 之间的关系。最后,在方程(6)中,我们假设实际土壤水分蒸发损失总量 $E$ 等于从土壤到作物的供水量(根据方程(9))。

$$\eta\gamma(I_n/L)/(1 + \eta\gamma) = K(\Psi - \Psi_{WP})/d_2 \tag{9}$$

接着,$\eta$ 的求解依赖于 $\Psi$。根据方程(8),另外 $\eta$ 和相对土壤水分蒸发损失总量相关,从图 3 可以看出,$\Psi$ 与土壤湿润特性的土壤含水量有关。这样三种土壤的相对土壤水分蒸发总量能够用土壤湿润容量来表示。这种结果从图 8 和图 9 中能够看出。图 9 同时也显示了 Duero 盆地的实验数据(下个区域)。这个结果也显示出作物可利用的水虽然在沙壤土和黏土中是一致的,但并不适合所有的土壤类型。

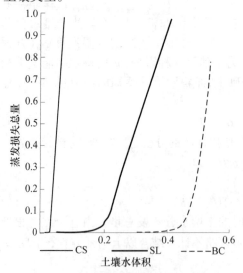

图 8  在土壤水分蒸发损失总量和土壤水
体积之间的理论上的关系

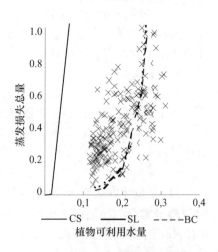

图 9  在土壤水分蒸发损失总量和植物
可利用的水量之间的理论上的关系
(来自 Duero 盆地提供的经验的数据)

### 2.4  经验证据

西班牙的 Duero 盆地在 5 年内每隔 14 天收集一组土壤湿度数据。在 1 300 km² 的半干旱的平原上 20 个基站的土壤湿度数据被提供一幅或者多幅卫星图像。这一区域的岩石主要是砂岩、石灰石，并被冲刷成阶梯状。最近，在 Geoland 工程框架中这些数据中已经被从人造卫星上重新取回并对土壤湿度数据进行比较评估，其中就有 EWBMS 相对土壤水分蒸发总量（Naeimi et al. 2004）。从图 10 可以看出，对测出的表层 5cm 土层的土壤湿度和 EWBMS 土壤水份蒸发量的作了比较。在夏天的特征是土壤水分蒸发量较高和植物可利用水量较少，在冬天情况正好相反。图 9 显示了数据的分布图。在相对土壤水分蒸发总量值测定的系数（$r^2$）是 0.39，如图 9 所示，增加到 0.59 是平均值。

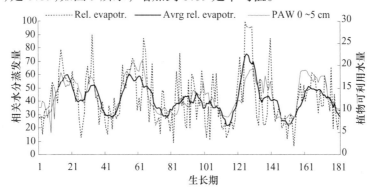

图 10  在过去的差不多 5 年时间内，EWBMS dekadal 的土壤水分蒸发损失总量和植物可利用水量（PAW）的关系，在西班牙的 Duero 盆地从 dekade 17, 1999 开始，土壤湿度数据被 Salamaca 大学获得的（Ceballos et al., 2004），EWBMS 数据也被维也纳技术大学使用（Naeimi et al., 2005）

对于中国大部分地区，我们已经作了 EWBM 相对土壤水分蒸发总量和土壤湿润容量之间关系的类似调查。这些结果将被单独介绍（Wu 和 Rosema, 2005）。在夏天连续一段时间的相对土壤水分蒸发量和相对土壤湿润容量非常相似，但是在冬天则显现相当大的不同。即使是在夏天，虽然重要，但回归系数不是很高。

## 3  土壤水分蒸发总量与作物产量的关系

实际土壤蒸发总量的方程为

$$E = \rho_a(\hat{s}_0 - s_a)/(r_a + r_d) = \eta\rho_a(\hat{s}_0 - s_a)/r_a \tag{10}$$

植物靠气孔打开（$r_d$ 增加）来调节对来自土壤水的蒸发。当植物的气孔由于水分限制而关闭时，不但蒸发将会减少，吸收空气中的 $CO_2$ 和生成的有机物也将减少。$CO_2$ 的消耗可以通过这种相似的关系来表示：

$$P = \rho_a[CO_2]/(r_a + b \cdot r_d + r_m) \tag{11}$$

这里的 $CO_2$ 是指大气中的二氧化碳的溶度（kg $CO_2$/kg 空气），$\rho_a$ 是空气密度，$r_a$ 是大气阻力，$r_d$ 是通道阻力，$r_m$ 是植物叶肉对 $CO_2$ 的扩散阻力。要素"$b$"（约 1.7）基于 $CO_2$ 扩散能力比水蒸气更低。从方程式(11)我们能得出 $CO_2$ 被吸收的下列各项表达式，也就是单位体积内生物生产量（$RP$）。

$$RP = (r_a + r_m)/(r_a + b \cdot r_d + r_m) \tag{12}$$

利用 $\eta = r_a/(r_a + r_d)$ 我们可以按照有机物生成量来表示阻力因子 $\eta$

$$\eta = RP/[\beta + RP(1 - \beta)]$$

这里 
$$\beta = (1 + r_m \cdot r_a)/b \tag{13}$$

同时我们可以从方程式(7)得出：

$$\eta = RE/[(1 + \gamma) - \gamma RE] \tag{14}$$

方程式(13)和式(14)定义了土壤水分蒸发量（$RE$）和单位体积内生物生产量（$RP$）的关系。在图 11 和图 12 中显示了这样一个关系：叶肉阻力和大气阻力（$r_m/r_a$）之间的各种不同的数值比例。人们很久就知道土壤水分蒸发总量与农作物产量关系非常密切，而且斯图尔特（J. I. Stewart）在 20 世纪 70 年代早期就提出了这种关系。还有很多关于这样的信息被 Doorenbos 和 Kassam(1986) 收集了，并且发表在《联合国粮食农业组织灌溉排水》一文中。

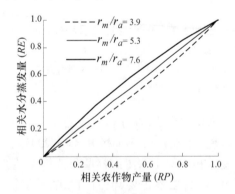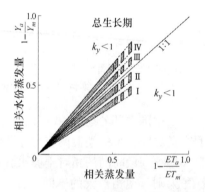

图 11　单位体积内生物生产量（$RP$）和相关的土壤水分蒸发量各种不同的价值比对于叶肉对 $CO_2$ 扩散阻力和大气阻力（$r_m/r_a$）

图 12　在比较的土壤水分蒸发总量和产量之间体现出不同的种类对于干旱的敏感度（Doorenbos 和 Kassam,1986）

文中包括了对于很多农作物的产量和土壤水分蒸发总量之间关系的数据。这些关系被 Doorenbos 和 Kassam 应用并理论简化方程式(12)和方程式(13)，结果显示在图 11 中。它通常被写成以下的方程式：

$$(1 - RP) = k_y(1 - RE) \tag{15}$$

上面提及的论文为许多农作物提供了 $k_y$ 的值：玉米的干旱敏感度（$k_y = 1.25$），而棉花和大豆明显该值（$k_y = 1.25$）。冬小麦的敏感度为平均值（$k_y = 1$）。

## 4　植物生长模拟

根据图 13 中显示的方案，EARS 植物生长模型使用 EWBMS 产生的辐射和土壤水分蒸发总量数据来模拟单位体积内农作物的生长。模型建立在 3 个主要的原则基础上：①农作物生长对光的吸收率，不依赖于作物类型（Monteith）；②光的光合作用的效率随着光强度增加而逐渐降低，这是因为 $CO_2$ 浓度限制（Rosema et al, 1998）；③假使水量供应不足，由于农作物气孔关闭生长减缓，同样地减少土壤水分蒸发总量和 $CO_2$（Doorenbos 和 Kassam, 1986）。基于这些原则，作为 $CO_2$ 消耗的结果于物质生产（$P$）的总量这样计算：

$$P = \varepsilon I_g CRP \tag{16}$$

在这里 $c$ 是转换因子，$\varepsilon$ 是光线的光合作用效率，$I_g$ 是全球的总辐射，$C$ 是部分农作物覆盖对光线的阻拦，$RP$ 是农作物产量。$RP$ 由土壤水分蒸发总量确定，$RE$ 由方程式（15）确定。光合作用的效率以 Rosema et al (1998) 发表的论文为基础，用下面的方程式确定：

$$e = 1/(1.25 + \text{const } I_g) \tag{17}$$

农作物覆盖率由单位体积内的生物量来估算：$C = B/B_M$，在这里 $B_M$ 是完整覆盖情况下单位体积内生物的数量。并不是生成的所有物质都生成农作物有机体，而是一部分被消耗来产生维持农作物生长的能量。我们所说的维持吸收作用的能量（$M$）与生物量（$B$）成比例且依靠温度。在我们的论文中它被表示为土壤水分蒸发总量的一个函数：

$$M = c_{\text{resp}} B f(RE) \tag{18}$$

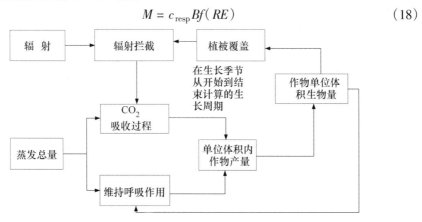

**图 13　EARS 农作物生长模型流程表（EARS-CGM）**

$$B_{i+1} = B_i + P - M \qquad (19)$$

$R$ 和 $M$ 是以日为基础计算出的数据。每天的净生物数量的增长$(P-M)$累积的总生物数量。

$$B_{i+1} = B_i + P - M \qquad (20)$$

图 14 和图 15 显示了理论上农作物生物量在不同土壤水分蒸发总量时的一个例子。模拟试验在 52°N，农作物生长到 90 天时开始。作物相对产量（图 15）在 50～70 天之后保持稳定和确实在这季节中以后的时间没有变化。这是我们预测农作物产量技术的基础。农作物产量模拟实际综合了作物生长期可利用水的效率，我们从图 15 可总结出，在 2 个月或 6 dekads 的时间足够描述出干旱对作物产量的影响。

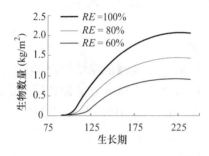

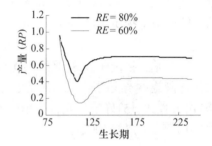

图 14　在不同的土壤水分蒸发总量情况
　　　下，EARS-CGM 模拟生物
　　　　数量增长$(k_y = 1.1)$

图 15　在不同土壤水分蒸发量情况下，
EARS-CGM 农作物的产量$(k_y = 1.1)$

## 5　建立在农业干旱基础上的 EWBMS

从前面讨论的部分我们可以得出结论：虽然土壤水分蒸发总量与测得土壤湿润度没有密切的关系，但与作物产量关系密切。背景是土壤水分蒸发总量很好地代表了作物的实际用水量以及水蒸气的蒸发和 $CO_2$ 的扩散共同通过植物的气孔。因此，土壤水分蒸发总量与作物产量密切相关，所以很适合监测农业干旱。从图 11 我们可以观察到，当天气发生变化时，土壤水分蒸发总量也发生明显的变化。这个图表同样也显示了在一段时期内平均土壤水分蒸发总量。在作物可利用含水量中，消除偏差后，得到的结果随季节而变化。从图 4 和图 EARS 作物生长模型中可以得出结论：作物产量稳定并在作物生长 50～70 天后就可以预测出。农作物生长模型实际上综合了土壤水分蒸发总量对作物产量的影响，结果也显示了，在 2 个月或 6 dekads 时间的综合或平均土壤水分蒸发总量用来作为农业干旱指标。

因此，我们建议土壤水分蒸发总量干旱指标作为新的农业干旱指标。*EDI*

等于两个月的土壤水分蒸发总量。在作物生长的前期,这个指标能在作物生长前期估算出因干旱而引起的产量减少。我们用这个指标进行以下的农业干旱分类(见表1)。

表1　农业干旱分类

| 干旱分类 | $EDI$ 值 | 作物产量减少比例 |
|---|---|---|
| 无干旱 | 0.9 ~ - 1.0 | 0 ~ 10% |
| 轻微的干旱 | 0.8 ~ 0.9 | 10% ~ 20% |
| 干旱 | 0.7 ~ 0.8 | 0 ~ 10% |
| 严重干旱 | 0.5 ~ 0.7 | 0 ~ 10% |
| 极严重干旱 | 0.3 ~ 0.5 | 0 ~ 10% |
| 极其干旱 | 0.0 ~ 0.3 | 0 ~ 10% |

## 6　农业需水估算和分配

农业水需要估算以 EWBMS 为基础。我们根据分类综合了各省土壤水分蒸发总量数据得到了作物在生长期内总用水量,并且我们用这些数据与作物产量进行了比较。图 16 和图 17 显示了北京、天津、河北、山西、山东和河南等省(市)2000 年 11 月 ~ 2001 年 4 月作物生长期内的数据。从这些数据中我们可以估算出单位面积每吨冬小麦土壤水分蒸发的用水量。在这 6 个月中平均耗水量约为 240mm 或 2 400m³/hm²,或生产每吨冬小麦耗水 1 350m³。利用黄河灌溉区域图和这些区域的作物产量我们确定和监测每个灌溉区的总耗水量和农业水的利用效率。这一数据可以用来为每个灌溉区确定合适的配水额。黄河流域的灌溉面积为 730hm²,根据以前的数据推算每年耗水量为 350 亿 m³,然而黄河的年平均径流量为 370 亿 m³。因为水缺乏,所以要有一个激励机制在实际水需求的基础上进行优化水量分配。

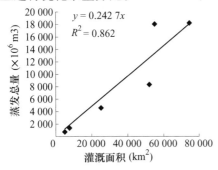

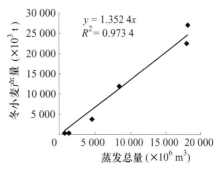

图 16　灌溉面积与北京、天津、河北、山西、山东和河南等省(市)2000 年 11 月 ~ 2001 年 4 月土壤水分蒸发总量之间的关系

图 17　在同样省份灌溉区内 2000 年 11 月 ~ 2001 年 4 月土壤水分蒸发总量与冬小麦产量之间的关系

## 7 结论

从以前的讨论中我们可以得出以下结论：

(1)植物的水吸收依靠土壤湿度势能，而不是土壤含水量。

(2)土壤含水量不是显示农业干旱的一个很好指标。

(3)土壤类型决定土壤水分蒸发总量和含水容量的关系。

(4)相对土壤水分蒸发总量与作物生长密切相关并且是农业干旱一个很好的指标。

(5)"土壤水分蒸发总量干旱指标"，即每年2月的土壤水分蒸发总量是显示农业干旱的一个很好的指标，并且用这个指标能估算出作物的减产量。

(6) EWBMS 能用来检测农业的耗水量和灌溉区域农作物水的利用效率。作为以黄河水为主的地区，这些数据对优化配置黄河水资源很有帮助。

### 参 考 文 献

[1] 安普 J,罗茨曼 A,赵 W,等.以 FY－2C 数据为基础在黄河流域进行有效的降雨量监测. 2005

[2] 罗茨曼 A,沃荷 L,孙 S,等.中国能量和水平衡监测系统.2004

[3] 马思克 S,温尼克 R,赵 W.在黄河上游利用卫星获得降雨资料建立大规模水文模拟系统.2005

[4] 罗茨曼 A.建立在热和湿度传递基础上的用数学模型模拟无覆盖土地上的热运动.1975

[5] 塞布鲁斯 A,开普 K,瓦格纳 W,等.在西班牙 Duero 盆地中关于 ERS 土壤湿度数据的确认.水文过程,www.interscience.wiley.com

[6] 耐威米 A,斯克普 K,瓦格纳 W.在西班牙中心区用不同卫星获得的土壤湿度数据与田间观测的数据进行比较.维也纳技术大学遥感成像研究所,2005

[7] 罗茨曼 A,斯耐尔 J F H,泽恩 H.激光感应叶绿素的荧光与光合作用的关系.环境遥感, 1998(65):143～153

[8] 道伦伯斯 J,卡森 A H.水对产量的影响.见:联合国粮食与农业组织灌溉与排水.1997: 33

# 流域统一管理能力建设

## Frank Jaspers

(荷兰德尔伏特联合国教科文组织基础设施、水利与环境学院)

**摘要:**本文首先介绍了能力建设对水资源开发、管理及水利部门改革成功的重要性。阐述并强调了能力建设对成功的可持续的流域统一管理的作用,介绍了能力的实质、特点及能力建设的过程,分析确定了实施及确保能力建设成功的方法。

体制或体制管理中的诸多缺点是目前水利部门效率低下的主要原因。因此,许多国家或流域包括国际性流域涉入了机构建设或水利部门改革。目的主要是使流域统一管理达到先进水平。需要进行多方面的能力建设来实现这一过程,如创建机构环境方面、机构能力建设强化方面及人力资源建设方面。

某些能力可以在能力建设的整体过程中进行评估及培养。对这一过程中的重要元素、某些有用的方法,也粗略地进行了阐述,主要的有利益相关者、需求评估、差距分析、机构评估和发展的分析框架及基准值分析。

这里假想了某个热带流域的能力建设。明确了在此能力建设中可能遇到的挑战、机遇和制约。

为了实现流域统一管理,能力建设需要实现以下必要的机构管理:①利益相关者参与决策的平台;②基于水文边界的水资源管理;③具有在适宜层面整合决策的独立议事程序的子流域或流域机构;④基于流域统一规划的规划系统;⑤引进水价及成本回收系统。

国际团体主要的挑战是在适宜的时机、地点为(国际)全国、地区和流域提供政策、战略、机构管理、财经手段和相关人力及机构建设。

**关键词:**能力建设  人力资源开发  机构建设  流域统一管理  水利部门改革

## 1  介绍

在很多水论坛和研讨会上,已经充分明确了能力建设的需要和重要性。水利部门变革方案的制订主要取决于能力建设的全面成功。水利部门的低效率和实现连续的可持续发展触发了对能力建设的需要。普遍认为,如果没有前期或同步的相关能力培养,水利部门的总体效率特别是水资源开发项目的成功率可能无法达到期望。水利部门过去一直承受着巨大的压力,而且压力还将继续增长。从以项目开发为重点到为全局的统一的水事管理方法的转变也表明了这一点(ICWE,1992;Savenije, 2001;Jaspers,2003)。

很多项目未能实现预期效益,特别是那些有环境和社会外在因素以及那些为个人用水户提供服务如灌溉、供水等项目(世界银行,1996,2003)。除了很明显的原因,如有限的水资源、需求增长、财经问题等之外,很多项目的失败可能要归因于机构和所需能力的系统性缺陷(Alaerts,1996)。

同时,需要进行及强化机构管理使决策者和社会团体放弃部门孤立的水资源管理,达到高度统一,已经是众所周知。这一过程的主要特征是需要以流域为单元进行管理及统一管理的理念;重点是需求管理、优化供需效率及使利益相关者最大程度地参与决策;目的是实现平等、经济及环境可持续(Van der Zaag,1998)。

为了达到较高水平的水资源可持续开发和管理,需要进行深入的能力建设,(最初)能力建设通常很薄弱或根本没有。能力建设支撑和帮助实现有效的流域统一管理所需的机构加强、建设或改革。

本文将描述在政府、水利部门、其他利益相关者、感兴趣的公共或私人组织在进行流域统一管理时,能力建设可能发挥的作用。本文先给出一些基本的定义,介绍能力建设的过程,包括它的特点和在实施过程中可能遇到的挑战、机遇和制约;也将着重介绍能力建设的一些基本工具。

## 2  术语定义

文中用到了很多在讨论、论文集、出版物和其他交流中经常用到的有多种含义的术语。为了便于讨论,给出了最常用的一些重要术语的描述。

### 2.1  能力建设

能力建设是向个人、组织和其他相关机构提供某种能力的过程,这种能力使得他们能在现在及未来进行统一的优化管理。它有助于启动和支持机构强化及改革。能力建设就是进行机构建设的过程(Alaerts,1996)。

### 2.2  流域

流域可以简单地定义为水系的分水岭所确定的地理区域,包括汇入某处的地下水和地表水(赫尔辛基规则第二条,国际法律协会,1966)。如果汇入地是湖泊、沿海地区、三角洲或河口等,就组成了一个完整的流域。

### 2.3  管理

(就我们的目的而言)管理是通过计划、组织、领导和控制组织的资源快捷有效地达到组织的目标(Malano 和 Van Hofwegen ,1999)。

### 2.4  水资源统一管理

从多学科和参与的角度,定性、定量及环境角度开展地表水和地下水管理。重点是目前和未来全社会的水相关需求,目的是最大程度的可持续性(Van

Hofwegen 和 Jaspers, 1999）。

### 2.5　流域统一管理

即全流域的地表水和地下水管理,包括水质、水量和环境完整性。采用了参与式的方法,重点在于社会、经济和环境利益的总制约。

### 2.6　水资源规划

水资源规划是个持续的过程,它涉及到为了实现未来的特定目标进行的决策及不同的水资源利用方法(Ostrom, 1990; Jaspers, 2004)。通常这个过程为一个规划,目的在于在给定的时间期限内可重复利用,公众在内部和外部的约束条件下能够参与。

### 2.7　体制

组织、工作规则或其他规定,它们是为了特定(公众)目的,基于并包括一套从既有风俗、法律或社会团体关系中衍生出的为社会所接受的原则。

### 2.8　体制管理

工作规则,用于确定谁在某些领域作出决策,哪些行为是允许的,哪些应受到制约。此外,这些规则还规定必须遵循什么样的程序,什么样的信息必须提供,或不能透露,对受影响的个体应该有什么样的清偿(Ostrom, 1990)。

### 2.9　(管理)分权化

指从中枢权力权构分权组织或实施某项(政府)功能的过程(Jaspers, 2003)。

## 3　体制改革的需要

无论在何种政治体系,何种文明程度的社会中,都将存在体制管理,并且通常现存的制度结构总有其逻辑根源,总有很充分的原因说明这种体系何以演变出来。

然而,随时间的缓慢变化或有限的发展逐渐调整已经不再是主要特点。在多国工业发展、联系频繁、人口剧增和各种跨越国界的利益及发展的时代,社团、政府和其他机构必须对所面临的快速的社会变化作出反应。很多现代发展需要加快体制反应能力。成功的体制改革必须在实施之前满足多种条件。时间绝不可能促进改革的进程。

体制改革的过程通常是由于对现存或起源问题需作出反应进行变革的需要引起的。或者说,不存在足够重要的需要重大变化的问题时,不需要转变为另一类型的水资源管理。或更复杂的变化,存在问题和进行改革所需的投入对比相对次要时,水利部门的改革注定要失败。

连续多年干旱,有众多的人民处于生死存亡的边缘之后,南非国家水利部门开始启动改革,可能有一点嘲讽。在德国也有同样情况,仅在特别严重的环境灾难发生后,才形成一些国际水资源污染问题的对策。

只有在体制或组织都按照标准执行的时候,改革进程才可能有效。在体制或体制管理中的众多缺点可能是水利部门效率低下的主要原因。在某些情况下,可能是某个组织或仅是组织中的某个人明显未按标准执行。然而在很多情况中,是不同体制间缺少配合(体制结构)及缺少基本目标(Alaerts et al.,1996)。管理学已经表明,组织间的缺少配合及其体制环境是效率低下的普遍原因(Mintzberg,1993)。很少有绝对的衡量标准可以对体制进行评估。通常,通过在同一地区或世界范围内不同部门间的同等对比来确定衡量标准(Alaerts,1996)。

在很多无明显争议的情况下,强化已有体制可能已经足够。然而很多其他情况证明改革现存管理是必需的,它可能在管理、组织、法律和管理框架等基础层面产生深远的影响。改革可能覆盖以下领域,如:①重新设计部门组织的目标、目的、管理及人员组成;②通过法制改革引进新的理念(流域一体化管理,分权化,利益相关者参与,成本回收);③重新设计任务、财务职责和决策程序等。

很明显,改革比仅强化遇到更多阻力。

在我们的实例中关键的是问题的答案:何时流域一体化管理的转换进程才能被视为已经成功?

重要的是这个进程是利益相关者发起并且开展的。因此,关键是利益相关者的涉入或参与。参与决策是最低要求,参与其他管理如规划、控制和监测更好。通常,很少向利益相关者进行咨询,特别是有时,有了咨询结果却没有采取任何行动。利益相关者的参与积极性随着他们的利益增长而增强:利益越大,参与积极性越高;相反,当利益相关者未能参与到最终决策过程时,来自他们的阻力也越大。

其他重要方面(标准)是在以下几方面达到可接受的水平:①能力及效率;②分权化;③成本回收;④流域一体化规划;⑤水资源公平分配及有效防洪;⑥利益产生及利益共享。

## 4  能力建设过程的几个特点

能力可以看做是单独存在或内含于部门组织和体制之中或关于它们的过程或规则中的知识、技能和其他能力。

能力建设过程可被视为是为了使能力适应不断发展的机遇、挑战和制约,个体或组织的连续的结构性的自治和社会学习实践。

能力建设帮助判断部门性能、体制力量和弱点,它明确并将需要授予个体和组织能力提到优先地位,并通过众多的工具和方法来予以支持(Alaerts,1996)。

水利部门能力建设的主要组成部分包括以下方面:创建具有适合的法制框

架的能动环境;体制建设,包括团体参与(特别是女性参与);人力资源开发及管理系统强化。

关键问题是:何种情况下最需要能力培养?这些情况可被分类如下方面:①明确当前薄弱的体制框架;②中长期重大自然环境问题的变化(水污染、气候变化、水土流失、沙漠化等);③社会经济环境、经济衰退和结构调整等中的重大根本性转变;④可持续有效水资源管理中的低效率(Alaerts,1996)。

在能力建设应用中起关键作用的方法本质可能非常多变;体制建设的领域很广泛,挑战也多种多样。在某个具有非常成熟的体制环境的国家的高级决策者,或者是发展中国家的灌溉管理转移向当地农民的过程,是否需要能力建设是非常重要的。尽管能力建设应该被看做是连续灵活的开放式过程,它还是包括有如下几个主要组成部分:①总评估及分析部分(工作领域、制约因素和利益相关者);②当前形势描述和预期形势(利益相关者);③所需能力差距分析;④干预;⑤监测过程及评估;⑥反馈机制。

总的过程应该是个循环的过程。按时间顺序,任何能力建设评估过程如图1所示。

适用于普通水利部门的改革过程,Van Hofwegen 和 Jaspers(1999)开发了一个水资源统一管理体制管理评估和开发的分析框架。

这个模型是发展中国家推行体制管理的起步方法,特别是在水信息库有限的情况下。

分析框架是基于循环的发展过程,从现有的水资源管理状况发展到期望的某种水资源统一管理状态。分析框架的开发要考虑到制度、组织和应用中的一些重要元素。和利益相关者一起,阐明主要的问题和宗旨,这可以推动适应于具体国家具体情况的水资源统一管理向前发展到更高阶段。

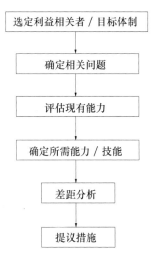

图1 能力建设评估过程示意

## 4.1 理想状况

分析框架中,理想的水资源统一管理状况应能指导水资源的统一管理过程。在理想状况下,可以可持续地管理流域(子流域)水资源。在用水决策中考虑所有利益相关者与水相关的利益。所有的利益相关者都了解水资源的可用潜力及他们的用水对其他利益相关者的影响。根据所有利益相关者一致同意和接受的标准,共同进行用水和供水成本决策。水资源统一管理的实施实现了透明管理、最优成本和有效责任制。

### 4.2 预期状况

由于在短期彻底地引入水资源统一管理是不现实的,并且可能也不受欢迎,预期的水资源统一管理状况是现状和理想状况间的折中。这个折中方案应该是决策者、水资源和设施管理者及所有利益相关者共同参与的协商结果。这个方案应该是在当时整体的社会经济状况下,根据技术、经济和政策水平确定的。随着条件的变化,预期的水资源统一管理也应该相应变化。这一过程包括以下几步:

(1)当前状况及发展趋势评估。

(2)基于理想的或最终的水资源统一管理状况,明确预期的水资源统一管理状况。

(3)明确实现预期的水资源管理的措施。

(4)建立监测体系,以便明了是否正确地执行了这些措施,及其是否有助于实现预期的水资源统一管理目标。

这样就形成了一个循环的过程。这种方法如图2所示。

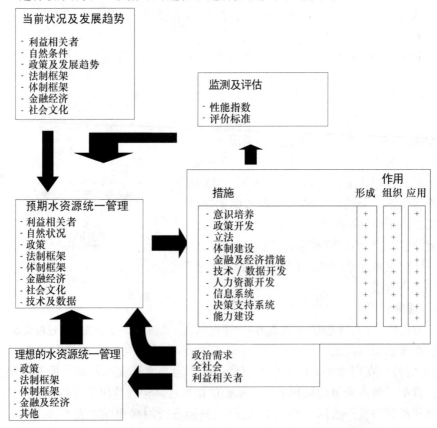

**图2 向水资源统一管理转变及体制改革的分析框架**

理所当然,为了实现水资源统一管理而建立或强化的体制管理依赖于体制能力。在荷兰德尔伏特举行的关于水利能力建设的第二届 UNDP 研讨会上,Abrams 介绍了一个模型,即如何评估体制能力及能力建设过程的模型。这个模型是在以下经验的基础上建立起来的,体制改革需要有一定的能力基础,能力建设的成功很大程度上依赖于关键因素的稳步发展。因此,这一过程即是实现流域统一管理的普遍改革过程。第一步是评估阶段,这一阶段明确能力的不足之处(见图 3)。

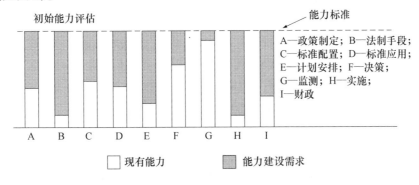

**图 3　基本能力:能力评估**

第二阶段是有效改革所需求的某种程度的能力建设(见图 4)。模型表明关键要素的能力缺失会阻碍这一过程,强调某一方面而忽视其他关键要素的同步提高不可能实现有效的改革。它意味着,某一方面的能力过余不会造成损害,但是能力短缺却会造成损害。这一特点和以下的实际情况是互相独立的。流域管理改革的各个要素必须按照一定的逻辑顺序实现。因此,能力培养不必同时进行(不可能同时进行),但是需要有某种能力时,应该已经具备这种能力。这就使得能力培养非常复杂。

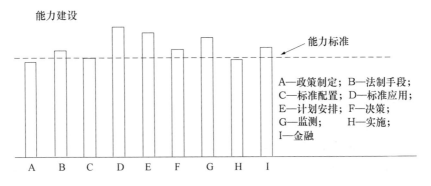

**图 4　基本概念:能力建设**

## 5 能力建设

  本文不可能很详细地阐明各种实施情况,然而稍作这样的思考也是好的。需求评估后,能力建设当然应该以实现各自的相关目标为导向。能力建设可能包括多个方面。它们可能是为了创建适应的环境、体制及人力资源开发,因此以后采取的措施也普遍不同。在环境培育方面,能力建设创建相应的环境,或者发展适应的框架、政策及战略,并且在这一过程中,当有某种需求时,应该已经具有相应的必要能力。在体制形成方面,能力建设应该和其改革及改进的经验相一致。在人力资源开发方面,正规教育和培训计划应该成为工作培训的工具。水利部门的改革可能涉及所有领域,其中的困难之一是如何适当地调整整个过程。

  这里以一条热带流域为例,集中探讨从传统的水资源管理向先进的流域管理系统转变的普遍(非常粗略的)方法。

  (1)通常,应该对当前所涉及到的组织及利益相关者进行评估,并且相关的决策者应该授权某感兴趣的组织或机构进行改革。

  (2)这样的组织或机构(或其核心人物)对关键问题进行评估,分析所有的制约因素,并且明确当前的不足之处。

  (3)对体制、法制和金融方面的必要变革进行评估,并且达成共识,如何实施这些变革及实现预期的状况。

  (4)基于这些,制定必要的政策及战略。

  (5)开始实施这一法制变革的准备、实施及推广工作。这通常是正在进行的,并且也是一项长期的工作。

  (6)部门改革和正在进行的体制改进同时进行,它们对于当前的变革和改革最终目标的实现都很重要(应该知道的是,这种最终目标通常都不明晰,仅是粗略的设想,因此这一过程实际上是不断调整的)。

  此外,已经阐明相关问题后,就可以开始持续的变革及正规的培训和教育,如果需要的话,可以开展一项研究以明确这些主要问题。人力资源开发可能包括以下内容:

  (1)不同层次的流域统一管理、水利工程和相关学科的所有有关方面的培训和教育(学位课程)项目,包括对培训者的培训。

  (2)某流域相关课题的应用研究项目。

  (3)创建、强化及支持水利专业和教育研究所网络,交流水资源统一管理、工程和其他学科方面的科教及技术信息。

(4)组织论坛、研讨会、学术讨论会及其他活动为水利专家提供专业交流的平台。

(5)组织及为有关领域(ICT、数据处理和数据库等)的信息交流提供方便。

(6)进行技术和教育改革,为能力建设、知识管理和信息共享(电子学习、远程学习)提供支持。

(7)为决策者、专家、培训者和其他技术及非技术人员提供交流及开拓项目。

# 6  流域统一管理

在很多国家,普遍接受需要流域统一管理的观念。大多数国家已经制定有实现流域统一管理的水利政策和战略。具体实施的细节可能彼此不同,但是关键方面的主要问题意见是一致的(Mostert,1998,1999;Jaspers,2003,2004)。为了实施流域统一管理,体制管理需要做到以下几点:

(1)利益相关者参与决策的平台。

(2)流域水资源管理。

(3)流域及子流域机构设置,法律规定其各自权限,可以在适宜的最低层整合决策。

(4)实现流域统一规划的规划系统。

(5)引入水价及成本回收系统。

这些因素是至关重要的,需要努力进行能力建设。这里对这些因素稍作考察。

流域水资源管理的需要主要是由不断增长的竞争用水,上下游间的协作防洪或者二者同时引发的。单位的行政区划和流域边界并不一致,水资源分配和防洪的优先权设置非常麻烦。所有的管理都受到上下游活动的制约。流域水资源管理体系可以在流域内垄断供水源,并可在流域范围内调度防洪。平等有效的水资源分配的优先权设置实际上是不可能的。为了简化管理,尽可能地整合管理和水文区划当然非常明智。然而,由于水流向下游流去,而并非停留在行政区的边界处,水资源必须推行流域层面的管理。对于地表水和地下水来说,情况是相同的(Jaspers,2003)。

## 6.1  统一管理的需要

河系的复杂性、地下水和地表水的交换、环境因子间的不断相互作用是另一要素。必须考虑所有这些相互作用,有效地进行水资源规划。水资源管理是由不同的部门按照不同的规则实施的,这一事实是个复杂的因素,必须用系统的方法处理(Savenije,2001;都柏林原则,ACS/ISGWR,1992;Agenda 21,UNCED,1992)。

此外,水资源规划应该考虑及区分该地区的所有用水的优先顺序。在复杂流域中,对消耗用水(生活用水、工业用水和农业用水)和非消耗用水(发电、渔业、娱乐、自然保护)的适当调度是非常必须的。需要有一个综合规划系统,对水质、水量和环境完整性进行统一管理。

### 6.2　基层决策

基层决策是对传统的分散管理机制的现代诠释(Jaspers,2003)。分散是为了通过适当整合信息实现有效的管理:在更贴近终端用户的基层,能观察到更多的相关信息。此外,在分散决策系统中,利益相关者的直接参与更为方便。分散机制也意味着决策更贴近于它的应用。这一机制更为民主,通常也在一定程度上提高了透明度。这促进了冲突的利益间的互相了解及认可。

### 6.3　利益相关者的参与

在很多水资源管理出版物中可以看到利益相关者参与这个词。但是利益相关者包括哪些呢? 仅是指直接的用水者,还是包括间接的用水者或潜在的用水者? 政府机构可以看做是利益相关者吗? 它们仅是用水者,还是同时是水资源的管理者? 如何实现全社会参与,包括专家、非政府组织、研究所等? 另一个相关的问题是:利益相关者应该参与哪些过程? 当然会参与决策,但是否也将在管理中发挥一定的作用,如规划、监测和实施?

实质上,利益相关者的参与是实现有效水资源管理的一个实现条件。不考虑受益者或受影响者涉入的措施,其实现的可能性就降低了。最低限是参与决策。决策将在考察所有利益或至少在利益相关者有机会表明他们的利益后做出。依靠决策和具体的管理功能,利益相关者的参与能够成为规划、监测和实施工具(Jaspers,2001)。

### 6.4　成本回收/水价

任何政府,特别是发展中国家政府,对水资源管理的成本回收的需要在不断增长。各种社会和自然因素的相互依赖,成本回收和服务水平间的透明需求要求建立流域统一管理。成本回收措施不受欢迎,但它有助于达到一定的服务水平,对于保持经济的可持续增长也很必要。目前,从经济和效率来说,由政府进行水资源分配来实现有效流域管理是难以想像的。对国家财政预算的依赖无法提高流域层面的职责。此外,这种情况下还可能有负面的政治干预。对供水和管理收费以及随后将收费用于该领域的投资是一个必要的工具。这个过程必须是透明的,以便形成将利益、收费和权力结合起来的一种机制,这种机制支撑着流域统一管理(Mostert, 1998)。水价也是一种降低过度用水和水污染的有效工具。

因此,需要进行水利部门改革和体制建设来实现以上各方面的开展,从而实现流域统一管理。

## 7 根本挑战:能力建设

体制建设是个复杂的过程。如我们所知,在特定的阶段,必须达到一定的技术、组织、管理、社会和金融水平以启动和维持流域统一管理(Abrams,1996)。

在这方面,发展中国家的情势并不很乐观。实施必要的体制管理的能力千差万别,因此发展中国家的实施情况有着实质性差别。对于发展中国家来说,落实启动资金,开始项目的实施尤为重要。只有在达到一定的服务水平及实现有效管理后,才能够成功地实施流域管理的重要工具:成本回收。投资是必需的,而并非所有的国家都有能力进行这项投资。

总之,实施的要素是适时适地和适宜的人力资源及体制能力。人力资源开发是一项复杂的需要大量资源的长期工作,仅培训相关技术学科的专家是不够的,还需要打造复合型的人才。

综合部门在当前和未来都应该能够有效地进行活动(Alaerts, 1996)。在这一领域要走的路还很长。适时适地地提供国家、地区或流域层面的政策、战略、法制和体制管理、金融及经济工具、相关人力资源和体制能力是综合性国际团体能够应对的任务(Van Hofwegen and Jaspers, 1999)。

### 参 考 文 献

[1] Abrams L.. Capacity Building for Water Supply and Sanitation Development at the Local Level: The Threshold Concept, in Proceedings of the Second UN Symposium on Water Sector ,1996

[2] Capacity Building in Delft 1996, Water Sector Capacity Building: Concepts and Instruments (eds. Alaerts G.J, Hartvelt, F.J.A., Patorni F.M.), p. 301 ~ 311, Balkema, Rotterdam

[3] Alaerts G.J.F.R..Institutional Arrangements in the Water and Sanitation Sector, European Country Studies, IHE Working Paper, Delft,1995

[4] Alaerts G.J.F.R..Capacity Building as Knowledge Management: Purpose Definition and Instruments, in Proceedings of the Second UNDP Symposium on Water Sector Capacity Building in Delft 1996, Water Sector Capacity Building: Concepts and Instruments (eds. Alaerts G.J, Hartvelt, F.J.A., Patorni F.M.), p.49 ~ 84,1996, Balkema, Rotterdam

[5] Caponera Dante A.. Principles of Water Law and Administration: National and International, Balkema, Rotterdam, p. 11, 1992

[6] Chéret I.. Managing Water: The French Model, in Valuing the Environment (I. Serageldin and A. Steer eds), The World Bank, Washington DC, 1993

[7] European Union. Water Framework Directive, Directive 2000/60/EU, EU Publications, Brussels, 2000

[8] Global Water Partnership. Integrated Water Resources Management, Technical Advisory Committee Background Paper No 4, Stockholm, 2000

[9] Hofwegen van Paul J.M., Jaspers Frank G.W.. Analytical Framework for Integrated Water Resources Management, IHE Monograph 2, Inter – American Development Bank, Balkema, Rotterdam, 1999

[10] International Conference on Water and the Environment (ICWE 1992), The Dublin Statement and Report of the Conference, 26 ~ 31 January 1992, Dublin

[11] International Law Association. Helsinki Rules on the Uses of the Waters of International Rivers, adopted by the International Law Association at the 52nd conference, Helsinki, 20th August 1966, International Law Association, London, 1996

[12] Jaspers Frank G.W.. Institutions for Integrated Water Resources Management, p. 102, UNESCO – IHE Lecture Notes, CAPNET Publication, Delft, The Netherlands, 2005

[13] Jaspers Frank G.W.. Legal Instruments for the Application of Water Quality Management, (In Knowledge Base on Water Quality Management), p. 21, UNESCO – IHE and RIZA, Delft, Lelystad, 2004

[14] Jaspers Frank G.W.. Institutional Arrangements for Integrated River Basin Management, Water Policy Volume 5 number 1, p. 77 ~ 90, World Water Council, IWA Publishing Journals, London, UK, 2003

[15] Jaspers Frank G.W.. The New Water Legislation of Zimbabwe and South Africa, Comparison of Legal and Institutional Reform, International Environmental Agreements: Politics, Law and Economics 1, p. 305 ~ 325, Kluwer, Dordrecht, The Netherlands, 2001

[16] Malano H.M., Van Hofwegen P.J.M.. Management of Irrigation and Drainage Systems, Balkema, Rotterdam, 1999

[17] Mintzberg H. Designing Effective Organisations, Prentice Hall, New York, 1993

[18] Mostert Erik. The Allocation of Tasks and Competencies in Dutch Water Management: Discussions, Developments and Present State, RBA Series on River Basin Administration, Research Report No 7, RBA Centre, Delft, 1998

[19] Mostert Erik. River Basin Management, Proceedings of the International Workshop on River Basin Management, International Hydrological Programme, 27 ~ 29 October, The Hague, 1999

[20] Ostrom E.. Governing the Commons; the Evolution of Institutions for Collective Action,

Cambridge University Press, Cambridge, 1990

[21] Rogers P., Bhatia R., Huber A.. Water as a Social and Economic Good: How to Put the Principle into Practice, TAC Background Paper No 2, Global Water Partnership, SIDA, Sweden, 1998

[22] Savenije, H.H.G.. Water Resources Management, Concepts and Tools, Lecture Notes, IHE Delft, 2001

[23] Savenije, H.H.G., Van der Zaag P.. The Management of Shared River Basins, Focus on Development 8, Ministry of Foreign Affairs, The Hague, 1998

[24] UNCED (United Nations Conference on Environment and Development) The Rio Declaration on Environment and Development, Agenda 21, 3 ~ 14 June 1992, Rio de Janeiro

[25] Zaag, Van der, P.. Water Law and Institutions, Lecture Notes, IHE Delft, 1998

# 水功能区管理初步分析

## 贾新平[1] 彭 勃[2] 黄玉芳[2]

(1.黄河水利委员会规划计划局 郑州 450003;
2.水利部、国家环保局黄河流域水资源保护局 郑州 450004)

**摘要:**水功能区管理是法律赋予国家水行政主管部门对水资源进行开发、保护管理的重要职能。在黄河流域水污染概况介绍的基础上,概述了目前开展的水功能区划工作,并提出在水功能区管理工作中,应建立流域和区域相结合的分级管理制度、合理审定水域纳污能力、规范入河排污口管理、实行入河许可及加强水功能区监控等重点工作。

**关键词:**水功能区管理 入河排污口 水资源保护 纳污能力

## 1 水功能区概述

水功能区,是指为满足水资源合理开发和有效保护的需求,根据水资源的自然条件、功能要求、开发利用现状及经济社会发展,在相应水域按其主导功能划定并执行相应质量标准的特定区域。按照水功能区划的理论体系,水功能区划分为一级区划和二级区划。一级区划是从宏观上解决水资源开发利用与保护的问题,主要协调地区间用水关系,长远考虑水资源的可持续发展,按照这个原则将河流划分为保护区、保留区、开发利用区及缓冲区;二级区划主要协调用水部门之间的关系,根据不同功能要求,在开发利用区中划分了饮用水源区、工业用水区、农业用水区、渔业用水区、景观娱乐用水区、排污控制区及过渡区等7种二级区。

根据《中华人民共和国水法》第三十二条规定"国务院水行政主管部门会同国务院环境保护行政主管部门、有关部门和有关省、自治区、直辖市人民政府,按照流域综合规划、水资源保护规划和经济社会发展要求,拟定国家确定的重要江河、湖泊的水功能区划"。水功能区划是国家赋予水行政主管部门的一项重要的职责,也是水利部门对水资源进行开发利用和有效保护管理的基础。黄委按照上级要求于2000年在黄河流域(片)开展了水功能区划工作,并在此基础上,选择主要和重要河流纳入《中国水功能区划》,经审查修改后,水利部于2001年颁布试行《中国水功能区划》,并于2003年7月1日颁布实施了《水功能区管理办法》。2004年，水利部在征求全国各省(区)、直辖市人民政府、国家各部委意见的基础上，经修改完善，目前已上报国务院。截至2005年初，黄河流域(片)内新疆、青海、四川、宁夏、陕西、河南等6省(区)人民政府已正式批复了本省(区)水功能区划，其他各省(区)正在积极上报。

## 2 黄河水污染概况

目前，黄河水污染形势依然比较严重。根据《2004年水资源质量公报》，选择流域内黄河干流的32个断面、27条主要支流的51个断面，依据《地表水环境质量标准》(GB3838—2002)，选择化学需氧量(COD)、氨氮等项目，采用单因子法进行评价，结果表明，2004年黄河流域评价的83个断面，72.3%的断面水质劣于Ⅲ类标准；29个省界断面中，72.4%水质劣于Ⅲ类标准；10处城市供水水源地(饮用水)，70.0%水质不符合集中式生活饮用水地表水源地要求。对照功能区水质目标，黄河流域内的66个重点水功能区，水质达标率仅为31.7%。

黄河干流严重污染的河段主要分布于石嘴山、潼关至三门峡公路桥河段；支流严重污染河段主要分布在湟水、清涧河、延河、渭河、汾河、涑水河、宏农涧河、双桥河、新蟒河、沁河等入黄河段。流域主要污染物为氨氮、化学需氧量、高锰酸盐指数等。

从分析来看，黄河流域水污染存在支流水质劣于干流、丰水期水质优于枯水期、供水水源地和省界水体水质较差、水功能区水质达标率较低等特点。

## 3 水功能区管理重点分析

水功能区是法律赋予国家水行政主管部门进行水资源保护、管理的重要职责，根据2003年7月1日颁布实施的《水功能区管理办法》，水功能区管理是通过在对水功能区水环境承载能力合理审定的基础上，提出污染物入河总量限排意见，建立和实施污染物入河许可制度；对排污口进行登记和监控，使入河污染物控制在其分配的总量限额内，新增排污口必须争得水行政主管部门的同意；对功能区内的取水口和排污口进行优化和调整，保证集中饮用水源地用水安全；加强建设项目取水许可和水资源论证工作，促进企业工业用水管理，提高水资源的重复利用率，减少污染物的排放；按照有关政策，建立合理征收水资源费的新机制，以经济杠杆为手段优化水资源配置，减少污染物的排放，促进经济和环境的协调发展。

### 3.1 建立流域和区域相结合的分级管理制度

加强和完善水功能区管理，使水资源得到有效保护，首先从流域到地方的水行政管理部门要根据有关规定，明确各自的关系范围，建立流域和区域相结合的分级管理制度。按照职责,流域机构对流域水资源整体开发、保护、调度进行统筹安排,主要负责国家大江大河的干流和省界断面水功能区的管理;地方水利部门根据区域水资源特点和实际,在流域宏观管理和指导下,对本区域水功能区实施有效管理。

### 3.2 水域纳污能力核定是水功能区管理的基础

水域纳污能力核定是水功能区管理工作的基础。《中华人民共和国水法》第三十二条规定"流域管理机构应当按照水功能区对水质的要求和水体的自然净化能力,核定该水域的纳污能力,向环境保护行政主管部门提出该水域的限制排污总量意见"。据此各级水行政主管部门应针对各自管理的河段和功能区,结合实际水资源开发利用现状和保护目标,根据河道水文特征及排污分布,采用科学的方法,核定功能区纳污能力,作为水功能区管理的基础和入河总量限排的依据。

在核定的水功能区纳污能力的基础上,根据河段排污现状,对功能区入河污染物总量提出限排意见。针对功能区每一个排污口所排放的污染物浓度和总量,根据核定的纳污能力进行合理分配,控制污染物排放总量,并加强监督和检查,在达标排放基础上满足功能区污染物总量要求。流域机构根据流域水资源保护的要求,按照核定的纳污能力,提出各省(区)污染物总量控制要求,并对重要功能区,尤其是省界断面进行控制和管理,地方水利部门对区域内入河排污口进行总量限排,对超出总量的排污口,根据有关政策法规,采取罚款、通报、限期整顿等有效措施,保证功能区水环境维持良好状况。

研究并逐步建立纳污能力使用权市场调节机制,实行纳污能力与权属的有偿使用、交易,从而实现在特定水功能区内对水域排污权的市场调控,促进市场对资源配置的能动作用,实现流域产业结构和布局的升级、优化。

水域的纳污能力并非一成不变的,而是根据实际呈动态变化的,不同水平年、不同时段、不同水量下,有不同的纳污能力。根据纳污能力实际变化,制定适时污染物入河总量限排意见,加强功能区水质和排污监控力度和频次,尤其在枯水期,纳污能力大幅度下降,严格控制排污,确保水质安全。

### 3.3 规范入河排污口管理

入河排污口的管理是水功能区管理的核心,是实现功能区水质目标的关键。加强入河排污口管理,应尽快建立和实施污染物入河许可制度,制定一系列入河排口管理办法,建立和健全执法队伍。

首先,建立排污口登记制度,建立入河排污口档案,掌握入河排污口排污状况;建立入河排污口审批制度,在功能区内设置、扩大和调整入河排污口前,须报流域水资源保护管理部门,由其根据水体功能和入河污染物总量控制要求予以审批,并按有关规定实施监督管理;建立排污信息季报及年审制度,入河排污企业每季度、每年定期进行排污申报,水行政主管部门依法进行年审;入河排污口管理的法律责任,对超出总量限排的企业依法进行处罚;建立入河排污口动态的监控制度,对功能区内排污口进行定期和不定期的监测,对排污量大的排污口实施远程监控,了解排污与河流水质的动态变化情况。

其次,建立和实行污染物入河制度。根据水资源保护的要求和核定的功能区纳污能力,水行政主管部门依法提出污染物入河总量限排意见,对排污口制定控制计划,报有关政府批准后,由环保部门根据入河总量限排意见,结合排污许可,实施污染源排放污染物总量控制,水利部门对水功能区和入河排污口进行适时的监督检查。流域机构统筹制定流域内各省(区)、省界功能区的入河总量控制方案和实施计划,报国家批准后下达有关省(区)执行,并实施监督管理;地方水利部门在流域整体要求下,根据区域实际,制订本区域的入河总量控制方案。

## 3.4  加强水功能区监控能力

《中华人民共和国水法》第三十二条规定"县级以上地方人民政府水行政主管部门和流域管理机构应当对水功能区的水质状况进行监测"。依法加强水功能区和入河排污口、农灌退水口等水域纳污负荷的监控工作,是水功能区管理的必要保证。建立完善水功能区水质、入河排污监测与监管体系,建立监测监督网络、对重点河段建立自动监测、对重点排污口建立远程监控,及时客观地掌握功能区水质变化情况,强化入河控制总量执行情况的监督。流域机构对国家的大江大河干流重要功能区、省界断面等进行监控,地方水利部门对区域功能区进行监控,并建立信息共享体系,及时发现和控制污染事故,确保水功能区水质安全。

# 尼罗河流域:跨界水安全和管理的
# 发展研究重点

## Mona El – Kady[1]　　Mahmoud Moustafa[2]

(1.埃及国家水研究中心;

2.埃及国家水研究中心,行政机关大楼,El – Kanater 13621,Qalubyia)

**摘要:**几十万年以来,尼罗河养育了广大的尼罗河流域。尼罗河是世界上伟大河流之一。1 000 年来,这条独特的河流养育了各种各样的生命、生态系统和各种各样的文化。它流经 10 个国家并承担着国内到国际的环境评价。它面临着可持续发展带来的挑战和机遇。它在政治上是世界上最敏感和最动荡的地区之一。世界上最贫穷的 10 个国家中有 4 个是尼罗河沿岸国家。在以后 25 年内尼罗河流域人口预计要加倍,水和其他自然资源将会十分紧张,造成人均可用淡水的减少。因而,在每年的大部分时间里,流域内的一些国家水灾严重,另外一些国家却用水不足。

"然而尼罗河正面临一个重要的双赢的"可持续发展的机遇,它通过一个合作的水资源管理方法来增强水和食物的安全性。粮食和水的挑战计划(CPWF)是这些国际项目当中的一个,此项目在维护和改善食品安全和社会、经济、环境可持续发展的同时可以提高水利用率,它有五个主题。

这项研究提出了流域内国家之间的最新挑战以及合作框架和机制,这项研究将会涵盖针对流域繁荣的挑战,并且会向世界上的其他流域推广。本文宗旨是开发研究涉及到粮食和水的挑战计划和尼罗河流域内的研究主题的重点。他们与尼罗河流域国家的联系也被确定了。区域所有者参与方法在这项研究得到应用,用一个与尼罗河流域所有者有关的参与和普查方式开发研究重点。研究重点这一最重要的问题、粮食和水的挑战计划和其他项目以及尼罗河流域行动可以以有效的方式被有效地实施。

**关键词:**尼罗河流域　粮食和水挑战计划　研究重点

## 1　尼罗河流域

尼罗河流域是世界上最大的流域之一,面积大约 330 万 km²,其中 81 500 多 km²是湖泊,70 000 km²是沼泽。它流经布隆迪、刚果、埃及、厄立特里亚 、埃塞俄比亚、肯尼亚、卢旺达、苏丹、坦桑尼亚和乌干达 10 个国家(见图 1 )。流域总降雨量大约为 20 000 亿 m³,埃及大约 840 亿 m³,意味着大约降雨量的 96% 不能到达 Aswan,或损失、或用在流域的南部。尼罗河水的来源是降雨,85% 的水来自降落在埃赛俄比亚高原上的雨量,15% 来自近赤道的湖泊集水区。尼罗河流域是一个有各种各样风景的流域,有高山、热带森林、森林、湖泊、热带稀树大草原、沼泽地、贫瘠地和沙漠,最后是地中海的巨大三角洲。它承担着国内到国际

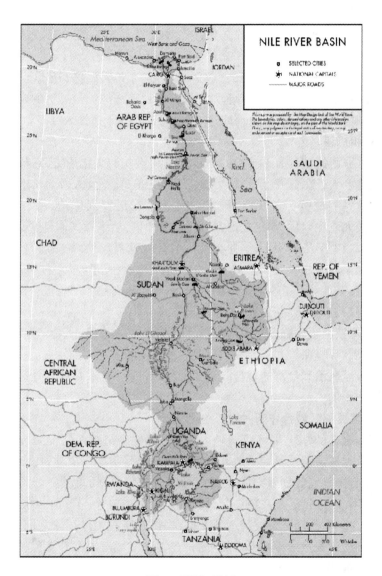

图 1　尼罗河流域

水平的环境评价,譬如维多利亚湖(世界第二大淡水区域),苏丹南部 Sudd 地区有浩大的沼泽地,国内以及流域边界范围以内大约 1.5 亿人民,这个数字的两

倍——大约 2.8 亿人居住在流经和依靠尼罗河水的 10 个国家之内。因此,尼罗河流域被选择作为研究案例,流域国家正努力通过国际社会协助将对安全的威胁减到最小。

## 1.1 尼罗河:跨界水资源

尼罗河流经 10 个国家。1 000 年来,这条独特的河流养育了各种各样的生物、生态系统和各种各样丰富的文化。作为世界上最长的河流,它绵延 6 700 km,跨越了 35 个纬度,流域面积大约 330 万 km²。一般认为,尼罗河有几个河源。主要的河源是白色尼罗河,它起源于中非的五大湖区;还有蓝色尼罗河(Abbay)和 Atbara (Tekeze),两者起源于埃塞俄比亚高原。最遥远的来源是喀喀拉河,它蜿蜒曲折流经布隆迪、卢旺达、坦桑尼亚和乌干达注入维多利亚湖。

## 1.2 挑战和机遇

尽管尼罗河流域具有不寻常的自然资源和悠久的文化历史,它却要面临重大的挑战。今天,流域的特点是贫穷、政治和经济不稳定、人口增长迅速和环境恶化。在世界上最贫穷的 10 个国家中有 5 个在尼罗河岸边,人均收入每年100~200 美元。在以后 25 年之内人口预计要加倍,给水和其他自然资源增加了压力。流域当前形势表明:人均拥有的淡水资源显著减少;一些国家水灾深重,另外一些国家却用水不足;流域的干旱和半干旱地区正经历着严重的环境恶化,反过来影响水生生态系统;并且天旱和饥饿造成社会的恐慌;导致人口变动(许多农村人口迁移到已经供水非常紧张的市区)。

然而,尼罗河正面临着重大的机遇,即包括提高粮食产量、能量有效利用、运输、工业发展、环境保护和其他相关发展活动在内的"双赢"的发展。合作水资源管理对于区域政治和经济的整合起到了催化剂的作用,潜在的好处远远超出河流本身所给予的。

## 1.3 合作发展和区域合作新时代

认识到合作的好处,尼罗河流域内各种各样的小组织在过去 30 年内参与了合作活动。尼罗河流域早期的地方项目当中一个是水文气象项目,1967 年开始发起,由联合国开发计划署支持,促进了水文气象学数据的收集。此项目一直操作到 1992 年,1993 年形成。1993 年,成为一系列的 10 个尼罗河 2002 年会议中的第一个,由加拿大国际发展代理处支持,提供一个在沿岸国家之间、国际社会之间对话和交流观点的不拘形式的机制,在促进流域发展和环境保护的技术合作委员会的框架里。1995 年,行动计划得到了加拿大的支持 。1997 年,世界银行同意了由尼罗河流域国家水事务部长委员会提出的要求,世界银行领导并协调了这次捐赠。因而,世界银行、联合国开发计划署和加拿大合作发展代理处开始一起运作以促进沿岸国家的对话和合作,创造一种氛围,在这种氛围中,一起工作的机制可以建立起来。

持续的尼罗河合作要求有一个发展焦点、一个永久机构和根据核心法律原则达成的协议。1997 年,在联合国开发计划署的支持下,尼罗河沿岸国家建立了一个法律和协会对话论坛。从各个国家抽出三个人组成的小组(有代表性的资深政府律师和水资源专家)组成专家小组(POE),2000 年早期起草一个"合作框架的草案文本",它包括一般原则、权利、义务和协会结构。沿岸国家最终使草稿框架达成了协议。但是,一些主要问题仍然有待解决,并且部长委员会同意在 2000 年 8 月为寻求重要的问题进一步达成协议而扩大对话。联合国开发计划署承诺它将继续给这一过程以支持,仍需要时间和努力。

## 1.4 尼罗河流域行动(NBI)的创立

1998 年,认识到合作发展可以给区域带来好处,沿岸国家除厄立特里亚外,加入了一个可推动尼罗河流域可持续发展的共同追求和管理的对话。具有历史意义的一步是,他们为合作而联合建立了一个从过渡机制直到永久合作框架建立。1999 年 2 月过渡机制在 Dar ES Salaam 由尼罗河 – COM 正式起用。1999 年 5 月,正式命名为尼罗河流域行动(NBI)。

在经过广泛的咨询以后,尼罗河 – COM 在 1999 年 2 月一次特别会议上,NBI 通过了一个共同目标和政策指南(NBI,2001),共同的目标是"通过对公共的尼罗河流域水资源的公平利用和受益达到社会经济的可持续发展"。政策指南为合作行动的执行提供了一个框架,指出了 NBI 的主要宗旨为:

(1)采用一个可持续发展和公平的方式开发尼罗河流域的水资源,以保证其繁荣、安全、和平。

(2)保证高效率的水管理和水资源的最佳利用。

(3)保证沿岸国家之间合作和联合行动,实现"双赢"。

(4)目标是消除贫穷和促进经济一体化。

(5)保证项目从计划到行动一步步付诸实施。

## 1.5 追求合作发展

尼罗河流域行动为尼罗河流域国家从合作过程到实际利益提供了一个独特的论坛,建立了一个信任和信心的坚实基础。尼罗河 – COM 是尼罗河行动的最高决策部门。尼罗河 – COM 的主席职位每年变换。尼罗河 – COM 由尼罗河技术咨询委员会支持(尼罗河 – TAC),由各成员国的两位高级官员组成。尼罗河流域行动设立一个秘书处,秘书处位于乌干达南部城市恩德培。秘书处 1999 年 6 月开始运作,1999 年 9 月 3 日正式开始起用。

## 1.6 尼罗河国际合作协会(ICCON)

尼罗河国际合作协会成立于 2001 年 6 月,它支持 NBI 的战略实施计划。尼罗河国际合作协会将是一个独特的论坛,构想作为沿岸国家和国际社会的一次长期合作。尼罗河国际合作协会的首次会议在日内瓦召开,为流域共同项目和辅助实施计划确认的项目而寻求筹集资金(NBI,2001)。

## 1.7 合作

自从一开始,对于尼罗河流域行动支持的特点是合作,最初的合作伙伴包括了世界银行、联合国开发计划署和 CIDA 。这些最初的合作伙伴充当了有关角色,协助对话的过程。当 NBI 到战略实施计划的准备阶段之后,丹麦、芬兰、德国、意大利、荷兰、挪威、瑞典、英国和美国的政府与联合国食品和农产品组织以及全球性环境设施直接或通过世界银行信托基金一起积极支持了这次行动。随着第一次尼罗河国际合作协会的召开,合作伙伴圈子将加宽,因为国际发展社团为公共项目的实施和辅助实施计划项目的准备做进一步支持。

## 1.8 共同的目标(SVP)

尼罗河流域行动的共同目标(SVP,设计用来帮助实现尼罗河流域国家的共同目标):利用尼罗河水资源为靠它生活的 28 000 人民创造更好的生活。这意味着要开发这条河流,减少干旱,更好地处理洪水,保证更多水、粮食和电等,尊重河流本身的需要,使之能继续为后代造福。

SVP 项目包括 8 个项目,这 8 个项目是由尼罗河流域行动国家设计的,它为合作行动和未来投资方案建立一个强大的基础。这些项目设计对开发和管理水资源建立一种综合处理方法、对生活在该区域内的成千上万的人来说是必要的。这些项目集中于建立机构、信息和数据共享、提供训练,创造对话渠道,为联合解决问题、合作发展的网络需要和发展多方面和多国家投资开发水资源。

当每个方案的焦点和范围不同时,它们相互依赖形成一个协调的项目。所有 SVP 项目设计为地区合作建立一个强大的基础,通过支持流域合作和对话,促进公共战略和分析框架,为信息共享和开发模型实用工具,更好地了解河流水文学和不同发展情况的复杂性。各个项目有一个地方项目管理单位,位于流域国家或位于与尼罗河流域行动秘书处乌干达的恩德培。

SVP 项目计划建立机构、关系和技术技能以支持 NBI 的两个投资计划:尼罗河近赤道湖泊的辅助实施计划和东部尼罗河辅助实施计划,包括实际发展项目,此项目计划以减少贫穷和至少使两个 NBI 国家受益。

## 1.9 尼罗河近赤道湖泊辅助实施计划(NELSAP)

尼罗河流域行动的尼罗河近赤道湖泊投资计划,通过促进经济增长和改变环境恶化在布隆迪、刚果、肯尼亚、卢旺达、坦桑尼亚和乌干达开发联合投资方案以减少贫穷,这个项目包括组成区域的 6 个国家,并且苏丹和埃及作为活跃支持者和潜在的投资者参与。这 8 个国家一起确认、准备和实施大约 12 个联合开发项目,这些项目反映了尼罗河流域行动的投资计划指导方针。

### 1.10　东部尼罗河辅助实施计划(ENSAP)

东部尼罗河辅助实施计划包括埃及、埃塞俄比亚和苏丹,通过7个项目寻求创造一个区域、联合、多用途的项目。在区域上下内部,东部尼罗河沿岸国家决定东部尼罗河辅助实施计划的宗旨称为东部尼罗河项目的联合发展,将发起一个区域、联合、多用途发展项目证实实际的双赢获取和为东部尼罗河国家展示联合行动。

东部尼罗河辅助实施计划过程以2002年6月在埃塞俄比亚的斯亚贝巴东部尼罗河技术区域办公室的创立达到了一个里程碑。执行地方辅助实施计划的协会机制是到位和有力的。

### 1.11　沿岸的归属和承诺

尼罗河流域国家花费了大量的时间、努力和资源在发起和支持 NBI 。行动为合作提供一个协会过渡机制、一个共同的目标和流域框架以及在尼罗河流域促进大量投资的过程。行动基于认识到流域有共同的过去和未来,认识到发展和减轻贫穷的紧急需要。它代表尼罗河沿岸国家作出承诺,促进合作和联合追求尼罗河水资源的可持续发展和管理。虽然尼罗河沿岸国家在过去30年里参与了各种各样的合作活动,合作框架和 NBI 进程标志着所有沿岸国家作为平等的成员一起加入了联合对话和合作行动。所有10个尼罗河沿岸国家有着意味深长、全面合作的诺言。

## 2　粮食和水的挑战计划

现时一个最大的挑战是提供粮食和环境安全。达到这个目标最重要的一步是提高水在农业生产上的利用率,为其他用户和环境留下更多的水,每一滴水获得更多庄稼。粮食和水的挑战计划由国际水管理协会发起,作为国际社会有关的成果之一,从一个研究前景接近这个挑战。项目将创立用较少水而种植更多食物的研究方法和为设置目标和监视发展开发一个透明框架。

项目的目标是在2000年用同样数量的水生产更多食物,为今后20年人口扩展作准备,并且用这种方法减少营养不良和农村贫穷,改善人的健康和维持环境可持续发展。因此,项目的宗旨是相互依赖,包括:家庭食物安全;在农村和都市通过增加的可持续发展的生计减轻贫穷;通过更好的营养、更低的与农业相关的污染和与水相关的疾病减少来改善健康;通过改善水质并且维持与水相关的生态系统服务,包括生物多样性来确保环境的安全(CPWF,2002)。

大约有200位研究员代表20个国家和50个国际机构讨论、发表意见、起草、研究,最终使此项目生成。关于食物和水的挑战计划由18个成员国构成的协会管理,由国际农业研究咨询机构(CGIAR)/未来成果中心的 5 个协商小组和 6 个全国农业研究和扩展系统机构、4 个高级研究机构和 3 个国际 NGOs 组成。

5 个相关研究主题在有关食物和水的挑战计划下被确定,关键研究课题在许多地方被强调。主题对于从各种各样的国家和地区综合的结果和从整体研究方案提出普通结论起重点作用。这 5 个主题包括以下几个方面:提高庄稼的水利用率(主题 1);上部集水区的广泛用户(主题 2);水生生态系统和水产业(主题 3);完整流域水管理系统(主题 4);全世界和全国食物和水系统(主题 5)。然而,这些主题范围不同,主题 1、2 和 3 是在植物田地农场系统水平,主题 4 是在江河流域水平,主题 5 是在包括江河流域的外部环境水平。

9 个基准江河流域被选择,包括尼罗河流域,提供地理焦点在关于食物和水的挑战计划中位于高水位低收入区域,并且不同地区的表示法对 CGIAR 的工作非常重要,特别是在发展中国家和关于食物和水挑战计划将执行它研究的地方。在各个基准流域之内,有一定数量的研究站点工作在更低的范围,并且可能较详细在一个中间标度水平的一定数量的支流被研究。基准流域的主要作用是:①跨主题集成研究;②在各个流域里与股金持有者紧密工作;③ 给予与流域最相关的各个研究问题重点;④开发一条进展和冲击可能被测量的基础线;⑤从事实地试验、采纳技术和其他由关于食物和水挑战计划开发的创新。各个基准江河流域由一个全国机关处理和协调在流域内的活动。埃及全国水研究中心是尼罗河流域基准的协调机关。这项研究的焦点是关于食物和水挑战计划基准江河流域的第三个主要作用,目的是发展和给予与尼罗河流域最相关的在关于食物和水挑战计划之内的重点研究。

## 3 方法学

在尼罗河流域,确认尼罗河流域研究重点对食物和水挑战计划的实施的成功是十分重要的。因此,与尼罗河流域所有权人协商是慎密的。所以,在这项研究中实行了区域所有人参加的方法。二次会议会集了代表与尼罗河流域有关的流域机构、组织、协会、NGOs 和国际组织不同学科的参加者。第一次会议于 2003 年 5 月 3~4 日在埃及开罗召开,第二次会议于 2003 年 8 月 5~6 日在乌干达首都坎帕拉举行。

研究重点的问题被关于粮食和水的挑战计划的主题划分了。小组讨论首先讨论了主题 1 至 3,然后是主题 4 和 5。在第一讨论中参加者根据主题 1、2 和 3 划分成了三个小组 A 、B 和 C。在第二次讨论中参加者根据主题 4 和 5 划分成了两个小组 D 和 E。

准备了一系列普通的研究问题,并把这些研究问题根据关于粮食和水挑战计划作为一本指南给各个小组的参与者来确定流域研究重点。各个小组将确定要研究的问题或产生新的合适的问题,最后确认尼罗河流域研究重点的地方。

为了保证开发的研究重点的有效性,他们与尼罗河流域行动的最近的主要历史事件的联系与合作是根据许多共有的宗旨。尼罗河流域行动、国际水管理学院和粮食和水挑战计划可能在他们之间创造一次有效的合作,他们能对共同目标做出重要贡献。在他们之间同意开发一个合作节目。所以两天的会议在2004 年 9 月 26～27 日在乌干达恩德培举行,以进一步商定合作项目并且依据尼罗河流域行动的重点和与国际水管理研究、粮食和水挑战计划整体项目一致。

## 4 结果和讨论

研究重点反映了尼罗河流域所有者的非常重要的问题。确认重点将有助于根据不同的所有人和决策者确认的来集中研究基于实际需要的活动,它对在尼罗河流域以高效率和有效的方式实施粮食和水挑战计划的成功非常重要。代表所有者重点的问题对于粮食和水挑战计划有最大的冲击。根据二次会议成果,在尼罗河流域与所有者有关系的研究重点被确认、提炼和选定。他们根据粮食和水挑战计划和主题的联系被检查。与尼罗河流域国家的联系在这项研究中得到强调。成果在五个粮食和水挑战计划的主题下(见表 1～表 5)被提出。

这些研究重点不是具体的哪个国家,而是尼罗河流域整体。进一步细节要从不同的所有者的需要以为流域的每个国家指定重点。这些详细的信息通过调查问卷的形式被收集,这些问卷由不同国家的所有者来填写。因此,它是可靠的,反映了流域内不同部分研究重点的相关性。通过集中这些最重要的问题,粮食和水挑战计划会以高效率和有效的方式被实施。此外,他们也许被不同的尼罗河流域机构使用为他们与捐赠人谈判以阐明可能的资金支持。

开发研究重点可能被整合在尼罗河行动—国际水管理学院—粮食和水挑战计划的与政府、大学、研究机构和尼罗河流域国家和包括国际伙伴的其他组织的合作,譬如其他 CGIAR 中心容量合作项目、应用训练、基于需要的研究和政策支持中。结果,签署了在国际水管理机构和尼罗河流域行动达成的备忘录以加强他们在尼罗河流域的研究框架和地位。

## 5 建议

开发研究重点作为在非洲有前途的行动之一可能被整合并为非洲发展的新合作提供直接支持。在非洲东部的农业水管理领域,这些重点和有关的粮食和水挑战计划被资助的项目能在科学及技术方面给以支持,以达到经济复苏、减少贫穷、改善人类健康、良好的管理和环境的可持续发展的目标。

为了实现这些目标,需要改进尼罗河流域科学研究基地的内容,加强科学研究能力,在沿岸国家和其他伙伴之间建立强有力的联系。在这条脉络里,尼罗河流域机构能力的改善和扩展作为尼罗河流域机构为对水和与水相关的问题的先锋和对流域条件适当的创新技术的科学研究,可以解决尼罗河流域研究中心许多与水和与水相关优秀的问题。这些开发的一系列的研究重点很容易被认为是尼罗河流域农业水土地管理领域进一步发展的基础。

在上文中我们提到尼罗河沿岸的 5 个国家在世界最贫穷的 10 个国家之中,开发的广阔的研究重点对于创造合作和协作的有效框架有巨大潜力,它不仅可以改变尼罗河流域的贫穷状况,而且能帮助一些国家实现千年目标。

流域面临着改进生产力和水可持续利用的挑战,而不是增加供水系统的战略挑战。人口增长使这一问题加剧。因而,合理化和改革水管理是以加速流域发展成长为目的的战略核心。所以,区域所有者参与方法被用在了这项研究中,开发的研究重点是尼罗河流域实施联合水资源管理并达到它的目标。

**表 1　尼罗河流域在粮食和水挑战计划主题 1 下的研究重点**

| 研究重点 | 与尼罗河流域国家的联系 |
| --- | --- |
| □在人口密度大的区域使用不同的灌溉管理策略、增加雨水灌溉庄稼的利用率,包括补充灌溉、雨水收获和地下水运用 | 这项研究重点与上游集水区域和苏丹的一部分有关,在那里是雨水灌溉农业 |
| □改进灌溉水管理实践为了匹配对领域水的供水需求 | 这项研究重点对那些灌溉农业刚起步的国家和灌溉系统已经扩展的国家很重要。比如埃及和苏丹 |
| □现代灌溉技术全国系统的能力建设和社会经济研究对农民采取新技术的影响 | 这项研究重点对所有国家都重要,尽管很多国家在现代灌溉系统领域是先进的 |
| □发展可持续战略以提高庄稼水利用率避免遭受水浸和盐化 | 水浸和盐化对有着很强的灌溉实践和很大的降雨量或者是自然或人工排水设施不足的国家是个问题 |
| □种植庄稼新品种,这些新品种能抵抗生物和非生物的侵袭,包括干旱、水灾和盐化。 | 这项研究对流域内所有国家都有利。 |
| □开发一个农民能基于当地的和国际的市场价格和当地的生态条件来种植庄稼的共同模式 | 共同耕作和灌溉水管理是水资源管理的新趋势,对流域内所有国家都有利 |
| □通过利用信息技术和庄稼生产模拟模型分析和预测庄稼的水利率以提高水缺乏地区的水利用率 | 这项研究对流域内所有国家都有利 |
| □开发改进灌溉管理系统,分析产出与水利用率达到"双赢"的局面 | 这项研究对流域内所有国家都有利 |

#### 表 2　尼罗河流域在粮食和水挑战计划主题 2 下的研究重点

| 研究重点 | 与尼罗河流域国家的联系 |
|---|---|
| □上游集水区域生态系统的保护 | 尼罗河流域上游集水区域(埃塞俄比亚和赤道附近的湖泊高原)正经历着严重的环境恶化,这反过来会影响生态系统 |
| □预防上下游水资源的恶化:水葫芦、水量、水质、淤积及侵蚀 | 水葫芦成为赤道附近湖泊的问题。水侵蚀正严重影响着以及其他上游国家。苏丹水库淤积严重,水质恶化正影响着所有国家尤其是下游国家 |
| □研究与土地管理和上下游相互影响评价有关的风险分析 | 这项研究对流域内所有国家都有利 |
| □水资源开发在水力发电、防洪、地下水开采、分布以及水资源利用的机会 | 这项研究对流域内所有国家都有利 |
| □促进技术和制度创新以及计划和管理信息在所有者之间大范围的交换 | 这项研究对流域内所有国家都有利 |
| □都市化对水质的影响和点污染源和非点污染源的评估 | 这项研究课题对大多数国家非常重要 |
| □不同的用户在水的战略和空间上的分配。在评价用水户之间交易的技术管理会计 | 这项研究课题对所有国家非常重要 |
| □研究和评估不确定、气候变化、极端的气候变化(洪水和干旱)和它们对上下游用户的影响 | 改进天气预报工具以减少洪水和严重干旱天气的风险,干旱在埃塞俄比亚、苏丹以及其他国家都非常严重,导致人口变化和乡村迁移。干旱还会影响下游用户对水的有效利用。另外,洪水 对上下游用户的庄稼、物资、基础设施和生命的影响也非常严重 |
| □研究现存制度的弱点,确认所需要的制度和政策措施,面对在很大范围内双赢的制度和政策的挑战 | 流域内所有国家都从该项研究中获利 |
| □对上游集水区域土地和水管理和外部冲击的影响。这包括对生计、食品安全、减少贫穷和上游集水区域住户的福利的影响 | 这项研究将会帮助尼罗河流域上游集水用户;埃塞俄比亚和上游尼罗河流域国家,确定最适合的土地和水管理实践 |
| □将参与研究方法的经验从个别推广到全球 | 尼罗河流域研究成果应该被推广,以便被具有相似情况的地区特别是与尼罗河流域相邻的国家使用 |
| □评估潜在的在上游集水区域土地和水用户的改进方法的选择,特别是对于那些资料较少,政治条件、市场条件和自然资源广大的地方 | 这项研究课题对上游国家在评估他们达到个体目标上非常重要 |

表3　尼罗河流域在粮食和水挑战计划主题3下的研究重点

| 研究重点 | 与尼罗河流域国家的联系 |
| --- | --- |
| □发展由贫穷的所有者所用的物品和服务产生的信息的方法和工具 | 所有国家将从这项研究中得到好处 |
| □对流域生态系统提供的物品和服务进行经济和非经济价值的评估 | 对系统对所有家庭和社会经济的贡献的评估,对影响人们有权使用和控制水生态系统的因素进行评估 |
| □对水生态系统的不同类型水需求的评估 | 对水流、水质、泥沙淤积和其他水文因素以一种有效的方式进行模拟及调整 |
| □改进方法并了解海边生态系统的具体需求 | 研究河流流量、栖息结构和其他生物物理因素的模式对河流渔业产量保持在一定水平是必需的 |
| □改进方法并了解河流生态系统的具体需求 | 引入新科技帮助所有国家整合水产业进入农业系统 |
| □整合渔业和其他水生生物和植物到农业灌溉系统中增加水生产率 | 评估所有国家的水生态系统恶化的社会经济价值 |
| □将经济、社会与水生生物的营养价值以及庄稼和牲口的营养价值作一比较 | 所有国家将从这项研究中得到好处 |
| □发展知识体系和能力建设网络以支持政策的发展和应用,这些政策综合了水生态系统多用途以及多用户的平等和可持续管理 | 所有国家将从这项研究中得到好处 |
| □所有者参与能力建设以更好地了解贫穷人的生活状况,以及在政策发展和政府推进中他们的需要和生态系统的作用 | 所有国家将从这项研究中得到好处 |
| □调查管理系统的类型,哪些是能促进水生态系统和可持续发展的 | 所有国家将从这项研究中得到好处 |

表4　尼罗河流域在粮食和水挑战计划主题4下的研究重点

| 研究重点 | 与尼罗河流域国家的联系 |
| --- | --- |
| □改善极端事件(洪水和干旱)和不确定因素和与气候变化、贸易、人口统计和政治因素风险管理 | 干旱在埃塞俄比亚、苏丹和其他国家非常严重,它引起人口变化和乡村迁移。干旱还影响下游用户的用水,洪水对上下游用户均有影响 |
| □改善对地表和地下水资源的评估、计划、开发和分配,开发水管理决策支持系统工具和管理不同的用途和用户之间的交易 | 所有国家将会从这项研究中获利 |
| □通过多种用途和资源提高水生产率,包括少量的水用途减少损失 | 所有国家将会从这项研究中获利 |
| □对农业和非农业用水和水质退化对食品安全和环境安全的影响的评估 | 所有国家将会从这项研究中获利 |
| □对流域不同地方食品安全需要和用水效率和环境安全的评估 | 这项研究对所有国家都有好处 |

表 5　尼罗河流域在粮食和水挑战计划主题 5 下的研究重点

| 研究重点 | 与尼罗河流域国家的联系 |
| --- | --- |
| □国际和国家机构、农业研究机构、民间社团组织、用水户组织和在流域所有者之间建立信用的 NGOs 的作用,促进所有者参与政策制定和防止对水资源利用的冲突 | 对尼罗河流域所有国家这是一个重要的研究课题 |
| □与其他挑战计划、生物设防、次级 Saharan 挑战计划、尼罗河流域行动(NBI)的合作以及协作加强非洲东中部的农业研究 | 对尼罗河流域所有国家这是一个重要的研究课题 |
| □加强尼罗河流域国家用水效率和财政合作的技术操作以增加尼罗河源头的食品产量通过投入雨水收获庄稼的产量 | 对尼罗河流域所有国家这是一个重要的研究课题,尤其是对上游的尼罗河流域国家 |
| □研究关贸总协定在粮食生产政策和水资源管理的影响粮食安全规程对尼罗河流域国家出口粮食的影响 | 所有国家将会从这项研究中获利 |
| □欧洲国家对粮食救济和补助的作用在食品安全和节水方面 | 所有国家将会从这项研究中获利 |
| □流域内人口统计动力学、健康对劳动生产力营养以及土地的使用及生产力和水资源的影响 | 所有国家将会从这项研究中获利 |
| □由于全球和全国经济增长和改变土地灌溉方式对粮食和水全球水循环对粮食安全和环境安全的影响。这些包括穷人的生活、妇女和被社会排挤的人。为了应对这些变化,尼罗河流域国家提出了政策、方法、合作和联合研究和联合战略 | 所有国家将会从这项研究中获利 |

## 参 考 资 料

[1]　CPWF,(2002) 提案 递交给 CGIAR 由粮食和水挑战计划秘书处,国际水管理机构,科伦坡,斯里南卡

[2]　NBI,(2001) 共同的目标计划:高效率的水用途为农业生产,项目文件,尼罗河流域水事务部长委员会

[3]　TR1 (技术报告第 1),(2003) 第一次会议,尼罗河流域基准,粮食和水挑战计划,全国水研究中心,开罗,埃及

[4]　TR2 (技术报告第 2),(2003) 第二次会议,尼罗河流域基准,粮食和水挑战计划,全国水研究中心,坎培拉,乌干达

# 南非水资源保护：对以资源为方向的措施产生的作用

## Harrison H. Pienaar

(南非水事务和林业管理局)

**摘要：** 1992 年，在里约热内卢召开的联合国环境与发展会议上，178 多个国家一致采用了环境与发展的里约宣言、21 世纪议程和森林可持续管理的主要原则。21 世纪议程 18 章特别提到了水质保护和淡水资源的供应以及为实现管理与发展而实施的综合的管理方法。作为全球的创新，南非根据 21 世纪议程制定自己的淡水资源保护措施。

淡水资源的管理需要考虑可持续利用，同时也要考虑其保护问题。南非国家水法第 3 章规定了保护的原则。资源储备、分类系统和资源质量目标都是以保护为基础的措施，这些措施一起构成了以资源为方向的措施。这些措施分布于发展和实施的不同阶段。

水事务和林业管理局面临着许多约束与挑战：自然资源非常有限；如何把政策与研究和发展相联系；对具有高度变化特点的河流实施科学的保护方法以及不同的操作限制。前面提及的水立法也要求对南非所有的重要水资源进行分类以确定保存生态系统功能而需要的水量和水质，并确保它们被维持在与可接受的功能水平相关的最低的健康状态。本文介绍了RDW 的概要，重点强调了开发全国水资源分类系统的需要；突出提出了发展全国水资源分类系统的方法结构，全国水资源分类系统受开发如此一个系统所运用的原理所支撑。

**关键词：** 水资源保护　南非　影响　RDM

## 1　介绍

### 1.1　背景

政策制定者和水资源管理者在水资源管理方面正面临着一个世界范围的危机，但对于要摆脱贫困的发展中国家而言，这种情况更为紧迫，为应对挑战，南非运用了破除地面的方法来管理其水资源。1998 年的南非国家水法包括了以下创新：废除在河岸权体系下实施的私人所有制；成立流域管理机构作为水资源管理的基本单位。

资源储备是三项以资源为方向的措施之一，用于确保对水资源实施综合保护，根据水法，只有利用分类系统对重要的水资源进行了分类，储备才能被确定，这一点需引起注意。为通过一个完整的正式的分类系统来预测确定初步的储备量，实施了一些条款，一个正式的分类系统成功实施的关键在于开发一个全国的框架,该框架能够规定这个系统如何实施,在本文里,通过由作者开展、受水事务与林业局资助的一项研究,提出了一个全国的框架。

作为一项利用和保护南非水资源完整性的措施,这个国家框架旨在推进可持续发展。国家框架的成功实施将依靠于长期对出脱的管理方法进行改变。长期的政策改革是复杂的,涉及社会、政治、技术、机构等多方面相互作用,通常结果是不确定的。这些挑战将对可持续发展构成三个主要障碍:自愿、能力和理解。自愿是指实施这些变化采取的必要的政治意愿。一个机构内部成员的知识和看法将影响到实施程序及实践的意愿,促进或阻碍一项新的法律。

如果在南非范围内有充足的政治方面的支持,忽视实施中的实际问题是政策失败的一个普遍原因。实施能力是政策成功的一项重要决定因素。负责政策实施的官员通常缺乏充分的资源和政府来实施由政策改变而引起的必要任务。从长期来看,这变得尤为重要。可持续的改革取决于完成政策目标的过程和能力的管理措施。

充分理解实施过程的复杂性和长期性是决定政策成功的另一个关键因素,在水资源保护的著作中,有许多仅依靠科学为调控措施的例子,结果证明不能在更广的范围内实施,特别是在社会、经济、政策范围内。这些考虑在可持续发展的政策情况下更为复杂,因为可持续发展不仅是长期变化,而且是一个不断进步的社会变化过程。因此,这个国家框架被设计用于取得可持续发展,在持续的不确定和变化的情况下可持续发展通常需要不断地重新评价。

### 1.2 目标和宗旨

本文的最终目标是为支持分类系统的开发和成功实施提供一个全国范围的主要方法和给出总体的指导。本文将不偏离分类的目标,正如在 NWA 所论述的一样,而是对 NWA 的基础即持续性、有效性和平等性等原则作补充。

本文的宗旨可概况如下:

(1)概况分类的基础原则。

(2)提供实施分类时的关键部分。

(3)保护和发展之间相互作用的识别与评估。

本文旨在提出一个规划、调控和管理框架,为与开发、利用和保护相关的一些决策提供支持。该框架在确保动态水资源管理方面一致性之前应保持时间的一致性。该框架的基础是透明的、可以理解的,以及基于对水资源的一些建议影响进行评价和决定这些影响是否可以接受的基础上被批准的。

## 2 分类原则

### 2.1 分类的基础原则

#### 2.1.1 可持续性

可持续的概念被视为分类系统的一个中心主题。水资源保护的主要原因是维持生态系统的完整性,确保持续获得理想的生态系统的商品和服务。费用和效益之间有限交易的概念是一个在分类系统中的考虑,例如,允许开发一部分资源意味着同一资源的另一部分受到破坏。

### 2.1.2　平衡和交易

分类过程应根据水资源的详细分类,产生一套 RQOs。终点的主要考虑是资源保护和利用之间的平衡。在发展能提供经济和社会效益的同时,相关的影响或许向生态系统完整性妥协,结果影响可持续利用,导致经济和社会的损失。为获得在环境方面的资源的有效分配,国家应该鼓励水权。

### 2.1.3　国家利益

资源分类或许产生一些在流域范围内可以接受的解决方法,但从全国范围而言,并非是最优的。因此,流域层面的决策必须根据全国资源分类框架和保护选定资源的需要进行评价,全国框架旨在全国范围内勾绘出一幅保护、恢复以及发展等技术规定的地图。在服务于重要工业和城市发展的同时,这些技术规定的标准包括了确保有代表性的生态系统的必要性。

### 2.1.4　透明度

在开发分类系统的过程中,不仅要求系统科学可行、符合法律规定,而且其语言和格式必须适合一般公众使用。公众参与分类过程使得决策过程透明很必要。为便于个人参与流域管理,分类系统的输入和结果必须是综合的、有意义的。

### 2.1.5　实施

由于对分类系统的发展和运用有法律要求,最初的系统必须在流域层上便于充分 DWAF 职员实际操作。在与分类决定相关的信心度和实施费用之间必须保持平衡。导致增加分类决定信心度的不同方法可能最终会发展(例如同一系统的信息度的低、中、高版本),建议这些方法最基础的部分应用于全国所有重要资源的初步分类中。

## 2.2　系统方法

分类系统应在流域范围内实施,以便在一项研究中进行流域内所有资源的分类。流域内资源健康的不同国家生态经济含义必须被综合进这一过程。在本文 2.1 部分中描述了重要水资源分类的系统方法。NWA 是指为开发一个维持社会经济可持续发展的框架,强制对国家的水资源进行分类。由于下面两个因素,这一过程从根本上是行政措施。

(1)NWA 的精神是调整由于过去几十年的歧视而导致的不平等。

(2)国家歧视的历史导致了水在社会中的不均衡分配。

以上这两个因素的相互作用意味着 NWA 面临的水资源管理总是受到政治动态、趋势以及政治关系紧张的干扰。因此, 水资源管理将从不能是纯技术的或中立的。为取得水资源分类的成功实施,图 1 是通过一个集体的、透明的过程的一个平衡的方法(基于法律、科学和集体的输入)。

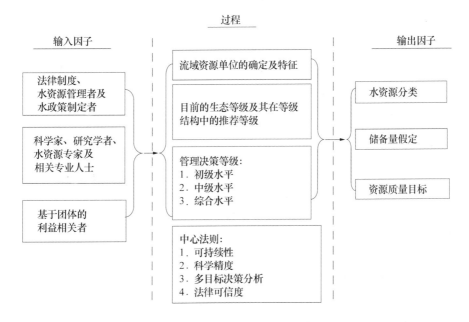

**图 1 系统的方法:系统和组成部分**

以上阐述的这种方法的战略目标是开发一个全国水资源分类框架,该框架在决策层和最高层都是可行的,这意味着分类方法应该有最低层的争论和合法的最高层。为达到以上的战略目标,很有必要对分类系统的主要组成部分进行评估和开发缓解风险的管理策略。

## 3 分类的主要部分

### 3.1 简介

分类系统体现了一套方法,即根据水质和水量,水资源如何被归类,分类系统也包含了用户如何根据自己目前的情况和未来的情况改变资源。决定未来的情况需要用户综合考虑社会的、政治的、经济的和环境因素,这样分类系统需要包含与发展和保护有关的费用及收益。

分类系统和 RQOs 的建立为水资源管理者提供了详细的目标,这些目标必须通过改变流域内与不同用水活动相关的影响而得以满足,这一过程是有用的管理工具,水资源管理者可以在一特定的流域范围内设定管理计划和行动(通过运用一个与 ISO14000 标准相似的系统)。另外,它还表示了不同用户和完整的流域系统能被检查确保顺从。

### 3.2　国家水法中所列的详细组成部分的概要

分类系统是保护过程中的首要阶段,必须为确定不同类别的资源提供一套导则和程序,每类的导则和程序如下:

(1)建立确定保护的程序。

(2)建立能满足用户的水质要求而不影响资源的天然水质特点的程序。

(3)定义为保护资源,哪些土地活动必须被调节和禁止。

(4)服务诸如与水资源保护、使用、开发、管理等有关的事宜,这些事宜部长认为是必要的。

一旦建立分类系统,就应该用于确定类别和设定所有重要水资源的资源质量目标。在确定资源质量目标时,必须寻求资源保护和支持以及其开发和运用需要之间的平衡。一旦确定了RQOs,当执行任何权利和任何义务时所有的政府与机构必须统一根据NWA的规定 。类别必须根据规定的分类系统进行,资源质量目标建立在类别上的,与以下内容有关:①流量;②水位;③水中存在的特定物质及其含量;④水资源的特点和质量以及岸边的牺息地;⑤水生生物的特点和分布;⑥调节和禁止影响水资源质与量的活动;⑦任何其他的特点。

NWA对资源类别和水资源质量目标的初步确定做了规定。

### 3.3　主要部分的原则描述

可持续性:我们保护资源以确保其在短期和长期内的可持续发展与使用。

平衡:我们正在满足保护和发展。资源的开发和使用以及保护之间在大多数情况下将发生交易,与发展有关的不同影响会对资源的长期可持续发展作出妥协。

水文循环的相互关联:水资源的组成部分之间是相互关联的,当看一个分类系统时,它必须包括在保护和发展过程中水循环的各个部分。

依赖性:为生存,自然系统的某一部分和另一部分之间相互关联,一个地方微小的影响可能对另一部分产生重要的影响。

透明度:要求用户理解分类系统的输入和输出,以便于他们在平等的基础上实现相互交流,必须意识到透明度并不意味着简单,而是把科学上复杂的信息转换成能作决定的复杂信息。不同的人应能够分析和理解来自高级技术用户的系统,技术用户能对系统的内容和一般人产生争议,一般公民能理解输入和输出以及运用这些作为一个协调框架。

法律上的可靠性和科学的严厉性:系统不仅要透明而且要建立在科学原则和技术之上的,能得到法律的保护,尽可能没有偏见。

国家利益:流域内作出的决定必须服从于某些国家利益目标,这样,部长不予理会。

规模:与不同决定相关的复杂性将随其引起冲突的信息可用性正讨论的水循环有关,这将要求在不同的决策范围需要不同的技术方法。

冲突:根据决策产生冲突的大小,从不同的复杂程度处理两个相冲突的部分。

连续性:多数情况下,我们根据正定量的元素,处理可持续性,这意味着不同因素的合成是任意的,无固定的障碍物在现实中存在,与此相关的是界限的原则。

界限:在某些情况下,必须确定界限,并根据合成过程,规定一些突破点。

可检查的和强制执行的:系统须是可以检查的,从法律上可强制执行以确保其不被滥用和忽略。

实施:系统在实际中应是可执行的,否则将是多余的和不能强制执行。

### 3.4 当实施分类时从公共部门的角度考虑的重要元素

为不阻碍发展,在对水资源进行分类和设定资源质量目标的过程中,决策所涉及的各项制度和交易费用必须尽可能的少。决策过程必须是透明的和受法律保护的,以防止各部门或用户承担法律责任。决策中所运用的一套方法必须是严格符合科学规定,受法律保护的。分类系统必须提交标准的成果,以便于参与分类和 RQOs 的用户进行有效的沟通。系统的输出必须是可理解的和严格的,以便受影响的用户决策的结果。系统必须是实际中可执行的,以便作出有效的决策,尽管可能缺乏知识或丢失信息。这将能够使单个用水户参加协调过程和理解每一个决策与行为的后果。

## 4 发展和保护之间的相互作用

### 4.1 概述

关于分类系统须探讨的重要部分之一是保护和发展之间的平衡与互动,重点是探讨水资源保护的两个论述:

(1)水资源保护及其使用、开发、保护、管理、控制的关系密切相关。

(2)在确定资源质量目标时,必须在水资源保护、支撑和开发利用之间寻求一个平衡。

很有必要开发一个能对保护和发展之间的相互作用进行评价的框架,同样,分类系统不仅要考虑与保护和可持续利用相关的环境方面,而且也必须包含与使用和发展相关的经济方面,因此也很有必要开发一个能对与发展相关的效益以及与这些开发的影响相关的费用之间关系进行评估的框架。

幸运的是,风险的概念在保护和发展环境中都体现出来了。在确定与水资源保护、开发、利用相关的费用和效益时,风险评估是一种常见的方法。许多国际的和国内的著作都有关于风险评价方法的论述,在近期的一些著作中,都倡导把这种方法作为确定保存和设定资源质量目标的一个可行的评价方法,下面将更详细地探讨风险评价,确定如何用于分类系统开发的框架。

### 4.2　评价发展和保护之间相互作用

早期提到了这一点,对于在一个特定的流域,平衡原则是开发和实施分类系统的中心。建议运用风险方法获取这些相互作用和评价这种平衡。需要被提问的问题如下:

(1)为什么需要风险方法?

(2)风险评价过程需要包含哪些方面?

为回答第一个问题,需要许多方面能使风险方法是可行的方法:

(1)环境科学家、开发者、水管理者、经济学家、社会学家以及工业、农业和商业经常运用风险评价方法,虽然统计方法各异,但结果、术语和理解是相对通用的,这样能被融进一个单一的评价框架。

(2)自然生态系统的复杂性意味着相对同样的自然和环境灾害,它有一定的恢复能力。实际在许多地方,自然生态系统已适应了一个特定地方的水质和水量的差异。这意味着风险方法是一种能代表当地在系统恢复能力方面的差异。

(3)风险评价的结果容易被包含进评价体系,通常运用多目标决策分析与定量费用和效益的网络类似的工具。

(4)风险评价有很多不同的例子,它们能够在不同的复杂程度运行,有不同的输入条件。风险评价可以是根据质量评价规定进行的质量评价。其中专业知识、人们的经验可被包含在广泛的风险评价框架中;风险评价也可是根据正式的持续评价规范进行数量的评价,采取了综合的概率评价方法。

(5)从法庭理解过程中,也可很好地建立风险管理和评价的概念,这将使整个分类过程受到法律保护。

(6)风险方法要求任何决策都必须是客观的,对所有引起影响的因素做科学的调查。

## 5　结语

在实施国家水法的条文时,必须有实际的时间行政,这经常是密谈的,也许应大声说出来,水资源的开发需要50多年的时间。我们应该给自己吸取以前教训和提高保护水资源的法律条款实施效率的时间。在作出保护决定和通过许可及其他的实施制度实施保护的要求之间有重要的区别。仅从保护计划实施中暴露出的一些问题,就绝对推断其意味着整个概念的失败,这完全是误导。

保护条款和详细的以资源为方向的措施的实施不能和 NWA 实施的框架相孤立。根据 RDM,矫正误解和预防否定情感是必要的。

保护包括生态的和基本的人类需求,这样的保护应该确保商品和服务的可持续利用,这是由水生生态系统提供的。这包括保护水生生态系统以确保其可持续地提供直接来源于水生生态系统的产品和日常生活及农业产品。

# 河流流域管理模型的功能及在中国的应用

吕谦明[1]　张海平[2]　刘　坤[2]

(1.DHI 水与环境;2.DHI 中国)

**摘要:**近年来,DHI 参与了国内多个流域的十几个大型项目,研究领域涉及洪水预报和洪水管理、环境策略研究、泥沙输移研究、水资源评估、供水、水质监测系统研究和污水排放设计。基于对于大江大河(长江、黄河、淮河、珠江、松花江)、复杂水系(黄浦江和上海苏州河水系以及太湖水系)、湖泊(太湖)和河口(长江口)的研究,DHI 在流域管理方面积累了相当多的经验。本文主要侧重于对水质控制和环境策略的研究。总体来说,流域管理的主要目的是确保水资源的合理利用以维持流域的可持续发展。在同一流域内,需要应用综合系统的方法对水资源、水质和洪水进行管理;而在流域之间,则需要对包括水质在内的水资源进行跨流域综合管理。

**关键词:**流域管理　总体规划　可持续发展

## 1　介绍

中国是一个有 13 亿人口的大国,土地面积 960 万 $km^2$,占世界总陆地面积的 1/15。中国河流众多,其中流域面积大于 1 500 $km^2$ 的就有 1 500 条。七大主要江河水系分别为松花江与辽河、海河、黄河、淮河、长江、珠江以及太湖水系。这些水系贯穿中国从北到南,流域面积几乎占全国陆地面积的 50% (见图1)。为了有效地进行这些主要水系的管理,水利部下设 7 大流域机构,分别为松辽委、海委、黄委、淮委、长委、珠委和太湖流域管理局。

由于历史的原因,流域机构的功能主要是针对与防洪和发电有关的水工建设。从 20 世纪 80 年代到 90 年代初,中国经济快速增长,各流域水质污染问题日趋严峻,已引起了很多严重的水污染问题和事故。近年来中国政府高度关心各流域的污染控制问题,在各流域机构设立了水资源保护局从事日常水质监测。

近年来,DHI 参与了国内多个流域的十几个大型项目,研究领域涉及洪水预报和洪水管理、环境策略研究、泥沙输移研究、水资源评估、供水、水质监测系统研究和污水排放设计。基于对于大江大河(长江、黄河、淮河、珠江、松花江)、复杂水系(黄浦江和上海苏州河水系以及太湖水系)、湖泊(太湖)和河口(长江口)的研究,DHI 在流域管理方面积累了相当多的经验。本文主要侧重于对水质控制和环境策略的研究。总体来说,流域管理的主要目的是确保水资源的合理利用以维持流域的可持续发展。在同一流域内,需要应用综合系统的方法对水资源、水质和洪水进行管理;而在流域之间,则需要对包括水质在内的水资源进行跨流域综合管理。

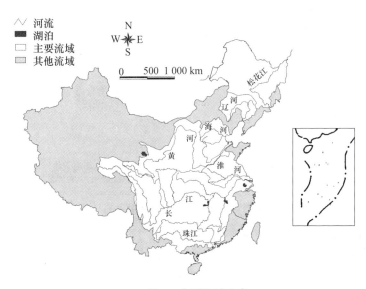

图1　全国流域分布

## 2　流域管理概论

　　流域管理是一项极为复杂的工作,需要采用综合系统的方法进行管理。其主要目的是确保水资源的合理利用和流域的可持续发展。总体来说,流域管理需要制订河流的总体规划方案,并且根据新的需求和条件来不断更新河流的总体规划。从技术上来说,流域管理需要综合水资源、水质、洪水、泥沙和环境等各个方面。这种综合管理技术需要大量的数据资料支持,包括地形、水文、泥沙和水质、社会调查、土地利用和农业信息、工业和城市资料、经济等相关方面的资料以及遥感资料等。随着计算机信息技术的飞速发展,结合了先进的数据库和地理信息系统的数学模型已成为流域管理的重要且有效的工具。图2展示了上面所提到的各种数据资料与流域管理之间的相互关系。

　　在流域管理中,下面一些问题会经常出现:

　　(1)在事件的紧急阶段,某一类问题往往成为流域管理的关键。例如在严峻的洪水情势下,水质、水资源甚至泥沙都变得不那么重要,而日常的管理程序也可能会因为这次洪水而中断。因此,如何将长期管理与短期管理更好地结合,这一类问题变得至关重要。

(2)在我国北方的一些流域,由于人口增长,水资源短缺问题变得日趋严峻,一个解决的办法就是跨流域的水资源管理。

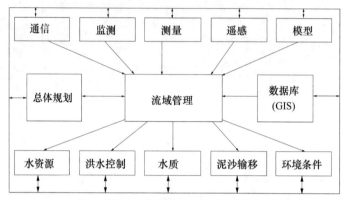

图2 流域管理及各要素之间相关关系

(3)特别是在过去,由于缺乏资料和模拟工具,河流总体规划经常是在没有足够可行性研究的条件下决策实施的。这样,总体规划背后的动因可能只是政治因素或者基于某个错误的概念。这就提出了一个问题,即应对总体规划研究有足够的投入。

(4)在中国,一个大的流域通常会覆盖几个省。由于经济的发展,每个省的政府部门都要对他们的经济状况负责,因而各个地方政府必然关心他们自己的利益。然而,流域内诸如水资源、水质和洪水控制的所有问题都是自然组合的,必须在全流域范围内进行管理,有时甚至需要跨流域管理。这就提出了流域机构和地方政府协调管理的必要性,这也是一个健全的流域管理的基本组成部分,并且在各国都意识到了这一点。

(5)对于流域管理,任何技术方法都需要强有力的机构和法律做依据,这是有效履行流域管理的关键问题。尽管几乎所有的地方和中央政府都知道流域机构是流域管理的关键部门,一个有效的水质和水量的综合管理必须通过流域机构来执行,然而随着经济的发展,若想提高流域机构管理能力和强化他们的权限仍然很困难。

基于我们的经验,一套流域综合管理概论已经形成,一般会遵循如下简述的程序:

(1)了解流域的现状;

(2)评估将来流域管理的可能性;

(3)对不同的预案进行一系列的研究;

(4)制定合理的规划/策略；

(5)检验规划的执行并更新规划；

(6)制定相关法律条例来帮助管理。

上述程序可以详述为以下几个方面。

## 2.1 水质管理

(1)认识江河的污染状况；

(2)了解所有的污染源；

(3)确定江河水质的污染指数；

(4)制定合理的规划/策略；

(5)建立一个有效的监测系统；

(6)定期的更新规划/策略；

(7)对水质管理立法。

## 2.2 洪水管理

(1)重新评估流域内洪水频率；

(2)了解所有防洪水工建筑物状况；

(3)进行一系列可能的洪水风险和灾害分析；

(4)制定合理的规划/策略；

(5)建立包括洪水预报在内的决策支持系统；

(6)对流域洪水管理立法。

## 2.3 水资源管理

(1)了解流域内所有水资源状况；

(2)掌握流域内所有生活及工农业用水需求；

(3)制定合理的规划/策略；

(4)建立一个有效的监测系统；

(5)定期的更新规划/策略；

(6)对江河水资源立法(包括建立一个合理的税费系统)。

DHI 从 20 世纪 90 年代开始在中国多个流域内开展了多项工作,研究领域涉及水质、水资源和洪水管理,遍布上海、天津、四川、重庆等及长江流域、黄河流域、淮河流域、珠江流域及松花江流域。所有研究都基于由 DHI 开发的数学模型。这些模型(MIKE 11、MIKE 21 和 MIKE 3)可以将河流水动力学和水质耦合模拟,可以结合水动力学和波浪条件进行泥沙输移模拟,也可以结合降雨径流进行洪水预报,甚至进一步可利用 GIS 平台来进行洪水管理。接下来针对一些单项管理项目特别是水质控制方面做一些描述,希望能给出一些较清晰的管理实例。

## 3 研究实例

下面简述我们已做过的一些有关流域管理的实例,阐明问题所在、应用工具及解决办法。

### 3.1 长江口环境问题

上海是中国乃至东亚最重要的经济中心之一,人口 1 700 万。上海市政府(SMG)现今执行的发展政策说明上海市政府已经意识到环境保护是长期经济增长的先决条件,因而环境保护方面的投资具有绝对优先权。作为政策的一部分,上海市政府承诺阶段性的投资以改善污水拦截、传输、处理和排放。第一期已在 20 世纪 90 年代初期完成,第二期也已在 20 世纪末完成。现在进行的是第三期,主要目标是完成上海城市地区的污水采集系统,加大污水运输能力并改善污水处理等级。

为了证明污水排放和接收能力能够达到国家环境标准,DHI 承担了污水排放至长江口对环境方面影响研究,即排水口规划设计和污水处理厂位置选择。DHI 对上海水系和长江口分别用一维、二维和三维模型进行了模拟(见图 3 和图 4),模拟了上海市的环境现状并且经过一系列的预案研究对上海市排水做了环境评估。基于结果和分析,向上海市政府提交了排放口方案,其方案已被采纳。经过几年的建设,测量结果显示由排水口排放的污水(或经处理后的污水)未对长江口水域造成污染升级,现有环境状况与原来模型模拟结果十分吻合。

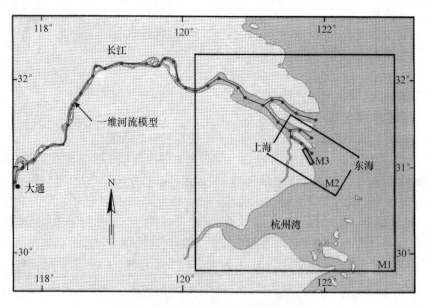

图 3 长江口一维、二维、三维耦合模型

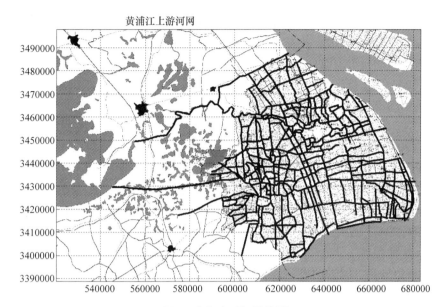

图4 上海水系河网模型

### 3.2 重庆城市污水战略规划

重庆是我国的一个新设直辖市,人口 3 000 万,土地面积 8.2 万 km²,位于长江两岸,从上游朱沱至三峡库区中部长 620 km。包括原来的重庆市、万县、涪陵和黔江地区。

在重庆市的水资源和污水处理总体规划中,面临两个主要问题:一个是三峡工程,另一个是重庆的地形本身使得污水排放难以实施。这两项因素,对于近区和远区都具有影响。关系到重庆市的水质称为近区问题,而三峡水库的水质称为远区问题。在近区,对于水质的主要需求就是满足国家地表水标准,能够提供合格的饮用水源,满足旅游需求。对于远区,主要考虑防止三峡库区富营养化及其他污染。

在可行性研究阶段,DHI 曾做了一系列的模拟研究。一维模型覆盖长江上游和嘉陵江,包括水文、水动力学、传输扩散和水质等模拟。二维模型覆盖重庆市及其下游地区(见图5),包括水动力学、传输扩散和水质模拟。模型工作包括了调查污染现状及对河流环境总体规划中未来 20 年不同预案影响的评估。基于对模拟结果的深入分析和社会经济方面的考虑,总体规划的水资源和污水资源利用的最新策略已经在重庆实施。

### 3.3 四川水资源管理

缺水问题可以从三个不同方面考虑:地区性缺水、季节性缺水和环境需水量。这三个问题在四川项目中都有涉及。

四川自贡市遭受的是地区性缺水,整个城市目前完全依靠釜溪河流域(从属于沱江流域)的地表水。在釜溪河流域,工农业用水和城市供水需求使得水资源压力较大。而自贡上游内江区威远县长葫水库的修建,有相当大一部分的水资源得到了开发。自贡每天从该水库中抽水 10 万 t 用于城市供水,剩余的库容用于威远的灌溉。严峻的水资源现状,迫使自贡兴建多个工程来满足城市供水对原水的需求。其中一种方案是从自贡以西的泯江调水,该方案在项目中进行了可行性研究。

季节性缺水发生在这样的一些沿河城市,这些河流或者它们的支流发源于四川盆地。由于四川盆地内的降雨具有很强的季节性,地下水在旱季通常不能提供足够的基流。遭受季节性缺水的城市有成都、德阳、内江和自贡,这些地区对水资源的需求已经达到或将在 10 ~ 15 年后达到旱季河流流量。以成都平原内都江堰的地表水调水方案和地下水储量为依据,实施的水资源综合利用和管理,对该地区具有深远的影响,尤其对于沱江流域,它可以减轻内江所遭受的季节性缺水。

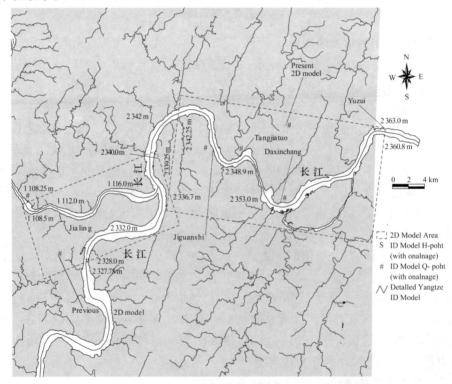

图 5　重庆二维模型模拟范围

环境需水量可以定义为维持水生态和水上娱乐所需的年最小流量。某些地区的旱季流量不足以维持水生态系统,尤其是一些主要河流的支流,例如泯江从都江堰到其下游与府河交界处,成都的毗河与府南河水系,以及自贡的釜溪河等。在旱季,这些河流的流量几乎可以忽略不计,某些河段甚至完全干涸。并且,由于一些未经处理的污水直接排入支流河道,使情况变得更加严重,这些河道已经具有了污水排水管道的某些特征。

基于我们的研究,一些重要的水资源管理问题已被提上日程。环境和水资源评价着重于项目地区的一些特定问题,这些问题在将来需要特别注意。为了克服来自于不同方面的需求对水资源的压力,开发一个综合的水资源管理系统变得尤为迫切,该系统应该为项目地区量身定制,能够满足实际需求。接下来简要介绍五个重要方面:①管理方法;②水资源分配的优先权;③监测;④数据管理工具;⑤节水。

### 3.4 长江中游洪水预报

长江是亚洲最长的河流。在长江中游地区,地势平坦,常遭受严重的洪涝灾害。而受洪水威胁的地区在经济上具有非常重要的地位,其中包括了一些人口稠密的国内最发达的工业地区。长江水利委员会(简称长委)负责长江干流上的洪水预报,洪水预报除了用于向群众发出预警,还可以指导在紧急时刻的抗洪工作,在抗洪工作中,成千上万的人民群众与解放军官兵致力于减轻洪涝灾害和保护大堤。

为了进一步增强长委的洪水预报能力,世界银行在 1996 年和 DHI 签订了合同,为长委实施"长江中游暴雨和洪水预报"项目。DHI 以 MIKE 11 为基础建立了一个预报演示模型,该模型和先进的气象预报模型(HIRLAM)耦合在一起,并在模型测试中得到了满意的结果。最终搭建的模型内容详细,尤其是洞庭湖地区。在 1998 年洪水期间,该模型用于运营预报。1998 年洪水预报的结果说明,把 MIKE 11 河流预报模型和 HIRLAM 降雨预报模型结合在一起,在洪水期间能够得出非常精确的预报结果,通过在河流模型中包含降雨预报模型可以大幅度提高模型预报的精度。从 1998 年预报结果的分析中发现几个重要的问题,这些问题在将来的洪水预报中需要特别注意:①实时监测站数据质量;②堤坝决口信息,紧急状况时分洪区面积和堤防保护区面积;③边界条件。

### 3.5 淮河流域的水质和水资源管理

淮河位于中国的中部,在长江和黄河之间,是我国七大河流之一,穿越四个省:河南、安徽、江苏和山东。淮河流域人口 1.5 亿,覆盖面积 27 万 $km^2$。淮河干流长 1 000 km,并包含 120 条主要的支流。流域内年平均降水量为 900 mm,并且 70% ~ 80% 集中在夏季,也就是说,河流流量在一年中变化很大。淮河年平均流量为 853 $m^3/s$,在洪水期流量达到 11 000 $m^3/s$,而在干旱期流量跌至几乎为零。

估计流域内每年可用的水资源量为 854 亿 m³，其中地表水 621 亿 m³，地下水 233 亿 m³。

从 20 世纪 80 年代到 90 年代初，随着流域内经济的快速发展，水质污染问题变得越来越严重。根据 1993 年的监测结果，流域内污水的总排放量为 36.8 亿 m³(包括主要城镇和城市的工业污水及居民生活污水排放量)，其中 COD 排放量为 150 万 t。淮河流域内的水质污染问题主要是由有机污染物引起的。工业污染负荷主要来自于造纸、发酵和制革，约占 70%，其余 30% 为居民生活排放负荷。

DHI 用 MIKE 11 建立了淮河水质模型，该模型覆盖淮河干流和三个主要支流(沙颖河、Pi 河和 Hong 河)。该模型主要用于调查当前的河流污染负荷情况，评估未来 10 年内不同方案对河流环境的影响。另外，使用 MIKE BASIN(水资源模型)来评估该地区地表水和地下水的可用水量，以及现有的和潜在的地表水与地下水的使用量。该研究得出一个非常明确的结论，到 2000 年实现淮河流域环境保护目标是非常困难的。另外，一个更加全面广泛的调查和更加先进的模型已经搭建完成，可用于更加充分地分析污染情况，并在未来做出可行的规划方案。

### 3.6 太湖流域的水质研究

太湖流域位于长江的下游地区，在水力学意义上和长江相连。随着该地区工业和人口的快速增长，环境问题变得越来越严重。DHI 参与了太湖富营养化的研究，以及河网水质问题的研究。同样，在这两个研究中也包含了先进模型的使用。图 6 为太湖富营养化模拟结果，图 7 为河网模拟结果。通过该研究，对污染形势有了更清晰的了解，同时向用户提出了一些改进污染情况的建议。在这种类型的流域，最重要的问题是如何控制所有类型的污染负荷。

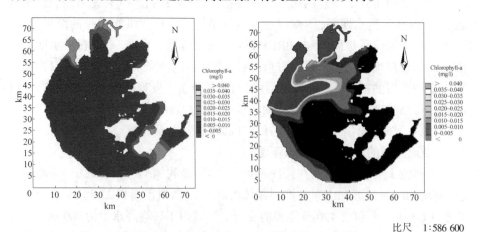

比尺　1:586 600

图 6　太湖中叶绿素 a 的模拟结果(左图为 2000 年 1 月的模拟结果,右图为 2000 年 7 月的结果)

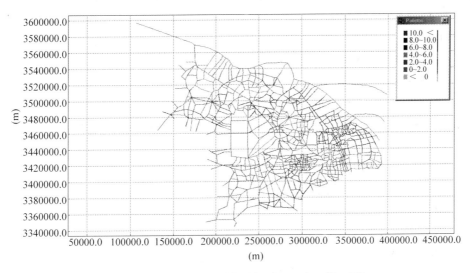

图 7　太湖流域 BOD 的模拟结果(1999 年 7 月 1 日)

## 4　结论

　　基于过去 10 年来在中国多个流域的项目和研究,下面给出一些对于中国流域管理的初步建议。

### 4.1　水资源和水质的关系

　　一般来讲,水资源的水量和水质问题是不能分开处理的。可用的水资源量很大程度上取决于水质,而水质受水的使用情况和上游排污情况影响。但是,在另一方面,水质的真正改善,常常只能通过足够大的水量才能得以实现。通常,地表水资源和水质可以看做是与地下水资源及水质紧密联系的。这个模式几乎在每个流域都存在,尤其对于人口众多的流域。它提醒我们在水资源的监测、规划和管理中将这两个因素综合考虑。

### 4.2　地表水水质标准和排放标准的缺陷

　　显而易见,任何排放污水(处理或未经处理)即使它达到了污水排放标准,其水质也不能马上达到地表水水质标准。这就引出了一个问题:排放点周围需要多大水域用以使之达到地表水水质标准的要求? 因此,建议在排放标准中也应当明确混合水域的限制。这样一来,排放污水的业主不仅要考虑排放的水质及水量,而且为了符合混合水域的要求,也要考虑合理扩散水域的设计。

### 4.3　流域数据库的必要性

　　当前,在中国没有任何一个机构的数据库同时包含了水文和水质数据。流域机构拥有水文数据和一些水质数据,环保机构拥有工业负荷数据和一些水质数据,而建设部门拥有居民生活负荷数据。随着信息技术的发展,一个比较理想的方案是建立一个通用的数据库。问题在于数据库应该放在什么地方——在北京的中央政府办公室,还是在各个流域?

### 4.4　气象模型和水文模型耦合用于洪水管理

在国内的任何一个流域,当前的洪水预报主要依据传统的水文模型评估。这种模型评估适合于较长的河流,因为洪峰通常形成在河流的上游。在这种类型的河流中(例如长江),洪峰从上游传播到下游需要相对较长的时间。但是对于较小的流域,当地的降雨是洪峰的主要成因,在这种情况下,耦合气象模型和水文模型用于洪水预报和管理具有很大的优势。

### 4.5　河口环境保护和污水排放

任何河口和沿海地区的水质状况都取决于上游地区的污染物排放情况。因此,大城市应该特别注意环境保护问题,不仅是在城市地区,还应包括河口和沿海地区。然而,这并不意味着为了保护河口和沿海地区的水质,大城市的污水就只能直接排入内陆河流,而不能直接排入河口。实际上,即使污水排入城市的小河中,最终还是要流入河口的。总的来说,沿海城市水质环境战略考虑有三个一般的原则:

(1)在造价合理的情况下,污水排放应该尽量靠近城市的下游,并尽可能靠近大海。用这种方法可以有效抑制污水排放对淡水的影响。

(2)在水质达标的情况下,污水处理应该尽量简单,这是基于以下三点考虑的:①污水处理只能将水中的污染物转化为污泥;②从长期运营考虑,污水处理和污泥处理都是非常昂贵的;③最好的污水处理方法是有效利用海洋的自净能力。

(3)富营养污染物的控制必须考虑策略,因为近几年海洋地区最严重的污染是赤潮。

### 4.6　有效利用河口地区水资源

节约水资源,为下游用户提供更多的水资源具有重要意义。同样,有效利用河口水资源也是非常重要的(因为淡水将很快流入大海)。河水一旦与海水混合,它将不能直接使用。因而,如果工程造价合理,在河口地区,应该首先考虑使用河口水资源,而不是想尽各种办法充分使用人口密集区附近的一条小河的潜在水资源。

### 4.7　合理的水功能划分

流域开发战略的重点是对一个流域的不同区域划分其不同的水域功能。然而应注意两个问题:①划分应基于自然规律;②在决定如何划分流域功能细节时,流域的大小是一个重要因素。例如:黄浦江是一个潮汐河(因而,它是动态变化的），且其主要河段的总长只有约 100 km。对这种类型的河流，过细的流域功能划分，既不合理也无法实现。

## 4.8　自净能力和污水排放总量控制

为了地区的环境保护，应该充分考虑水体自身的潜在稀释能力。然而，像上海这样处在河口的城市，其河口具有大量水体（如果不利用，即会流入大海），不应提倡利用内河水体的最大稀释能力。水体潜在的稀释能力由水资源标准和水功能来定义。实际上，水资源标准和水功能随着发展是会改变的。因此，在任何时候，充分利用水体的最大稀释能力并不符合可持续发展的原则。

# 关于综合性流域管理机构设置的研究

陈　菁[1,2]　陈　丹[1]　王婷婷[3]　郭　莉[4]

(1.河海大学现代农业工程系;2.河海大学农村发展研究所;
3.北京勘测设计研究院;4.河海大学法律系)

**摘要**:运用水管理形态与水利用形态理论,对我国现行流域管理体制与管理机构进行分析,总结了在我国流域管理中存在的突出问题;提出了适合我国国情的综合性流域管理模式,构建了"三位异体(决策、执行、监督)"的综合性流域管理机构,并提出了具体实施步骤的建议。

**关键词**:流域管理　综合性流域管理　管理机构

自从我国 2002 年《水法》对流域管理的法律地位进行明确后,国内许多专家、学者以及政府部门对如何实施流域管理、构建新型的流域管理体制与机构、确立与之相适应的法律和制度等问题,展开了广泛而又深层次的讨论。由于流域管理具有高度的综合性,国外十分重视以流域为单元的统一管理,在相关法律、法规中规定了专职机构和主管部门及其主要职责。而且从国外流域管理实践来看,在流域水平上建立统一的流域管理机构对水资源与水环境一体化管理是比较通行的办法[1]。根据制度经济学理论,有效的机构是解决问题的最简单机制[2];而且现代系统理论的"结构决定功能论"也认为,通过改变或调整系统机构并加以选择,从中取出最佳的系统结构,可望获得满意的系统功能[3]。因此,流域管理机构的建设在流域管理中起着关键性的作用,本文以跨区域的流域管理为研究对象,对流域管理体制和管理机构的组织构成作一些探讨。

## 1　我国现行流域管理体制和流域管理机构分析

流域管理机构作为水利部的行政派出机构,多年来在流域水资源开发、治理、保护等方面取得了巨大的成就,发挥了其他机构不可替代的作用。以黄河流域为例,黄河水利委员会作为流域管理机构,多年来在黄河的规划、治理、开发、保护等方面功绩卓著,尤其是近年来通过建立协调组织或制定相关法规以解决跨部门、跨区域水事问题取得了一定的成效,如防汛、水土保持、水量分配和水资源保护等方面都有一系列大胆和有效的探索,特别是黄河流域在水资源统一管理调配上取得了显著的进展。但同样可以看到,现行的黄河流域管理体制仍然存在一些深层次的问题,例如流域管理与管理机构仍未从法律上定位;作为国务院水行政主管部门派出机构和事业性质,限制了流域机构的作用;公众参与机制薄弱等。

目前,我国流域水资源管理体制的特点是多部门、多层次,即以条条为主、条块分割的管理体制。按照新《水法》规定,我国现行的流域管理机构仍是国务院水行政主管部门的行政派出机构;流域水资源管理也主要由水利部及其派出机构流域管理委员会持有对水的管理责任与权力。根据水管理形态与水利用形态理论[4~6],我国现行流域水资源管理体制和各区域的水资源管理体制均属于统制——独自型的管理形态。在这种管理形态下,流域管理以政府行为为主,通过行政手段实施管理;流域管理与行政区域管理之间的关系、事权划分与职责分工还不够明确;公众的参与权与知情权没有得到体现。这样的管理体制将难以适应水资源管理日趋复杂的状况,难以适应社会公众对水资源管理的要求。

此外,在我国流域管理中还普遍存在一些较为突出的问题:由于部门分割与职能交叉而无法实施流域的综合管理和水资源的统一管理;流域管理与区域管理、行业管理与统一管理的关系没有理顺,使得流域水资源冲突问题较为突出;由于缺乏履行职能所必需的自主管理权、经济实力、制约手段以及正式的充分沟通信息的渠道使流域管理机构的地位虚化;流域管理机构兼决策与执行功能于一身,使得流域管理缺乏监督与绩效评估;而且管理与经营职能不清,机构庞大,管理效率不高;流域水管理法制建设滞后,适用、有效及可操作的法律法规体系仍然不完善;用水户之间缺乏横向联系,没有有效的反映意愿的途径和协商、维权组织。综上所述,现阶段从管理体制上进行变革与创新是我国流域管理的迫切需要。

## 2　综合性流域管理模式构建

### 2.1　综合性流域管理的内涵

综合性流域管理(Integrated River Basin Management)就是遵循水资源自然水文特征和多功能统一性,将流域当做一个不可分割的整体来看待,以系统学的观点充分认识流域内部各子系统之间以及与外部环境要素之间相互依存又相互冲突的关系,综合采用法律、行政、经济、信息、宣传教育与技术等手段,协调流域与区域及各涉水部门之间的利益,将流域的干支流、上中下游、左右岸、水质与水量、地表水与地下水、水资源与水环境、水资源的开发利用与保护等作为一个完整的系统,以流域为基础进行协调和统一调度管理,实现水资源的优化配置和最大综合效益。

综合性流域管理与传统的水资源相比,有三个突出的特点:①将流域当做一个整体来规划、治理、开发、利用与保护;②强调流域与区域、局部与整体的辩证统一;③强调人类社会系统与自然系统和谐统一。

## 2.2 综合性流域管理模式构建的原则

改革现行流域管理体制、构建综合性流域管理模式应遵循可持续发展、公平与效率、流域管理与区域管理相结合等原则,并且应着重考虑三个方面的具体原则:①流域管理体制的改革必须考虑机构及其管理功能的衔接与过渡,兼顾现有管理机构的既成状态,使得改革的成本最小,效率最高。②综合性流域管理机构的设置必须服从流域管理的功能需要,可以将流域管理功能分为两大部分,即水资源管理和水资源多功能性的综合开发管理。③必须具备流域管理的决策、执行、监督三大机制[5]。

此外,流域管理体制的改革主要应从以下几方面进行突破:①打破涉水各部门之间的隔阂与樊篱,形成各部门信息互通、利益共享、协商合作的综合开发管理体制;②依据以水资源管理为核心,综合开发为目的的流域管理内涵,管理机构以水行政主管部门为主,其他部门分工合作;③重视用水户之间的参与监督与意见反馈,加强用水户之间的横向联系,建立用水户组织;④通过法律框架,为流域管理体制提供法律依据,并为利益各方的矛盾与利益冲突提供解决的平台。

## 2.3 综合性流域管理模式的组织构成

根据以上论述,对综合性流域管理模式进行设定与构建(见图1)。

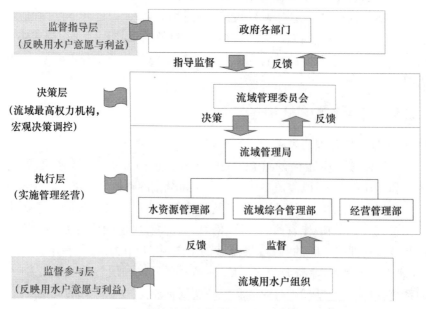

图1 综合性流域管理模式的组织构成

### 2.3.1　决策机构

可以设立流域管理委员会作为流域管理的决策机构,该机构为流域管理的最高权力机构。为了实现对水资源这一重要战略资源的控制,委员会的构成必须体现国家利益和意志,委员会的正副委员长可由国务院任命。为了对流域资源进行综合开发与管理,委员会必须由涉水各部门和流域内各省份的代表及水行政部门构成。由于委员会人员的构成直接反映权力分配的状况,必须将委员会的席位在沿江河各省、各部门间进行分配。若河流流程过长,委员会下也可设上中下游分会,通过委员会对上中下游分会、分会对所属各行政区域的控制达到控制整个流域的目的。条件允许的话,应将委员会、专业委员会、分会的名额在区域水行政人员、专家、用水户、各界人士代表之间进行二次分配。决策机构为非常设机构,除例会外,采用"有事议事"制度。其决策的主要依据就是流域法。

### 2.3.2　执行机构

由委员会选取具有高度专业技术技能与管理实践经验的专家构成流域管理的执行机构,负责流域管理的实施。委员会与流域管理局之间的关系为信托关系[5],将经过决策的议案交给流域管理局实施执行;流域管理局直接对流域委员会负责,并严格按照决议的要求与目的实施管理运作。根据综合性流域管理的功能,管理局下设水资源管理部、流域综合管理部和经营管理部。水资源管理部实施现有流域机构的主要职能,即综合性流域管理仍以水资源管理为核心(水量水质管理:防汛、抗旱、供水,水资源保护、监测,治污、限污)。流域综合管理部则主要从事水能开发、水域利用(航运、养殖、休闲景观)等。经营管理部则主要从事涉水产品经营的市场化运作等。

### 2.3.3　监督机构

对流域管理决策与执行机构的监督来自上下两个层面。由政府有关部门自上至下实施对流域管理的指导与监督(政策的执行程度、执法的公正性、规划的科学性、公益的实现程度等);成立各区域用水户(部门)监督委员会,对流域管理的决策与执行实施自下而上的监督。给沿江河各区域、部门、用水户以知情权、参与权。

### 2.3.4　水行政主管部门的作用

在计划经济体制下,政府是社会资源的配置者;而在市场经济体制下,政府是政治、经济、文化、社会的协调者。水资源管理有其特殊性,但并不排除政府在大多数情况下承担协调者的角色。在"三位异体(决策、执行、监督)"[5]的流域管理组织构成中,政府的水行政部门是决策机构的重要组成部分,是国家与区域利益最大的提倡者,是各方利益的协调者,是协商、决策的发起人与组织者。

### 2.4 综合性流域管理模式的实施步骤

众所周知,任何变革都离不开时间与空间的限制,同样,流域管理体制改革与管理模式的再构建也无法脱离阶段性的约束,无法脱离社会政治经济文化背景的限制。以上提出的综合性流域管理模式就目前来说尚不完全具备实现的条件,而且管理体制与管理机构改革总是与国家其他方面的改革有着千丝万缕的联系,因此可以认为这是一种对现阶段较为理想的模式。

新型的管理模式的建立涉及的问题较多且复杂,目前针对流域管理中的一些突出问题,国家已逐步采取了一些措施,制定了相关的法律法规加以解决。综合性流域模式的构建与实现可以采用分阶段分步进行的策略:第一阶段在现有法律与组织框架中补充完善,解决一些急迫的问题;第二阶段在现有的体制上,增加部门与区域的沟通和协调平台,实现水资源的统一管理;第三阶段伴随着国家政治体制改革的进程,构建如图1所示的管理模式,实现流域的综合管理。

因此,以上构建的综合性流域管理模式是一个远景目标,虽然目前不具备可操作性,但作为流域管理体制改革的方向,则具有充分的科学依据和实现的可能性。

## 3 小结

综合性流域管理是目前国际上普遍推行的水资源管理方法,近期在我国也得到广泛的关注与研究,例如2003年11月9~10日在南昌举行的"流域综合管理国际研讨会"、2004年6月7~8日在北京举行的"流域综合管理与南水北调工程国际研讨会"等,目的都在于宣传和推动流域综合管理。本文在分析国内流域管理的基础上,对综合性流域管理机构的组织构成作了一些探讨,对我国流域管理的理论和实践有一定的参考意义。但由于流域水资源问题的多样性和复杂性,如何借鉴吸收国外先进的管理理论、方法和成功经验,在我国现行的政治经济体制和水资源管理体制下,探索和建立适合我国国情的综合性流域管理模式,需要不断的实践和深入的研究。

**参 考 文 献**

[1] 何大伟,陈静生. 我国实施流域水资源与水环境一体化管理构想. 中国人口资源与环境,2000,10(2):31~34

[2] 沈大军,王浩,蒋云钟. 流域管理机构:国际比较分析及对我国的建议. 自然资源学报,2004,19(1):86~95

[3] 佟春生,骆涛,黄强,等. 流域水资源管理理论框架探讨. 人民黄河,2004,26(1):28~30

[4] 陈菁. 流域水资源管理体制初探. 中国水利,2003(1):29~31

［5］ 陈菁,水谷正一,後藤彰. 中国与日本的水管理及其比较研究. 河海大学学报(自然科学版),2001,29(5):18~22

［6］ 陈菁. 水管理体制基本概念的整理及分类. 中国水利,2001(3):25~26

［7］ 柯礼聘. 建立新型的黄河流域管理体制. 中国水利,2001(4):14~16

［8］ 阮本清,梁瑞驹,王浩,等.流域水资源管理.北京:科学出版社,2001

［9］ 梁瑞驹,沈大军,吴娟. 水资源统一管理.北京:中国水利水电出版社,2003

# 黄河上游流域借助卫星获取沉淀
# 数据的大型水文模型系统

Shreedhar Maskey[1]    Raymond Venneker[1]    赵卫民[2]

(1. 联合国教科文组织 IHE 水教育研究所   荷兰   德尔伏特;
2. 黄河水利委员会水文局)

**摘要:** 此文主要描述黄河上游流域借助卫星获取沉淀数据的大型水文模型系统。该模型涵盖土沙流程和河水流程要素。前者是 2 - D 分布模型,呈扩散状传送;而后者是基于Muskingum-Cunge的路线途径传送。这个模型同时还将能源与水资源平衡检测系统中的输出量当做有效降雨和融雪的输入量使用。土沙要素模型的扩散性是模糊变量,得自于土壤类型、植被及土地使用的空间数据。希望该模型可以在大型河流盆地的流程监测方面发挥有效的作用。

**关键词:** 大型水文分布模型   模糊变量   黄河流域

## 1  介绍

在过去 10 ~ 20 年里,很多专家学者花费时间和精力投入到大型河盆的水文模型的研究中(Wood et al., 1997; Ewen et al., 1999; Koster et al., 2000; De Roo et al., 2003)。让其中一部分人感兴趣的动力是:提高土表水文流程在环境总循环模型中所占的比重(Chiew et al., 1996; Koster et al., 2000; Cherkauer et al., 2003; Dai et al., 2003),同时提高对大量河流及降雨的预测和判定的河盆治理要求(De Roo et al., 2003; Mo et al., 2004)。

大型水文模型整体用来构建一个较大的实态流程,采用的结构或者是地理方块(Wood et al., 1997; Ewen et al., 1999; De Roo et al., 2003),或者是水域方块(Koster et al., 2000)。大型水文模型的变量不仅依赖地面观察结果,更大程度上还要考查从偏远观测台得到的土沙数据的同化作用(Mo et al., 2004; see Houser, 2001)。同时该模型很可能和提供部分强变量的环境总循环模型结合在一起(Houser, 2001)。

水文系统模型,例如水流预测系统,使用的是标出实际流程的分布模型,要求大量的数据和计算。因此,这些模型的应用对于大面积且不具观察性的水域来说尤其不可行。实际上,这样的水域通常采用的是集中的概念模型。另一方面、格状的数字正面图模型(DEM)和不同量的气象预测正日益普遍。为了充分利用这样的数据,分布模型比以往任何时候都显得更加重要。因此,作者将借助此篇文章探索出介于实际的完全分布模型和集中概念模型间的综合方案,即标有集中垂直流程的简化数字分布模型。

中国关于黄河河盆上游流域(约合 120 000 km²)的流程监测系统目前借助于中荷合作项目中的"关于在黄河河盆建立卫星水文监测和流程预测系统"框架正在进行开发。图 1 展示了该预测系统的结构,它包含了两个关键要素:卫星获得的降雨和蒸发要素及水文模型要素。卫星监测得到的降雨输入量是能源和水资源平衡监测系统的输出量,这个系统在相关的文章中(Ampt et al., 2005;Rosema et al., 2005;Rosema et al., 2004)有细致的描述。

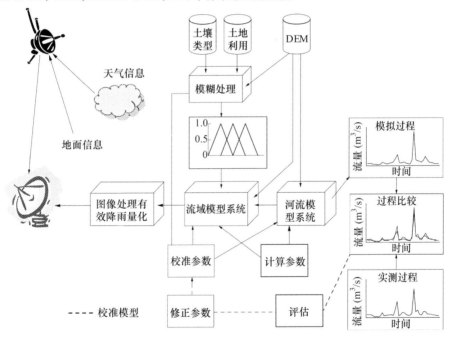

**图 1　水文模型系统的结构图**

这里描述的水文模型要素能进一步划分为两个分支要素:①服务于水表模型的土沙要素;②服务于河流模型的水网要素(见图 1)。同时,该系统使用了一个模型模糊变量。土沙要素集中表现了从每个方格到整个河流体系的横向流动,流出水体随后依照路线向下通过河网要素到达出口。土沙和河流要素将在第二和第三部分分别介绍,第四部分的主体是模糊变量。

## 2 土地要素模型

土地要素的结构是单层格子,借助于它我们用两个纬度来模拟横向流动。假设对地表结构和水质特性的了解不够确切,则模型变量即是格子中每个节点代表的水量。Venneker (1996)通过大量的研究表明该方法在小面积的复杂地形应用起来效果明显。从概念上来说,目前的形式代表每个格子节点就是一个非线形的水库,它们都对地形学作了充分的考虑。地表要素的输入范围变量分别是降雨、融雪水和实际土壤水分蒸发总量。这些数值来自 EWBMS,它和格子是配套应用的,与其有相同的节点间隔,大约是 5 km×5 km;而水的传送是以散播的过程进行模拟的。

为了更好地表示现有单元格所代表的水量,我们对每单位面积的水体积蕴藏量进行界定,即

$$p = z + w \tag{1}$$

式中:$z$ 代表建立于普通数据上的地表高度[L];$w$ 代表低于地表饱和的水含量不足额[L]。

图 2 对这一概念进行了示例分析,假设多数情况下 $p < z$,则 $w$ 是负值。单元格间的横向水流动通过两种纬度对水含量进行重置,如下列公式:

$$\frac{\partial}{\partial x}\left( D_x \frac{\partial p}{\partial x} \right) + \frac{\partial}{\partial y}\left( D_y \frac{\partial p}{\partial x} \right) = \frac{\partial p}{\partial t} + r - q_l \tag{2}$$

其中:$D_x$ 和 $D_y$ 是位于 $x$ 和 $y$ 方向的水平扩散率[$L^2T^{-1}$];$r$ 是净降雨率[$T^{-1}$];;$q_l$ 是从土地单位格流向水渠区域的横向流量[$LT^{-1}$]。

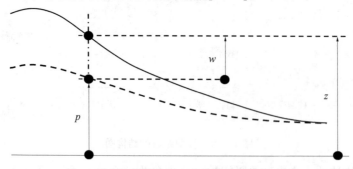

**图 2　潜在水蕴藏量与水含量不足的几何表示**

由于和河网紧密连接的单元格,从土地要素流向河网 $Q_l$[$L^3T^{-1}$]的水平流量如下面公式所示:

$$Q_l = D_r(p - p_r) \tag{3}$$

式中:$D_r$ 代表河渠和与河流紧密连接的单位土体间的扩散率;$p_r$ 代表河面高度。

在这里需要指出的是单层的 2 – D 图示(见图 2)表明纵向数值远远低于水

平数值。

但是,扩散率并未和垂直坡面保持一致。而且,$D$代表着垂直集合有效量,它随着当前水况而变化,因此纵轴上的$D$变量和水变量的关系如下:

$$D = D_0 \left( \frac{w_m}{w_m + w} \right) \tag{4}$$

当土壤饱和时,$D_0$是横向扩散率,在给定地域它是个固定值,而$w_m$是$D = 0.5D_0$时的水含量不足额。

由于水蕴藏量$p$根据不同时节而变化,$w$和$D$也随之相应变化,$w_m$控制$D$的变化率。图3显示了随着$w_m$不同值时$D/D_0$和$w$的变化,由此可知曲线的斜率可随$w_m$的变化而发生巨大的改变。

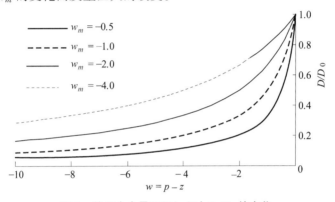

**图3 关于水含量不足($w$)时 $D/D_0$ 的变化**

图3的曲线图表明$w$的较小数值只能带来$D$相对缓慢的变化。随着陆地水储存损耗的增加将导致持续的或多或少基地流动的延长。相反,当$w$接近较小的绝对值时,$D$的数值将快速增加。既然大部分暴雨可能产生于流线汇集的盆地凹面部分(Dunne et al., 1975; Anderson and Burt, 1978),则在某种程度上$w_m$是和地形学紧密相关的,$w_m$的值部分由地形的弯曲率决定。例如,$\partial^2 z/\partial x^2$和$\partial^2 z/\partial y^2$,这也就说明了为什么在峡谷低部暴雨的快速流动,而在接近地形边缘和地表分水界处速度放缓。文献[19]中有关于地形特点及其与水文表象的评论。

扩散的参数化(见图4)和TOPMODEL中的传送性有很大的相似性(Beven and Kirkby, 1979; Beven, 2001)。TOPMODEL的最初形式即传送性$T[L^2T^{-1}]$表示如下:

$$T = T_0 \exp(-M/m) \tag{5}$$

当土壤饱和时,$T_0$表示横向的传送;$M$代表当地低于饱和的水储备不足量;$m$是决定土壤剖面的传送下降率的模型参数。目前的方法(见图4)和TOPMODEL(见图5)的基本差别是前者通过有理数函数表明非线形传送,而后者使用的是指数函数。两种显示的对比,以及 $w$、$M$ 和 $w_m$ 的代替值如图 4 所示。

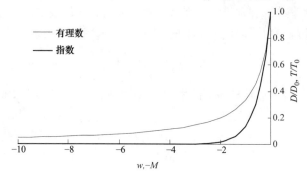

**图 4** 关于水容量差额($w$)或储备不足($M$)的 $D$ 或 $T$ 的有理数与指数显示

扩散流动方程式(2)用以下步骤进行离散化:

$$p_{j,k}^{n+1} = p_{j,k}^n + \frac{\Delta t}{\Delta x^2}[\, D_{j+1/2,k}(p_{j+1,k}^n - p_{j,k}^n) - D_{j-1/2,k}(p_{j,k}^n - p_{j-1,k}^n] \,+$$

$$\frac{\Delta t}{\Delta y^2}[\, D_{j,k+1/2}(p_{j,k+1}^n - p_{j,k}^n) - D_{j,k-1/2}(p_{j,k}^n - p_{j,k-1}^n] + (r - q_l)\Delta t \qquad (6)$$

$D_{j+1/2,k}$ 和 $D_{j-1/2,k}$ 分别是介于单元格($j$,$k$)、($j+1$,$k$)、($j-1$,$k$)和($j$,$k$)($x$ 轴)的横向扩散(见图 5)。与此相似,$D_{j,k+1/2}$ 和 $D_{j,k-1/2}$ 分别是介于单元格($j$,$k$)、($j+1$,$k$)、($j-1$,$k$)和($j$,$k$)($y$ 轴)的横向扩散。

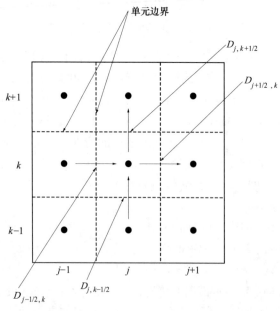

**图 5** 模型单元格与临近单元格边界的水平扩散

为了保证该公式的确定性,时间和空间设置范围如下:

$$\frac{\Delta t}{\Delta x^2}\text{Max}\{D_{j+1/2,k}, D_{j-1/2,k}\} \leq \frac{1}{4} \tag{7}$$

$$\frac{\Delta t}{\Delta y^2}\text{Max}\{D_{j,k+1/2}, D_{j,k-1/2}\} \leq \frac{1}{4} \tag{8}$$

## 3 河流组成模型

一维河流组成模型基于马斯科吉姆 – 库基横流路线法(库基,1969)。这一模型通过从上游至下游离散的河道网络模拟特定时间间隔 $\Delta t$ 的河流。在河道网络上,河流在时间 $n$ 到 $n+1$ 内从 $j$ 点流到 $j+1$ 点可以表示为

$$Q_{j+1}^{n+1} = C_0 Q_j^{n+1} + C_1 Q_j^n + C_2 Q_{j+1}^n + C_3 Q_l \tag{9}$$

这里,$Q(j, n)$ 表示在点 $j$ 处时间为 $n$ 时的流量,$Q_l$ 表示从土地要素流向河网的水平流量(等式 3)。庞塞在 1986 指出等式(9)中的参数可以由以下等式确定:

$$\left.\begin{aligned} C_0 &= \frac{-1+C+R}{1+C+R} \\ C_1 &= \frac{1+C-R}{1+C+R} \\ C_2 &= \frac{1-C+R}{1+C+R} \\ C_3 &= \frac{2C}{1+C+R} \end{aligned}\right\} \tag{10}$$

式中:$C$ 表示库软特号码;$R$ 表示雷诺兹号码,可以由以下等式确定:

$$C = \frac{c\Delta t}{\Delta s} \tag{11}$$

$$R = \frac{Q}{BS_0 c\Delta s} \tag{12}$$

式中:$c$ 表示波速;$B$ 表示河道最大宽度;$S_0$ 表示河道的坡度;$\Delta s$ 表示河道的段长。

波速由下式确定:

$$c = \frac{\partial Q}{\partial A}\bigg|_s \tag{13}$$

这里,$A$ 表示横断面流动面积,是流量 $Q$ 功能之一。

在任何时刻,$c$、$B$ 和 $X$ 的值取决于流量 $Q$,并且可以计算出来。因此,这一方法要求对流量进行估计,即习惯上所说的参考流量 $Q_{\text{ref}}$。现行中 $Q_{\text{ref}}$ 是三点的平均值。

$$Q_{\text{ref}} = \frac{Q_j^n + Q_{j+1}^n + Q_j^{n+1}}{3} \tag{14}$$

利用参考流量的估计值 $Q_{\text{ref}}$，水深、顶宽、湿横断面的面积等横断面参数可以通过利用在正常水深条件下的反复试验确定，如流体运动方程。一旦横断面参数可以计算出来，流速可以利用中心差别法计算出来。

$$c = \frac{dQ}{dA} = \frac{Q(h + \Delta h) - Q(h - \Delta h)}{A(h + \Delta h) - A(h - \Delta h)} \tag{15}$$

式中：$h$ 表示水深；$\Delta h$ 表示 $h$ 的变量。

## 4 数据要求及模糊参数

除了边界数据，该模型要求的数据分为三类，即基础数据、模型标度和确证模型、模型参数数据。

基础数据是关于河流高程、河流网络和几何学的数据。河流高程可以通过美国地质勘探局的数字高程模型确定。

## 5 进一步的发展方向

该论文阐述的模型目前仍在研究发展中，"工作台"测试情形中的模型代码的初步结果显示一切进展顺利。黄河流域上游的模型应用结果将会在确认完成后的后期阶段予以介绍，笔者期望该模型方法能够对像黄河流域一类的大型流域提供一个适当的流程预测的选择，同时也可以作为进一步研究的有力工具。

### 参 考 文 献

[1] Ampt J, Rosema A, Wang C, et al. 2005. Effective precipitation monitoring in the Yellow River Basin using FY2 satellite data, This issue

[2] Anderson M G, Burt T P. 1978. The role of topography in controlling throughflow generation, Earth Surf. Proc. Landforms, 3: 331 ~ 344

[3] Beven, K J 2001. Rainfall – Runoff Modelling, The Primer, John Wiley and Sons, Chichester

[4] Beven K J, Kirkby M J. 1979. A physically based variable contributing area model of basin hydrology, Hydrol. Sci. Bull., 24: 43 ~ 69

[5] Cherkauer K A, Bowling L C, Lettenmaier D P. 2003. Variable infiltration capacity cold land process model updates, Global Planet. Change, 28: 151 ~ 159

[6] Chiew F H S, Pitman A J, McMahon T A. 1996. Conceptual catchment scale rainfall – runoff models and AGCM land – surface parameterisation schemes, J. Hydrol., 179: 137 ~ 157

[7] Chow V T. 1959. Open – Channel Hydraulics, McGraw – Hill Book Company, Inc

[8] Cunge J A. 1969. On the subject of a flood propagation method (Muskingum method), J. Hydraul. Res., 7:205 ~ 230

[9] Dai Y, Zeng X, Dickinson R E, et al. 2003. The Common Land Model, Bull. Am. Meteorol. Soc., August 2003:1013 ~ 1023

[10] De Roo A, Schmuck G, Perdigao V, et al. 2003. The influence of historic land use changes and future planned land use scenarios on floods in the Oder catchment, Phys. Chem. Earth, 28:1291 ~ 1300

[11] Dunne T, Moore T R, Taylor C H. 1975. Recognition and prediction of runoff – producing zones in humid regions, Hydrol. Sci. J., 20:305 ~ 327

[12] Ewen J, Sloan W T, Kilsby C G, et al. 1999. UP modelling system for large scale hydrology: deriving large – scale physically – based parameters for the Arkansas – Red River basin, Hydrol. Earth System Sci., 3:125 ~ 136

[13] Houser P. 2001. Land data assimilation systems, Nat. Ac. Wat. Sci. Technol. Board Newslett., 18:1 ~ 9

[14] Koster R D, Suarez M J, Ducharne A, et al. 2000. A catchment – based approach to modeling land surface processes in a general circulation model, 1. Model structure, J. Geophys. Res., 105(D20):24809 ~ 24822

[15] Maskey 2004. Modelling uncertainty in flood forecasting systems, PhD Dissertation, UNESCO – IHE, Delft

[16] Maskey S, Samules P G, Fisher K, et al. 2000. Determination of river hydraulic status for eco – hydraulic predictions using a rule – based approach, Proc. 4th International Conference of Hydroinformatics (on CD), Iowa Institute of Hydraulic Research, Iowa

[17] Maskey S, Guinot V, Price R K. 2004. Treatment of precipitation uncertainty in rainfall – runoff modelling – a fuzzy set approach, Advances in Water Resources, 27:889 ~ 898

[18] Mo X, Liu S, Lin Z, et al. 2004. Simulating temporal and spatial variation of evapotranspiration over the Lushi basin, J. Hydrol., 285:125 ~ 142

[19] Moore I D, Grayson R B, Ladson A R. 1991. Digital terrain modelling: a review of hydrological, geomorphological and biological applications, Hydrol. Proc., 5:3 ~ 30

[20] Rosema A, Wu R, Ampt J, et al. 2005. Drought and water requirements monitoring in the Yellow River Basin using FY2 satellite data, This issue

[21] Rosema A, Verhees L, Sun S, et al. 2004. China Energy and Water Balance Monitoring System, Scientific final report Oret – Miliev project 98/53, commissioned by the State Forestry Administration

[22] Ponce V M. 1986. Diffusion wave modeling of catchment dynamics, J. Hydraul. Eng., 112(8), 716 ~ 727

[23] Tang X N, Knight D W, Samuels P.G. 1999. Volume conservation in variable parameter Musk-

ingum – Cunge method, J. Hydr. Engrg. , 125:610 ~ 620

[24]　Venneker R G W. 1996. A Distributed Hydrological Modelling Concept for Alpine Environments, PhD Dissertation, Vrije Universiteit Amsterdam

[25]　Wood E F, Lettenmaier D, Xu L, et al. 1997, Hydrological modelling of continental – scale basins, Annu. Rev. Earth Planet. Sci, 25:279 ~ 300

# 中国水管理与流域管理

## 高而坤

（全球水伙伴 GWP（中国））

**摘要**：本文概述了中国目前的水管理模式，阐述了流域管理机构在水管理中的职能作用，同时分析了目前中国水管理模式的特点及不足，并就此提出了展望。

**关键词**：水管理　流域　区域　和谐

## 1　中国水管理模式

### 1.1　中国历来重视流域管理

流域管理在中国具有悠久的历史。实行流域管理是兴利除害的需要，也是兼顾上下游及左右岸各方利益、维护社会稳定、保持国家统一的需求。自秦始皇起，中央政府即有派驻地方或临时派出机构或官员专职督办江河治理。元、明、清时为了确保漕运，维护京都粮食和财政给养，防治黄淮海平原的洪水灾害，建立了常设的跨行政区域、按水系管理的河道总督机构，这是中国最早的流域管理机构。

1949 年中华人民共和国成立后，当时的水利部在 1949 年 11 月设立黄河水利委员会、长江水利委员会、淮河水利工程总局，加强流域管理。以后，随着政府机构改革，流域管理机构也几经变迁。但是，以流域为单元加强统一管理的理念，在实践中成为社会共识。

至 20 世纪 80 年代，中国七大江河均建立了流域管理机构，全部隶属水利部，七大流域的管理范围覆盖了全国江河、湖泊及相应流域。至此，形成了中国流域管理机构的基本框架。

### 1.2　流域管理和区域管理相结合是中国水管理的法定模式

1988 年中国第一部《水法》颁布。这部中国水的根本大法明确规定了中国水资源管理的原则："国家对水资源实行统一管理与分级、分部门管理相结合的制度。"此外，《水污染防治法》规定，重要江河流域的水源保护机构，结合各自的职责，协同环境保护部门对水污染防治实施监督管理。1993 年国务院《取水许可制度实施办法》和水利部与国家计划委员会联合颁发的《河道管理范围内建设项目管理的有关规定》授权流域管理机构审查批准在大江大河主要河段、跨省河流的重要河段、省际边界河流、国境边界河流上的取水许可申请和在这些河段上新建、扩建、改建跨河、临河、穿河的水工程。1998年颁布的《中华人民共和国防洪法》规定了较多的防洪方面的流域管理规定,法律对防洪的制度、流域防洪规划的地位、流域管理机构在河道管理和防汛中的地位与作用做了详细的规定。

2002年修订的《水法》第十二条明确规定:"国家对水资源实行流域管理与行政区域管理相结合的管理体制。国务院水行政主管部门负责全国水资源的统一管理和监督工作。国务院水行政主管部门在国家确定的重要江河、湖泊设立的流域管理机构,在所管辖的范围内行使法律、行政法规规定的和国务院水行政主管部门授予的水资源管理和监督职责。县级以上地方人民政府水行政主管部门按照规定的权限,负责本行政区域内水资源的统一管理和监督工作。"

上述规定,进一步从法律上确立了流域管理与行政区域管理相结合的水资源管理体制,依法赋予了流域管理及其流域管理机构的法律地位,规定了流域管理的基本框架和流域管理机构的职能(见图1)。

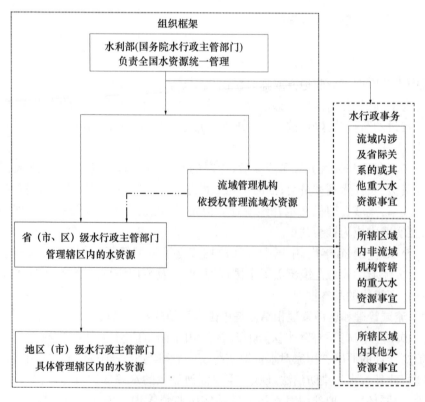

图1　中国水资源管理组织结构

## 2 流域管理机构在中国水管理中的定位

### 2.1 当前流域管理机构的水行政管理职能

当前,流域管理机构的水行政管理职能来源于法律法规授权和行政授权两方面。一是法律法规的授权。《水法》、《防洪法》、《水土保持法》等法律,《取水许可制度实施办法》、《河道管理条例》、《长江河道采砂管理条例》等行政法规以及部委规章等一系列法律法规的有关规定明确赋予了流域管理机构一系列流域管理职能和权限。二是行政授权。国务院"三定方案"及其他行政授权文件,依法授权流域管理机构进行取水许可管理、流域控制性水工程的建设管理等其他一些职能。目前中国的流域管理机构所拥有的水资源管理职能主要包括以下几个方面。

#### 2.1.1 水资源调查、监测与评价

流域管理机构负责组织流域水资源调查评价;组织或协调流域主要河流、河段的水文工作,指导流域内地方水文工作;发布流域水资源公报;负责省(自治区、直辖市)界水体、重要水域和直管江河湖库及跨流域调水的水量与水质监测工作;组织流域水土保持动态监测。

#### 2.1.2 流域规划的编制和管理

包括组织编制流域综合规划及有关的专业规划并监督实施;组织开展流域控制性水利项目的前期工作;对地方大中型水利项目进行技术审查;编制和下达流域内中央水利项目的年度投资计划等。

#### 2.1.3 流域水资源(包括地表水和地下水)的配置与调度

主要是负责拟订流域内省际水量分配方案和年度调度计划以及旱情紧急情况下的水量调度预案,实施水量统一调度,并在授权范围内实施取水许可制度。

#### 2.1.4 流域水资源保护

组织流域水功能区的划分和向饮用水水源保护区等水域排污的控制;审定水域纳污能力,提出限制排污总量的意见;负责对设置排污口的审查。

#### 2.1.5 流域防汛抗旱、水土保持等其他工作

制订流域防御洪水方案并监督实施;按照规定和授权对重要水利工程实施防汛抗旱调度;指导、监督流域内蓄滞洪区的管理和运用补偿工作;组织实施流域水土保持生态建设重点区水土流失的预防、监督与治理工作;负责指定流域控制性水利项目、跨省(自治区、直辖市)重要水利项目等中央水利项目的建设与管理。

#### 2.1.6 流域水资源管理的执法与监督

依法负责《水法》等有关法律法规在流域内的实施和监督检查,负责职权范

围内的水行政执法,查处水事违法行为;负责省际水事纠纷的调处工作。

## 2.2 流域管理机构在水管理中的作用

### 2.2.1 流域水资源的管理者

流域是一个从源头到河口的天然集水单元,上、中、下游,左岸与右岸,干流与支流,水量与水质,地表水与地下水,治理、开发与保护都相互联系,成为一个完整的系统。流域管理机构作为流域水资源管理者,可以统筹兼顾各地区、各部门之间的用水需求,保证流域生态系统的优化平衡,全面考虑流域的经济效益、社会效益和环境效益。流域水资源管理的实质,是要建立一套适应水资源自然流域特性和多功能统一性的管理制度,使有限的水资源实现优化配置和发挥最大的综合效益,保障和促进经济社会的可持续发展。

流域管理机构普遍加强了包括水资源规划在内的全河规划工作,积极推进流域水量分配和统一调度工作,强化了取水许可证制度的组织实施和监督管理,严格开展了建设项目水资源论证工作,建立了流域水量和水质监测体系,形成了水资源公报制度。黄河流域水量分配方案已于1987年由国务院办公厅批转执行,并已成为黄河水资源管理和规划的基本依据;海河流域结合首都水资源治理规划的制定和实施,初步形成了北京周边地区的水资源配置方案;松辽流域正在开展明晰流域水权的试点工作。

### 2.2.2 流域水资源的保护者

在中国水资源管理中,水资源保护和水生态问题日益突出。河流面临着可持续发展问题,维持河流健康生命成为流域水资源保护的重要任务。当河流受到污染,水质遭到破坏,甚至出现有河皆干、有水皆污,河流健康生命受到严重威胁的时候,流域管理机构充当河流的代言人,义不容辞。流域管理机构需转变观念,从开发利用管理转变为保护管理,大胆进行制度创新、机制创新、理论创新,整合水资源保护力量,准确定位,具体落实流域管理与区域管理相结合的管理体制,要充分发挥水量水质统一调度的优势,扎扎实实把各项具体工作做好。

近年来,黄河流域通过水量统一调度实现了黄河在干旱年份连续5年不断流,黑河流域将水送到了干涸近10年的东居延海和干涸了近42年的西居延海;海河流域完成了水生态修复规划,实施了引岳城水库水接济白洋淀湖泊生态需水工程;淮河流域实施南四湖生态补水工程;松辽流域实施了引嫩江水向扎龙湿地补水,引察尔森水库水向沿海湿地补水;太湖流域实施了引长江水改善太湖流域水质工程,流域水资源保护取得了显著成效。

### 2.2.3 区域间水事纠纷的协调者

流域水资源的开发和利用中,上下游、左右岸之间不可避免地会产生许多水事纠纷,调处边界水事矛盾历来是流域管理机构的主要任务之一,通过流域管理机构协调也往往是妥善解决和有效避免这些纠纷的最佳途径。各流域管理机构从事后查处向预防为主转变,加强了对水事矛盾敏感地区的管理。

黄河、淮河、珠江等流域都制定了《省际河流水事协调规约》,有效地规范了水事协调工作。海河流域通过协调,明晰了漳河上游水事矛盾区的水权,有效解决了涉及三省、历时数十年的水事纠纷;松辽流域为妥善处理诺敏河水事纠纷,组织制定了诺敏河省(自治区)际灌溉用水水事协调规约,并责成纠纷双方成立灌区管理委员会并实行轮执主席制度,通过灌区管理委员会来协商有效解决了灌溉用水纠纷问题。

## 3 中国水管理模式展望

2002 年修订的《水法》规范了流域管理,明确了流域管理机构法律地位和职责,标志着中国流域综合管理时代的来临。中国的流域管理需进一步落实法律赋予的职能,创新管理机制和体制。

### 3.1 明晰流域管理与区域管理的事权

随着中国的水资源管理体制由"分级、分部门管理相结合的制度"向"流域管理与行政区域管理相结合的管理体制"过渡,随着部门间冲突的渐渐消除,水资源管理部门内矛盾逐渐显现,即流域管理和区域管理之间的冲突将可能增多,明晰事权划分成为流域管理和区域管理相结合的关键。

划分流域与区域管理事权,必须首先明确流域管理机构的宏观管理职能,落实《水法》所赋予流域管理的职能,流域管理要从流域规划、流域水功能区划入手,切实抓好流域水量分配和水量调度工作,明确流域内带全局性、涉及省际间的重大涉水事务的管理权限,严格取水许可、工程管理、防洪调度等的分级管理制度,按照统一规划、统筹安排、宏观指导、监督检查的方式,实施流域的统一管理。流域管理机构与地方水行政主管部门是指导、协作、监督和行业管理关系。

### 3.2 建立流域管理与区域管理的和谐关系

在流域水管理体系中,行政区域管理是其中的重要组成部分,因此不能将流域管理与区域管理分离开来或对立起来,而应当将两者密切地结合起来。流域管理机构重点抓好流域内带全局性、涉及省际间以及地方难以办到的事,并为流域内各省、自治区、直辖市做好服务。在加强流域管理的同时,充分发挥地方政府和地方水行政主管部门的作用。

流域和区域水资源管理职能的结合,是在流域统一管理大框架内的科学分工、互相支持。流域与区域的宏观上的结合,首先表现在流域规划与区域规划之间的统一与衔接上,流域范围内的区域规划应当服从流域规划;其次体现在流域重大涉水事务管理的分工与合作上,流域分级管理的目的是为了避免区域纠纷、促进流域合作;同时,必须建立和完善在水资源管理和保护中的信息通报机制、联合会商机制和联合行动机制。

### 3.3 强化流域管理协调能力

近年来,建立综合性流域管理(协调)委员会的设想引起了各方关注,2001年11月,水利部在提交给国务院审议的《水法(送审稿)》的"第十条"中就提出:"国家在重要江河、湖泊可以设立由国务院有关部门、有关省级人民政府和流域管理机构负责人组成的流域管理委员会,负责协调解决流域治理开发中的重大问题,监督、检查流域水资源管理工作,并行使国务院授予的其他职权,其办事机构设在流域管理机构。"

水资源管理体制中,公众的参与日显重要,无论水资源分配与调度,还是水资源的开发与利用,都需要建立用水户之间的横向关系,构筑流域水资源管理的公众参与机制。用水户以流域的水资源管理为媒介建立利益共同体,反映自己的意见与愿望,参与流域管理的决策,监督流域管理机构的工作,维护自己的权益等。

### 3.4 加快流域管理机构自身的改革

中国现有的流域管理机构是国家为了对主要江河实施大规模治理而设置的。从其设立之初便带有浓厚的搞基本建设色彩,形成了一支集工程规划、勘测、设计、施工及工程管理等各种专业为一体的庞大的技术队伍,客观上形成了现有的流域管理机构重视技术管理、工程管理,忽视水域、水资源和水行政的管理,难以承担起流域水行政主管部门的职责。流域管理机构内部政、事、企职责不分,人员结构不合理,机构臃肿,人员的流域管理与执法能力不足。在流域管理机构的内部机构改革中,应以流域管理机构内部政、事、企分离为重点,分类改革,稳步推进,逐步建立符合中国国情、权利和责任统一、高效的流域管理机构。

# 三门峡水库"蓄清排浑"运用与潼关
# 河床冲淤平衡定量关系研究

陈印刚　　王育杰　　张冠军

(黄河水利委员会三门峡水利枢纽管理局　三门峡　472000)

**摘要**:多泥沙河流水库"蓄清排浑"运用前提是:库区淤积河段存在一定数量的富裕冲刷能力;水库低水位运用条件下具备较大的泄流规模;非汛期水库回水淤积要控制在一定范围内,汛期来水存在较高、较大的洪水量级。超出此适用范围,其局限性将体现出来。三门峡水库"蓄清排浑"运用与潼关河床冲淤平衡根本关系,关键在于非汛期潼关高程上升量 $\Delta H_{自然}$ + $\Delta H_{高水位}$ 与汛期潼关高程下降量 $\Delta H_{洪水}$ 之间的对比关系。若汛期洪水量大,水库运用符合上述平衡条件关系,其最高运用水位并不重要。近期汛期洪水量大幅度减少,洪水所产生潼关高程下降量 $\Delta H_{洪水}$ 小于非汛期自然上升量 $\Delta H_{自然}$,这是潼关高程持续上升和居高不下的根本原因。不能因水沙条件变化进而否定多泥沙河流水库"蓄清排浑"控制运用的科学价值和重要作用。应进一步调整三门峡水库汛期排沙运用水位指标,最大限度地挖掘排沙潜力,扩大溯源冲刷范围并促使与沿程冲刷范围衔接。

**关键词**:三门峡水库　蓄清排浑　河床冲淤　潼关高程　高水位　来沙量　洪水量

## 1　概述

黄河是世界上著名的多泥沙河流。新中国成立后,人民治黄事业得到了党和国家的足够重视,为除害兴利,20世纪50年代末,在黄河干流上开始修建了第一座大型水库——三门峡水库。当时,由于对水土保持的发展速度和拦泥效果估计的过于乐观,重拦轻排,1960年9月水库开始蓄水拦沙运用后,淤积量急剧增加并引起淤积上延,库容损失过快,潼关河床大幅度抬升,淹没及盐碱化问题出现,影响到渭河下游防洪及西安市安全。为此,从60年代中期开始,枢纽经历了长达数十年的增建、改建和运用探索过程。1973年水库开始按"蓄清排浑"方式运用后,曾一度(1973~1986年)较好地实现了调水调沙,基本控制了潼关高程(潼关(六)断面1 000 m³/s流量相应水位)相对升降平衡。1986年后特别是90年代后期以来,汛期洪水量大幅度减少,库区淤积有所增加,潼关高程出现间歇性上升和居高不下,水库"蓄清排浑"运用方式面临一系列新的难题。因此,深入研究、探索三门峡水库有关运用指标与库区潼关河床冲淤平衡定量关系的规律,对黄河三门峡乃至国内外其他多泥沙河流水库运用认识水平的提高有重要意义。

## 2 多泥沙河流水库"蓄清排浑"运用前提与适用范围

### 2.1 "蓄清排浑"运用前提

根据河流泥沙理论分析,结合三门峡水库四十多年运用实践经验,多泥沙河流水库"蓄清排浑"运用基本前提可概括为以下三点:

(1)库区淤积河段存在一定数量的富裕冲刷能力。20世纪70年代初期,根据多泥沙河流河道纵比降随来水来沙及其边界条件变化进行自动调整的机理,我国泥沙界认为多泥沙河流水库"蓄清排浑"运用的前提是:库区淤积河段存在一定数量的富裕冲刷能力,即库区淤积河段输沙平衡比降 $J_s$ 比建库前原河道比降 $J_0$ 明显偏小($J_s/J_0$ 明显小于1)。

(2)水库低水位运用条件下具备较大的泄流规模。理论分析与三门峡水库"蓄清排浑"运用实践表明:多泥沙河流库区淤积河段仅有一定数量的富裕冲刷能力是远远不够的,水库低水位运用条件下必须具备较大规模的泄流排沙设施,换言之,低水位必须具备相当规模的有效"排浑"能力。

(3)非汛期水库回水淤积要控制在一定范围内,汛期来水存在较高、较大的洪水量级。首先,非汛期水库高水位造成的回水淤积必须控制在汛期洪水可以冲刷的范围内。其次,河流动力学表明:河流造床作用与流量的较高次成正比关系。只有汛期来水存在较高、较大的洪水量级,"蓄清排浑"运用才能将非汛期淤积在库内的泥沙冲刷出库,实现和保持库区年度或多年冲淤平衡。否则,库区将会出现累积性淤积,难以实现冲淤平衡。

### 2.2 三门峡水库"蓄清排浑"运用成功实践

三门峡水库"蓄清排浑"成功运用曾经历曲折复杂的历史探索过程。1960年9月,三门峡水利枢纽初步建成开始进行"蓄水拦沙"运用,最高蓄水位曾达332.58 m(1961年2月9日)。1960年9月至1962年3月水库"蓄水拦沙"期间,不但回水超过潼关,而且枢纽泄流规模很小(315 m水位泄流能力仅为3 084 $m^3/s$),特别缺乏低水位泄流设施,仅有13%的泥沙以异重流形式排出库外,库内淤积严重,潼关高程上升4.5 m,335 m以下库容损失约17亿 $m^3$。

为此,1962年4月以后,不得不进行"滞洪排沙"运用。"滞洪排沙"初期,泄流设施只有原建的12个深孔,虽然敞开闸门泄流排沙,水库排沙比由原来的6.8%增加到58%,库区淤积有所缓解,但因泄流排沙设施不足,泄水建筑物进水口底坎位置较高,遇到1964年丰水丰沙,水库滞洪淤积严重。库区淤积不断向上游发展。随着枢纽增、改建工程的开展,水库泄洪排沙能力加大,库区潼关以下冲刷4亿 $m^3$,槽库容得到了较好恢复,潼关高程下降1.9 m,淤积上延问题也大为减轻。1971

年10月,枢纽泄流设施达到二次改建规模,泄流设施除有12个深孔外,增加了2条隧洞、3条排沙钢管、8个排沙底孔,315 m水位泄流能力达到9 059 m³/s。

为进一步探索三门峡水库的科学控制运用方式,1973年11月开始对水库进行"蓄清排浑"控制运用,即在来沙少的非汛期蓄水防凌、春灌、发电,汛期特别是洪水期,降低水位泄洪排沙,把非汛期淤积在库内的泥沙调节到汛期排出库外,实现了对水量和泥沙的双重调节。1973年11月~1985年10月,非汛期水库最高防凌、春灌运用水位分别按326 m、324 m控制,虽然高水位运用时间较长,回水淤积超过潼关,但因汛期来水存在较高、较大的洪水量级,水库运用采用了科学的"蓄清排浑"控制运用方式,成功地实现了潼关河床相对冲淤平衡。潼关高程虽然有升有降,但基本稳定在326.64~327.20 m之间。1985年汛末与1973年汛末潼关高程一致,均为326.64 m。

## 2.3 多泥沙河流水库"蓄清排浑"运用适用范围及其局限性

多泥沙河流水库"蓄清排浑"运用的前提,概括反映了其适用范围和实际运用中所可能存在的局限性;前提条件变化后,水库"蓄清排浑"控制运用就不能保证有效地实现冲淤平衡目标。近十几年三门峡水库运用实践证明了这一问题。

实践表明,1986年以后特别是进入90年代后,三门峡水库汛期来水条件发生显著变化,洪水量大幅度减少,前提条件变化使潼关高程呈明显上升趋势并居高不下。此间,虽然1990年增开9号、10号底孔;1993年以后水库非汛期实际最高防凌、春灌运用水位按322 m控制;1997年后进行潼关河段清淤并逐步加大规模和力度;1999年、2000年又增开11号、12号底孔;2000年后实际最高防凌、春灌运用水位基本按320.5 m控制,300 m水位下的泄流能力已超过3 600 m³/s,为减小对潼关河床的淤积影响创造了有利条件,但并不能因此完全遏制潼关高程的持续抬升。2001年汛末潼关高程达328.30 m,2002年非汛期末至汛初,由于渭河连续出现几次高含沙小洪水过程,在水库运用水位较低的情况下,潼关河段出现严重淤积和大幅度抬升(抬升约0.8 m),潼关高程创历史新高,达到329.20 m,汛末仍未能恢复到大幅度抬升之前的水平。

三门峡水库曾成功运用"蓄清排浑"方式控制所遇到的新问题,其根本原因何在?能由此否定多泥沙河流水库"蓄清排浑"控制运用的科学价值和作用?笔者认为,需要从三门峡水库"蓄清排浑"运用与潼关河床冲淤平衡定量关系入手进行深入分析、研究。

# 3 三门峡水库"蓄清排浑"运用与潼关河床冲淤平衡关系

## 3.1 非汛期水库高水位运用与潼关河床上升之间的关系

根据大量的历史调查资料和研究成果,三门峡水库建库前的自然历史时期,潼关高程变化基本特征表现为：①年度内，呈现"汛期下降、非汛期上升"的规律；②长期历史过程，非汛期上升量大于汛期下降量，呈现微升趋势。其中，从三国（公元 155～220 年）至建库（1960 年），潼关河床沉积 14 m 厚的中细沙层[1]；在建库前的近 20 年时间内，非汛期平均上升 0.35 m，汛期平均下降 0.28 m，年均上升 0.07 m[2]。这表明，在建库前数千年时间内即没有水库回水淤积影响的情况下，无论是非汛期还是长期历史过程，各种原因既已引起潼关河床呈上升趋势，其中主要是水沙条件变化引起河床自然冲淤与调整所形成的。

三门峡水库建成后，非汛期水库高水位运用期间，造成潼关高程上升的因素是多方面的，高水位运用条件下的回水淤积会对潼关河床造成一定的不利影响。

在一定条件下，潼关高程上升量 $\Delta H$ 近似等于潼关附近河床淤积体厚度 $\Delta h$，即 $\Delta H \approx \Delta h$。因潼关附近特别是紧邻潼关以下各断面间的河长 $L$ 和平均河宽 $B$ 变化相对较小，假设紧邻潼关断面下某一河段淤积体体积为 $\Delta V$，淤积体密度为 $\rho$，那么相应河段河床淤积体厚度 $\Delta h = \Delta V / BL$。由于该河段淤积体体积 $\Delta V$ 与相应时段泥沙淤积量 $W_s$ 具有确定性关系即 $\Delta V = W_s / \rho$，所以，$\Delta H \approx \Delta h = \Delta V / BL = W_s / \rho BL$。其中 $\rho$、$B$、$L$ 均为常量，水库高水位期间相应时段的来沙量（或泥沙淤积量）$W_s$，就是水库运用造成潼关高程上升的最主要物理因子，上升量 $\Delta H$ 与 $W_s$ 基本呈一次线性关系[4]。根据 $\Delta H$ 与某一水位级以上来沙量 $W_s$（见表 1），可进行数理统计和相关关系分析。

表 1　非汛期潼关高程上升量 $\Delta H$ 与水库运用因子
（某一水位级以上）$W_s$ 数量关系统计

| 年度 | $\Delta H$ | $W_{sH \geqslant 324}$ | $W_{sH \geqslant 323}$ | $W_{sH \geqslant 322}$ | $W_{sH \geqslant 321}$ | $W_{sH \geqslant 320}$ | $W_{sH \geqslant 319}$ | $W_{sH \geqslant 318}$ | $W_{sH \geqslant 317}$ | $W_{sH \geqslant 316}$ | $W_{sH \geqslant 315}$ |
|---|---|---|---|---|---|---|---|---|---|---|---|
| 1973～1974 | 0.55 | 1 232 | 3 325 | 6 560 | 8 992 | 10 630 | 10 862 | 11 320 | 11 485 | 11 714 | 11 918 |
| 1974～1975 | 0.53 | 0 | 3 403 | 4 314 | 4 889 | 5 750 | 7 083 | 7 825 | 8 849 | 9 428 | 9 778 |
| 1975～1976 | 0.67 | 471 | 911 | 1 096 | 1 852 | 4 531 | 7 056 | 7 456 | 8 630 | 9 336 | 9 989 |
| 1976～1977 | 1.25 | 4 720 | 6 415 | 6 581 | 6 763 | 6 943 | 7 220 | 7 505 | 7 861 | 8 513 | 9 071 |
| 1977～1978 | 0.51 | 677 | 1 424 | 3 466 | 4 966 | 5 390 | 6 686 | 7 005 | 7 767 | 9 113 | 9 417 |
| 1978～1979 | 0.67 | 2 198 | 2 796 | 6 444 | 6 953 | 7 866 | 9 020 | 9 584 | 9 859 | 10 144 | 10 776 |
| 1979～1980 | 0.20 | 0 | 2 010 | 2 395 | 3 796 | 5 347 | 6 693 | 6 754 | 6 915 | 8 247 | 9 006 |
| 1980～1981 | 0.24 | 0 | 1 027 | 2 127 | 2 840 | 4 311 | 5 447 | 5 551 | 5 628 | 5 783 | 6 046 |
| 1981～1982 | 0.50 | 0 | 2 191 | 4 270 | 5 268 | 5 966 | 6 698 | 7 836 | 8 613 | 9 147 | 10 083 |
| 1982～1983 | 0.33 | 0 | 3 961 | 6 397 | 6 838 | 7 735 | 8 886 | 9 533 | 9 962 | 10 517 | 10 598 |
| 1983～1984 | 0.61 | 594 | 2 048 | 2 856 | 4 717 | 5 676 | 6 360 | 7 002 | 7 568 | 7 797 | 7 941 |
| 1984～1985 | 0.21 | 429 | 1 401 | 1 844 | 2 158 | 2 474 | 7 031 | 7 679 | 8 507 | 9 296 | 9 835 |

续表 1

| 年度 | $\Delta H$ | $W_{sH\geqslant 324}$ | $W_{sH\geqslant 323}$ | $W_{sH\geqslant 322}$ | $W_{sH\geqslant 321}$ | $W_{sH\geqslant 320}$ | $W_{sH\geqslant 319}$ | $W_{sH\geqslant 318}$ | $W_{sH\geqslant 317}$ | $W_{sH\geqslant 316}$ | $W_{sH\geqslant 315}$ |
|---|---|---|---|---|---|---|---|---|---|---|---|
| 1985～1986 | 0.44 | 0 | 0 | 368 | 667 | 1 055 | 3 312 | 4 445 | 4 935 | 5 784 | 12 799 |
| 1986～1987 | 0.12 | 0 | 1 538 | 1 985 | 2 407 | 4 029 | 5 083 | 5 862 | 6 431 | 7 686 | 8 127 |
| 1987～1988 | 0.21 | 152 | 1 647 | 2 173 | 3 847 | 4 309 | 5 261 | 5 629 | 6 378 | 6 841 | 6 933 |
| 1988～1989 | 0.54 | 695 | 5 461 | 5 999 | 6 281 | 6 800 | 9 236 | 10 428 | 11 373 | 12 135 | 13 187 |
| 1989～1990 | 0.40 | 0 | 4 461 | 5 354 | 6 078 | 9 103 | 10 020 | 10 884 | 11 271 | 12 548 | 15 011 |
| 1990～1991 | 0.42 | 0 | 1 637 | 2 571 | 3 049 | 3 566 | 3 595 | 7 230 | 8 205 | 14 216 | 14 697 |
| 1991～1992 | 0.50 | 0 | 2 082 | 4 238 | 7 459 | 7 866 | 8 232 | 8 823 | 9 760 | 12 887 | 13 302 |
| 1992～1993 | 0.46 | 0 | 0 | 0 | 1 351 | 3 488 | 4 627 | 5 891 | 6 968 | 7 483 | 13 611 |
| 1993～1994 | 0.17 | 0 | 0 | 1 169 | 3 206 | 3 932 | 5 966 | 6 489 | 7 235 | 8 350 | 11 129 |
| 1994～1995 | 0.43 | 0 | 0 | 0 | 1 679 | 2 498 | 3 722 | 5 467 | 8 561 | 10 779 | 12 110 |
| 1995～1996 | 0.18 | 0 | 0 | 0 | 3 546 | 5 102 | 6 092 | 6 475 | 7 682 | 9 418 | 12 953 |
| 1996～1997 | 0.17 | 0 | 0 | 0 | 1 358 | 3 519 | 5 165 | 5 543 | 7 309 | 7 556 | 7 675 |
| 1997～1998 | 0.26 | 0 | 672 | 2 237 | 6 153 | 11 279 | 15 181 | 16 510 | 17 642 | 18 153 | 18 763 |
| 1998～1999 | 0.34 | 0 | 0 | 0 | 0 | 873 | 3 373 | 7 521 | 9 803 | 11 259 | 12 459 |
| 平均 | 0.42 | 429.5 | 1 862 | 2 863 | 4 120 | 5 386 | 6 843 | 7 779 | 8 661 | 9 774 | 11 050 |

注:表中 $\Delta H$、$W_s$ 单位分别为:m、万 t。

　　将非汛期潼关高程上升量 $\Delta H$ 与某一水位级（$\geqslant 315$ m、316 m、…、324 m）以上的来沙量 $W_s$ 进行了单相关分析,结果见表 2。

表 2　非汛期潼关高程上升量 $\Delta H$ 与某一水位级以上来沙量 $W_s$ 回归分析统计

| 某一水位级以上来沙量 $W_s$ | 相关系数 | 显著水平 | 截距 | 回归系数 |
|---|---|---|---|---|
| $W_{sH\geqslant 324}$ | 0.817 1 | 48.20 | 0.338 | 0.191 2 |
| $W_{sH\geqslant 323}$ | 0.602 8 | 13.70 | 0.270 | 0.080 5 |
| $W_{sH\geqslant 322}$ | 0.536 3 | 9.69 | 0.261 | 0.055 2 |
| $W_{sH\geqslant 321}$ | 0.410 0 | 4.85 | 0.250 | 0.041 1 |
| $W_{sH\geqslant 320}$ | 0.269 1 | 1.87 | 0.289 | 0.024 2 |
| $W_{sH\geqslant 319}$ | 0.138 9 | 0.47 | 0.334 | 0.012 4 |
| $W_{sH\geqslant 318}$ | 0.128 4 | 0.40 | 0.325 | 0.012 1 |
| $W_{sH\geqslant 317}$ | 0.090 7 | 0.20 | 0.345 | 0.008 6 |
| $W_{sH\geqslant 316}$ | 0.052 4 | 0.07 | 0.375 | 0.004 5 |
| $W_{sH\geqslant 315}$ | 0.005 6 | 0 | 0.414 | 0.000 5 |

　　根据数学分析理论,样本、总体的相关系数是不完全一致的。对于总体不相关（$p=0$）的两个随机变量,由于抽样的缘故,样本相关系数 $r$ 不一定为零,有可能是一个大于零的数,即 $r$ 也是一个随机变量。因此,需要按一定规则对它进行

检验。

本次分析非汛期资料的样本容量为 26,根据判别、检验相关关系的规则与标准,在不同信度水平($\alpha = 0.01$、$0.02$、$0.05$、$0.10$)下,非汛期潼关高程上升量 $\Delta H$ 与某一水位级以上来沙量 $W_s$ 具备相关关系所需的单相关系数最低值 $r_d$ 分别为 $0.499\ 4$、$0.456\ 9$、$0.391\ 4$、$0.332\ 4$(见图 1)。

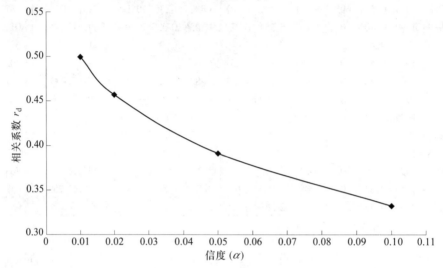

图 1　不同信度水平下,总体相关所必须的样本
($n = 26$)相关系数最低值 $r_d$

根据表 2 中的结果,可将非汛期潼关高程上升量 $\Delta H$ 与某一水位级以上来沙量 $W_s$ 相关系数之间的关系,转变为非汛期潼关高程上升量 $\Delta H$ 与某一水位级以上运用的相关系数曲线(见图 2)。

根据图 1、图 2,可得出表 3 第 3 行数据,即:在不同信度水平下,非汛期潼关高程上升量 $\Delta H$ 与来沙量 $W_s$ 具备相关关系的相应水位级。也就是说,在实际检验样本相关系数及确定总体相关关系时,若取信度不同($\alpha = 0.01$、$0.02$、$0.05$、$0.10$),非汛期高水位运用期间的来沙量 $W_s$,对潼关高程上升量 $\Delta H$ 具有相关关系的临界水位不同,分别为 $322.24$、$321.83$、$321.21$、$320.56$ m。根据最高库水位严格控制要求,根据规范、严谨的判别和检验标准,非汛期库水位低于 320 m 也就基本消除了水库运用对潼关河床的淤积影响。此时,无论非汛期潼关高程的上升,还是年度潼关高程的累计上升,其根本原因与建库前近 20 年上升的原因相同。

根据 1973～1999 年非汛期来水来沙量、汛末与汛初潼关高程、潼关至垎埳河段比降等资料,结合分析结果(见表 2),非汛期三门峡水库高水位运用(超过 320.56 m)条件下,回水淤积(或相应入库沙量 $W_s$)对潼关高程上升量 $\Delta H$ 有影响的物理统计模型为:

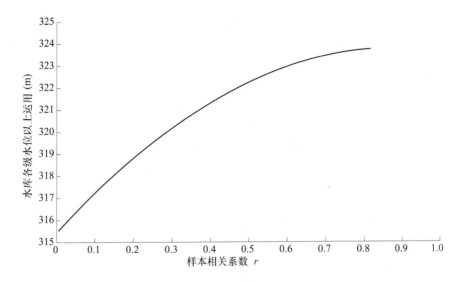

图 2　非汛期潼关高程上升量 $\Delta H$ 与水库某一水位级以上
（来沙量）运用相关系数曲线

表 3　不同信度水平下所需单相关系数最低
值 $r_{\mathrm{d}}$ 及具有相关关系的相应库水位级

| 不同信度水平 $\alpha$ | 0.01 | 0.02 | 0.05 | 0.10 |
|---|---|---|---|---|
| 所需单相关系数最低值 $r_{\mathrm{d}}$ | 0.499 4 | 0.456 9 | 0.391 4 | 0.332 4 |
| 非汛期潼关高程 $\Delta H$ 与高水位期间来沙量 $W_{\mathrm{s}}$ 具有相关关系的相应水位级（m） | 322.24 | 321.83 | 321.21 | 320.56 |

$$\Delta H = 0.250 + 0.041\ 1 W_{\mathrm{s} \geqslant 321} \qquad (1)$$

$$\Delta H = 0.261 + 0.055\ 2 W_{\mathrm{s} \geqslant 322} \qquad (2)$$

$$\Delta H = 0.270 + 0.080\ 5 W_{\mathrm{s} \geqslant 323} \qquad (3)$$

$$\Delta H = 0.338 + 0.191\ 2 W_{\mathrm{s} \geqslant 324} \qquad (4)$$

### 3.2　汛期入库洪水量与潼关河床下降之间的关系

多泥沙河流的造床过程主要发生在汛期洪水过程,洪水量或洪峰流量是促使潼关河床冲刷、潼关高程下降的主要物理量,最具代表性。由于实际洪水运动过程所消耗的能量关系十分复杂,很难从质量守恒和能量守恒方程建立起床沙冲淤量与影响因子间的简单表达式。若将洪水期单位时间内进入潼关断面洪水体看做一个整体或系统,不考虑系统内力,仅从考虑整个河床受到的洪水总冲力和冲量,认为床沙的冲刷主要与水流冲量有关[4],那么就可以简化表达关系。

设洪水期单位时间内河床受到的平均冲力为 $F$,总作用时间为 $T$,单位时间进入潼关断面的洪水体质量为 $M$、洪水期平均流量为 $Q$、洪水体平均密度为 $\rho$、汛初潼坩段纵向坡角为 $\alpha$、汛初潼坩段比降为 $J$，那么，水体对河床的总冲量就是：$P = F \times T = Mg\sin\alpha \times T = Q\rho g\sin\alpha \times T$。

因为 $Q \times T = W$；$\alpha$ 很小，$\sin\alpha \approx \tan\alpha = J$；含沙量 $S(\text{kg/m}^3)$ 较大时，$\rho$ 可表示为 $1 + 0.000\,624S$，所以，总冲量 $P = W(1 + 0.000\,624S)gJ$。由于 $g$ 为重力加速度（常数），那么冲量因子 $P$ 可表示为 $W(1 + 0.000\,624S)J$。

笔者曾对汛期潼关高程下降量 $\Delta H$ 与冲量综合因子 $W(1 + 0.000\,624S)J$ 之间的关系进行过大量相关分析，发现 $\Delta H$ 与 $W(1 + 0.000\,624S)J$ 关系密切，其中与 $W$ 关系最为显著和密切。为突出重点，表4仅列出了 1974~1999 年汛期潼关高程下降量 $\Delta H$ 与某一流量级以上的洪水量 $W$。

**表4　汛期潼关高程下降量 $\Delta H$ 及某一流量级以上的洪水量 $W$ 统计**

| 年份 | 汛初潼高<br>（m） | 汛末潼高<br>（m） | 下降量 $\Delta H$<br>（m） | $W_{Q \geqslant 1\,500}$<br>（亿 m³） | $W_{Q \geqslant 2\,000}$<br>（亿 m³） | $W_{Q \geqslant 2\,500}$<br>（亿 m³） | $W_{Q \geqslant 3\,000}$<br>（亿 m³） |
|---|---|---|---|---|---|---|---|
| 1974 | 327.19 | 326.70 | 0.49 | 47.8 | 26.9 | 19.3 | 5.4 |
| 1975 | 327.23 | 326.04 | 1.19 | 294.7 | 270.8 | 231.2 | 181.6 |
| 1976 | 326.71 | 326.12 | 0.59 | 301 | 255 | 219 | 196 |
| 1977 | 327.37 | 326.79 | 0.58 | 105.2 | 68.8 | 45.7 | 36.4 |
| 1978 | 327.30 | 327.09 | 0.21 | 186.6 | 151.2 | 112.2 | 82 |
| 1979 | 327.76 | 327.62 | 0.14 | 184 | 159 | 105 | 62 |
| 1980 | 327.82 | 327.38 | 0.44 | 54.4 | 28.1 | 4.7 | 0 |
| 1981 | 327.62 | 326.94 | 0.68 | 323.6 | 303.5 | 263.6 | 223.6 |
| 1982 | 327.44 | 327.06 | 0.38 | 133 | 93.3 | 39.9 | 15.1 |
| 1983 | 327.39 | 326.57 | 0.82 | 305.9 | 275.8 | 245 | 209.1 |
| 1984 | 327.18 | 326.75 | 0.43 | 269 | 227 | 183 | 152 |
| 1985 | 326.96 | 326.64 | 0.32 | 197 | 164 | 128 | 114 |
| 1986 | 327.08 | 327.18 | −0.10 | 64.1 | 43.9 | 31.9 | 11.3 |
| 1987 | 327.30 | 327.16 | 0.14 | 9.1 | 5 | 3 | 3 |
| 1988 | 327.37 | 327.08 | 0.29 | 128 | 96.9 | 72.6 | 45.7 |
| 1989 | 327.62 | 327.36 | 0.26 | 161 | 141.3 | 125.8 | 70.6 |
| 1990 | 327.76 | 327.60 | 0.16 | 75.4 | 22 | 12.7 | 3.5 |
| 1991 | 328.02 | 327.90 | 0.12 | 5.3 | 2.3 | 2.3 | 0 |
| 1992 | 328.40 | 327.30 | 1.10 | 69.4 | 48.3 | 26.7 | 12.2 |
| 1993 | 327.76 | 327.78 | −0.02 | 77.3 | 44 | 10.5 | 5.8 |
| 1994 | 327.95 | 327.69 | 0.26 | 61.4 | 34.6 | 24.5 | 19.7 |
| 1995 | 328.12 | 328.24 | −0.12 | 49.8 | 18.8 | 7.5 | 5.3 |
| 1996 | 328.42 | 328.07 | 0.35 | 72.5 | 35.2 | 13.1 | 10.6 |
| 1997 | 328.24 | 328.02 | 0.22 | 8 | 5 | 3.1 | 3.1 |
| 1998 | 328.28 | 328.12 | 0.16 | 30.4 | 17.8 | 6.4 | 4 |
| 1999 | 328.46 | 328.12 | 0.34 | 17.2 | 8.3 | 0 | 0 |

汛期潼关河床冲淤特点表现为：①一般洪水过程发生冲刷；当落水过程发生强淤积时，整个洪水过程表现为微淤。②当汛期小水（或平水）过程含沙量较大

(或时间较长)时,即汛期淤积量大于冲刷量时,整个汛期表现为微淤。潼关高程变化与上述情况基本一致,表4中的数据体现了这一规律。为反映汛期平均情况,此处未对特殊点(微淤)数据进行剔除。

一般认为,汛期小于 1 000 m³/s 的流量过程对潼关高程不利。根据 1974 ~ 1999 年资料,在不考虑 S、J 差异及对潼关高程影响的条件下,通过回归计算得表5。根据表5,可列出汛期潼关高程下降量 $\Delta H$ 与某一流量级(1 500 m³/s、2 000 m³/s、2 500 m³/s、3 000 m³/s)以上的洪水量 $W$ 相关表达式(见式(5)、式(6)、式(7)、式(8))。

表5　1974 ~ 1999 年汛期潼关高程下降量 $\Delta H$ 与某一流量级
以上的洪水量 $W$ 回归分析统计

| 洪水量 $W$ | 相关系数 $W$ | 显著水平 | 截距 | 回归系数 |
|---|---|---|---|---|
| $W_{Q \geqslant 1500}$ | 0.533 1 | 9.53 | 0.156 | 0.001 66 |
| $W_{Q \geqslant 2000}$ | 0.549 4 | 10.38 | 0.186 | 0.001 81 |
| $W_{Q \geqslant 2500}$ | 0.557 0 | 10.79 | 0.209 | 0.002 06 |
| $W_{Q \geqslant 3000}$ | 0.559 0 | 10.91 | 0.226 | 0.002 41 |

$$\Delta H = 0.156 + 0.001\,66 W_{Q \geqslant 1500} \tag{5}$$

$$\Delta H = 0.186 + 0.001\,81 W_{Q \geqslant 2000} \tag{6}$$

$$\Delta H = 0.209 + 0.002\,06 W_{Q \geqslant 2500} \tag{7}$$

$$\Delta H = 0.226 + 0.002\,41 W_{Q \geqslant 3000} \tag{8}$$

### 3.3　潼关高程与非汛期高水位运用、汛期洪水量之间综合关系

综合上述研究成果,三门峡水库"蓄清排浑"运用与潼关高程平衡关系问题,实质上归结为:非汛期潼关高程自然上升量 $\Delta H_{自然}$、高水位运用造成的上升量 $\Delta H_{高水位}$ 与汛期冲刷下降量 $\Delta H_{洪水}$ 对比关系。共分四种不同情况:

(1)若 $\Delta H_{洪水} > \Delta H_{自然} + \Delta H_{高水位}$,即使水库按"蓄清排浑"控制运用,潼关高程也会呈下降趋势;

(2)若 $\Delta H_{洪水} = \Delta H_{自然} + \Delta H_{高水位}$,水库"蓄清排浑"控制运用可以实现潼关高程升降相对平衡;

(3)若 $\Delta H_{自然} < \Delta H_{洪水} < \Delta H_{自然} + \Delta H_{高水位}$,那么潼关高程可能会呈上升趋势,通过降低非汛期最高运用水位可以实现潼关高程升降相对平衡;

(4)若 $\Delta H_{洪水} < \Delta H_{自然}$,无论是否降低非汛期最高运用水位,潼关高程都会呈上升趋势。

根据式(1)、式(2)、式(3)、式(4)、式(5)、式(6)、式(7)、式(8),可以得出三门

峡水库高水位运用、汛期洪水量与潼关高程平衡关系线性图。在"非汛期某一水位级以上的来沙量和汛期某一流量级以上的洪水量"这两因子之外,若不考虑某一水位级以上随着来沙量的增加潼关高程上升速率略有减小;考虑到汛期相同洪水量条件下随着流量级的加大潼关高程下降速率逐步加大(即高含沙大洪水冲刷作用增强,目前潼关至史家滩河段平均下降加大,枢纽低水位泄流规模显著加大),根据有关特征量对式(5)、式(6)、式(7)、式(8)相应线性图进行合理修正后,可以得出三门峡水库高水位运用、汛期洪水量与潼关高程升降综合关系判别图(见图3)。

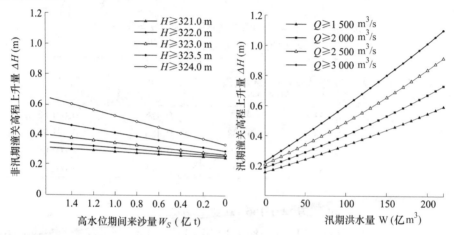

(a)非汛期高水位来沙量与潼关高程上升量 $\Delta H$ 关系　(b)汛期潼关高程下降量 $\Delta H$ 与洪水量 $W$ 关系

**图3　三门峡水库高水位运用、汛期洪水量与潼关高程升降综合关系图**

广义方面讲,若忽略图3中具体数值,则它简单、抽象、概括地反映了一般多泥沙河流水库"蓄清排浑"运用与库区冲淤平衡基本关系判断问题。

具体到三门峡水库运用与库区冲淤平衡关系,其根本问题绝不是简单地确定一个非汛期水库最高运用水位,而在于年度或多年非汛期潼关高程上升量 $\Delta H_{自然} + \Delta H_{高水位}$ 与汛期潼关高程下降量 $\Delta H_{洪水}$ 之间的对比关系。符合平衡条件关系,水库最高运用水位问题就并不重要;当非汛期最大限度地消除水库高水位运用影响($\Delta H_{高水位} = 0$)后,而汛期洪水量减小却使 $\Delta H_{洪水} < \Delta H_{自然}$,即不符合平衡条件关系,也不能单纯通过控制水库运用来解决潼关高程上升问题。

### 3.4　近期潼关高程居高不下的根本原因

实测资料表明,1974～1985 年超过 1 500 m³/s、2 000 m³/s、2 500 m³/s、3 000 m³/s 以上的入库洪水量 $W$ 分别达到 200 亿 m³、168 亿 m³、133 亿 m³、106 亿 m³,较接近枢纽建设初期原设计来水来沙水平(原设计年汛期水量约 255 亿 m³,汛期洪水量约 200 亿 m³),即使三门峡水库最高防凌、春灌水位分别按 326 m、324 m

进行控制运用,由于水库富裕冲刷能力的存在,实践已证明该时段内三门峡水库"蓄清排浑"运用能够实现潼关河床冲淤平衡与潼关高程相对稳定。

1993～1999 年超过 1 500 m³/s、2 000 m³/s、2 500 m³/s、3 000 m³/s 的入库洪水量 $W$ 分别仅为 45.2 亿 m³、23.4 亿 m³、9.30 亿 m³、6.93 亿 m³,2000 年以后,绝大多数年份三门峡入库流量超过 2 000 m³/s 的洪水量 $W$ 减小到不足 7 亿 m³,这就是水库最高运用水位降低到 320.5 m 以下即对潼关河床的不利影响得到消除后,潼关高程仍持续上升或居高不下的根本原因。

## 4 结语

(1)三门峡水库"蓄清排浑"运用与潼关河床冲淤平衡根本关系问题,关键在于年度或多年非汛期潼关高程上升量 $\Delta H_{自然} + \Delta H_{高水位}$ 与汛期潼关高程下降量 $\Delta H_{洪水}$ 之间的对比关系。符合平衡条件关系,其最高运用水位并不重要。

(2)近期,潼关高程居高不下的根本原因是汛期洪水量大幅度减少,即汛期洪水所产生潼关高程下降量 $\Delta H_{洪水}$ 小于非汛期自然上升量 $\Delta H_{自然}$。渭河下游河床淤积抬高问题也是由于近一二十年渭河汛期洪水量减少和含沙量显著提高所致。

(3)黄河流域水沙条件的持续恶化是造成上中下游河道普遍出现淤积抬高的根本性共同特征。不能因水沙条件变化进而否定多泥沙河流水库"蓄清排浑"控制运用的科学价值和重要作用。

(4)在不利水沙条件下,应进一步调整 1969 年"四省会议"所制定的三门峡水库汛期排沙运用水位指标。洪水入库前,有必要以一定降速将库水位降至292 m 以下,开启全部泄洪排沙设施,最大限度地挖掘排沙潜力,扩大溯源冲刷范围并促使与沿程冲刷范围衔接。

### 参 考 文 献

[1] 中国科学院地理研究所渭河研究组.渭河下游河流地貌.北京:科学出版社,1983
[2] 焦恩泽.潼关高程成因分析.人民黄河,1997(3)
[3] 张金良,王育杰.汛期潼关高程与其影响因子相关分析.泥沙研究,2001(2)
[4] 张金良,王育杰,韦春侠.非汛期潼关高程与三门峡水库运用关系分析.水利水电技术,2002(6)

# 黄河洪水与中国、东南亚和
# 世界洪水的比较

王国安[1]　王春青[2]　李保国[1]

(1.黄河勘测规划设计有限公司;2.黄河水利委员会水文局)

**摘要:** 根据最新资料,做出了黄河、中国、东南亚和世界最大洪水记录的外包线。经比较,对于 10 $km^2$ 以下的面积,黄河最大洪水与中国和世界洪水记录相差不多,其余面积都是黄河小于中国和世界的其他河流。黄河与东南亚相比,面积在 400 $km^2$ 以上,黄河小于东南亚;面积在 400 $km^2$ 以下,黄河大于东南亚。黄河洪水比中国、东南亚和世界洪水小的部分都是面积愈大,小的愈多。就黄河花园口断面的控制面积(73 万 $km^2$)而言,黄河最大洪水仅相当于全中国的 37%、东南亚的 34%、世界的 28%。

**关键词:** 黄河　中国　东南亚　最大洪水　洪水记录　外包线

　　中国黄河以洪水灾害特别严重而闻名于世。黄河洪灾历来是中华民族的心腹之患。故做好防洪工作一直是我国治黄机构的首要任务。本文根据大量资料,将黄河洪水记录的外包线与全中国、东南亚和全世界洪水记录的外包线分别作一比较,以便让大家对黄河最大洪水记录的大小、分布地区和天气成因有一个明确的概念。

## 1　洪水情况及外包线

### 1.1　黄河最大洪水记录

#### 1.1.1　资料情况和洪水外包线

　　根据文献[1~12]的介绍,黄河流域的最大洪水记录如表 1 所示。按其所绘制的洪水外包线如图 1 所示。外包线代表性面积的最大流量见表 4 的第 5 行。

#### 1.1.2　最大洪水的地区分布

　　黄河洪水记录几乎都发生在黄河中游河口镇至花园口区间(面积为 344 070 $km^2$)。因为这里大部分地区暴雨强度大、产流和汇流条件好,黄河下游洪水的三大来源地区全在此区。

表 1　黄河流域最大洪水记录

| 序号 | 流域 | 河流 | 地点 | 集水面积<br>（km²） | 最大流量<br>（m³/s） | 发生日期<br>（年·月·日） | 参考文献 |
|---|---|---|---|---|---|---|---|
| 1 | 汾河 | 石虎沟 | 文水中舍 | 0.5 | 120 | 1990.7.11 | （1） |
| 2 | 洮河 | 塌米沟 | 临洮孙家寨 | 0.9 | 159 | 1979.8.10 | （2） |
| 3 | 汾河 | 黄堆沟 | 文水北徐 | 1.3 | 200 | 1990.7.11 | （1） |
| 4 | 渭河 | 南小河 | 静宁高马峡 | 3.2 | 311 | 1936 | （3） |
| 5 | 黄河 | 山西南沟 | 兴县南沟沟口 | 3.27 | 366 | 1989.7.22 | （4） |
| 6 | 泾河 | 路家沟 | 镇原路坡 | 4.0 | 304 | 1911 | （5） |
| 7 | 汾河 | 成家曲沟 | 太原成家曲 | 5.6 | 457 | 1971.7.31 | （5） |
| 8 | 汾河 | 浮萍石 | 清徐口子上 | 15.0 | 893 | 1919.8 | （5） |
| 9 | 黄河 | 山西张家沟 | 五寨张家坪 | 24.8 | 996 | 1933.8 | （5） |
| 10 | 黄河 | 内蒙古梅力更沟 | 包头梅力更召 | 39.4 | 1 640 | 1900 | （5） |
| 11 | 伊河 | 八达河 | 嵩县酒店村 | 71.0 | 1 980 | 1935.8.7 | （6） |
| 12 | 洛河 | 龙窝河 | 宜阳龙窝村 | 109 | 2 660 | 1931.8.12 | （6） |
| 13 | 黄河 | 河南谷水 | 新安上石井 | 137 | 2 700 | 1958.7.17 | （6） |
| 14 | 黄河 | 河南大峪河 | 济源竹园 | 257 | 3 730 | 1939.8.21 | （6） |
| 15 | 黄河 | 河南畛水 | 新安仓头 | 348 | 4 280 | 1958.7.17 | （7） |
| 16 | 黄河 | 山西亳清河 | 垣曲西交斜 | 359 | 5 330 | 1958.7.17 | （7） |
| 17 | 无定河 | 马湖峪 | 米脂龙镇 | 371 | 5 280 | 1932 | （8） |
| 18 | 黄河 | 河南宏农河 | 灵宝朱阳 | 573 | 5 750 | 1898.8 | （6） |
| 19 | 黄河 | 内蒙古西柳沟 | 包头龙头拐 | 1 164 | 6 940 | 1989.7.21 | （4） |
| 20 | 黄河 | 河南宏农河 | 灵宝决镇 | 1 163 | 7 000 | 1898.8 | （6） |
| 21 | 黄甫川 | 纳林川 | 沙圪堵 | 1 351 | 8 610 | 1989.7.21 | （9） |
| 22 | 黄甫川 | | 黄甫 | 3 199 | 11 600 | 1989.7.21 | （10） |
| 23 | 伊河 | | 龙门镇 | 5 318 | 20 000 | 223.8.8 | （10） |
| 24 | 窟野河 | | 温家川 | 8 645 | 15 000 | 1946.7.18 | （10） |
| 25 | 洛河 | | 白马寺 | 11 891 | 18 000 | 1761.8.16 | （11） |
| 26 | 伊洛河 | | 黑石关 | 18 563 | 20 600 | 1761.8.17 | （11） |
| 27 | 泾河 | 马莲河 | 雨落坪 | 19 019 | 19 500 | 1841.7 | （3） |
| 28 | 泾河 | | 张家山 | 43 216 | 18 800 | 1841.7.31 | （10） |
| 29 | 黄河 | | 吴堡 | 433 514 | 32 000 | 1842.7.22 | （10） |
| 30 | 黄河 | | 龙门 | 497 190 | 31 000 | 1843.8.9 | （10） |
| 31 | 黄河 | | 三门峡 | 688 384 | 36 000 | 1843.8.10 | （10） |
| 32 | 黄河 | | 八里胡同 | 692 473 | 32 600 | 1843.8.10 | （10） |
| 33 | 黄河 | | 小浪底 | 694 155 | 32 500 | 1843.8.10 | （10） |
| 34 | 黄河 | | 小浪底 | 694 155 | 38 000<br>（古洪水） | 估计重现期<br>2500 年 | （5） |
| 35 | 黄河 | | 花园口 | 730 036 | 33 000 | 1843.8.11 | （12） |
| 36 | 黄河 | | 花园口 | 730 036 | 32 000 | 1761.8.18 | （12） |

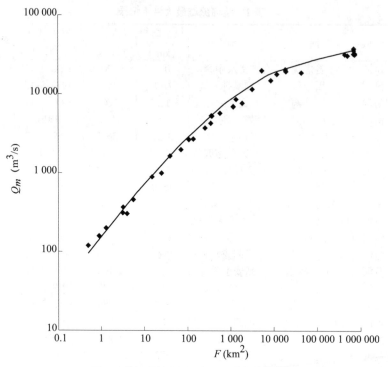

图 1　黄河最大洪水记录 $Q_m \sim F$ 关系图

特小面积（100 km² 以下）的洪水记录（$Q_m$）出现在晋陕甘蒙半干旱地区和伊洛河。其中面积小于 10 km² 者，全部在半干旱地区。其天气成因是局地性强对流，主要是雷暴（表 5）。

小面积（100～1 000 km²）的 $Q_m$ 出现在陕北、潼关至小浪底区间的小支流和伊洛河。其天气成因是低涡切变系统中的中小尺度天气系统。

中等面积（1 000～10 000 km²）的 $Q_m$ 出现在包头至吴堡区间的较大支流（如西柳沟、黄甫川、窟野河和潼关附近的宏农河）。其天气成因是低涡切变系统中的中尺度天气系统。

大面积（10 000～100 000 km²）的 $Q_m$ 出现在伊洛河和泾河。其天气成因是低涡切变系统。特大面积（100 000～730 000 km²）的 $Q_m$ 出现在黄河干流吴堡至花园口区间，其天气成因是低涡切变系统的持续更替。

## 1.2　中国最大洪水记录

### 1.2.1　资料情况及洪水包线

根据文献[1,5]、[13～16]介绍的资料,中国的最大洪水记录如表 2 所示。按表 2 所绘制的洪水外包线如图 2 所示。外包线代表性面积的最大流量见表 4 第 4 行。

表 2　中国最大洪水记录

| 序号 | 流域 | 河流 | 地点 | 集水面积<br>（km²） | 最大流量<br>（m³/s） | 发生日期<br>（年·月·日） | 参考<br>文献 |
|---|---|---|---|---|---|---|---|
| 1 | 汾河 | 石虎沟 | 文水中舍 | 0.5 | 120 | 1990.7.11 | （1） |
| 2 | 洮河 | 塌米沟 | 临洮孙家寨 | 0.9 | 159 | 1979.8.10 | （2） |
| 3 | 汾河 | 黄堆沟 | 文水北徐 | 1.3 | 200 | 1990.7.11 | （1） |
| 4 | 渭河 | 南小河 | 静宁高马峡 | 3.2 | 311 | 1936 | （3） |
| 5 | 黄河 | 山西南沟 | 兴县南沟沟口 | 3.27 | 366 | 1989.7.22 | （4） |
| 6 | 汾河 | 成家曲沟 | 太原成家曲 | 5.6 | 457 | 1971 | （13） |
| 7 | 南运河 | 长盛沟 | 长盛 | 9.5 | 456 | 1963.7 | （13） |
| 8 | 沭河 | 官坊河 | 官坊街 | 10.8 | 630 | 1907.9 | （13） |
| 9 | 洪汝河 | 汝河 | 下陈 | 11.9 | 618 | 1975.8.5 | （13） |
| 10 | 嘉陵江 | 甘肃小河坝沟 | 宕昌街上 | 13.5 | 867 | 1976.7.25 | （13） |
| 11 | 汾河 | 浮萍石 | 清徐口子上 | 15.0 | 893 | 1919.8 | （13） |
| 12 | 沂河 | 浚河 | 吴家庄 | 21.0 | 913 | 1926.8 | （13） |
| 13 | 黄河 | 山西张家沟 | 五寨张家坪 | 24.8 | 996 | 1933.8 | （13） |
| 14 | 汉江 | 唐白河 | 大官坊 | 36.6 | 1 070 | 1896.8 | （13） |
| 15 | 黄河 | 内蒙古梅力更沟 | 包头梅力更召 | 39.4 | 1 640 | 1900 | （13） |
| 16 | 浙闽 | 大荆溪 | 南阁 | 47.0 | 2 080 | 1853 | （13） |
| 17 | 洪汝河 | 石河 | 祖师庙 | 71.2 | 2 470 | 1975.8.8 | （13） |
| 18 | 海南岛 | 南渡江 | 白沙 | 75.3 | 3 420 | 1894 | （13） |
| 19 | 大凌河 | 汤头河 | 稍户营子 | 97.2 | 4 000 | 1930.8 | （13） |
| 20 | 淮河 | 澧河 | 拐河镇 | 131 | 5 470 | 1896 | （14） |
| 21 | 闽江 | 溪源溪 | 溪源宫 | 142 | 4 600 | 1909.8 | （13） |
| 22 | 大凌河 | 瓦子峪河 | 瓦子峪 | 154 | 5 320 | 1930.8 | （13） |
| 23 | 渤海岸 | 石河 | 小山口 | 171 | 7 000 | 1894.7 | （13） |
| 24 | 淮河 | 洪河 | 石漫滩 | 230 | 6 280 | 1975.8.7 | （13） |
| 25 | 台湾 | 浊水溪 | 桶头 | 259 | 7 780 | 1979 | （15） |
| 26 | 沙颍河 | 沙河 | 中汤 | 501 | 10 500 | 1943.8 | （14） |
| 27 | 洪汝河 | 臻头河 | 薄山 | 578 | 9 550 | 1975.8.7 | （13） |
| 28 | 海南岛 | 宁远河 | 雅亮 | 644 | 10 700 | 1946 | （13） |
| 29 | 沙颍河 | 干江河 | 裴合 | 746 | 11 300 | 1896.6 | （13） |
| 30 | 洪汝河 | 汝河 | 板桥 | 762 | 13 000 | 1975.8.7 | （13） |
| 31 | 沙颍河 | 干江河 | 官寨 | 1 124 | 12 100 | 1975.8.8 | （13） |
| 32 | 海南岛 | 南渡河 | 松涛 | 1 480 | 15 700 | 1977.7.21 | （15） |
| 33 | 淮河 | 淠河 | 佛子岭 | 1 840 | 17 600 | 1969.7.14 | （15） |
| 34 | 台湾 | 乌溪 | 大肚 | 1 980 | 18 300 | 1959.8 | （13） |
| 35 | 台湾 | 浊水溪 | 集集 | 2 310 | 20 000 | 1996.8.1 | （5） |
| 36 | 浙闽 | 小溪 | 白岩 | 3 255 | 19 200 | 1912.8 | （13） |
| 37 | 海南岛 | 昌化江 | 宝桥 | 4 634 | 28 300 | 1887 | （13） |
| 38 | 淮河 | 沂河 | 临沂 | 10 315 | 30 000 | 1730.8.9 | （13） |
| 39 | 瓯江 | | 圩仁 | 13 500 | 30 400 | 1912.8 | （13） |
| 40 | 长江 | 澧水 | 三江口 | 15 242 | 31 100 | 1935.7.5 | （13） |
| 41 | 嘉陵江 | 渠江 | 凤滩 | 16 595 | 32 300 | 1847.9 | （13） |
| 42 | 长江 | 汉江 | 安康 | 38 700 | 36 000 | 1583.6.12 | （5） |
| 43 | 鸭绿江 | | 荒沟 | 55 420 | 44 800 | 1888.8.11 | （13） |
| 44 | 长江 | 汉江 | 黄家港 | 95 200 | 61 000 | 1583.6 | （13） |
| 45 | 长江 | | 李庄 | 639 200 | 65 600 | 1520 | （13） |
| 46 | 长江 | | 寸滩 | 866 600 | 100 000 | 1870.7 | （16） |
| 47 | 长江 | | 万县 | 974 900 | 108 000 | 1870.7.18 | （16） |
| 48 | 长江 | | 宜昌 | 1 005 500 | 105 000 | 1870.7.20 | （16） |

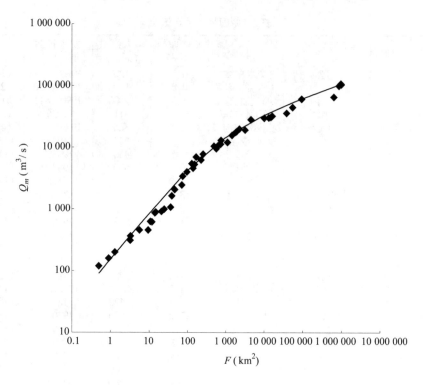

图 2　中国最大洪水记录 $Q_m \sim F$ 关系图

### 1.2.2　最大洪水的地区分布

特小面积的 $Q_m$ 出现在黄河半干旱地区、淮河上游(豫西山区)、浙闽山区、秦岭南侧嘉陵江和汉江山区以及海南岛。其天气成因也是局地性强对流,主要是雷暴(表5)。

小面积的 $Q_m$ 出现在淮河豫西山区、浙闽山区、辽东湾(大凌河、渤海岸)、台湾和海南岛。其天气成因是台风和台风倒槽。

中等面积的 $Q_m$ 出现在浙闽、淮河豫西、台湾和海南岛。其天气成因是台风和台风倒槽。

大面积的 $Q_m$ 出现在长江中上游的大支流(澧水、渠江、汉江)、淮河东部(沂水)和辽东(鸭绿江)。其天气成因是低涡切变和台风。

特大面积的 $Q_m$ 出现在长江上游干流的中下段李庄至宜昌之间。其天气成因是低涡切变系统的持续更替。

### 1.3　东南亚最大洪水记录

#### 1.3.1　资料情况及洪水外包线

根据文献[5,15]和[17~20]所介绍的资料,东南亚地区的最大洪水记录如

表 3 所示。按其所绘制的洪水记录外包线如图 3 所示。外包线代表性面积的最大流量见表 4 第 3 行。

### 表 3　东南亚地区最大洪水记录

| 序号 | 国家 | 流域 | 河流 | 地点 | 集水面积（km²） | 最大流量（m³/s） | 发生日期（年·月·日） | 参考文献 |
|---|---|---|---|---|---|---|---|---|
| 1 | 印度 | Brahamaputra | Gish | | 133 | 1 170 | 1968.7 | (17) |
| 2 | 印度尼西亚 | Anda | | Klugkung Bridge | 205 | 2 500 | 1964.2 | (18) |
| 3 | 印度 | Subarmarekha | Ramiala | Ramiala | 328 | 3 108 | 1983.9 | (17) |
| 4 | 印度 | Kutch | Moj | Moj | 440 | 3 981 | | (17) |
| 5 | 印度 | Kutch | Brahmani | Brahmani | 699 | 5 450 | | (17) |
| 6 | 印度 | Kutch | Machhu | Machhu – 1 | 735 | 9 340 | 1979.8 | (17) |
| 7 | 印度 | Kutch | Damanganga | Damanganga | 1 813 | 12 900 | | (17) |
| 8 | 印度 | Kutch | Machhu | Machhu – 2 | 1 930 | 16 307 | 1979.8 | (17) |
| 9 | 菲律宾 | Cagayan | Echague | Isabella | 4 244 | 17 550 | 1959 | (18) |
| 10 | 印度 | Indus | Ravi | Madhopur | 6 087 | 26 052 | 1988.9 | (17) |
| 11 | 菲律宾 | Cagayan | | Luzon | 10 620 | 27 750 | 1936.12.4 | (5) |
| 12 | 印度 | Ganga | Chambal | Jhalawar | 22 584 | 37 000 | 1969.8 | (17) |
| 13 | 巴基斯坦 | Chenab | | Marala | 28 000 | 31 130 | 1957 | (19) |
| 14 | 印度 | Ganga | Betwa | Sahijna | 43 870 | 43 800 | 1971.7 | (17) |
| 15 | 印度 | Narmada | Narmada | Garudeshwar | 88 000 | 69 400 | 1970.9 | (17) |
| 16 | 印度 | Godavari | Godavari | Dowlaishwaram | 309 000 | 78 800 | 1959.8 | (17) |
| 17 | 印度 | Godavari | Godavari | Dowlaishwaram | 315 000 | 88 400 | 1959 | (15) |
| 18 | 孟加拉国 | Brahmaputra | | Jiamuna | 530 000 | 93 500 | 1955.8.1 | (20) |
| 19 | 孟加拉国 | Brahmaputra | | Bahadurabad | 580 000 | 98 500 | 1988.8.30 | (20) |
| 20 | 柬埔寨 | 湄公河 | | 桔井 | 646 000 | 75 700 | 1939.9.3 | (20) |
| 21 | 孟加拉国 | Changes | | Baluliya | 1 650 000 | 132 000 | 1988.9.1 | (15) |

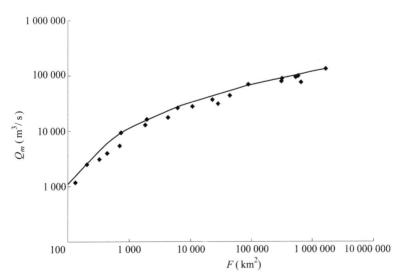

图 3　东南亚最大洪水记录 $Q_m \sim F$ 关系图

### 1.3.2 最大洪水的地区分布

东南亚的最大洪水主要发生在印度和孟加拉国。其次是柬埔寨和巴基斯坦。中小面积,菲律宾和印度尼西亚的洪水也不小。其天气成因主要是季风低压、台风(旋风)和雷暴。

## 1.4 世界最大洪水记录

### 1.4.1 资料情况及洪水外包线

世界最大洪水的资料情况及外包线详见文献[21]或文献[4]。外包线代表性面积的最大流量见表4的第2行。

### 1.4.2 最大洪水的地区分布

世界最大洪水可分为两大类型[4,20]:

(1)强烈融雪融冰型洪水:发生在俄罗斯西伯利亚的勒拿河和叶尼塞河的最下游。

(2)强烈暴雨型洪水:全都发生在中低纬度国家,特别集中在以下两大地区:

一是世界上最大的高原即位于东半球亚洲的青藏高原的南侧(印度、孟加拉国)和东南侧(中国的长江),这里的地形有利于来自印度洋孟加拉湾和西北太平洋来的暖湿气流的辐合上升。

二是世界上最长的山系,即纵贯西半球南北美洲大陆西部的科迪勒拉(Cordillera)山系(长约15 000 km,北美部分较宽,较低,一般海拔为1 500 ~ 3 000 m,南美部分较窄、较高,一般海拔在3 000 m以上)的东侧(如巴西、美国、墨西哥),这里的地形有利于来自大西洋的暖湿气流的辐合上升。

## 2 洪水外包线比较

### 2.1 黄河与全中国比较

各种面积($F$),黄河洪水外包线值都比全国外包线小,面积愈大,小得愈多。具体说:

$F \leqslant 10 \text{ km}^2$, $Q_m$ 相近。

$50 \text{ km}^2 \leqslant F \leqslant 5\ 000 \text{ km}^2$,黄河比全国小30% ~ 40%。

$10\ 000 \text{ km}^2 \leqslant F \leqslant 730\ 000 \text{ km}^2$,黄河比全国小45% ~ 63%,面积愈大,小得愈多。就花园口(黄河下游防洪的控制性断面)控制的面积(73万 km²)而言,黄河洪水只相当于全国(实际是长江控制)的37%(见表5)。

**表 4　黄河与中国、东南亚和世界洪水记录外包线的比较**

| 集水面积 $F$ (km²) | (1) | 1 | 5 | 10 | 50 | 100 | 400 | 500 | 1 000 | 5 000 | 10 000 | 50 000 | 100 000 | 500 000 | 7 300 000 | 1 000 000 |
|---|---|---|---|---|---|---|---|---|---|---|---|---|---|---|---|---|
| 最大流量 $Q_m$ (m³/s)　世界 | (2) | 154 | 510 | 840 | 2 800 | 4 600 | | 13 000 | 16 000 | 27 000 | 34 000 | 56 000 | 70 000 | 116 000 | 130 000 | 144 000 |
| 东南亚 | (3) | | | | | 1 100 | 5 500 | 6 800 | 11 400 | 25 000 | 33 000 | 56 000 | 69 000 | 100 000 | 110 000 | 120 000 |
| 中国 | (4) | 153 | 510 | 830 | 2 600 | 4 200 | | 10 000 | 14 300 | 26 000 | 33 000 | 52 000 | 62 000 | 91 000 | 100 000 | 110 000 |
| 黄河 | (5) | 153 | 460 | 720 | 1 900 | 2 800 | 5 500 | 6 300 | 8 600 | 15 500 | 18 000 | 25 000 | 28 000 | 35 000 | 37 000 | |
| 黄河与中国比 $k_1=\dfrac{(5)}{(4)}$ | (6) | 0.99 | 0.90 | 0.87 | 0.73 | 0.67 | | 0.63 | 0.61 | 0.60 | 0.55 | 0.48 | 0.45 | 0.38 | 0.37 | |
| 黄河与东南亚比 $k_2=\dfrac{(5)}{(3)}$ | (7) | | | | | 2.55 | 1.00 | 0.93 | 0.76 | 0.62 | 0.55 | 0.45 | 0.41 | 0.35 | 0.34 | |
| 黄河与世界比 $k_3=\dfrac{(5)}{(2)}$ | (8) | 0.99 | 0.90 | 0.86 | 0.68 | 0.61 | | | 0.54 | 0.57 | 0.53 | 0.45 | 0.40 | 0.30 | 0.28 | |
| 中国与世界比 $k_4=\dfrac{(4)}{(2)}$ | (9) | 0.99 | 1.00 | 0.99 | 0.93 | 0.91 | | 0.77 | 0.88 | 0.96 | 0.97 | 0.93 | 0.89 | 0.78 | 0.77 | 0.76 |
| 中国与东南亚比 $k_5=\dfrac{(4)}{(3)}$ | (10) | | | | | 3.82 | | 1.47 | 1.27 | 1.04 | 1.00 | 0.93 | 0.90 | 0.91 | 0.91 | 0.92 |

表5　黄河和中国最大洪水记录特征

| 序号 | 流域类型 | 集水面积（km²） | 地域 | 最大流量（m³/s） | 出现地区 | 暴雨历时 | 天气成因 |
|---|---|---|---|---|---|---|---|
| 1 | 特小流域 | < 100 | 黄河 | < 2 800 | 晋陕甘蒙半干旱地区和伊洛河 | 1 h | 局地强对流,主要是雷暴 |
| 2 | | | 中国 | < 4 200 | 黄河半干旱地区、淮河上游、浙闽、嘉陵江、汉江、海南岛 | | |
| 3 | 小流域 | 100～1 000 | 黄河 | 2 800～8 600 | 陕北、潼关至小浪底区间、伊洛河 | 1～6 h | 低涡切变系统中的中小尺度天气系统 |
| 4 | | | 中国 | 4 200～14 400 | 淮河上游、浙闽、辽东湾、台湾、海南岛 | | 台风和台风倒槽 |
| 5 | 中等流域 | 1 000～10 000 | 黄河 | 8 600～18 000 | 包头至吴堡区间的较大支流 | 6～24 h | 低涡切变系统中的中尺度天气系统 |
| 6 | | | 中国 | 14 400～33 000 | 浙闽、淮河上游、台湾、海南岛 | | 台风和台风倒槽 |
| 7 | 大流域 | 10 000～100 000 | 黄河 | 18 000～28 000 | 伊洛河、泾河 | 3～5 d | 低涡切变 |
| 8 | | | 中国 | 33 000～62 000 | 长江中上游的大支流,淮河东部和辽东 | | 低涡切变和台风 |
| 9 | 特大流域 | 100 000～730 000 | 黄河 | 28 000～37 000 | 黄河干流吴堡至花园口区间 | 5～7 d | 低涡切变系统的持续更替 |
| 10 | | | 中国 | 62 000～100 000 | 长江上游干流的中下段 | | |

## 2.2　黄河与东南亚比较

面积在 400 km² 以下,黄河洪水比东南亚大,面积在 400 km² 以上,黄河洪水比东南亚小,且面积愈大,小得愈多。按花园口的控制面积来说,黄河洪水只相当于东南亚的 34%(见表4)。

## 2.3　黄河与世界比较

10 km² 以下的面积,黄河与世界接近;其余各种面积,黄河都比世界小,且面积愈大,小得愈多。按花园口控制面积比较,黄河只相当于世界的 28%(见表4)。

## 2.4　中国与东南亚比较

面积在 10 000 km² 以下,中国比东南亚大,且面积愈小,大得愈多。

面积在 10 000 km² 以上,中国比东南亚小,平均约小 10%(见表4)。

上述特点,可以从中国和印度最大暴雨的雨量比较(见表6)中得到合理的解释。因为短历时、小面积暴雨是中国大于印度,而长历时、大面积暴雨则是中国小于印度。

表6 中国、印度最大暴雨时雨深记录[22]

| 历时 | 国家 | 各种面积(km²)的平均雨深(mm) | | | | | | | |
|---|---|---|---|---|---|---|---|---|---|
| | | 点 | 100 | 300 | 1 000 | 3 000 | 10 000 | 30 000 | 100 000 |
| 24 h | 中国 | 1 673 | 1 200 | 1 150 | 1 060 | 830 | 435 | 306 | 155 |
| | 印度 | 987 | | 940 | 850 | 720 | 540 | 365 | |
| 3 d | 中国 | 2 749 | 1 730 | 1 700 | 1 550 | 1 270 | 940 | 715 | 420 |
| | 印度 | 1 448 | | 1 400 | 1 340 | 1 240 | 1 040 | 750 | |
| 5 d | 印度 | 1 615 | | 1 510 | 1 420 | 1 330 | 1 180 | 900 | |
| 7 d | 中国 | 2 749 | 1 730 | 1 700 | 1 550 | 1 350 | 1 200 | 960 | 570 |

## 2.5 中国与世界比较

总起来说,除 10 km² 以下的面积外,中国各种面积的洪水都比世界小,具体说:

$F \leqslant 10$ km²,中国与世界接近,原因是小面积短历时洪水,全世界都是由局地强对流(雷暴)所形成。

在 100 km² $\leqslant F \leqslant 5\,000$ km² 范围内,中国比世界小 10% ~ 15%。

在面积为 5 000 ~ 50 000 km² 范围内,中国比世界略小(3% ~ 7%),10 000 km² $\leqslant F \leqslant 1\,000\,000$ km² 范围内,中国比世界小 22% ~ 24%,总趋势是面积愈大,小得愈多(表4)。

黄河与中国、东南亚和世界洪水外包线的综合比较见图4。

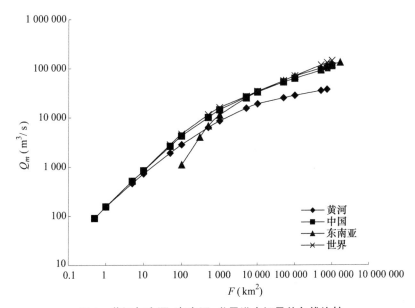

图4 黄河与中国、东南亚、世界洪水记录外包线比较

## 3 结论

(1)黄河最大洪水和全中国、全世界最大洪水相比,面积在 10 km² 以下的流域三者相差不多。其余各种面积都是黄河洪水小,而且面积愈大,小得愈多。就黄河花园口断面的流域面积而言,黄河最大洪水只相当于全中国的 37%、全世界的 28%。

(2)黄河洪水和东南亚地区相比,面积在 400 km² 以下,是黄河大于东南亚;面积在 400 km² 以上,是黄河小于东南亚,而且也是面积愈大,小得愈多。就花园口断面而言,黄河洪水只相当于东南亚的 34%。

### 参 考 文 献

[1] 山西小水利厅水旱灾害编委会.山西水旱灾害.郑州:黄河水利出版社,1996

[2] 胡明思,骆承政.中国历史大洪水(上卷).北京:中国书店,1988

[3] 甘肃小水利厅.甘肃省洪水调查资料(第四册,上册).1983

[4] 黄河流域及西北片水旱灾害编委会.黄河流域水旱灾害.郑州:黄河水利出版社,1996

[5] 王国安.可能最大暴雨和洪水计算原理与方法.北京:中国水利水电出版社;郑州:黄河水利出版社,1999,425~429,441

[6] 河南省水利厅水文水资源总站.河南省洪水调查资料.综 22~24

[7] 水利电力部黄河水利委员会.1919~1970 年黄河流域水文特征值统计,第 5 册,黄河下游区(三门峡水库以下,不包括伊洛河、沁河),1976,205,207

[8] 陕西水利水土保持厅.陕西省洪水调查资料(第一册).1984,80~82

[9] 内蒙古水旱灾害编委会.内蒙古水旱灾害.1995,150

[10] 黄河水利委员会勘测规划设计院.黄河流域洪水调查资料.1983,综 18~21

[11] 王宝玉,王玉峰,李海荣.黄河三花间 1761 年特大洪水降雨研究.人民黄河,2002(10)

[12] 黄河水利委员会勘测规划设计院.黄河小浪底水利枢纽设计洪水报告(初步设计阶段)附件三——洪水频率计算.1985,14

[13] 骆承政,沈国昌.中国最大洪水及其地理分布.水文,1987(5)

[14] 河南省水利厅水旱灾害专著编辑委员会.河南水旱灾害.郑州:黄河水利出版社,1999

[15] 冯焱.中国江河防洪丛书·海河卷.北京:水利电力出版社,1993

[16] 长江水利委员会.三峡工程水文研究.武汉:湖北科学技术出版社,1997

[17] Rakhecha P R. Highest floods in India. The Extremes of the Extremes: Extraordinary Floods, IAHS publication No. 271, 2000, pp.167~172

[18] Rodier J A. Roche M. World catalogue of maximum observed floods. IAHS – AISH Publication No.143, 1984, pp.103~106, 252~254

[19] IAHS World Catalogue of Maximum Observed Floods, IAHS Publication No.284, 2003, Ppxiv~xv

[20] 国际灌溉与排水委员会.世界防洪环顾.《防洪与水利管理丛书》编委会译.哈尔滨:哈尔滨出版社,1992

[21] 王家祁,胡明思.中国面雨量 5 极值分布.水科学进展,1993,4(1):1~9

# 光纤感测系统在黄河河堤
# 安全监测中的应用

黄安斌[1]　马吉明[2]　张柏山[3]　温小国[3]　曹金刚[3]　何彦德[1]

(1. 新竹交通大学土木工程系;2. 北京清华大学水电工程系;
3. 河南黄河河务局)

**摘要:**黄河以其底床高于地面而著名。河堤对于保护河流附近居民生命财产的安全非常重要。传统水面下检测河堤完整性的方法是从河堤边缘以手动的方法进行。此方法耗时又危险,因此自动化有其高度的价值。作者已研究出使用光纤光栅(Fiber Bragg Grating, FBG)的地层移动监测系统。FBG感应的探杆可以插入传统倾斜管作地层移动监测之用。因为FBG特别适合类似黄河需要作长距离自动监测之用。本文叙述FBG的基本原理、FBG探杆系统的设计,展示现有安装测试的结果以及讨论此结果对于未来黄河河堤安全监测的意义。

**关键词:**河堤安全　光纤感测

## 1　概述

　　黄河虽然有完整的河堤保护,仍然具有发生灾害的可能。在历史记录中,每当黄河河堤破坏时都会给周围居民带来灾害。黄河河堤是用砂土夯实而成的。河堤的破坏可能有多种机制,但通常都会与河堤坡址的冲刷有关。因为黄河河水混浊,坡址的冲刷不易从水面来观察。现有的检验方法是从岸边用手将一钢条插入水中来感应水面下地形的变化。此方法耗时而危险,因此若能自动化,将明显提升河堤安全监测的效率。黄河河堤需要做安全监测的部分可能超过1 000 km。很明显,如果此自动化系统可行,必将能够在实际中大量安装。

　　从岩土工程的角度来看,河堤可视为一土壤边坡。S. D. Wilson(Green和Mickkelsen, 1988)所发明的倾斜仪(Inclinometer Probe, IP)在边坡稳定监测上使用已有50多年的历史。IP监测系统的使用是首先在地层内安装一倾斜管,然后,将IP顺着槽沟放入倾斜管内,同时利用加速度仪感应倾斜管在各深度的倾斜角度。IP使用一电缆来传递讯号并用来将IP在倾斜管内以手动的方式做拉升。为增加灵敏度,我们通常将倾斜管穿过可能的边坡滑动面。此安排也使得边坡在发生滑动时也会同时将倾斜管破坏而使得此系统失去功能。也可以说,传统倾斜管的使用是一种牺牲式的考虑,只能发挥一次功能。如果要大量使用,此现象会造成维修上沉重的负担。我们也可以在同一倾斜管内放入多个 IP 单元同时与数据撷取系统相连以达到自动化的目的。但是,此电子式感应器成本高、易受电磁波干扰以及非分布性(每一感应器必须要有单独的讯号传输线)的特性使得 IP 不适于大量而广泛的使用。光纤讯号不受电磁波干扰同时某些光纤传感器属于分布式(同一讯号传输在线可以安装多个感应器)。因此,使用光纤传感器有许多潜在的优点。作者已发展出使用光纤光栅的地层移动监测系统,同时在黄河河堤内安装此系统来测试使用地层移动监测系统做河堤安全监测的实用性。在河堤上游面距堤坡边缘 2 m 处钻 8 m 深、45 度的斜孔,安装倾斜管,然后将 FBG 探杆插入。如果河堤坡址发生冲刷就会造成一解压的现象。并使得 FBG 探杆感应到地层的变形。倾斜管与 FBG 探杆安装在堤坡体内,不易因为坡址受到冲刷而损坏。为了检验 FBG 探杆是否具有足够的灵敏度,作者在河堤现场做加载与减载的模拟试验。使用石块在河堤表面堆积一 2 m 宽,最高 2 m 的石堆,然后做阶段式移除。在石块移除的过程中记录光纤光栅的读数。此文介绍 FBG 的基本原理,FBG 地层移动探杆的设计以及现场试验的结果。

## 2 光纤光栅感测原理

Hill et al. (1978) 发现,如果将一段光纤在受到干扰的情况下暴露干镭射光下就会产生一光栅。Meltz et al. (1989) 依循此原理首先开发出光纤光栅制作的技术。FRG 的长度通常在 $10 \sim 20$ mm 之间。将此 $10 \sim 20$ mm 间的单模光纤使用光罩做部分遮盖然后暴露在紫外光下,使光纤折射率产生周期性的改变。当一宽带光源进入光纤碰到 FBG 时,其一部分光会受 FBG 的干扰而产生反射。此反射光的波长,称为布拉格波长,$\lambda_B$ 与 FBG 内折射率改变的间隔 $\Lambda$ 与光纤核心的折射率 $n$ 关系如下:

$$\lambda_B = n\Lambda \tag{1}$$

当 FBG 受应力或温度影响而产生轴向应变 $\varepsilon_B$ 时也会改变 $\Lambda$,因此造成 $\lambda_B$ 的改变,其关系如下(Rao, 1998):

$$\Delta\lambda_B = 0.74\lambda_B\varepsilon_B \tag{2}$$

而

$$\Delta\lambda_B = 8.9 \times 10^{-6}\lambda_B\Delta°C \tag{3}$$

其中 $\Delta°C$ 是摄氏温度的改变。公式(2)与式(3)中,常数可能随光纤的光学或力学特性而改变。本文所用的 FBG 其 $\lambda_B$ 在 $1525 \sim 1575$ nm ($10^{-9}$m)之间。每一 FBG 所反射的光源具有一独特的范围($\lambda_B + \Delta\lambda_B$),如此即可辨别同一光纤内多个 FBG 讯号的来源。图 1 叙述同一光纤内不同 FBG 讯号调解的基本原理。大多数的光纤直径在 125 $\mu$m,当应变达 0.01 或 $\Delta\lambda_B$ 为 10 nm 就会断裂。所以,将每一 FBG 的波长 $\lambda_B$ 以 2~3 nm 做区隔即足够。因为光源波长范围有限,每当光通过一 FBG 时也将失去一部分光源,因此以现有技术,在一条光纤内实际可以安装的 FBG 不超过 20 个。

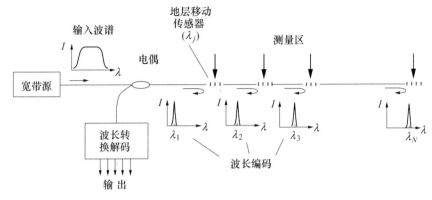

**图 1　FBG 传感器列**(Kersey,1992)

## 3　FBG 地层移动感测装置

本文所述 FBG 地层移动感测装置称为节理式偏斜仪(FBG Segmented Deflectometer,FBG - SD)。每一单元的 FBG - SD 由两个铝制的硬节理组成。这两个硬节理用轴承相连接,如图 2 所示。两个硬节理内有长 200 mm、直径 10 mm 的软管,其一端使用两个螺丝固定,另一端使用一圆栓做简单支撑。FBG - SD 上装有由弹簧拉紧的滚轮支架,这些支架的尺寸与常用倾斜管内槽相匹配。当倾斜管发生偏斜时,就会迫使其内 FBG - SD 的硬节理产生相对旋转(参考图 3)。此旋转进而造成软管类似悬臂梁式的弯曲。在软管表面相对 180°粘贴一对 FBG,因此软管的弯曲会对其中一个 FBG 造成拉长而另一个压缩的效果。此安排使得 FBG 可以用来解读软管的弯曲应变,同时抵消温度的效应。FBG - SD 总长度为 600 mm,FBG - SD 可以再增加铝片以增加 FBG - SD 传感器的间距。

图 4 显示 FBG - SD 在室内做标定的结果。其结果以 FBG(以 pm ($10^{-12}$m) 为单位波长)的改变对 FBG - SD 相对旋转角度来展示。如图 4 所示,每一 pm 的波长改变(FBG 解读仪的最小分辨率)所对应 FBG - SD 相对旋转角度一般在 0.001 2 左右。此关系具有非常高的重复性,其相关系数($R^2$)在 0.999 以上。FBG - SD 可以承受 2.0°以内的转动量。

## 4　现场试验

为了确认 FBG - SD 是否可以用来检测黄河河堤的稳定性,作者进行了一系列的现场测试。试验场址在河南省武陟县黄河控导工程的第 24 号坝。图 5 展

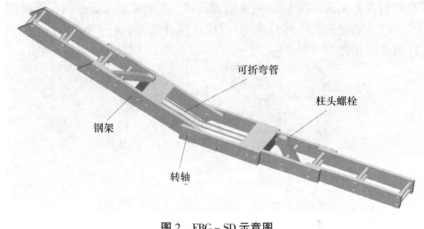

图 2　FBG－SD 示意图

图中标注：可折弯管、钢架、转轴、柱头螺栓

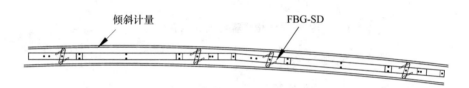

倾斜计量　　　FBG-SD

图 3　FBG－SD 受倾斜管偏斜而产生相对旋转

示此坝体的平面布置。在此坝上沿上游面边缘 2 m 距离总共钻取 45 度斜孔 5 个。其中 H3 与 H4 孔插入倾斜管。在此两个倾斜管内各装一 8 m 长的 FBG－SD。图 6 叙述钻孔的横断面以及与河堤坡面的关系。为了提供坝体变形数值分析所需的土壤参数，作者进行了表面波频谱分析试验（Spectrum Analysis of Surface Wave,SASW）。SASW 的测线展示于图 5。根据 SASW 所得 H3 与 H4 孔位置的最大剪力模数（$G_0$）随深度的分布如图 7 所示。这些 $G_0$ 数值都相对偏低,特别是接近于地表之处,反应砂土中等夯实的程度。根据 $G_0$ 数值,H3 钻孔附近的土层似乎远比 H4 疏松。此差别可能导致最近 24 号坝址部曾发生崩塌。

如果检测系统确实能够发挥作用,当河堤表面土壤受冲刷对坝体应该产生解压的现像,同时造成 FBG－SD 变形。FBG－SD 传感器埋在坝体的内部,因此不易受到表面冲蚀而遭破坏。图 8 展示 FBG－SD 在现场安装的情形。此监测系统设计观念的实用性是使用一坝体表面加载与减载试验来确认。首先使用人工在 FBG－SD 传感器附近,沿坝体边缘堆积一 2 m 宽,最高 2 m 的契形石堆,然后再分阶段移除。在石堆形成与移除过程中,不断记录 FBG－SD 传感器的读数。

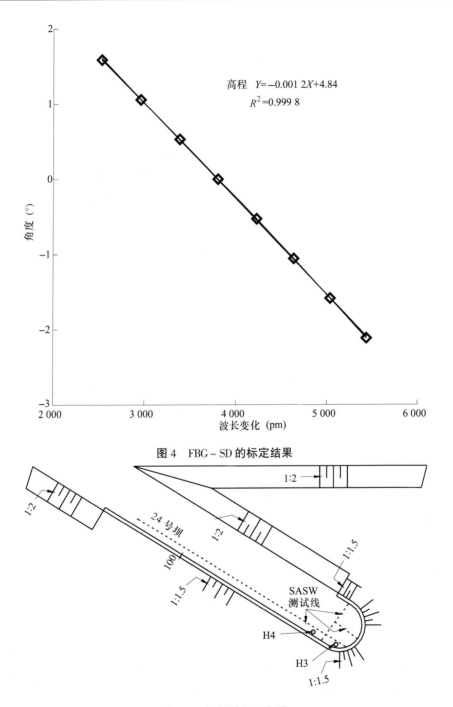

图 4　FBG – SD 的标定结果

图 5　24 号坝的平面布置

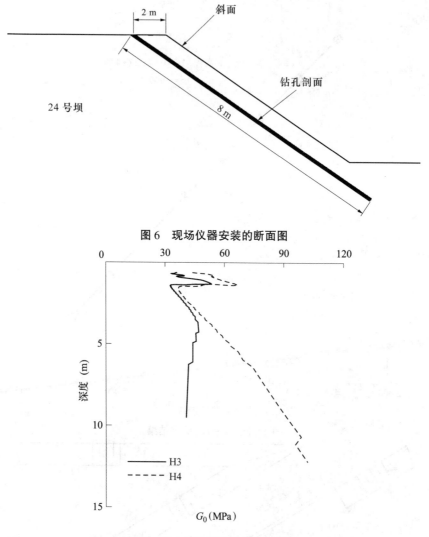

图6 现场仪器安装的断面图

图7 最大剪力模数随深度的关系

## 5 试验结果的分析

加载与减载试验在 H4 附近分阶段执行。过程中记录 FBG 波长的变化。这些变化在图4的标定结果转换成 FBG – SD 转动的角度。将转动的角度及相应与 FBG – SD 轴线方向垂直的位移量累加即得到 FBG – SD 位移量随深度变化的关系。图9、图10分别展示在加载与减载时所量得 FBG – SD 位移量随深度变化的关系。此位移量的大小符合 Burland（1989）所述在土体内、破坏区域外的位移量是很小的。为检验这些数值的合理性，作者使用一非线性组合率配合数值

**图 8　FBG – SD 的现场安装**

分析来模拟此加载与减载的过程。图 7 所示 H4 孔位的 $G_0$ 值作为土壤参数的一部分。坝体简化成一、二维的平面应变问题,其尺寸如图 5、图 6 所示。加载是以在边坡增加 2 m 厚的石块来模拟。此石块高度从 1.3 m 增加至 1.6 m 时 H4 钻孔位置所产生的位移展示于图。此结果与 FBG – SD 所量得结果有高度的一致性。减载时位移分布没有做数值模拟,因为在此小变形情况下,土壤行为应属弹性体,其变形量应与加载时相反。图 10 所示减载时土壤变形几乎与加载时相对称,充分支持以上关于土壤行为弹性的论述。

## 6　结论

现场试验的结果明显地展示 FBG – SD 系统有效地达到监测黄河河堤完整性的功能。FBG 感应器具有足够的灵敏度来为土体做破坏前的变形监测。使用此系统,感应器在发挥其安全监测功能的同时不容易受到破坏,我们可以将许多的感应器以少数的光缆加以连接。因为此 FBG – SD 可以用非牺牲性的方法来执行任务,此一系统应该具有耐用性与容易维修的功能。

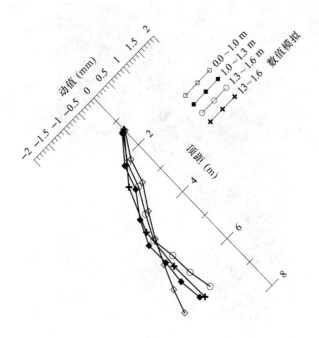

**图 9　H4 钻孔加载时量测与计算所得的变形量**

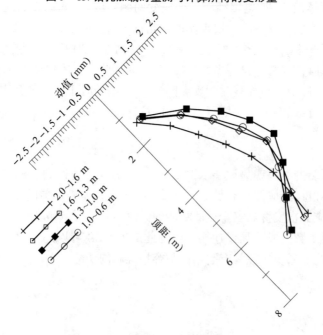

**图 10　H4 钻孔减载时量测所得的变形量**

# 参 考 文 献

[1] Burland J B. Small is beautiful the stiffness of soils at small Strains. Canadian Geotechnical Journal, 1989,26(4):499 ~ 516

[2] Green G E, Mickkelsen P E. Deformation measurements with inclinometers. Transportation Research Record 1169, TRB, National Research Council, Washington, D. C. ,1998.1 ~ 15

[3] Hill K O, Fujii F, Johnson, D C,et al. Photosensitivity on optical fiber waveguides: application to reflection filter fabrication, Applied Physics Letter,1978(32):647 ~ 649

[4] Kersey A D. Multiplexed fiber optic sensors. In Fiber Optic Sensors, Proceedings of SPIE, 1992, 44:200 ~ 225

[5] Meltz G. Morey W W,Glenn W H. Formation of bragg gratings in optical fibers by a transverse holographic methods. Optics Letters,1989,14:283

[6] Rao Y J. Fiber bragg grating sensors:Principles and applications. Optic Fiber Sensor Technology, Edited by K. T. V. Gattan and B. T. Meggitt, Published by Chapman and Hall, London, 1998,2: 355 ~ 379

# 流域生态学及其在密云水库
# 流域治理中的应用

陈求稳[1]　　Arthur Mynett[2]　　李伟峰[1]

(1.中国科学院生态环境研究中心;

2.WL|Delft Hydraulics, the Netherlands)

**摘要:**流域生态学是一门交叉学科,主要研究流域自然、社会和经济之间的动态关系。虽然流域生态学的发展较晚,尚处于初期阶段,却有重要的研究意义和应用前景。本文首先分析了目前国内外流域生态学研究的现状和进展,然后阐述了在密云水库流域中的应用,尤其是曹家路小流域。文章重点论述了如何应用现代计算科学和信息技术建立流域生态学研究的定量方法和模型系统。

**关键词:**流域生态学　密云水库　流域治理　应用

流域是指某个水系及其集水区域,是内陆生态系统的基本单元。由于自然事故和人类干扰,流域经常面临洪水、干旱、山地灾害和生态退化等威胁水安全和生态安全的难题。尽管在流域治理上进行了大量投入,但是长江 1996 年和 1998 年特大洪水、黑河流域 2001 年的严重干旱、淮河 2004 年的污染灾难以及太湖的严重水藻等都造成了巨大的经济损失和社会问题。长期的研究和实践发现流域治理"投入大成效小"的关键原因之一在于没有采取系统性的方式,并缺乏可供决策支持的模型工具。

本文拟以密云水库流域为研究区域,探求流域的土地利用、水过程与生态系统过程之间的动力学耦合关系,建立定量数学模型和相应的参数取值区间,并结合现代信息技术和计算科学开发建立流域生态学模型系统,为流域的综合管理和可持续发展提供一种分析方法。

在 90 年代中期,提出了流域生态学的概念,它以流域为单元研究其自然、社会和经济之间的动态关系[1]。尽管流域生态学发展很快[2~4],但大多数工作还停留在定性描述上,定量描述以及水—土—生态系统的耦合模型还存在很大的发展空间。

比较而言,生态水文学[5]以及近几年兴起的生态水力学[6]都表现出很大的发展,因此流域生态学发展的一个有效的办法是对生态水文学和生态水力学进行耦合[7]。现在已有一些尝试性的研究,如荷兰的 Delft – HABITAT 系统[8]。

本文拟以密云水库上游的曹家路小流域为研究区域,采用流域水文学和系统生态学的方法,探求流域的土地利用、水过程与生态系统过程之间的动力学耦合关系,并在此基础上应用现代信息技术如遥感(RS)、地理信息系统(GIS)和计算科学开发建立流域生态学模型系统,为实现流域综合治理提供一种多情景分析和优化的方法。

## 1 研究背景

北京市地处海河流域,是一座人口密集、水资源短缺的特大城市。目前,人均水资源占有量约 285 m³,只有全国人均水资源占有量的 1/7,世界人均水资源占有量的 1/30。而且人口、资源与环境之间的矛盾十分突出,水污染状况也相当严峻。

北京市的水资源由入境地表水、境内地表水和地下水组成,地表水和地下水主要靠降雨补给。北京市平均年降水量为 640 mm 左右,一般干旱年景的降水量在 500 mm 以下,特别干旱的年份在 300 mm 以下。北京在平水年可利用的水资源为 47.6 亿 m³,其中地表水 24 亿 m³,地下水 23.6 亿 m³,偏枯年可利用的水资源为 40.48 亿 m³,枯水年仅为 32.96 亿 m³。由于北京的地下水过量开采,水位逐年下降,泉水枯竭,湖泊逐年萎缩,地面下沉,自 1985 年已不得不开始饮用地面水。

北京的湖泊都很小,水量有限,所以地表水主要来自河水和修建的水库。但是,随着水库上游地区经济和社会发展,永定河、潮白河下游河道只剩下涓涓细流,有的已完全断流,同时水污染程度不断加剧,官厅水库于 1997 年被迫退出了饮用水供水系统,密云水库成了北京唯一的地表水源。

密云水库是一座特大型水库,流域面积 15 788 km²,占潮白河流域面积 18 000 km² 的 88%,库区总面积 224 km²,总库容 43.75 亿 m³,相应水面面积约 188 km²。1958 年修建密云水库时,其主要功能是防洪、发电和灌溉。如今密云水库承担了供应城市生活用水一半的任务,已成为北京的重要饮用水源。

但从 1998 年以来,密云水库库存量一直在不停下降,至 2004 年 4 月份达到了最低点,库容量不到总蓄水量的 1/4,水库存量仅 6.6 亿 m³,距离满足正常供水还差 2 亿 m³ 的水。2004 年,国家启动从山西、河北两省向北京官厅水库和密云水库大规模集中供水的方案,密云水库从白河堡水库先后调入水 6 600 万 m³ 和 2 400 万 m³。

　　虽然调水可以在一定程度上缓解北京水资源的紧张局面,但要从根本上维护区域水安全,保护和恢复本地水源至关重要。因此,北京市以水源保护为中心,开始构筑"生态修复、生态治理、生态保护"三道水源防线,并实施了密云水库流域水土流失综合治理和面源污染控制工程。项目选择了曹家路、西湾子、黄土坎三个小流域进行示范研究。本文将介绍在曹家路小流域的示范研究,尤其重点介绍流域尺度上的水文过程和生态系统的耦合。

## 2　研究示范区

　　曹家路小流域位于密云水库的东北部,如图 1 所示。流域控制面积 22.57 km²,流域内有 2 条小河,分别是大沟和大角峪。这两条小河流入遥桥峪水库,再流入密云水库。

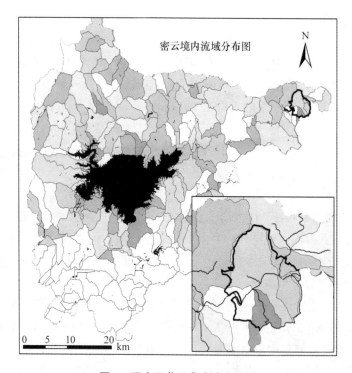

图 1　研究示范区曹家路小流域

　　流域地势西高东低,西部中远高山植被以杂草为主,东部地势较低的地带和安达木河两岸地区存在的植被多为经济林及部分灌木,流域土壤以淋溶褐土和山地褐土为主。该流域属暖温带季风性大陆性半湿润半干旱气候,年平均气温 10℃左右。

曹家路流域人口为 3 500 人左右,人口密度大约 171 人/km²,居民多数沿河居住,呈线性分布。村内几乎没有下水道设施,多数废水直接排入附近的河流;垃圾也一般沿河堆放,靠夏季丰水期的水流冲刷(见图 2)。这些垃圾和废水对河流及下游密云水库的水质有严重的影响。

图 2 曹家路村庄以及沿河堆放的生活垃圾

由于高强度耕作和低植被覆盖率,曹家路小流域的局部地区水土流失也比较严重,流失总面积近 12.37 km²,侵蚀模数约 800 t/(km²·a)。流域内已经采取了强有力的水土流失控制措施,累计治理面积达 85%(见图 3)。

图 3 曹家路小流域水土流失治理工程

通过资料调查和现场察看,面源污染和局部地区的水土流失是曹家路小流域示范研究的关键问题。

## 3 基础研究

为了实现流域综合管理的目标,研究中采取了流域水文学和系统生态学相结合的方法,其基本框架如图 4 所示,其中生物多样性是关注的重点。

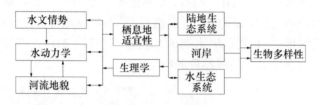

**图 4　流域生态学的基本框架**

　　其中水文情势主要是指流域的产流情况及流域出口断面的流量,它受降雨、土壤、流域地貌、土地利用和水力调节等因素的影响(见图 5)。

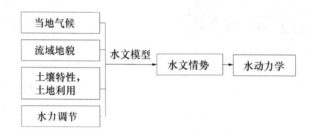

**图 5　流域生态学的水文情势组件**

　　水文情势的计算通常采用空间分布式流域水文模型,在本研究中,将采用中国的新安江模型和美国环保局的 BASINS 模型进行对比模拟。流域内的土地利用状况通过 GIS 的空间分析获取,如图 6 所示。

　　水文情势主要研究流域地表产、汇流以及进入河道的过程,而水动力学主要研究水进入河道后的运动过程。流域生态学中的水力条件组件主要模拟计算流场、水质、地表水位和地下水位。它主要受水文情势、河床地貌、河床床质、河道植物等因素的影响(见图 7)。本研究采用二维水动力—水质耦合模型模拟河道的水流和水质,采用 ModFlow 模拟地下水变化。

　　流域生态学中最为活跃的一部分是河床地貌,它对流域的生态栖息地有重要影响,如挺水植物、沉水植物、鱼类产卵场等。一方面河床地貌受流场的影响产生冲刷,另一方面河床及岸边植物的生长可以改变水力糙率和稳固泥沙,从而改变流场,如图 8 所示。

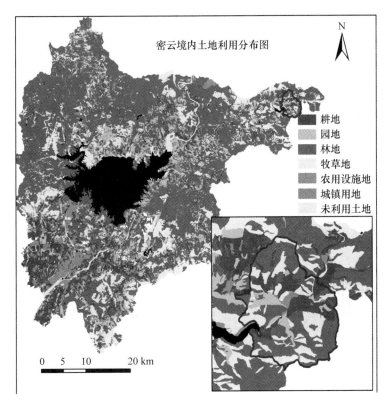

图 6　流域内的土地利用状况

图 7　流域生态学中的水力条件组件

图 8　流域生态学中的河床地貌组件

河床地貌的模拟是流域生态学中重要而又具有挑战性的课题,因此近年来围绕河床演变的研究非常多[9,10]。本研究中河床地貌的演变采用二维泥沙模型(SED2D)进行计算,并用一维全河段水动力学模型的结果作为边界条件。

在模型模式(paradigm)上,水文情势、水力条件、河床地貌采用均质性模式;考虑到生态系统和土地利用结构受空间异质性及局部相互作用的影响较大,故采用约束条件下的元胞自动机模式。在方法(technique)上,水文、水力学和地貌采用基于数学物理方程的数字模拟,而生态演变由于其复杂性,生境适应性指数可以采用经验方法或者模糊数学进行计算。由于在整个系统中要用到大量的空间数据,地理信息系统(GIS)和遥感(RS)技术将被大量使用,图9是采用图像分析获取的土地利用状况。

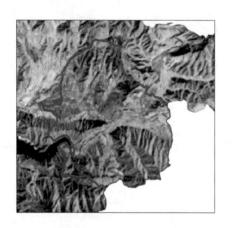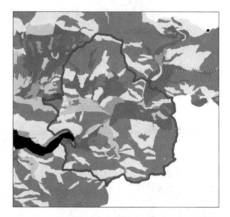

图9　从遥感图像中提取土地利用状况

## 4　工程措施

在基础研究的指导下,采取工程措施对流域内的面源和水土流失进行治理,主要包括家庭式净化系统、截流净化沟等。

家庭式净化系统(见图10)把部分经过化粪池处理过的废水通入土壤,然后采用土壤吸收、土壤蒸发和植物吸收去除其中的污染物。家庭式净化系统的两个关键问题是:①合理选择处理位置,以防污染地下水;②土壤类型的选择,以保证处理效率。

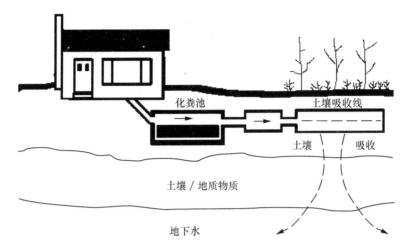

图 10　家庭式净化系统(修改自 C.Zipper)

　　另外,在耕地的周围修建一些截流净化沟,尤其是在水—陆衔接处建立缓冲区。为了使截流净化沟更自然、生态,将尽量使用木板条取代石头或混凝土,并在沟中有选择地种植一些植物以增加对污染物的吸收。由于沟的尺寸和种植的植物对截流与净化效果有重要影响,将采用模拟模型对净化沟进行优化设计。

## 5　讨论

　　流域生态学虽然是生态学科的一门新兴分支,但其发展比较迅速。当前流域生态学的重点发展方向是:①与其他学科如水文学、景观生态学等耦合,研究流域格局—过程—尺度和流域生态演变的关系;②引入社会学方法,研究经济社会约束下的流域生态动力学过程;③应用流域生态模型系统进行情景模拟和方案优化,实现流域生态规划。

　　密云水库对于北京市有着战略重要性,采用流域生态学的方法对其进行系统性的研究对于保护密云水库的水资源有重要作用。另外,我国近几年在黑河流域多次启动生态应急供水,虽然在短期内起到一定的效果,但要根本性地改变黑河流域持续恶化的趋势,有必要依照流域生态学的思路对黑河流域进行综合研究和治理。总之,在我国西部以及西北生态脆弱区,应该着力开展以生态水文学为主的流域生态研究;而在南方及东南湿润地区如太湖流域,应重点开展以生态水力学为主的流域生态研究。

**参 考 文 献**

[1]　蔡庆华, 吴钢, 刘建康 . 流域生态学: 水生态系统多样性研究和保护的一个新途径 .

科技导报，1997(5):24～26

[2] 蔡庆华，刘建康．流域生态学与流域生态系统管理——灾后重建的生态学思考．见：许厚泽，赵其国主编．长江流域洪涝灾害与科技对策．北京：科技出版社，1999. 130～134

[3] O'neefe T C, Elliott S R, Naiman R J, et al. Introduction to Watershed Ecology. EPA Training Modules (http://www.epa.gov/owow/watershed/wacademy/acad2000/ecology)

[4] 邓红兵，王庆礼，蔡庆华．流域生态系统管理研究．中国人口、资源与环境，2002, 12 (6):18～20

[5] Eagleson P S. Ecohydrology: Darwinian Expression of Vegetation Form and Function. Cambridge University Press, 2002

[6] Chen Q. Cellular Automata and Artificial Intelligence in Ecohydraulics Modelling. Taylor & Francis Group plc, London UK, 2004

[7] 陈求稳，欧阳志云．流域生态学及其模型系统．生态学报，2005, 25(5)

[8] Duel H, Lee G E M, Penning W E, et al. Habitat Modelling of Rivers and Lakes in the Netherlands: An Ecosystem Approach. Canadian Water Resources Journal, 2001, 28: 231～248

[9] Baptist M J, Lee G E M, Kerle F, et al. Modelling of morphodynamics, vegetation development and fish habitat in man-made secondary channels in the river Rhine. In: King J ed. Proceedings of the 4th Ecohydraulics Conference and Environmental Flows. Cape Town, South Africa, 2002

[10] Van Rijn L C. Principles of sedimentation and erosion engineering in rivers, estuaries and coastal seas. Aquapublications, the Netherlands, 2005

# 荷兰 HDSR 地区地下水盐化风险分析

程献国[1]　　J. Nonner[2]　　李跃辉[3]

(1.黄河水利科学研究院;2.联合国教科文组织水教育学院;
3.黄河水利委员会国际合作与科技局)

**摘要:** HDSR (Hoogheemraadschap De Stichtse Rijnlandes)地区位于荷兰中部,其地下水盐分变化可能受到海平面上升、气候变化、地面沉降、地表水系、人类活动等多种因素影响。本文运用 Modflow 和 MT3DNMS 建立了区域地下水水流和水质的三维数值模拟模型,对诸影响因子保持现状不变、中等变化和可能最大变化三种情景,分别模拟分析了研究区 2050 年地下水盐化的可能性,结果表明该地区 21 世纪中期地下水不存在盐化的危险。同时,对区域水管理提出了建议。

**关键词:** Modflow　MT3DMS　地下水模拟模型　盐化风险

## 1　研究区概况

研究区位于荷兰中部,东、南以 Utrechtse Heuvelrug(冰渍低山)和 Lek 河(莱茵河下游段)为界,北、西与 Breukelen 地区和 Gouda – Bodegraven 地区为邻,西距海岸线 75 km,总面积约 900 $km^2$。区内地势东高西低,最高海拔 65 m,最低则仅在海平面上下几米。土壤可以粗略地分为东部沙壤土、中部黏土和西部泥炭土三种类型。区内土地利用东部以森林为主,中、西部以牧草为主,有适度的农业和零星果园分布。

由于受海湾流的强烈影响,荷兰气候温和。多年平均降水量 827 mm,降水年内分配不均,年平均变差系数 0.2,极值变差系数达 2.4;多年平均蒸发量 500 mm;冬季平均相对湿度 87%,夏季 77%。

荷兰地处北海沉积盆地,地表以下几百米范围内属第三和第四系沉积地层,海拔 – 310 m NAP 以下为基岩构造, – 310m NAP 以上含水构造为黏土和细沙、中粗沙互层结构。研究区共有三个含水岩层,地表覆盖层和第一、第二隔水层在区内分布不连续(见图1)。另外,研究区可见 Peelhorst 断层分布,但因处于断层末端,对该项研究影响不大。区内潜水和承压水具有相同的态势,与地形显著相关,东部冰渍低山区构成了地下水主要补给源区,地下水流向由东南向西北。

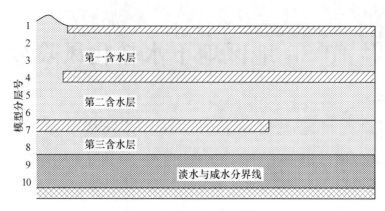

**图 1   地质结构和模型概化**

HDSR 地区地表水系发达,且大多具有蓄水和排水的双重功能。主要河流水系如 Neder Rijn、Lek 和 Amsterdam – Rijn 由国家公共建设工程部管理,Kromme Rijn、Hollandsche IJssel、Oude Rijn 等河流渠系则由 HDSR 水委员会管理,其他河流渠系按照其功能、大小分为一级、二级和三级三个系统。河渠水位主要受人工调控,旱季水量不足时,通过 Neder Rijn、Amsterdam – Rijn 和 Hollandsche Ijssel 向区内补水;雨季水量盈余时,则通过各级河网渠系向区外排水。

## 2   地下水数值模型

### 2.1   数学方程

ModFlow 主要采用三维有限差分方法进行模拟。其基本原理是:在不考虑水的密度变化的条件下,孔隙介质中地下水在三维空间的流动可以用下面的偏微分方程来表示:

$$\frac{\partial}{\partial x}\left(K_{xx}\frac{\partial H}{\partial x}\right) + \frac{\partial}{\partial y}\left(K_{yy}\frac{\partial H}{\partial Y}\right) + \frac{\partial}{\partial Z}\left(K_{zz}\frac{\partial H}{\partial Z}\right) - W = S\frac{\partial H}{\partial T}$$

式中   $K_{xx}$, $K_{yy}$ 和 $K_{zz}$——渗透系数在 $x$、$y$ 和 $z$ 方向上的分量,在这里,我们假定
渗透系数的主轴方向与坐标轴的方向一致,L/s;

$H$——水头,L;

$W$——单位体积流量,$T^{-1}$,用以代表流进汇或来自源的水量;

$S$——孔隙介质的贮水率,$L^{-1}$;

$T$——时间,s。

MT3DMS 主要用于地下水的溶质运移模拟,采用以下微分方程:

$$R_d\frac{\partial C}{\partial t} = \frac{\partial}{\partial x_i}\left(D_{ij}\frac{\partial C}{\partial x_j}\right) - \frac{\partial}{\partial x_i}(CV_i) + \frac{(C - C')W}{n_e b} - R_d\lambda C$$

式中   $R_d = 1 + (\rho_b/n_e)$——影响线性吸附的延迟因子;

$C$——固体溶解物的浓度,$M/L^3$;

$D_{ij}$——水力扩散系数,$L^2/t$;

$V_i = q_i / n_e$——地下水流沿 $x_i$ 方向的有效速率,$L/t$;

$C'$——源流处溶解物的浓度,$M/L^3$;

$W(x,y,z,t)$——汇源项的总数,$L/t$;

$n_e$——有效孔隙率;

$\lambda$——一级速度常数,$t^{-1}$;

$b$——饱和含水层厚度,$L$。

### 2.2 构建模型

采用 Modflow 建立地下水流模拟模型,采用 MT3DMS 建立溶质运移模拟模型。区域地层概化为 10 层(见图 1),每层剖分 49 600 个单元格。选取 1990 年作为平均水文年,通过拟合同时期的地下水流场和实际地下水位分布,识别水文地质参数、边界值和其他均衡项,识别后模型所计算出的流场与实际流场吻合,地下水动态变化趋势趋于一致。在水流模型的基础上,输入水质模型参数及其他输入项,则建立了溶质运移模型。

## 3 情景设计

影响研究区未来地下水动态的因素包括气候变化、海平面上升、地面沉降、人类活动等,气候变化主要导致降雨、蒸发及地表径流变化。本文对 2050 年上述因子变化作了预测,并将其分为三种情况:保持初始水平年的情况不变(情景1)、中等变化(情景2)和最大可能变化(情景3)。表1列出了2050年中等变化和最大可能变化情况下各影响因子的变化值。

表1  2050 年情景 2 和情景 3 诸因子的量化指标

| 影响因素 | | 情景 2 | 情景 3 |
|---|---|---|---|
| 气候变化 | 温度 | + 1 ℃ | + 2 ℃ |
| | 冬季降水量 | + 6% | + 12% |
| | 夏季降水量 | + 1% | + 2% |
| | 夏季蒸发量 | + 4% | + 8% |
| 海平面上升 | | + 0.25 m | + 0.50 m |
| 地表径流 | 冬季(莱茵河) | + 40% | |
| | 夏季(莱茵河) | - 15% | |
| 地表沉降 | 泥炭地区 | - 0.30 m | - 0.50 m |
| | 黏土泥炭地区 | - 0.255 m | - 0.425 m |
| 人类活动 | 新建湖泊 | 陆地建成湖泊(2010 ~ 2015) | |
| | 城镇化 | 草地或其他用地建成城镇(2010 ~ 2015) | |

　　由于以上部分影响因素难以直接应用于模型中,因此必须进行转换。利用土壤非饱和模型 MUST(Alemayehu,2002)将气候变化因子转换为净入渗补给量;利用涵盖研究区至海岸线区域的简单地下水模型,预测海平面上升对模型边界的影响。表 2 列出了影响地下水动态的各因子在 Modflow 各模块的响应。

表 2　2050 年情景 2 和情景 3 诸因子在模型中的响应

| 影响因素 | 各因子在 Modflow 中的响应 | | 中等变化 | 最大可能变化 |
|---|---|---|---|---|
| 气候变化 | 入渗补给模块 | 整个研究区 | 0 ~ +10.2% | 0 ~ +21.4% |
| 海平面上升、地表沉降和入渗补给综合影响 | 随时间变化的水头 | 定水头边界(西部) | −0.06 ~ −0.22 m | −0.08 ~ −0.34 m |
| | 随时间变化的水头 | 定水头边界(东部) | 0 ~ +0.03 m | 0 ~ +0.05 m |
| | 随时间变化的 Cl⁻浓度 | 定水头边界 | 0 | 0 |
| 海平面上升和地表径流 | 河流模块 | 莱茵河下游水位 | +0.25m | +0.5m |
| | | 其他河流水位 | 不变 | 不变 |
| 地表沉降 | 河流模块 | 泥炭地区 | −0.30m | −0.50m |
| | | 黏土泥炭地区 | −0.255m | −0.425m |
| 人类活动 | 入渗补给模块 | 新建湖泊 | Harrijnse 湖(2010 ~ 2015) | |
| | | 城镇化新区 | Vleuten De Meern, Nieuwegein-Noord, Houten-Southwest(2010 ~ 2015) | |

## 4　模拟计算结果

### 4.1　地下水水流变化

#### 4.1.1　地下水位

　　模拟结果显示三种情景条件下,2050 年与 1990 年相比研究区地下水位没有明显变化。东部冰碛低山区和研究区莱茵河上段地下水位较高;阿姆斯特丹河由于水位较低,其附近地下水位也较低;研究区西北部地下水位最低。图 2 显示了情景 1 与情景 2 在 2050 年地下水位的差异分布情况。东部冰碛低山区由于净入渗补给量的增加,地下水位升高约 0.05 m;而西北部地区由于地表沉降,地下水位下降约 0.4 m;其他如受莱茵河下段水位变化和新建人工湖泊的影响,附近地下水位也有一定的变化。

#### 4.1.2 地下水流向

水平方向看,研究区地下水大体上从东南流向西北,局部流向一些地下水开采井或低洼地区;垂向方向看,模型不同层间存在双向地下水流动(见图3),以东部冰碛低山区和大的河流处表现最为明显。

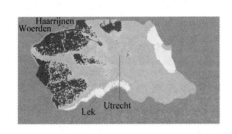

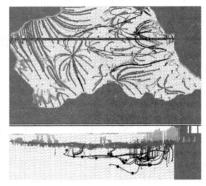

图 2　情景 1 与情景 2 地下水分布差异情况　　　　图 3　地下水流场

#### 4.1.3 层间地下水交换

表 3 列出了两个低洼地区在情景 3 的情况下地下水层间的交换量。低地 2 由于第二和第三含水层间缺失相对隔水层,通过模型第七层的水量很大,而低地 24 的情况则完全不同,通过模型第七层的水量很小。

表 3　情景 3 模型地层垂向交换量　　　　　　(单位:m³/d)

| 层号 | 低地 2 | | | | 低地 24 | | | |
|---|---|---|---|---|---|---|---|---|
| | 与上层的交换量 | | 与下层的交换量 | | 与上层的交换量 | | 与下层的交换量 | |
| | 流入 | 流出 | 流入 | 流出 | 流入 | 流出 | 流入 | 流出 |
| 1 | | | 3 875 | 1 420 | | | 5 569 | 6 797 |
| 2 | 1 420 | 3 875 | 24 653 | 170 | 6 797 | 5 569 | 4 840 | 2 228 |
| 3 | 170 | 24 653 | | 1 687 | 2 228 | 4 840 | | 1 690 |
| 4 | 1 687 | | | 1 640 | 1 690 | | | 1 690 |
| 5 | 1 640 | | 208 246 | | 1 690 | | 6 557 | 30 |
| 6 | | 208 246 | 245 587 | | 30 | 6 557 | 16 | 274 |
| 7 | | 245 587 | 246 460 | | 274 | 16 | 16 | 201 |
| 8 | | 246 460 | 2 315 | | 201 | 16 | 494 | |
| 9 | | 2 315 | 1 050 | | | 494 | 769 | |
| 10 | | 1 050 | | | | 769 | | |

### 4.2　地下水中 $Cl^-$ 浓度变化

三种情景模拟结果差别不大,地下水中 $Cl^-$ 浓度总的分布趋势是:东部和中部地区除最下部的第十层外,其他模型地层 Cl⁻ 浓度较低,淡水和 brackish 水 150 mg/L 分界等值线分布低而平;西部地区的北部 150 mg/L 分界线逐步上升,并达到地表,而西部地区的中部和南部分别达到模型的第二层和第四层。

受 Lek 河水位升高的影响,Lek 河附近地下水中的 Cl⁻ 浓度有微量上升。Lek 河水平方向的影响距离一般在 2～3 km,垂向影响深度可以达到模型第三层,局部达到第四层。由 2050 年情景 1 与情景 2 和情景 3 模拟结果比较可知:表层多数地区 Cl⁻ 浓度差别很小,差值小于 10 mg/L,西北部及沿 Lek 河下游段差值较大,最大达 100 mg/L;在西北部地区,虽然上升情况居多,但不表现为明显的上升或下降趋势。

比较 1990 年和 2050 年情景 2 的结果可知,西北部 Cl⁻ 浓度总的呈现出下降趋势,主要是地表沉降所致;沿 Lek 河下段两侧区域呈现出上升趋势,Cl⁻ 浓度平均升高 20～40 mg/L,局部达 90 mg/L,主要是海平面上升致使河水位升高。

### 4.3  地表水中 Cl⁻ 运移

丰富的地表沟渠河网在该地区具有十分重要的作用。人工调控的地表水位对区域社会生活、农牧业和林业发挥着重要功能。地表水系统不仅集蓄、输送地表水体,同时,也是溶质如 Cl⁻ 运移的载体。表 4 列出了重点研究的两个区域不同情景条件下地表水体的 Cl⁻ 交换量。

表 4  沟渠河网水体 Cl⁻ 流入和流出量

| 位置 | 情景 | 流入沟渠河网(万 m³,T) | | | | | | 流出沟渠河网(万 m³,T) | | | | 合计(T) | |
|---|---|---|---|---|---|---|---|---|---|---|---|---|---|
| | | 雨水 | | 地下水排泄 | | 区域外地表补水 | | 泵站排水 | | 河渠渗漏 | | 进入 | 排出 |
| | | 水量 | Cl⁻ | 水量 | Cl⁻ | 水量 | Cl⁻ | 水量 | Cl⁻ | 水量 | Cl⁻ | Cl⁻ (kg) | Cl⁻ (kg) |
| Oude Rijn | 1990 | 1 706 | 853 | 1 397 | 1 016 | 2 776 | 2 499 | 4 120 | 3 992 | 1 758 | 1 736 | 4 367 | 5 728 |
| | 情景 1 | 1 706 | 853 | 1 397 | 1 156 | 2 799 | 2 519 | 4 120 | 3 992 | 1 781 | 1 758 | 4 528 | 5 750 |
| | 情景 2 | 1 775 | 887 | 1 492 | 1 269 | 2 799 | 2 519 | 4 120 | 3 992 | 1 753 | 1 725 | 4 675 | 5 717 |
| | 情景 3 | 1 832 | 916 | 1 627 | 1 368 | 2 792 | 2 513 | 4 120 | 3 992 | 1 778 | 1 745 | 4 797 | 5 737 |
| Lopik waard | 1990 | 2 034 | 1 017 | 2 904 | 1 353 | | | | | 1 062 | 787 | | |
| | 情景 1 | 2 034 | 1 017 | 2 904 | 1 738 | | | | | 1 062 | 787 | | |
| | 情景 2 | 2 123 | 1 061 | 2 912 | 1 659 | | | | | 1 019 | 746 | | |
| | 情景 3 | 2 197 | 1 098 | 3 134 | 1 786 | | | | | 1 066 | 778 | | |

## 5  结论与建议

(1)通过对 2050 年现状条件与其他两种情景条件模拟结果比较分析,研究区不存在地下水盐化的风险。仅在覆盖层、第一含水层和 Lek 河附近的局部位置存在 Cl⁻ 浓度上升情况,但同时也可见 Cl⁻ 浓度下降的情况。

（2）受海平面上升的影响，Lek 河下段水位升高，河水入渗补给可达第一含水层（模型第二、三层），局部达第一隔水层（模型第四层）。

（3）通过对模拟时段始末 1990 年和 2050 年 Cl⁻浓度比较分析，覆盖层、第一含水层、Lek 河附近和西北部区域 Cl⁻浓度变化不足 100 mg/L。Lek 河附近及西北部泥炭地区 Cl⁻浓度上升范围在 70 ~ 90 mg/L；而 Oude Rijn 河附近 Cl⁻浓度则下降 20 ~ 40 mg/L，这是由于地下水循环增强所致。

（4）Oude Rijn 重点研究区，在 1990 年及其他三种情景条件下，由地下水排泄的 Cl⁻量呈增加趋势，这是由于地表沉降致使地下水出流增加。

（5）地表水质量对覆盖层和第一含水层至关重要，要加强地表水质管理，防止地表水污染影响地下水。

（6）进一步完善 PMWN – Modflow 软件系统，使之能更好地与其他软件如 Surfer 和 Arcview GIS 兼容，并能直接模拟地表沉降等。

## 参 考 文 献

［1］ Oude Essink G H P. Impact of sea level rise on groundwater flow regimes: a sensitive analysis for the Netherlands. Ph. D. thesis, Delft University of Technology, 1996

［2］ Oude Essink G H P. Density Dependent Groundwater – Salt Water Intrusion and Transport. Utrecht University – Utrecht / IHE – Delft, The Netherlands, 2001

［3］ Post V E A. Groundwater salinisation processes in the coastal area of the Netherlands due to transgressions during the Holocene. Ph. D. thesis, Vrije Universiteit Amsterdam, 2003

［4］ Bhuiyan Md I H. Seepage from the Dunes: a Groundwater Modelling Study for Rijnland Waterboard, the Netherlands. Msc. thesis, UNESCO – IHE, Delft, The Netherlands, 2002

［5］ Dufour F C. Groundwater in The Netherlands, Netherlands Institute of Applied Geoscience TNO – National Geological Survey, 2000

［6］ Jin Zhengyue. Modelling for the Selection of Well Field Locations: Case study, Betuwe area – The Netherlands. Msc. thesis, UNESCO – IHE, Delft, The Netherlands, 2002

［7］ Calo E T. Modelling of Brackish Groundwater Upconing: Case Study, Hammerflier Well Field – The Netherlands. Msc. thesis, UNESCO – IHE, Delft, The Netherlands, 2003

［8］ Foppen J W A. De Nieuwe Venen, deelrapport hydrologie. The Netherlands, 1998

［9］ Nonner J C. Principles of Groundwater Exploration. Lecture notes HH022/02/1, IHE Delft, The Netherlands, 2002

［10］ Nonner J C. Introduction to Hydrogeology. IHE Lecture notes series, Balkema Publication, The Netherlands, 2002

［11］ De Laat P J M. MUST – Asimulation Model for Unsaturated Flow. IHE, Delft, The Netherlands, 1985

[12] Chiang W. Kinzelbach W. Processing Modflow a Simulation System for Modelling Groundwater Flow and Pollution. U. S Geological Survey, Denver, CO, 1998

[13] Mary P A, William W W. Applied Groundwater Modelling: Simulation of Flow and Advective Transport. United States of America, 1991

# 从水动力学和土力学的角度
# 研究细泥沙动力学

## Johan C. Winterwerp

（德尔伏特科技大学　德尔伏特水力学研究所　荷兰）

**摘要:** 本文从水动力学和土力学的角度研究了海洋细颗粒泥沙物理特性。主要成果是建立了理查逊数与含沙量的关系(流速为参数)。用临界查理逊数把水流划分为一般高含沙不饱和状态、超高含沙量不饱和状态和超饱和状态。研究了三种状态下的水沙特点,如浆河和河床固结等。研究成果在河流动力学上具有重要的学术价值,如它证明了在同样的流速条件下,水流可能具有两个挟沙能力。

**关键词:** 高含沙　超高含沙　挟沙能力

本文以冲积河流的高含沙水流作为研究对象。由于这种高含沙流体之体积是不变的,那么水流引起的泥沙颗粒的位移——由此引起河床变形,必然伴随着同体积水的位移。许多重要的河流演变过程,归根结底,都是源于这一简单的水 – 沙交换机制。

在高含沙悬移质水流中,泥沙颗粒之间相互阻碍,形成所谓的受阻沉降作用。它造成泥沙颗粒有效沉速减少数个数量级。

床面侵蚀:它是一个河床排水过程,这种情况仅能发生在河床侵蚀率很小、以至于水能够进入河床的情况。高含沙水流所造成的河床表面侵蚀相对较小,这是水从高含沙水体中流出时受到阻碍作用所致。这种现象就是受阻床面侵蚀现象。受阻床面侵蚀的速率要小数个数量级。

河床成块侵蚀(揭河底冲刷是其形式之一):当水流作用于河床的切应力大到足够引起河床内部结构破坏时,就会发生河床成块侵蚀。在高强度的河床变形情况下,河床土体内主要是不排水机制在起主要作用,此时局部河床发生变形引起大块大块的泥沙体从河底、河岸上被冲起。这种河床冲刷率是无法预测的。

下面将分析这种简单的物理过程对黄河河床演变的影响。首先,我们分析含沙水流的特性,并假定水流处于充分紊流状态。悬沙中径变化范围为 0.01 ~ 0.06 mm。由于这种泥沙很细,它们能随水流运动,因此我们可以把这种水沙混和体当成均质流体(其密度随含沙量变化),运用单相流研究方法来研究这种流体。这种含沙水流的性质可以用经典的层流理论来分析。

通量查理逊数($Ri_f$):$Ri_f$是描述这种流体性质的一个重要参数。它表示分层混和流体的能耗率;在一般教科书中,查理逊数表示含沙水流势能和动能的比率。大量的试验表明,超过临界查理逊数时,紊流状态就会消失,混和过程不复存在,这种状态就是超饱和状态。在超饱和状态之前,为不饱和状态。水流挟沙力被定义为介于这两种状态的水流挟带泥沙数量大小(查理逊数是佛汝德数的负 2/3 次方)。

这种流体是的性质可以概化为图 1 中的稳定曲线。图中,查理逊数被表示为体积含沙量的函数,参数为流速($u_1$、$u_2$)。应该注意的是:由于黄河泥沙中含有少量的伊利石和高岭土,可能引起泥沙的絮凝,特别是在中度含沙量时,这种絮凝作用会形成高含沙量,造成受阻沉降作用变大,由此影响图 1 中的稳定曲线。

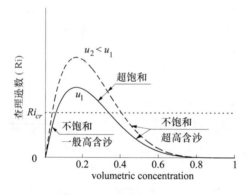

图 1　细沙稳定曲线

本曲线水动力条件有两类,参数为流速,$u_2 < u_1$。流体状态的过渡状态取决于泥沙特性(粒径,絮凝度)和水动力条件。此过渡状态既可在含沙量几十 mg/L 到几百 g/L 时发生、也可在超高含沙 (数十 g/L ~ 数百 g/L)发生。

图 1 反映流体可能处于以下三种状态。

(1)一般高含沙、非饱和状态:此时,水 – 沙交换机制处于主导地位,含沙量低于水流挟沙力。当含沙量增加或流速减小到超过挟沙能力时,紊流结构消失,泥沙很快沉降。

(2)超高含沙量、不饱和状态:此时,含沙量大于挟沙能力。随着含沙量的增加,含沙水流会变得更稳定,而且,随着含沙水流密度的增大,含沙水流会被加速。这就是高含沙水流(也包括黄河高含沙水流)能持续运行、且具有极大破坏力的原因。当含沙水流的流速降低,使水流处于超饱和时,将导致泥沙淤塞河道。

(3)超饱和状态:此时,紊流消失,导致泥沙沉降和泥沙固结等情况发生。如果这种超饱和源于一般高含沙,那么泥沙沉速和固结率都很小。在黄河上尤其如此,因为黄河泥沙的粒径太细了。

一般来说,在外力作用下,冲积性河床的变化由以下因素决定:①泥沙是黏性,还是非黏性的;②床沙的结构,即河床是否是由沙粒结构所构成。

黄河床沙质非常细,悬沙中径的变化范围是 0.03 ~ 0.1 mm,前文已述,泥沙中包含有伊利石和高岭土等黏土成分,黏性成分的存在使得河床具有一定程度的黏性特征。由于泥沙颗粒非常小,尤其是存在有黏性伊利石,致使河床的渗透性很小,由此造成以下两种结果:

(1)河床泥沙的固结率很低,即河床能长时间保持较高的含水率,河床沙粒结构得不到充分的发展。这种类型的河床很容易液化。

(2)在河床变形率很高时,河床变化处于不排水状态。这种河床变化是往往被解释成泥沙的黏性特性所致,不过用伪黏性代替黏性倒更确切。

这就意味着,在外力作用下河床的变化,要么以泥沙沙粒的形式、要么以(伪)黏性物的形式发生,取决于真实切应力和切应力变化过程;泥沙中的黏性成分使这张图形变得更复杂化。这种水 - 沙交换的特征为:

(1)对沙质河流,河床表面侵蚀是一个个泥沙颗粒从河床被逐一冲起的排水过程。这种侵蚀模式在很多泥沙输移教科书中都有解释。我们认为,当黄河上的泥沙颗粒不是很细或者水流速度不大的情况下,这种侵蚀模式就会发生。

(2)当河床遭到冲刷、水流中的含沙量增大到超高含沙量时,由于河床排水不易进入含沙水体,造成侵蚀速率降低,这个过程可以归为受阻侵蚀。其侵蚀速率降低很快。

成块侵蚀是一大块床沙从河床被冲起的、不排水过程。河岸侵蚀也可以看做是一种成块侵蚀,在此种情形下,重力增加了侵蚀切应力。在高含沙水流情况下,成块侵蚀可能较易发生,从流体能量观点看,这是由于这种情形对流体运动比较有利。

由于此种河床易受液化的影响,因此河床可能首先在不排水的条件下发生变化、"流走",加大超高含沙水流的输沙率。当这种流体处于紊流状态或变为紊流状态时,这些流走的"河床"可能与水流发生混合。

总之,含有细颗粒泥沙的高含沙悬移质和分层作用对水流的垂向掺混、泥沙沉速、固结、河床侵蚀有很大的影响,致使河床要经过很长的时间才能达到平衡。我们认为,以往众多的实验室和原型高含沙水流观测资料是在非平衡情况下得到的,这种数据很难被解译,因此以往的研究中一定存在一些假相关关系。

　　河床需长时间才能达到平衡,带来的问题之一是:高含沙水流和河床的交接面定义很模糊,事实上,它是一个从河床到悬浮体的过渡段。水柱的上部分可能处于充分的紊流状态,而下部分流体的雷诺数可能很小,最终处于层流状态。此处,非牛顿体作用也很明显。沿水柱再向下,一些土力学因素——例如超静水压力及有效应力增加等就开始起主导作用。这些问题意味着,应给图 1 的稳定曲线增加一个垂直于 $Ri - \phi$ 平面的数轴来表示有效雷诺数。此参数也能反映非牛顿体作用。

　　在极端情况下,悬浮体和河床的渗透性可能变得很小,以至于悬浮体和河床之间的切应力层会变得很薄。这种情况下,栓塞流(浆河,plug flow)就会发生,水沙混合物的大部分泥沙能够在没有任何水流切应力的作用下被输移。我们认为,到达这种状态的过程是由 Peclet 数控制。Peclet 数可以看成是河床变形速率和土壤超静压水头消减率的比值。

　　从上述简短的分析中可以看出,要弄清黄河演变的物理过程,还必须做到:

　　(1)深入研究在非平衡状态下的、长时间尺度的物理过程。

　　(2)把流体力学和土力学综合起来。

(注:本研究的理论部分详见于 J.C. Winterwerp 和 W.G.M. van Kesteren 的论文《海洋细颗粒泥沙物理学》,发表于《沉积学进展》第 56 期,2004 年。)

# 黄土高原沟道坝系相对稳定的
# 模型试验研究 *

## 徐向舟　张红武

（清华大学水利水电工程系）

**摘要**:本文采用缩尺模型的试验方法,通过降雨模拟和放水试验,演示黄土高原单坝及坝系的相对稳定现象。该缩尺模型历次降雨(或放水)后的地貌演变程度与原型相应量的比值始终为一常数,从而可以用模型试验的结果说明原型流域的水土保持现象。试验通过模型坝地面积、坝地高程及沟道平均比降的发展变化规律,并根据沟道的自平衡机制,论证了黄土高原沟道坝系实现相对稳定的可能性。

**关键词**:沟道坝系　相对稳定　模型试验

近年来,沟道坝系的相对稳定理论在坝系规划设计中发挥了重要作用[1,2],同时关于坝系相对稳定原理的标准和内涵也引起了学术界的广泛关注与探讨。本文针对学术界对坝系相对稳定理论的争议和讨论,从水沙平衡的角度,通过缩尺模型的放水试验和降雨模拟试验,演示坝系相对稳定现象,并探讨其形成的机理。

## 1　原型流域的侵蚀产沙特性

黄土高原的沟道洪水历时较短,在导致黄土高原水土流失的三种暴雨类型中,A 型暴雨的产流历时一般为 10 ~ 40 min,B 型和 C 型暴雨为 50 ~ 80 min[3],其中 A 型暴雨是引起黄土高原水土流失的主要降雨类型[4]。黄土高原沟道洪水的最大含沙量[5]可以超过 1 000 kg/m³,但一般的沟道洪水平均含沙浓度[3]为 200 ~ 300 kg/m³。

本试验的原型流域羊道沟是晋西王家沟的一条支沟,其降雨和下垫面条件具备黄土高原的典型特征。原型流域建坝前的来水来沙条件根据羊道沟 20 世纪 60 年代综合治理前多年平均土壤侵蚀模数计算[6],其侵蚀模数为 20 811 t/(km²·a)。

---

* 基金资助:国家自然科学基金创新研究群体科学基金(No.50221903);国家自然科学青年基金项目(No.40201008)。

## 2 试验安排

### 2.1 单坝的放水模拟试验

#### 2.1.1 模型与原型之间的产沙比例关系

为探索坝地的水沙平衡和地貌演变规律,本节通过放水模拟试验演示淤地坝的相对稳定现象。模型的设计参数如表 1 所示。

表 1 模型设计参数

| 流域要素 | | | 缩尺 | 说明 |
|---|---|---|---|---|
| 项目 | 原型 | 模型 | | |
| 主沟道长度 $L$(m) | 752 | 12.5 | $\lambda_L = 60$ | 试验场地要求 |
| 流域面积 $A$(km²) | 0.206 | $63.7 \times 10^{-6}$ | $\lambda_A = 3\,265$ | 几何相似 |
| 坝高 $H$(m) | 21 | 0.35 | $\lambda_H = 60$ | 几何相似 |
| 流量 $Q$(m³/s) | — | $10^{-3}$ | — | 式(3) |
| 径流持续时间 $t$(min) | $10 \sim 40$ | 12 | — | 模型侵蚀率调整 |
| 含沙量 $C$(kg/m³) | $\approx 200$ | $80 \sim 90$ | $\lambda_s \approx 2.5$ | 参见文献[7] |
| 建坝前次降雨产沙量(kg) | $4.29 \times 10^6$ | 61.2 | $\lambda_V = 70\,050$ | 模型侵蚀率调整 |
| 干容重 $\gamma_0$($10^3$ kg/m³) | $\approx 1.3$ | 1.436 | $\lambda_{\gamma_0} \approx 1$ | 模型表面手工拍实 |

根据黄土高原淤地坝建设规范的要求[8],一般在较大支沟的下游或主沟的上游修建中型淤地坝,中型淤地坝的坝高 15 ~ 25 m,库容 10 万 ~ 50 万 m³。本试验中,拟在羊道沟下游的流域出口处,建一座中型淤地坝,该坝的坝高 21 m。

由于水库的淤积抬高除了自身库容外只与入库的水流和泥沙有关[9],而淤地坝实质上是一种小型水库,因而在本模型试验中,可以将原型坝控流域的来水来沙条件换算成模型入库水流的流量、含沙浓度和径流时间,通过放水试验来模拟历次降雨后坝地的增长过程。本试验在清华大学黄河研究中心潮白河试验基地模型大厅内举行,根据原型尺寸和试验场地的条件,确定模型的水平长度缩尺为 60,即模型坝高、沟道尺寸等按原型的 1/60 缩小。模型土壤为与羊道沟原型黄土接近的潮白河试验大厅附近的黄土,下垫面初始地形采用手工拍实做成。这种黄土的干容重 $\gamma_0 = 1.436 \times 10^3$ kg/m³,中值粒径为 $D_{50} = 30.8$ μm。

黄土高原典型小流域一年的侵蚀产沙量,可以按一场短急性暴雨所产生的泥沙量来表示。于是本试验中原型流域建坝前一次特征暴雨的产沙量应为 $4.29 \times 10^6$ kg,见式(1);模型放水的时间由重力相似关系确定,$t_{m0} = 1.3 \sim 5.2$

min,见式(2)。

令 $RV = 1$,则模型的次放水入库泥沙量应为:

$$S_{m0} = \frac{S_p}{\lambda_L^3} = 19.8 \ (\text{kg}) \tag{1}$$

由于小流域的侵蚀现象已经概化成高含沙水流的水库淤积问题,所以可借鉴张红武[7]的高含沙水流相似律中含沙量比尺的计算方法,来确定本试验中含沙量的缩尺:通过原型和模型的水流挟沙能力比值来估算模型的含沙量,一般可以取 1~3,本文中取 2.5。于是模型的含沙量为:

$$C_m = \frac{C_p}{\lambda_c} = 80 \sim 120 \ (\text{kg/m}^3) \tag{2}$$

经率定,本试验系统中入库浑水的含沙量可以达到 80~90 kg/m³,在上式的允许范围内。在本试验中,入库水流的流量 $Q_m$ 和含沙量 $C_m$ 基本是稳定的,那么入库洪水的流量可按下式计算:

$$Q_m = \frac{S_{m0}}{C_m \times t_{m0}} \tag{3}$$

取模型洪水含沙量 $C_m = 85 \ \text{kg/m}^3$,模型试验时间 $t_m = 4 \ \text{min}$,再根据次放水的产沙量要求式(1),就可由式(3)计算出模型与原型次降雨侵蚀程度一致时所需的次放水流量:

$$Q_m = \frac{S_{m0}}{C_m \times t_{m0}} = \frac{19.8}{85 \times (4 \times 60)} \approx 1.0 \times 10^{-3} (\text{m}^3/\text{s}) \tag{3'}$$

由于本文旨在研究淤地坝实现相对稳定的趋势,试验时多次降雨合在一起连续放水并不影响试验结果的可靠性。为了在模型试验时更详细地观测沟道地形和水沙的演变过程,实际操作中每组试验放水时间延长为 12 min,其模型的地貌次降雨演变程度调整系数计算如下。

调整后模型每次放水试验的入库泥沙量为:

$$S_{m1} = Q_m \times C_m \times t_{m1} = 10^{-3} \times 85 \times 12 \times 60 = 61.2 \ (\text{kg}) \tag{4}$$

将式(4)代入调整系数的定义式❶,可得缩尺模型的地貌次降雨演变程度调整系数:

$$RV = \frac{\lambda_L^3}{\lambda_{S1}} = \frac{\lambda_L^3 S_{m1}}{S_p} \approx 3 \tag{5}$$

上述推导得出的模型与原型各参量之间的比例关系列于表 1 中。

### 2.1.2 试验的材料和方法

试验系统由回水系统和试验区两部分组成,如图 1 所示。浑水在搅拌池中

---

❶ 徐向舟,等.黄土高原小流域水土保持的缩尺模型试验方法.见第二届黄河国际论坛论文集。

搅拌均匀,经率定达到设计的模型含沙量以后,由池中的潜水泥浆泵经进水管输入到稳流池中。稳流池中装有搅拌器,以防止因泥沙沉淀而改变入口水流的含沙浓度。水流经稳流池中进入沟道后,在坝前库区滞留一部分泥水,余则经溢洪道或泄流孔排入蓄水池中。蓄水池后有阀门,可防止回水进入搅拌池,影响初始水沙条件。试验结束后,可以打开阀门,将回水放入搅拌池内,重复利用。通过回水管中的控水阀门,可以挑选回水管中入库流量的大小。

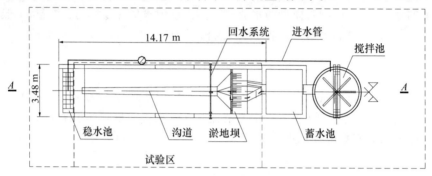

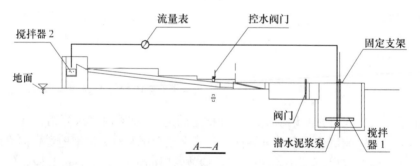

**图 1　试验模型布置图**

模型沟道的支沟呈 V 形,主沟呈 U 形,主沟和支沟的沟壁坡度均为 45°。淤地坝位于离支沟沟尾 0.9 m 的主沟沟口处,坝高 0.35 m。当沟道洪水量超过淤地坝库容时,洪水可以通过溢洪道排出。模型沟道的两边侧墙互相平行。在坝前淤积区,有一测桥横跨在两边侧墙上,测桥可沿着两边侧墙在沟道纵向上水平移动;测桥上装有可沿着沟道横向移动的测针。侧墙和测桥上都标有刻度,间距均为 0.1 m。冲刷区的沟底高程通过测杆和水准仪配合测量,间距也是 0.1 m。本试验中坝地面积通过每次放水后坝前沟底高程的等值线图计算。根据坝前地形的等值线图,可确定坝地的范围。然后,将该等值线图按图上 1 单位长度对应实际 1 cm 长度的比例转入到 AutoCAD 2000 中,用"Area"命令即可直接测出该坝地的面积。

入库流量由位于进水管上的流量表读出,沟道水流的流速用螺旋桨流速仪测量,浑水的含沙量使用 100 mL 的密度瓶测量。模型的入库流量控制在 $1.0 \times 10^{-3}$ m³/s,入口含沙量为 $80 \sim 90$ kg/m³。试验从水流进入沟道开始计时,持续放水 12 min。试验中连续观测沟道沿程的流速分布;模型的入口处、坝前库区、坝后溢洪道处每隔一分钟取一次沙样,以观测洪水含沙浓度沿程变化的规律。放水试验结束后,当库内积水澄清,坝前淤地基本稳定时,用细管排出清水,然后开始观测沟底和坝地的地形。记放水前地形数据的组次为 $N_m(0)$ 组,第一次放水后的地形数据组次为 $N_m(1)$ 组,依次类推。

随着放水次数的增多,坝前淤地高程的增长速度越来越慢。本试验总计放水 18 组次。

## 2.2 坝系的降雨模拟试验

为进一步探索修建坝系以后沟道的水沙条件及地貌形态的演变规律,本研究在李各庄基地的 1 号试验场进行了 10 场降雨模拟试验。模型下垫面形态根据羊道沟的地貌特征设计,缩尺模型的设计参数见表 2 所示。试验的设备见图 2。模型土壤为与羊道沟原型黄土接近的李各庄试验场附近的黄土,下垫面初始地形采用手工拍实制成。模型降雨的降雨时间和降雨强度与黄土高原的 A 型暴雨接近:次降雨持续时间 20 min,雨强约 1.60 mm/min(误差在 ±10% 内)。每次降雨模拟试验前率定雨强,保证雨强误差在允许的范围内;试验前先用小雨强湿润地面;每次降雨后,间歇 24 h 再进行下一次降雨,这样除地形做好后的第一次降雨模拟试验以外,其余各次降雨下垫面的初始含水量和密实度都差不多。模型的布坝顺序见表 3。每次降雨后沟道的地形变化采用水准仪和测杆配合观测。坝地面积采用数码相机和已知面积的长方形木框配合测量。

表 2   降雨模型试验参数

| 流域参数 | | 缩尺 | 备注 |
|---|---|---|---|
| 主沟道长度 $L(\mathrm{m})$ | 752 | $\lambda_L \approx 60$ | 试验场地要求 |
| 坝高 $H(\mathrm{m})$ | | $\lambda_H = 60$ | 几何相似 |
| 流域面积 $A(\mathrm{km}^2)$ | 0.206 | $\lambda_A = 3\ 179$ | 几何相似 |
| 降雨时间 $t(\mathrm{min})$ | $10 \sim 40$ | — | 模型侵蚀率调整 |
| 含沙浓度 $C(\mathrm{kg/m}^3)$ | $\approx 20°$ | $\lambda_s = 2$ | 参见文献[7] |
| 含沙量(kg) | $4.29 \times 10^6$ | $\lambda_s = 18\ 380$ | 模型侵蚀率调整 |
| 干容重含沙量 $\gamma_0(10^3\mathrm{kg/m}^3)$ | $\approx 1.56$ | $\lambda_{\gamma_0} \approx 1$ | 模型表面手工拍实 |

**注:**坝高:7 号,9m;1 号、2 号、8 号,18m。

表 3   布坝顺序

| 降雨组次 | Pc-1 | Pc-2 | Pc-3 | Pc-4 | Pc-5 | Pc-6 | Pc-7 | Pc-8 | Pc-9 | Pc-10 |
|---|---|---|---|---|---|---|---|---|---|---|
| 布置的坝号 | | 7 号 | | 8 号 | 2 号 | 1 号 | | | | |

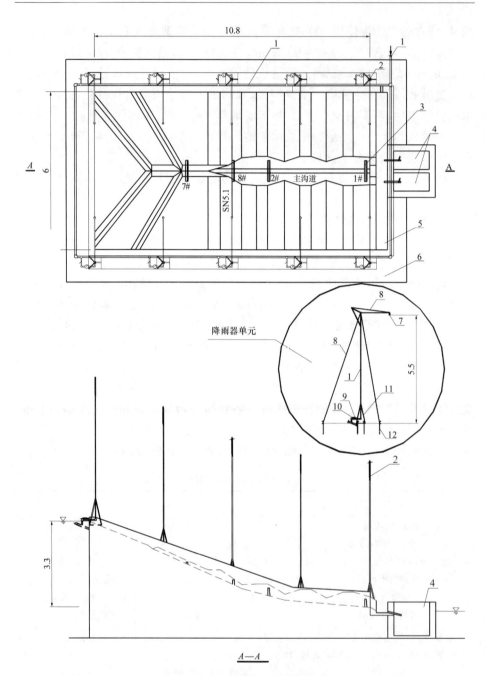

降雨器单元

主沟道

**图2　SX2004 旋转喷射式降雨模拟试验系统**

1—供水钢管；2—SX2004 喷射式降雨器；3—下垫面模型；4—径流地；5—引水槽；6—过道；
7—喷头；8—拉索；9—压力表；10—控水阀门；11—角钢支架；12—锚杆

降雨试验前先率定模型与原型次降雨后地貌演变程度之间的比例关系。本试验中流域出口处淤地坝的次放水入库泥沙量,可以根据淤地坝上游流域的多年平均侵蚀模数,将其折合成一次短急性暴雨的产沙量来计算:

$$S_p = M_p \times A_p = 20\ 811 \times 10^3 \times 0.206 = 4.29 \times 10^6 (\text{kg}) \tag{6}$$

本试验旨在宏观地研究坝地的淤积与坝系相对稳定的关系,所以当调整系数 $RV$ 大于 1 时,并不影响试验成果的可靠性。为了对建坝前后流域的产流产沙过程作深入的观测,同时也为了加快试验进程,在本模型试验中,对模型每次降雨的侵蚀率作了调整。模型特性率定试验中 Po-8 组试验是未建坝模型恢复地形后的第一次降雨模拟试验,其下垫面的地形、密实度、含水量及降雨的侵蚀力等条件都与恢复地形后建坝的第一组降雨模拟试验相接近,所以该组试验即提供了模型流域建坝前的次降雨产沙量:

$$S_m = 233.3\ (\text{kg}) \tag{7}$$

于是模型的次降雨产沙量缩尺为:

$$\lambda_s = \frac{S_p}{S_m} = 18\ 380 \tag{8}$$

再根据缩尺模型的侵蚀程度调整系数定义,计算出本试验调整系数:

$$RV = 12 \tag{9}$$

模型试验中由于下垫面的含水量不饱和而导致坡面侵蚀逐次(降雨)减小的情况,可以定性地反映小流域坡面综合治理的情况。因为本文旨在定性地研究建坝后沟道地貌和水沙演变情况,上述含水量不饱和的情况并不影响试验结果的可靠性。

## 3　试验结果与分析

### 3.1　淤地坝实现相对稳定的表现

淤地坝是控制沟道侵蚀的有效措施。淤地坝(系)的水沙平衡主要体现在坝地高程抬高量的减小及建坝后沟道平均比降趋于稳定两个方面。

#### 3.1.1　坝地高程抬高量减小

单坝的放水试验和坝系的降雨模拟试验结果都证实,随着放水(降雨)次数的增多,坝地的高程增加量逐渐减小,沟道逐步趋于稳定。

图 3(a)显示了单坝放水试验中,次放水坝地高程增加量逐渐减小的情况。在沟道放水冲刷的过程中,水流流经沟底,在淤地坝影响范围以外的上游地段,沟道发生冲刷;在坝前地段,沟道发生淤积,并逐步形成平展的坝地。在本试验中,根据坝前淤积区的平面坐标和地面高程,可绘出每次放水后坝前地形的等值线图,然后通过对等值线图的判读,得出坝地的平均高程。由图 3(a)可知,随着

放水次数的增加,坝地的高程逐年加大;但在开始阶段(图中 $N_m(1)\sim N_m(7)$ 组次),坝地高程的次放水增高量较大,以后逐渐变小。

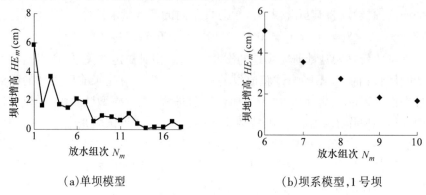

(a)单坝模型　　　　　　　　　　(b)坝系模型,1 号坝

**图 3　历次放水(降雨)后坝地的增高量**

在坝系的降雨模拟试验中,由于模型的次降雨地貌演变程度比较大,2 号、7号和 8 号坝均在布坝后经历一次或两次降雨即告淤满。1 号坝库容较大,又在后期布坝,因此坝库没有淤满,历次降雨后坝地一直在抬高。但随着降雨次数的增多,坝地次降雨的增高量逐渐减小,如图 3(b)所示。

### 3.1.2　平均比降趋于稳定

随着坝地的抬高,沟道的侵蚀基准面提高,沟道的平均比降逐步减小。参照Casaly[10]加权平均比降的计算办法,可定义沟道的长度加权平均比降为:

$$S_L = \frac{\sum L_i S_i}{\sum L_i} \tag{10}$$

式中　$L_i$——坡长;

　　　$S_i$——$L_i$ 段坡面所对应的比降。

事实上,由于坝地的比降接近于零,坝地的面积越大,根据式(10)计算得出的 $S_L$ 值越小。$S_L$ 值实际上反映了一定初始地貌条件下坝地面积与坝控流域面积的比值。在本试验中,每隔 0.1 m 间距沟底各点的高程都已经测出,根据各点的平面坐标和高程,就可计算出相邻两点间的比降和坡长,进而可根据式(10)计算出平均坡度。单坝试验和坝系试验的主沟道历次模拟放水(降雨)后,模型主沟道的平均比降计算结果如图 4(a)和图 4(b)所示。由图 4 中可以看出,沟道的初始比降较大,随着放水(降雨)试验的进行,坝地的范围逐渐增大,沟道的平均比降随之逐渐减小;起初比降的下降速度很快,然后逐渐趋缓。对于坝系试验(见图 4(b)),由于 1 号坝没有淤满,随着降雨次数的增多,沟道的比降仍在不断地减小;对于单坝试验(见图 4(a)),从 $N_m(13)$ 组开始,$S_L$ 接近于水平线($S_L \approx$ 7%),即平均比降几乎不再变化。

综合图3、图4可以看出,对于单坝试验,大约在第 $N_m$(13)组放水以后,沟底的纵立面地形、坝前淤地的平均高程和沟道的平均比降等参数都已经趋近于一个恒量,这时候虽然淤地坝尚有一定的库容,并仍能拦截洪水从上游挟带下来的泥沙,但由于坝前的淤地增高非常缓慢,淤地坝的高度不用再增加。可以说,坝前泥沙的冲淤状态已经满足了淤地坝相对稳定的要求。

诚然,如果放水(降雨)的试验不断继续,坝地仍然将不断地增高——尽管增长的幅度是逐渐变小的。本试验只是定性地展示了淤地坝实现水沙相对稳定的一种趋势,证明了淤地坝实现相对稳定的可能性,而并无意于定量地研究出某一具体小流域淤地坝实现相对稳定所需的坝地增高临界值。事实上,坝地的增高量究竟要达到多少才能使当地农民可以忍受,即满足相对稳定的要求,还涉及经济和社会科学领域内的问题[11],应该通过实地调查和与当地政府部门的配合,根据大量沟道坝系多年的运行状态和当地的经济结构及经济发展水平来决定。在黄土高原小流域水土流失治理实践中,一般坝地的年抬高量小于0.3 m,即最终需要加高坝体的工程量相当于基本农田岁修量时,即可认为坝系在水沙平衡方面达到相对稳定状态[12~13]。

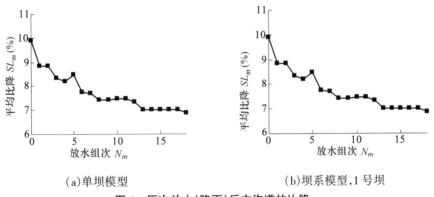

(a)单坝模型　　　　(b)坝系模型,1号坝

**图4　历次放水(降雨)后主沟道的比降**

### 3.2　淤地坝实现相对稳定的原因

#### 3.2.1　淤地坝的拦沙减蚀作用

淤地坝拦截的泥沙使沟道的侵蚀基准面抬高,这是沟道侵蚀减小的一个重要原因。由于坝前部分沟道已经被泥沙淤埋,不再发生侵蚀;淤积面以上沟道,也由过去的侵蚀型转化为淤积型或平衡型,于是沟道的侵蚀大为减小。图3~图4反映了侵蚀基准面抬高、平均比降减小的情况。

另外,沟道表面泥沙的粗化也是促使沟道侵蚀减小并趋于稳定的另一个原因。由于淤地坝的存在,减小了水流的挟沙力,从坡面汇集下来的洪水中易于搬运、颗粒较细的泥沙被洪水带走,而洪水中颗粒较大的泥沙被留于沟床表面,并形成一层较为致密的保护层,减轻了沟道的侵蚀,促进了沟道的稳定。图5反映了单坝放水试验前后沟床表面泥沙颗粒的粗化现象(坝系试验中也有类似现象)。图中虚线部分表示放水试验前沟底泥沙的中值粒径,实线部分表示 18 组次放水后泥沙中值粒径的沿程分布。由图 5 可以看出,放水冲刷后沟底的泥沙中值粒径明显比放水前增大,距离淤地坝越远,沟底的粗化现象越显著。

淤地坝的减蚀作用控制了原来水土流失最为严重的沟谷和沟床[14],这就相当于减少了大量的流域来沙,从而使淤地坝后期坝前淤积增长缓慢。

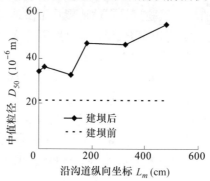

**图 5　河床表面泥沙的粗化**

### 3.2.2　落淤面积的变化

历次放水后泥沙落淤的面积大小如图 6 所示。对于坝系模型(图 6(b)),2 号、7 号和 8 号坝在第 6 次降雨模拟试验前已经淤满,建 1 号坝后,坝地的增长主要体现在 1 号坝的坝地增长上。由图 6(a)和图 6(b)可知,无论是单坝试验还是坝系试验,坝地的面积几乎都是直线增长的。由于泥沙淤积范围的增大,即使来沙体积相同,因为泥沙平铺在较大的面积上,其增长厚度也将变小。

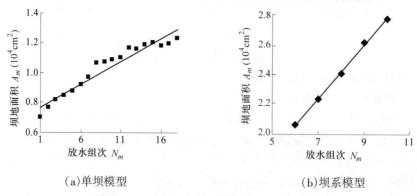

(a)单坝模型　　　　　　　　　　(b)坝系模型

**图 6　历次放水(降雨)后沟道坝地面积的增长**

另外,由于坝前淤地的抬高,淤地坝库容逐渐减小,其拦沙减蚀效果逐渐减弱也是坝地增高趋缓的一个因素;在治理黄土高原的生产实践中,人们采用"沟坡皆治"的小流域综合治理方针,由于采用了营造梯田、挡墙、绿化造林等治坡措施,上游的来流来沙量亦将得到削减,也促使淤地坝实现相对稳定。

### 3.2.3 沟道的自平衡机制

冲淤平衡是沟道地貌演变现象的一种共性,国内外学者对其他流域沟道的研究也发现了这一现象。Foster[15]的研究证实,各种形式的沟道,如坡面细沟、沟谷等发育到一定程度时,沟道将展宽,使侵蚀大大减小。当沟道宽度达到某一值时,该沟道在一定的坡面流下几乎不发生侵蚀,此时沟道(的抗侵蚀能力)与坡面流(的侵蚀动力)相平衡,即达到了相对稳定状态。Novak[16]推导出没有人为干扰的沟道实现相对稳定所需要的时间。Sidorchuk[17]认为,沟道的发育分为两个阶段,第一阶段是沟道的形成阶段,这一阶段以沟底冲刷和沟壁快速扩张为主,沟道的地貌特性(长度、深度、宽度、面积等)变化剧烈,但其持续时间仅占沟道寿命的5%左右;第二阶段是沟道的相对稳定阶段,这一阶段以沟底的泥沙输移和沉降为主,侧向侵蚀引起的沟壁扩张很小。在自然界中,如果当地的地质和地貌条件满足要求,水沙输移达到了相对稳定状态,有的河道就可以历经百年保持不变。

在黄土高原小流域的沟道中建设淤地坝后,相当于改变了当地的地貌条件。在历年降雨洪水的作用下,大量泥沙在坝地淤积,导致沟道的平均比降不断缩小(见图4),洪水对沟道的侵蚀不断减小,逐步达到相对稳定状态;另一方面,即使坡面来沙没有得到有效控制,由于坝地面积的增大,在相同的泥沙淤积量下,坝地的增高也渐趋缓慢。黄土高原淤地坝建设的实测资料也表明,建坝后沟道比降明显减小。据黄委西峰水保站对南小河沟流域三座淤地坝的测算,沟道比降由打坝前的11%～1.5%下降到淤积后的0.5%～0.1%[18]。因此,在特定的水沙和地质地貌条件下,存在着一个临界坝高,当淤地坝达到这一高度时(这时坝控面积也是一个定值),沟道的平均比降达到了临界比降,沟道的侵蚀量大大减小,坝前淤地"年均淤积厚度较薄,后期的坝体加高维修工程量小,群众可以承担养护"[14]。这是建坝后淤地坝相对稳定特性在水沙平衡方面的体现。

### 3.3 关于相对稳定理论的补充

### 3.3.1 坝地淤积厚度的内涵

最初的淤地坝相对平衡设想是洪水"平铺"在坝地上,实际上由于坝内"淤积纵坡"即翘尾巴现象存在,加上洪水如坝之后的冲击力,使坝内洪水"前倾",坝前水深增加,而并非"平铺"。据调查,陕北淤地坝坝地的平均比降在0.2%～0.5%,这种前倾淤积现象对淤地面积较大的坝库拦洪有明显的影响[19]。在试验中,也发现这种现象普遍存在。图7显示了第9次模拟降雨后,主沟道的地形变化。由图7可见,在坝库淤满之前,坝地的纵坡比降比较大;在坝库淤满后,坝地的纵坡比降依然存在,只是比降较小而已。图 7 显示了在单坝试验过程中,坝地纵坡比降逐步缩小的过程。

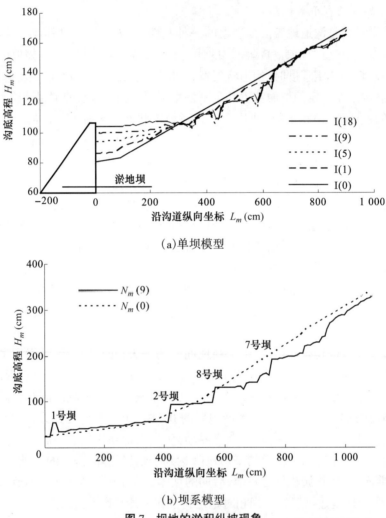

(a)单坝模型

(b)坝系模型

**图 7　坝地的淤积纵坡现象**

因而,与坝系相对稳定定义中"坝体的加高维修工程量"[20]对应的坝地年淤积抬高量,应是坝地年抬高量的空间平均值。本试验中相关数据的处理即采用这种方法。上述概念的澄清对于坝系生产实践具有一定的指导意义。

### 3.3.2　坝系建设与坡面治理的关系

从前文的试验数据分析中可以看出,坝系的作用只是将水土流失就地拦截在坝控流域内,对坡面水土流失并没有直接的影响。所以要根本改善黄土高原的生态环境,必须结合植树造林及营造梯田、鱼鳞坑等治坡措施,进行小流域综合治理。

事实上,坝系相对稳定与坡面治理之间可以互相促进。沟道是径流汇集地,又是地表径流的通道,水资源相对集中。通过沟道坝系中的蓄水库,可将这一部分水资源充分拦蓄,为坝地和坡面上的植物提供水源,间接地减轻坡面水土流失。同时坡面治理具有滞洪减洪的作用,有利于坝体结构的防洪安全;同时,坡面治理措施使入库泥沙减少,从而使淤地坝的年淤积抬高量减小,利于坝系早日实现水沙平衡的目标。

### 3.3.3 坝系稳定与单坝稳定的问题

人们最早从黄土高原的天然聚湫认识到了淤地坝的水沙相对平衡问题。后来为了强调防洪安全提出了坝系相对稳定的概念[20]。然而,正是坝系相对稳定系数与防洪的关系引起了较大的争议。如前所述,坝系相对稳定主要是水沙平衡;满足相对稳定系数要求的坝地对坝体的安全有一定的积极作用,但不能决定单坝的结构安全。

坝系相对稳定反映的是坝系的整体发展水平,前提是假定流域内各个位置的坡面的产流产沙特性是均一的,同时,坝系各个单坝的淤积和淹水状况也基本是相同的[21],因而坝系相对稳定实际上只是考虑理想条件下或者小流域有限部位的水沙"相对平衡"而已[22]。从目前的文献来看,虽然出现了"坝系相对稳定"的概念,但与水沙平衡相关的许多研究成果并没有严格区分"单坝"和"坝系",实际上所提出的"相对稳定"的标准仍然是主要针对单个淤地坝的来水来沙与用水用沙的"相对平衡"。

结合坝系优化规划的模型试验,我们采用多种布坝方案进行了降雨模拟试验,试验中发现先期布置的库容较小的淤地坝很快就淤满,要实现各坝同时淤满几乎不可能。

坝系相对稳定的最大贡献在于提出了相对稳定系数,此参数为小流域坝系规划提供了一个定量的指标,设计者据此可以确定在指定小流域修建相应库容的淤地坝的数量。

## 4 结论

水沙平衡是黄土高原沟道坝系相对稳定现象的一个重要方面。根据水土保持缩尺模型的有关原理,本文中设计了两组采用缩尺模型演示黄土高原淤地坝相对稳定现象的试验实例。模型中的人工结构物及特征地貌根据原型按 1/60 的比例缩小,单坝放水模型试验的入库流量、含沙浓度和径流持续时间根据原型的年侵蚀产沙模数换算;坝系降雨模拟试验的降雨强度和持续时间接近原型流域的典型降雨。模型试验中设计的次降雨地貌演变程度大于原型流域,虽然模型淤地坝(系)较快地达到相对稳定状态,但其发展演变的趋势与原型一致,该模型试验可以定性地反映原型淤地坝(系)实现相对稳定的事实。

18组单坝放水试验和10组坝系降雨模拟试验的研究成果证实:

(1)随着放水次数的增加,坝地面积逐步增大,虽然每次放水的入库泥沙量差不多,但坝地的淤积抬高量依然是逐步减少的,建坝后的沟道有逐步趋于稳定的趋势。

(2)长度加权平均比降 $SL$ 是一个反映坝地面积与坝控流域面积比值的量。修建淤地坝后,由于坝前泥沙的淤积导致沟道的平均比降减小。当 $SL$ 达到某一临界值时,尽管坝地的平面投影面积在不断扩大,但坝地的高程抬高很缓慢,上游沟道的侵蚀也很小,可以认为这时已经满足了淤地坝实现相对稳定的主要条件之一——水沙平衡。

(3)促使淤地坝实现水沙相对稳定的主要原因是坝地面积的扩大;沟道的自平衡机制也是促使淤地坝(系)实现相对稳定的重要原因;另外,由于侵蚀基准面的抬高和沟床表面泥沙的粗化等原因,减弱了沟道的侵蚀,使坝前泥沙的来量减少,也是促使淤地坝实现相对稳定的因素。

## 参 考 文 献

[1] 王答相.略谈以支流为单元的淤地坝体系建设.中国水利,2005(2):54~56

[2] 朱建中,段喜明.河沟流域坝系建设优化方案分析研究.山西水土保持科技,2003(2):23~24

[3] 王万忠,焦菊英.黄土高原降雨侵蚀产沙与黄河输沙.北京:科学出版社,1996

[4] 焦菊英,王万中,郝小品.黄土高原不同类型暴雨的降水侵蚀特征.干旱区资源与环境,1999,13(1):34~42

[5] 王万忠,焦菊英.黄土高原沟道降雨产流产沙过程变化的统计分析.水土保持通报,1996,16(6):12~18

[6] 张治国,王桂平,贾志军,等.浅析晋西王家沟流域较高治理度情况下的泥沙来源.山西水土保持科技,1995(2):6~8

[7] 张红武.黄河下游洪水模型相似律的讲究:[博士学位论文].北京:清华大学,1994

[8] 中华人民共和国水利部.GB/T16453.3.水土保持综合治理技术规范——沟壑治理技术.北京:中国水利水电出版社,1996

[9] Dendy F E. Sediment trap efficiency of small reservoirs. TRANSACTIONS of the ASAE, 1974, 17(5):898~901

[10] Casaly J, Lopez J J, Giraldez J V. Ephemeral gully erosion in southern Navarra Spain. 1999, Catena, 36:65~84

[11] 李敏.对坝系相对稳定理论的分析.见:水利部科技推广中心,黄河研究会.黄土高原小流域坝系建设关键技术研讨会文集.2004.5~15

[12]　王英顺,马红.坝系相对稳定系数的研究与应用.中国水利(A 刊),2003(9):57~58

[13]　郑宝明.小流域坝系建设关键技术研究与探讨.见:水利部科技推广中心,黄河研究会.黄土高原小流域坝系建设关键技术研讨会文集.2004.16~20

[14]　曾茂林,朱小勇,康玲玲,等.水土流失区淤地坝的拦泥减蚀作用及发展前景.中国水土保持,1999(6):127~132

[15]　Foster G R. Modeling the erosion process. In: Hydrologic Modeling of Small Watersheds C. T. Hann, H. P. Johnson, and D. L. Brakensiek (eds.). ASAE Monograph, St. Joseph, MI, 1982. 297~380

[16]　Novak M D. Soil loss and time to equilibrium for rill and channel erosion. TRANSACTION of the ASAE, 1985, 28(6): 1790~1793

[17]　Sidorchuk A. Dynamic and static models of gully erosion. Catena, 1999, 37:401~414

[18]　黄自强.黄土高原地区淤地坝建设的地位及发展思路.中国水利(A 刊),2003(9):8~11

[19]　田永宏,刘海军,杨明,等.黄河多沙粗沙区小流域坝系相对稳定条件及可行性研究.见:水利部科技推广中心,黄河研究会.黄土高原小流域坝系建设关键技术研讨会文集.2004. 21~24

[20]　方学敏.坝系相对稳定的条件和标准.中国水土保持,1995(11):29~32

[21]　朱小勇,雷元静,刘立斌.对坝系相对稳定几个重要问题的认识.中国水土保持,1997(7): 53~56

[22]　史学建.黄土高原小流域坝系相对稳定研究进展及建议.中国水利,2005(4):49~50

# 基于 GIS 技术的大流域产沙量模拟

## 郝芳华　　张学松

(北京师范大学环境科学学院　水环境模拟重点实验室)

**摘要**:在黄河流域,基于 GIS 技术的分布式小流域模型,多用来对小尺度流域径流和产沙进行模拟,很少用于对中尺度流域进行模型分析。本文选择黄河的支流洛河上游作为研究区,来验证基于 GIS 技术的分布式 SWAT 模型。首先建立整合了 DEM 遥感影像的基础 GIS 数据库,收集土壤、土地利用图、气候和土地管理数据,使用二阶极端最优方法,结合利用 1992～1997 年观测到的每月流量和沙量数据,来纠正模型参数。在纠正过程中,使用自动化的数字过滤技术将地表径流和地下径流分开。地表径流和地下径流首先被校准,然后将总径流量与之相匹配,再就是产沙量被校准。最后,利用这些校准的参数,使用 1998～1999 年观测的每月流量和沙量对模型进行验证。结果,结论误差率在 20% 之内,无论是在校准期间还是验证期间,$R^2$ 和 $E_{ns}$ 都等于或超出 0.70。结果证明,基于 GIS 技术的分布式 SWAT 模型应用于黄河流域中尺度范围长期的径流和产沙模拟是成功的。

**关键词**:GIS　SWAT　中尺度流域　黄河　径流　泥沙

## 1　概述

随着 GIS 和 RS 技术的应用,分布式水模型得到了长足发展。在中国,已经有好几个采用基于 GIS 和 RS 技术的分布式水模型应用于泥沙与径流模拟研究,牛等(2001)通过采用 ANSWERS2000,对位于三峡库区附近两个小流域径流、泥沙进行了模拟;刘等(2003)对基于土地单元网格的集流区的径流和泥沙进行了模拟。但是,这些研究主要还是立足于小尺度范围。

在黄河流域,土壤侵蚀是一个很严重的问题,而基于分布式水模型的径流产沙模拟研究尚未深入开展。本文研究区域选择在黄河小浪底库区以下最大支流洛河,具体位置位于洛河卢氏水文站以上的卢氏河。在卢氏河,对于黄河流域而言,土壤侵蚀程度中等,年均侵蚀模数为 2 000～4 000 t/km², 年均输沙模数为 770 t/km²(郭和张,1995)。

SWAT,一个非点源污染模型已经被 EPA、NOAA 等好几个工程应用,它同时还用来评价气候、水利用管理、非点源污染汇集对流域长远的影响。在美国,它已被广泛地应用于对径流和产沙模拟。因此,在 GIS 和 RS 技术的支撑下,SWAT模型被选择用来对长期径流和产沙进行模拟。

## 2 研究材料和方法

### 2.1 SWAT 模型简介

SWAT 模型是一个水文分布式模型,由美国农业部农业研究所开发。它是基于逐日过程的持续性时间模型,目的是预测在大面积复杂流域内,径流、泥沙负荷和农业化学物质流失对流域的影响。为满足这一目标,此模型能够对比降复杂的流域进行纠正,使用有效输入,在合理的时段内,对大流域进行高效率的模拟。在时间上它是持续进行的,能够对流域管理变化通过有效计算,进行长期模拟。SWAT 模型包括 8 个主要内容:水文、气候、侵蚀产沙、土壤温度、植被生长、营养物质、杀虫剂和土地管理。SWAT 使用 SCS 曲线方法来预测地表径流量:

$$Q = \frac{(R - 0.2S)^2}{(R + 0.8S)} \qquad (R > 0.2S) \tag{1}$$

$$Q = 0 \qquad (R \leqslant 0.2S) \tag{2}$$

式中　$Q$——每日地表径流,mm;

　　　$R$——每日降雨量,mm;

　　　$S$——保持力参数。

由于土壤、土地利用、管理和坡度的不同,保持力参数随着不同的小流域而变化,也随着土壤含水量时间的变化而变化。参数 $S$ 通过 SCS 曲线方法求得,与曲线数量 $CN$ 相关:

$$S = 25.4 \left( \frac{1\,000}{CN} - 10 \right) \tag{3}$$

最大径流率通过使用改进的合理公式计算,过滤估算通过使用储存路线技术。这些都是基于表层以下土壤未饱和,而土壤持水量已经超过了正常标准,过滤就能产生这一条件。

侵蚀和产沙量通过亚流域标准土壤侵蚀方程来计算:

$$Y = 11.8 (V q_p)^{0.56} \cdot K \cdot C \cdot PE \cdot LS \tag{4}$$

式中　$Y$——亚流域产沙量;

　　　$V$——亚流域地表径流量;

$q_p$——亚流域峰值变化率；

$K$——土壤侵蚀因子；

$C$——农作物管理因子；

$PE$——土壤侵蚀控制实践因子；

$LS$——坡度和坡长因子。

洪水形成路线和产沙路线。洪水形成路线模型使用变化的储存系数方法，它由 Williams 研究开发。河床输入因子包括流域长度、河床比降、河道宽和深、河床边坡、洪积扇坡度、人造河道和洪积扇。通过使用经验公式计算流量变化和平均流速，水流通过时间利用流速将河道分成不同的长度来计算。河道水流溢出量通过水流流动传播损耗、蒸发量、转移量和回补量得到校正。河道泥沙运行路线方程采用纠正过的 Bagnold 泥沙输移方程，这个方程能评价不同流速下泥沙含量：

$$CY_u = SPCON \cdot V^{SPEXP} \tag{5}$$

式中 $CY_u$——泥沙含量；

$SPCON$——在 1 m/s 流速下的泥沙含量；

$V$——流速；

$SPEXP$——在 Bagnold 方程中代表一个恒量。SWAT 模型的泥沙淤积量要么超过产沙量，要么采用通过河床侵蚀并将泥沙输送到河道来重新模拟河床泥沙量。

## 2.2 研究区域描述

卢氏河流域面积 4 623 km$^2$，是典型的山地地形。秦岭位于河流的南岸，在河流的北岸有华山和崤山，属于温带气候，年均降水量大约为 800 mm。

在流域上游，大部分是森林和农田，而在下游主要为农田和草场。主要土壤类型从低海拔到高海拔呈带状分布，土壤从灰钙土、典型灰土、典型褐土到灰质黄土变化，所占比例分别为 27%、34%、38% 和 1%。

## 2.3 卢氏流域数据库建设

使用 ArcView GIS，建立了卢氏流域基础数据库，主要包括流域地貌、土壤和土地利用图，以及气候和土地管理数据（见表1）。首先，通过使用数字高程图，将流域分成不同的亚流域。生成的亚流域图把土地使用、土壤图覆盖起来。SWAT 模型在每一个亚流域上模拟土地使用情况。同时，冬小麦和玉米被模拟到农田上。

表 1  卢氏流域的数据资源

| 数据类型 | 资料来源 | 比例尺 | 数据特征 |
|---|---|---|---|
| 地貌 | 中国国家地理中心 | 1:250 000 | 海拔、陆地地形、河床比降和长度 |
| 土壤 | 中国科学院土壤研究所 | 1:4 000 000 | 土壤分类和物理特性,诸如土壤密度、容重、物质组成和渗透率 |
| 土地利用 | 中国科学院地理科学与自然资源研究所 | 1:1 000 000 | 土地使用分类,诸如农田、草地、森林等 |
| 气候 | 黄河流域水资源保护局 | — | 日均降雨量、气温、相对湿度、辐射总量等 |
| 土地管理信息 | 现场调查 | — | 耕地、种植量和产量数据 |

## 2.4  模型输出评价

相对误差 $Re$、线性回归系数 $R^2$、Nash – Suttcliffe 模拟系数 $E_{ns}$ 被采用来评价模型的效果。$R^2$ 作为观测量和模拟量相关程度指标,$E_{ns}$ 揭示在 1:1 情况下,观测数据和模拟数据的吻合程度。如果 $R^2$ 和 $E_{ns}$ 值少于或接近于零,可以认为模型模拟的结果不好;如果这两个值等于 1,这说明模型预测的结论相当好。

## 2.5  模型校准

大家认为,SWAT 模型对于那些有合适数据、正式的最优化程序而言,它不是一个参数模型;相反,一些重要变量可以被校准,以便使它能更适合,这些变量不能被很好地物理定义,诸如径流曲线数、通用土壤损耗平衡、管理因子或者 $C$ 因子。Allred and Haan 采用二阶极端优化方法找到了最优参数量。二阶极端优化方法相对于别的方法,尽管计算效率低,但有在客观功能上对于当地最少量不敏感这一优点。

SWAT 模型水流校准过程如下:产沙被显示在图 1 上。首先,将地下流从表层流中分开,然后通过自动数字过滤技术模拟流量。为各种模型输出校准参数强制确定一个范围(见表 2)。模型输出参数被校准到标准量的平均百分比之内,这样月衰退统计($R^2$ 和 $E_{ns}$)就可以应用其进行评价了。如果输出参数已经在模型输出所限定的范围内,而校准范围还不能满足,那么为模型输出进行的校准将停止。

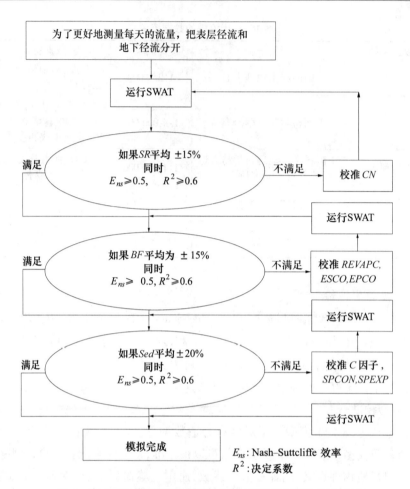

图1 在SWAT模型运行过程中,对水量和产沙量的校准过程

表2 模型模拟过程中被使用的输出量

| 变量 | 模拟过程 | 描述 | 范围 | 确切值 |
|---|---|---|---|---|
| $CN_2$ | 流量 | 曲线量 | ±8 | +2 |
| REVAPC | 流量 | 地表径流系数 | 0~1.00 | 0.10 |
| ESCO | 流量 | 土壤蒸发补偿系数 | 0~1.00 | 0.4 |
| EPCO | 流量 | 植被生长补偿系数 | 0~1.00 | 0.2 |
| SMFMN | 流量 | 在12月21日,雪的融化系数 | 0~10 | 5.5 |
| C 因子 | 产沙 | 管理因子 | 0.003~0.45 | 草地:0.009<br>森林:0.08<br>农田:0.20 |
| SPCON | 产沙 | 河床泥沙运行路线的直线因子 | 0.000 1~0.01 | 0.000 6 |
| SPEXP | 产沙 | 河床泥沙运行路线的指数因子 | 1.0~1.5 | 1.2 |

### 2.5.1 流量

通过对从黄委卢氏水文站获得 1992～1997 年流量数据的校准，SWAT 模型被校准(见图1)。依照表层径流量，径流曲线量($CN_2$)被校准到 ±8。把这些进行列表分析，就能反映流域现有土壤残余覆盖和保存的耕地状况对流量的影响(见表2)。最初的 $CN_2$ 值为 69.2。依照基础流程，相关模型参数诸如地表水再蒸发系数，它代表水迁移从浅层含水层向土壤剖面和维持植物生长的根茎转移。从最初的估计到相匹配的模拟，再到观察到的地下流，土壤蒸发补偿因子和植物蒸腾补偿因子被校准(见表2)。最后，为了匹配流量，通过雪融化过程，最小雪融化因子被校准。模拟开始从 1991 年开始，目的是减少正式变量最初估计的错误量。

### 2.5.2 产沙

通过对土壤流失方程 $C$ 因子的校准，目的是使观测值和模拟到的泥沙含量保持一致(见图1)。$C$ 因子被校准，表明表层水的泥沙运行路线变得更好，如直线因子和河床泥沙运行路线也被校准为计算混合最大泥沙含量的指数因子。这两个变量被校准表明了河床的复杂本质。

### 2.6  模型确认

在确认过程中，模型是在被校准参数的基础上运行的，没有任何改变，结果与观测的数据进行对比，观测数据从 1998 年 1 月到 1999 年 12 月，目的是评价模型的效果。同样，我们采用统计方法对模型效果进行评价。

## 3  结果与讨论

### 3.1  校准

#### 3.1.1  流量

在卢氏水文站，模拟的每月流量与观测的数据匹配得很好(见图2(a))。依照过滤技术，地下流占观测流量的 30%，而在模拟数据中占 26%。与此同时，观测流量与模拟流量差别在 15%(见表3)，观测流量和模拟流量更进一步地趋于一致，是由于决定系数和 $E_{ns}$ 都大于 0.8(见表3)。这些结论表明，在 SWAT 模型中，水流过程模拟是比较真实的。

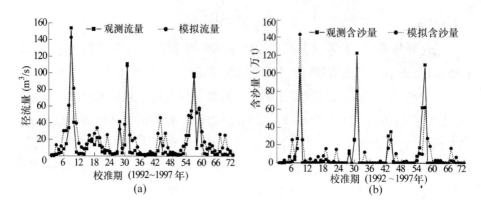

图2　观测流量、含沙量与模拟流量、含沙量比较(校准时段)

表3　卢氏水文站校准结果(1992～1997年)

| 变化量 | 年平均 | | Re (%) | $R^2$ | $E_{ns}$ |
|---|---|---|---|---|---|
| | 观测 | 模拟 | | | |
| 流量(亿 $m^3$) | 4.15 | 3.88 | -6.5 | 0.87 | 0.86 |
| 含沙量(万 t) | 96.6 | 106.44 | 10.2 | 0.70 | 0.70 |

### 3.1.2　产沙量

在卢氏水文站,泥沙含量的暂时变化在图2(b)中进行了描述,同时,观测数据与模拟数据的差别为20%(见表3)。$R^2$ 和 $E_{ns}$ 值都为0.70(见表3),这表明,模拟泥沙含量与观测量比较接近一致,证明这次模拟泥沙含量是比较好的。

### 3.2　验证

### 3.2.1　流量

在卢氏水文站,观测到的流量数据和模拟结果匹配很好(见图3(a)),地下流占观测流量的28%,而在模拟结果上占26%。参数 Re 为14.6%,$R^2$ 和 $E_{ns}$ 都比0.80大,模型在某些月份对流量的模拟值比较高,比如1998年9月、1999年的4～8月,数值轻微偏低的月份在1998年的5月、8月和12月(见图3(a))。这些差别可能是由于降雨在空间的突然变化造成的。然而,预测结果是可以接受的。

### 3.2.2　产沙

除了在1998年8月模拟产沙量偏低和1999年9月以及1998年5月模拟值偏大以外,总体上观测值和模拟值吻合得比较好。$R^2$ 和 $E_{ns}$ 值都大于0.9,这表明模型能够合理地模拟产沙量。$R^2$ 和 $E_{ns}$ 值都比较高的原因,可能是1998年产沙量比1999年高。观测值和模拟值在1998年能很好地吻合(其中,$R^2$ 值为0.989,

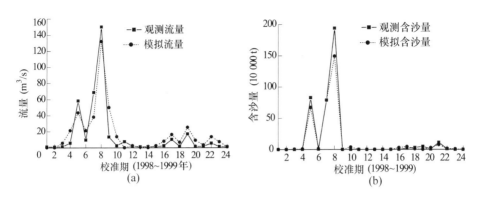

图 3　观测流量、含沙量与模拟流量、含沙量对比(校准时段)

$E_{ns}$ 值为 0.944),尽管在 1999 年吻合效果不是很好,但结果是可以接受的。另外一个原因是测量的困难导致观测数据不准确,在某种程度上,结果表明 SWAT 模型适合来水量多的年份(见表 4)(1998 年,降水频率为 10%,而 1999 年,降水频率为 75%)。

表 4　卢氏水文站模拟结果(1998 ~ 1999 年)

| 变量 | 年平均 | | $Re$ | $R^2$ | $E_{ns}$ |
| --- | --- | --- | --- | --- | --- |
| | 观测 | 模拟 | | | |
| 流量(亿 m³) | 4.87 | 5.58 | 14.6% | 0.84 | 0.81 |
| 产沙量(万 t) | 189.24 | 169.92 | − 15.5% | 0.989 | 0.944 |

## 4　结论

通过 GIS 和 RS 技术,用于径流和产沙模拟的基本空间与属性数据被建立起来,并就如何合理划分研究区域进行了研究讨论。为了简化数据准备要求,将研究区域分成了 63 个小流域,但没有影响模拟的精确度。使用二阶极端最优方法对 $CN_2$、$REVAPC$、$C$ 因子等参数进行了校准,从而对分布式水模型 SWAT 进行了校准。在校准过程中,采用自动数字过滤技术分开了地表径流、地下径流。地表径流、地下径流以及产沙量被校准和验证。验证结果表明,在黄河流域,基于 GIS 技术的 SWAT 模型能够用于对中尺度流域进行长时段的径流和产沙模拟。相对误差($Re$)在 20% 以内,$R^2$、$E_{ns}$ 值在校准时段内等于或大于 0.70。总之,通过空间分析技术,基于 GIS 和 RS 的 SWAT 模型能够有效用于黄河流域水资源和水土保持规划。

# 参 考 文 献

[1] Allred B, Haan C T. Small watershed monthly hydrologic modeling system. Users Manual, Biosystems and Agricultural Engineering Department, Oklahoma State University, Stillwater, OK, 1996

[2] Arnold J G, Allen P M. Automated methods for estimating baseflow and grounderwater recharge from stream flow records. Journal of American Water Resources Association, 1996, 35(2): 411~424

[3] Arnold J G, Srinivasan R, Muttiah R S, Williams J R. Large area hydrologic modelling and assessment part I: model development. Journal of American Water Resources Association, 1998, 34(1):73~89

[4] Bagnold R A. Bedload transport in natural rivers. Water Resources Research, 1997, 13(2): 303~312

[5] Guo, J. M., J. L. Zheng. Yearbook of Yiluohe River. Beijing: China Science and Technology Press, 1995

[6] Liu Gaohuan, Cai Qiangguo, Zhu Huiyi et al.. Simulation of Runoff and Sediment Flow in a Catchment Based on Landunit Flow Networks. PROGRESS IN GEOGRAPHY, 2003, 22(1): 71 ~78. (in Chinese)

[7] Nash J E, Suttcliffe J V. River flow forecasting through conceptual models, part I. a discussion of principles. Journal of hydrology, 1970, 10(3):282~290

[8] Niu Zhiming, Xie Mingshu, Sun Ge et al.. Applying ANSWERS2000 to simulate soil erosion process on two watersheds of three gorges area. Journal of Soil and Water Conservation, 2001, 15 (3): 56~60. (in Chinese)

[9] Santhi C, J. G. Arnold, J. R. Williams et al.. Validation of the SWAT model on large river basin with point and nonpoint sources. Journal of the American Water Resources Association, 2001, 37 (5):1169~1188

[10] USDA – SCS. National engineering handbook, hydrology section 4, chap. 4~10. US Dept. of Agriculture, Soil Conservation Service, Washington, DC, USA, 1972

[11] Williams J R. Flood routing with variable travel time or variable storage coefficients. Trans, ASAE 1969, 12(1):100~103

[12] Williams J R. Sediment routing for agricultural watersheds. Water Resources Bulletin, 1975, 11 (5):965~974

# 黄土高原小流域水土保持的
# 缩尺模型试验方法 *

徐向舟　　张红武

(清华大学水利水电工程系)

**摘要**:本文提出一种定量评价黄土高原小流域沟道坝系拦沙减蚀效果的缩尺模型试验方法,并通过系列模型试验验证了这种方法的可靠性。黄土高原小流域一年的土壤流失量,可以用一次短急性暴雨的产沙量来模拟;根据原型与模型次降雨地貌演变程度之间的关系,就可以推导出原型与模型之间相应的产沙量比例关系;制作缩尺模型时,小流域的地貌和淤地坝尺寸完全按比例缩小,而原型的降雨、植被等因素对侵蚀的影响都反映在原型的年产沙量变化上,在模型中不必一一对应地体现;模型下垫面采用与原型一致的土壤构筑;每次降雨模拟试验前,模型的初始含水量达到饱和。本模型试验方法可以根据原型小流域建坝前的侵蚀资料,预演该流域建坝后的降雨产沙情况。验证试验的结果证实了该设计方法的可靠性。

**关键词**:黄土高原　沟道坝系　缩尺模型试验　产沙量

## 1 概述

按照模型与原型的尺度比例来划分,室内水土保持模型试验有两种类型,一种是原型的水土流失现象按 1:1 的比例搬到实验室中,一般称为自然模型试验;另一种是原型的水土流失现象按一定的比例缩小,在实验室内进行缩小尺度的模型试验,在河工模型中称为比尺模型试验。淤地坝是一种大型的人工建筑物,进行沟道坝系的室内模型试验时,对建筑物及其所处环境进行按比例的缩小是无法避免的。在本研究的缩小尺度的水土保持模型试验中,原型与模型之间的运动相似、动力相似等条件,采用下述方法来实现:通过模型的预备试验来率定模型与原型之间的产沙比例关系,从而确定次降雨后两者之间的地貌演变程度。由于降雨、坡面流等现象的复杂性,原型与模型之间的运动相似、动力相似等条件尚难以像水工和河工比尺模型那样通过严格的数学关系式来表达,因而本文中将这类缩小尺度的水土保持模型试验简称为缩尺模型,相应的原型量与模型

* 基金资助:国家自然科学基金创新研究群体科学基金(No.50221903);国家自然科学青年基金项目(No.40201008)。

量之间的比例关系称为缩尺。

## 2 模型与原型之间的产沙比例关系

### 2.1 问题的提出和解决思路

假如黄土高原有一处待治理的小流域,该流域建坝前历年的降雨—产沙情况已知(体现在年侵蚀模数上);现在希望通过模型试验预测建坝后该流域的产沙情况,假设当地的降雨气候条件还和前几年的一样(除了建坝以外,没有采取别的治理措施)。

在水土保持缩尺模型的设计时,可以运用多种方式对相似法则放宽,剔除次要物理法则,只考虑特殊现象相似、集积效果相似等[1],如水土保持自然模型试验中常根据动能相似准则来实现模拟降雨与天然降雨的近似相似[2]。对上述的坝系拦沙现象,研究的主要内容是数年后淤地坝整体的累积拦沙减蚀效果,而不是泥沙微观颗粒和水流的瞬时运动轨迹,所以在本缩尺模型试验中,可以根据降雨侵蚀空间或时间的集积效果来实现模型流域与原型流域产沙特征的相似:

(1)空间的集积效果。在本试验的土壤变形和处理中,我们感兴趣的并不是颗粒的运动,而是它的集积效果,所以选用模型沙时可以不用考虑土壤颗粒的几何相似,可采用与原型一致的土壤。另外,治理黄土高原的关键在于治沙,所以可取流域的出口产沙量作相似指标而不考虑径流量的相似问题。

(2)时间的集积效果。由于黄土高原的土壤侵蚀主要由少数几次特大暴雨所引起,往往一次特大暴雨的侵蚀量占年侵蚀总量的 60% 以上,甚至超过 90%[3],因此可以根据流域的年侵蚀产沙模数,用室内模型中一次人工降雨的产沙量,来模拟原型流域一年的土壤流失。这也是工程实践中常用的方法[4]。

本缩尺模型设计的关键是:保证历次模拟降雨后,模型与原型地貌演变量的比例始终为一定的常数,于是模型试验的结果就可以通过这一常数换算成原型相应的量,从而实现通过模型试验复演和预测原型地貌现象的目的。为达到这一目标,在进行水土保持的室内模型试验时,小流域的地貌和人工建筑物的尺寸完全按比例缩小;原型的降雨、植被等因素对侵蚀的影响都反映在其年产沙量的变化上,在模型中不必一一对应地体现,即用相应产沙量的裸地模型来模拟原型的侵蚀情况;模型下垫面采用与原型一致的土壤构筑;每次降雨模拟试验前,模型下垫面的初始含水量达到饱和;通过均匀、恒定的人工降雨来模拟侵蚀的过程。

对模型设计的合理性进行验证时,只需将原型建坝后的历年实测产沙量与上述模型建坝后的历年产沙量(经产沙量比例关系换算成原型值)对比即可。

### 2.2 缩尺关系的推导

本试验方法的核心是保证历次模拟降雨后,模型与原型地貌演变程度的比

值始终保证为一定的常数。于是

$$\frac{\overline{HE}_{m(1)}}{L_{m(1)}} \bigg/ \frac{\overline{HE}_{p(1)}}{L_{p(1)}} = \frac{\overline{HE}_{m(2)}}{L_{m(2)}} \bigg/ \frac{\overline{HE}_{p(2)}}{L_{p(2)}} = \cdots = \frac{\overline{HE}_{m(i)}}{L_{m(i)}} \bigg/ \frac{\overline{HE}_{p(i)}}{L_{p(i)}} = RV(\text{Const}) \quad (1)$$

式中　$i$——降雨组次；

　　　$\overline{HE}$——流域表面土壤的次降雨平均冲淤厚度，m；

　　　$L$——流域的几何长度尺寸，m；

　　　下标 $p$ 和 $m$——原型和模型对应的量，下同。

$\overline{HE}/L$ 是一个无量纲数，表示流域地貌的次降雨侵蚀程度。$RV$ 表示模型与原型之间次降雨侵蚀程度的比值，可称为缩尺模型的次降雨地貌侵蚀程度调整系数，简称为调整系数。

在降雨模拟试验中，重力的影响是主要的，所以降雨时间缩尺可以按照弗劳德相似准则计算[5]：

$$\lambda_t = \frac{t_p}{t_m} = \lambda_L^{0.5} \quad (2)$$

在本类缩尺模型试验中，其下垫面及工程结构物的水平长度缩尺 $\lambda_H$ 和垂直长度缩尺 $\lambda_L$ 相等，即

$$\lambda_H = \lambda_L \quad (3)$$

相应地，流域的面积缩尺为

$$\lambda_A = \frac{A_p}{A_m} = \lambda_L^2 \quad (4)$$

式中　$A$——小流域的面积，m$^2$。

于是流域次降雨的产沙量缩尺为

$$\lambda_S = \frac{S_p}{S_m} = \frac{A_p \cdot \overline{HE}_p \cdot \rho_{sp}}{A_m \cdot \overline{HE}_m \cdot \rho_{sm}} \quad (5)$$

式中　$S$——流域的次降雨产沙量，kg；

　　　$\rho_s$——流域下垫面土壤的密度，kg/m$^3$。

对于采用原型土壤作为模型沙的试验，$\rho_{sp} = \rho_{sm}$，再根据式（1）、式（3）～式（5），可得

$$\lambda_S = \frac{\lambda_L^3}{RV} \quad (5')$$

原型与模型之间物理现象的相似必须满足几何相似、运动相似及动力相似的原则[6]。鉴于水土保持缩尺模型的特殊性，原型与模型之间的运动相似、动力相似等条件，可通过模型的预备试验来率定模型与原型之间次降雨产沙的比例关系；原型与模型之间的运动相似、动力相似等条件隐含在上述原型与模型的产沙量比例关系中，见式（5）和式（5'），而不是像河工比尺模型那样通过挟沙能力

相似、沉降相似等关系式来表达。式(1)和式(5′)表明,当调整系数 $RV = 1$ 时,模型地貌的次降雨侵蚀程度与原型地貌一致;当 $RV > 1$ 时,模型地貌的次降雨侵蚀程度比原型地貌剧烈,模型产沙量可以通过较小的倍数(产沙量缩尺)换算成原型;当 $RV < 1$ 时,模型地貌的次降雨侵蚀程度较原型地貌轻,模型产沙量可以较大的倍数(产沙量缩尺)换算成原型。

## 3  试验安排

试验在清华大学黄河研究中心的李各庄基地进行。原型流域根据黄土高原典型小流域的地貌特征设计,像"一本翻开的书",包含有沟道、坡面、梁等典型地貌,原型试验在 1 号试验场进行,降雨模拟设备采用 SX2004 喷射式降雨模拟系统,场地投影面积 $10.8 \text{ m} \times 6 \text{ m}$;模型试验在 2 号试验场进行,降雨模拟设备采用 SX2002 管网式降雨模拟系统,模型流域的地貌根据原型几何尺度按 1/4 的比例缩小。原型和模型的下垫面初始地形都是李各庄黄土用手工拍实做成。每次降雨模拟试验前,都用防水塑料布将下垫面覆盖,采用接流法对模拟降雨的雨强精确率定[7],保证雨强误差在允许的范围内。试验过程中,每隔一定的时间 (1~2 min)观测流域出口处的流量和含沙浓度。原型和模型都采用一致的取样、观测方法,以保证试验结果的可比性。降雨后沟道的地形变化采用水准仪和测杆配合观测。流域出口处径流池中收集的次降雨泥沙量采用烘干法和密度瓶法配合测定。原型流域每次降雨 20 min,雨强约 1.60 mm/min(误差在 ±10% 以内)。每次试验前先用小雨强湿润地面:小雨强降雨 3~4 次,每次降雨 1 min(湿润过程中地面不起流),对于原型流域同一个系列的降雨模拟试验,每次降雨后,间歇 24 h 再进行下一次降雨,这样除地形做好后的第一次降雨模拟试验以外,其余各次降雨下垫面的初始含水量和密实度都差不多。模型流域每次降雨试验前都采用喷雾器将地面充分湿润,模型降雨历时由式(2)确定,为 10 min。试验分四个系列进行。

### 3.1  原型治理前的降雨产沙资料的获取

原型流域按设计的平面图纸和各特征点高程做好后,进行了 7 组降雨模拟试验。在原型建坝前的 Pa – 5 组试验中,降雨、下垫面土壤湿度和密实度等因素与开始建坝后历次降雨(Pb – 1 ~ Pb – 10)相应的条件最接近,这一组降雨产沙资料即为所需模拟的治理前原型次降雨产沙资料:雨强 1.52 mm/min,降雨历时 20 min,产沙量 121.53 kg。

### 3.2  模型建坝前的降雨产沙特性率定

在模型试验区,进行不同雨强的降雨产沙试验,以获取相同降雨时间、饱和含水量条件下未建坝地形产沙量随雨强的变化规律。率定试验共进行了 6 组。

试验成果表明,对于没有大型壅水设施(如淤地坝)、饱和含水的裸地小流域模型,在降雨时间相同的系列降雨作用下,其次降雨产沙量与该次降雨的雨强成幂数关系,即

$$S_m = aI_m^{\ b} \tag{6}$$

在本研究的试验条件下,$a$ 和 $b$ 分别为 1.144 8 和 2.847 5,即

$$S_m = 1.144\ 8 I_m^{\ 2.847\ 5} \quad (r = 0.966\ 3) \tag{6'}$$

### 3.3 运用模型预测原型建坝后的产沙情况

首先计算模型试验的降雨强度。

当模型与原型地貌的次降雨侵蚀程度一致时(即令 $RV_0 = 1$),根据模型与原型产沙量的比例关系式(5'),可得

$$\lambda_{S0} = \frac{\lambda_L^{\ 3}}{RV_0} = 64 \tag{7}$$

通过式(7)可以将与建坝前的原型产沙量 $S_{p0}$(121.53 kg)换算成模型产沙量;再根据式(6')就可以计算出建坝后模型的设计雨强:

$$I_{m0} = \left( \frac{S_{m0}}{a} \right)^{\frac{1}{b}} = \left( \frac{S_{p0}}{a\ \lambda_{S0}} \right)^{\frac{1}{b}} = 1.19 \ (\text{mm/min}) \tag{8}$$

即模型雨强应为 1.19 mm/min。本研究中应用于模型试验的现有设备要模拟这么小的雨强难度很大,因此在本模型试验中,可适当改变调整系数 $RV$ 的大小,使模型的次降雨侵蚀程度比原型大,同时模型与原型的产沙量比例关系也作相应的变化。令 $RV_1 = 2$,根据式(5'),可得

$$\lambda_{S1} = \frac{\lambda_L^{\ 3}}{RV_1} = 32 \tag{9}$$

根据原型产沙量 $S_{p0}$(121.53 kg)换算成模型产沙量,再根据式(6')就可以计算出调整后模型的设计雨强

$$I_{m1} = \left( \frac{S_{m1}}{a} \right)^{\frac{1}{b}} = \left( \frac{S_{p0}}{a\ \lambda_{S1}} \right)^{\frac{1}{b}} = 1.52 \ (\text{mm/min}) \tag{10}$$

设计雨强 $I_{m1}$ 在模型流域试验中所用的 SX2002 管网式降雨模拟器的雨强在可控范围之内。

进行模型流域的降雨模拟试验时,其降雨次数和布坝顺序与原型流域一致。由于模型流域的次降雨侵蚀程度大于原型流域,模型的次降雨产沙量转换成原型时,根据调整后的产沙量缩尺关系式(9)对产沙量补偿,即模型产沙量按较小的倍数换算到原型中。由于每次模型降雨后地貌的次降雨侵蚀程度与原型不一致,导致模型坝地面积的增长与原型不同步,对建坝后模型产沙量的模拟精度会有些影响。但坝地面积所占流域面积的比例很小,在黄土高原的实际小流域建

设中,当坝地面积达到坝控流域面积的 1/15 ~ 1/20 时,黄土高原小流域的沟道坝系就能达到相对稳定状态[8],至于模型次降雨地貌演变程度加速所引起的坝地面积增长偏差就更小了,其对流域侵蚀的影响作用可以忽略不计。

将模型地面恢复到建坝前的初始状态,每次降雨模拟试验前,按照原型流域的布坝方案,在模型流域上布设淤地坝,按照设计的模型雨强对模型流域进行 10 次降雨模拟试验,观测出历次降雨后的流域出口产沙量和沟道地形变化。试验中除了第一组因为试验操作人员的失误造成雨强偏大外,其余各次降雨的强度都接近 1.60 mm/min。

### 3.4 获取原型建坝后的产沙资料,验证模型的合理性

如果能获得原型流域建坝后的实测产沙资料,并将它与模型预测的产沙量对照,就可以验证模型设计的正确与否。因此,可以对原型流域按原设计的布坝方案进行 10 次降雨模拟试验。

## 4 试验的结果与讨论

### 4.1 模型预测产沙量与原型实测产沙量的对比

将建坝后模型预测的产沙量与原型实测产沙量比较,其误差列于表 1 中。模型预测产沙量的误差主要是由降雨强度的偏差及产沙量观测过程的偏差所引起的,其中前者是决定性因素。由表 1 可知,除了第 1 组(Mb - 1)因为试验操作失误造成较大的误差以外,其余各组试验的误差都在 100% 以内。第一组试验的误差其实从反面证明了本试验中产沙量相似关系的正确性:产沙量的大小对模型降雨的强度变化非常敏感,该组试验由于操作失误,试验中实测雨强比原设计值偏大 77%,但产沙量却比设计值高出 302.4%。原型降雨强度及含水量的波动也是造成预测偏差的一个因素。但鉴于模型产沙量必须通过产沙量缩尺转换,即根据式(9)将模型产沙量放大 32 倍才能和原型实测产沙量比较,因而前者造成的误差对试验成果精确性的影响要比后者大得多。

表 1 模型的雨强误差及预测产沙量的误差

| 试验组次 | Mb - 1 | Mb - 2 | Mb - 3 | Mb - 4 | Mb - 5 | Mb - 6 | Mb - 7 | Mb - 8 | Mb - 9 | Mb - 10 |
|---|---|---|---|---|---|---|---|---|---|---|
| 雨强误差(%) | 76.4 | 11.8 | 13.7 | 7.0 | 2.2 | 2.2 | 2.2 | 5.1 | 3.1 | 8.0 |
| 产沙量误差(%) | 302.4 | 55.7 | 96.6 | 7.9 | - 8.7 | 43.4 | 43.5 | 84.8 | - 14.6 | 22.2 |

分析表 1 还可以看出,在缩尺模型试验中,中间组次的降雨(尤其是 Ma - 4 组和 Ma - 5 组)产沙量误差较其他组次的误差小,其原因分析如下所述。前三组模型产沙量偏大,主要是因为操作中模型雨强偏大所引起的(雨强误差均大于设计雨强的 10% 以上);最后五组试验,虽然雨强误差已经削减,但模型产沙量仍然明显偏大(个别的 Ma - 9 组除外),除了操作误差外,设计雨强的简化也是

一个重要原因。率定试验的成果证明,当裸地模型初始含水量一致却不饱和时,次降雨的出口产流量与雨强成线性关系;而平均产沙浓度却随降雨逐次减小(很少受雨强大小的影响),这是下垫面表层土壤结皮作用的结果。因此,即使每次降雨强度和降雨时间相同,历次降雨后的产沙量也将逐次减小。本研究中作为原型的1号模型初始含水量不饱和,设计模型雨强时为简化计采用了原型建坝前中间组次降雨的 Po－5 组试验中的产沙量作为原型建坝前的产沙量(见本文第2.1节),它反映的是该模型在此降雨条件下10次降雨产沙浓度的平均情况。如果要更精确地用饱和含水的裸地模型模拟不饱和含水的裸地模型的产沙情况,可以根据原型建坝前流域的降雨产沙特性,将每次模型降雨的雨强作相应的调整(逐次减小)。

### 4.2　地形演变的定量比例关系问题

虽然在本模型试验中,由于试验条件的限制调整了系数 $RV$ 的大小,即使模型地貌的次降雨侵蚀程度与原型不同步,但模型与原型的地貌演变趋势从定性的角度来说是一致的。由于在本研究中原型和模型的侵蚀率比较大,各淤地坝几乎都在一次或两次的降雨后淤满,难以对模型和原型的坝地高程与面积的增长过程作对比,但本试验中模型未建坝沟道的演变趋势与原型相应沟道的演变趋势吻合。将历次降雨后模型沟道的高程乘以以下系数:

$$\lambda_{EG} = \frac{\lambda_L}{RV} \tag{11}$$

然后与原型沟道相应的沟底高程对比,可以证明上述的论断。

图1是流域治理过程中一条没有建坝的支沟历次降雨后沟底高程的演变过程,图中模型高程已按式(11)转换为原型值。从图1可以看出,除了第6组以外(可能是试验误差所致),其余各组降雨的沟底高程演变趋势都与原型一致,即与临近各组次的降雨模拟试验相比,原型淤积量大,对应的模型淤积量相对大些,或者冲刷量相对小些。

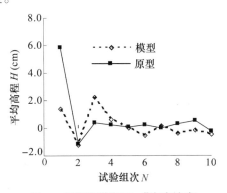

图1　无坝沟道"SN5.1"沟底演变

### 4.3 相似原因分析

根据建坝前的原始地貌设计的小流域缩尺模型,建坝后仍能与相应的原型流域侵蚀产沙条件相似,其主要原因是:

(1)小流域建坝以后,虽然坝地拦截了大量的泥沙,但淤地坝只是改变了库区及坝前小段沟道的侵蚀产沙情况,而占坝控流域面积80%以上的坡面和库区以外的沟道,其侵蚀情况并没有因为修建淤地坝而受到影响;

(2)在本研究的室内模型试验中,沟道和淤地坝的尺寸都是根据原型按比例缩小的,当淤地坝上游来沙量与原型成一定比例时,模型坝地面积和坝地抬高量也是按相应比例变化的,由于模型的次降雨地貌演变程度加速,造成坝控面积的增长与原型不同步,其误差也是微小的。

从预备试验的结果可以分析得出,$RV \neq 1$ 时缩尺模型的相似性依然存在(即 $RV$ 仍保持为常数)。图2(a)为饱和含水的各模型系列不同雨强条件下降雨模拟试验的时段平均径流率随时间变化过程,由图2(a)可知,随着降雨模拟的开始,径流率逐渐增大,出现峰值后,趋于稳定,对于同一模型的系列降雨模拟试验来说,雨强越大,同一时段的径流率也越大;图2(b)为初始含水量饱和的各模型不同雨强条件下系列降雨模拟试验的出口处浑水含沙浓度随时间变化过程,各时段含沙浓度随时间的变化较小,对于同一系列的饱和含水的裸地模型来说,雨强越大,同一时段的含沙浓度也越大。于是,对于建坝前饱和含水的裸地模型来说,只要模型与原型的次降雨侵蚀程度相同,即 $RV = 1$ 时,产沙量缩尺等比例关系存在,那么,当模型降雨强度或者降雨时间的变化引起模型次降雨侵蚀程度与原型值不等,即 $RV \neq 1$ 时,模型的次降雨产沙量,即时段平均产沙量(时段平均含沙浓度与相应时段径流率的乘积)的和,与原型次降雨产沙量的比例仍然为常数。即原型与模型之间的缩尺关系依然存在。

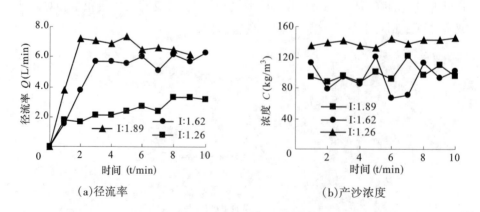

(a)径流率          (b)产沙浓度

**图2 初始含水量饱和的无坝裸地模型侵蚀因子随时间变化过程**

## 5 结论

通过理论分析及原型流域和模型流域的系列模型试验,本研究可以得出以下结论:

(1)本文以原型与模型之间次降雨地貌演变程度的关系为桥梁,采用理论分析和模型试验率定相结合的手段来设计缩尺模型出口产沙量与原型产沙量之间的比例关系,为黄土高原小流域的沟道坝系建设提供了一种缩小尺度的水土保持室内模型的设计方法。原型和模型的对照试验成果证明,该方法在技术上是可行的。

(2)本水土保持缩尺模型的实质是:经过与原型相同次数的模拟降雨以后,模型与原型的地貌侵蚀程度(包括出口产沙量)始终保持一定的比例关系,于是通过模型试验,可以预测原型的地貌演变现象。

至于因为试验条件等导致模型的次降雨侵蚀程度比原型大的情况,只是上述"比例关系"的大小作了调整;只要这个比例系数仍然为常数,并不影响通过模型试验来预测原型现象。

(3)本缩尺模型的设计方法是:模型下垫面饱和含水、裸地,模型的地貌与原型相似,模型沙为原型土壤;原型与模型之间的产沙量比例关系根据缩尺模型的几何长度缩尺和调整系数 $RV$ 来确定;模型的降雨强度可通过建坝前模型的产沙量 – 雨强幂指关系来计算;模型建坝后的产沙量可通过产沙量缩尺转换成原型,这样,通过模型试验就可以预测原型流域坝系规划的效果。

(4)当采用几何地貌与原型相似、模型沙为原型土壤、裸地的小流域水土保持室内模型时,必须满足式(1)、式(2)及式(5′),才可能实现历次降雨后原型与模型的侵蚀程度之比一直保持为一常数。调整系数 $RV$ 通过模型的预备试验来率定,原型与模型之间的运动相似、动力相似等条件隐含在原型与模型的产沙量比例关系式(5′)中。

### 参 考 文 献

[1] 雷阿林,王文龙,唐克丽.土壤侵蚀模拟试验的若干问题.水土保持研究,1998,5(2):127~130

[2] 雷阿林,唐克丽.土壤侵蚀模型试验中的降雨相似及其实现.科学通报,1995,40(21):2004~2006

[3] 周佩华,张学栋,唐克丽.黄土高原土壤侵蚀与旱地农业国家重点实验室土壤侵蚀模拟实验大厅降雨装置.水土保持通报,2000,20(4):27~31

[4] 黄河上中游管理局.淤地坝规划.北京:中国计划出版社,2004

［5］ 蒋定生,周清,范兴科,等.小流域水沙调控正态整体模型模拟实验.水土保持学报,1994,8(2):25~30,73

［6］ Schumm S A, Mosley M P, Weaver W E. Experimental fluvial Geomorphology. New York: A Wiley – Interscience Pubilication JOHN WILEY & SONS, 1987

［7］ 徐向舟,张红武,张羽,等.坡面水土流失比尺模型相似性的模型试验研究.水土保持学报,2005,19(1):25~27

［8］ 曾茂林,康玲玲,朱小勇.黄河中游淤地坝坝系相对稳定研究.人民黄河,1997,(2):29~33

# 河流泥沙学基础理论研究概述

李　健[1]　李晓霞[2]　宋继顺[1]

（1.天津理工大学；2.河北工业大学）

**摘要：**介绍控水攻沙法,阐述泥沙冲淤理论和动角理论等基础泥沙学、宏观泥沙学、应用泥沙学理论,提出控水导沙法黄河治理规划。

**关键词：**控水攻沙　动角　IDA面　比降段　黄河清　呼吸　蠕动　再造

## 1　窄道控水攻沙法(引例)

(1)央堤法。在潼关河道内建堤,称为央堤,分别称为平道、汛道。建立闸门,见图1。地翻式闸门可以是闸门组,尺寸巨大,可用于三峡工程,并抗原子弹及船闸破坏。非汛期开启平道;汛期开启汛道,关闭平道或同时开启。增加冲刷时间,中断淤积过程。其要素有三点,即集水、择道、控淤。

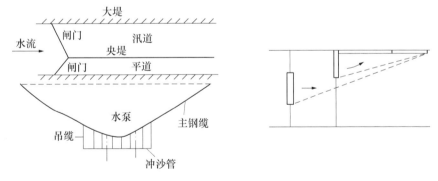

**图1　央堤法、横沟法、闸门**

(2)横沟法。建立冲沙管,以主钢缆与控向钢缆收放河中,控缆附挖斗。非汛期冲沙管冲出一定宽度、深度沟,横贯过水河道。汛期停用,收回两岸。挖斗去卵石。其要素为产生双冲刷,切断双淤积。

## 2　河流泥沙冲刷淤积理论

### 2.1　泥沙的冲刷力

剪力及启动功示意图如图2所示, $a$ :冲刷点, $b$ :淤积点, $d$ :推移翻滚点,

$aa'$:冲刷均线,$bb'$:淤积均线,$dd'$:推移翻滚均线,$e$:洪水相对结束点。

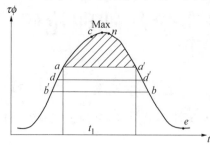

**图2　剪力及启动功示意图**

## 2.2　泥沙的冲刷

泥沙受力大于冲刷点时,泥沙启动。启动力做功使得泥沙达到启动状态,启动功与启动泥沙成正比。$aa'$以上为泥沙有效的启动功。

由 $W_{cd} = \int_a^{a'} (f(t)) - f(a))\mathrm{d}t$ 推得

$$W_{qd} = (k_1 \Phi_{max} - \Phi_a) \cdot t_1 \qquad (1)$$

$$Q_{qd} \propto (k_1 \Phi_{max} - \Phi_a) \cdot t_1$$

式中:$W_{qd}/Q_{qd}$ 为启动功与泥沙数量;$aa'$ 为等概念屏蔽泥沙启动不确定性。

## 2.3　泥沙的淤积

泥沙从沉降位置抵抗上举力到达床面所做的功,称做淤积功。如图3所示,淤积功是2个曲线$f(x)$:剪力,$g(x)$:包络线围成的面积。粗略拟合是$b$、$b''$、$e$、$e'$的矩形面积。$W_{yj} = (\Phi_b - \Phi_e) \cdot t_2$($t_2$为淤积点到洪水结束点的时间,$\Phi_b$为淤积点应力(功率),$\Phi_e$为洪水结束点剪力(功率))。淤积是剪力(上举力)对通过单位面积的迁移泥沙的作用,单位面积有效淤积功为

$$W_{yi} = (\Phi_b - \Phi_e) \cdot t_2 \cdot \rho(t_2) Q(t_2) \qquad (2)$$

式中:$\rho$ 为含沙量;$Q$ 为流量,本地淤积应为残余 $\Phi_b > \Phi_e$ 的泥沙总量,这里以定性为主。

## 2.4　冲刷与淤积

冲淤表示为 $\sum Q_{冲淤总量\Delta t} = \sum Q_{qdt_1} - \sum Q_{yjt_2}$,可供启动的某直径泥沙数量是有限的,冲刷过程不是 $a$—$a'$ 的,而是到达最大应力后的一个短暂时间。洪水涨水过程中,含有不能冲刷的泥沙,并且比例是不规则增大的。以上这2个因素对冲刷功的影响设为 $\Delta t_3 = \Delta t_3' - \Delta t_3''$,则由 $\sum Q_{\Delta冲淤总量} = \sum Q_{qd(t_{max} + \Delta t_3)} - \sum Q_{yj(t_2)}$,推得

$$Q_c \propto \sum (k_1 \Phi_{max + \Delta t_3} - \Phi_a) t_{max + \Delta t_3} - \sum (\Phi_b - \Phi_e) \cdot t_2 \cdot \rho(t_2) Q(t_2) \qquad (3)$$

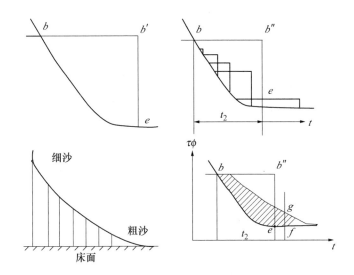

**图 3  淤积剪力及淤积功图**

剪力最大后平水期可挟带巨量泥沙,不产生床面冲刷。

## 2.5  输沙与冲淤的关系

通过泥沙意味着泥沙的运输。淤积是运输过程的退行性阶段,$t_{\max + t_3}$ 之后到 $a'$,称做平衡期,从全沙角度讲,平衡期是平水期。可将适当粒径的 $aa'$ 作为运输过程的稳定阶段,$a - t_{\max + t_3}$ 是输沙的渐进过程,可看做添加了冲刷的输沙期(见图 4)。

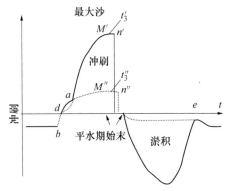

**图 4  全沙冲淤图**

## 2.6  冲淤理论推论

冲淤总量由冲刷淤积和决定,与冲刷、输沙时间成正比,冲刷量受供给泥沙限制,与淤积时间成反比。过短洪峰将不利于泥沙的冲刷。冲刷量与洪峰最大剪力成正比,与水体速度、适度水深成正比。普通洪水淤积取决回淤点后流量、含沙量,与前期含沙量无关。

过长洪水过程对冲刷量影响有限,对输沙影响巨大,过短来沙过多淤积。大部平水期无冲刷作用。

央堤法原理:①延长冲刷、输沙时间;②降低(中断)淤积时间;③降低终末洪水(淤积点后)含沙总量;④增加河床剪力;⑤增加洪水残余动能密度。

### 2.7 冲刷和淤积的再思索

泥沙运动是在河流垂线、水流、左右岸方向同时不断进行的启动和沉降子过程组成的过程和。水流方向是主启动沉降过程,垂线方向和左右岸是主系统衍生出来的子过程。一直研究的泥沙启动和沉降可能仅是"跟班"。其物理意义是:泥沙在河流中"以水流方向为前进轴,作前后左右上下"各个方向的运动。上下运动为主的泥沙运动,实质是特殊条件下的垂线子过程,相对明显,仿佛奔驰火车的情景,其不断在顶部造拆车厢,水速越快,造得越高。

水流方向启动沉降解释逆行沙浪:一种相对力量下降,沙峰徐徐后退,泥沙前移,涨水期可能性大。另一种不但阻力(重力)下降了,拖曳力(上举力)下降得更快,沉降速率超过水流速率,出现实质逆行沙,落水可能性大,逆行沙波是两种情况综合。

泥沙启动沉降是扩散原理和前行动力导致的启动沉降的副主两种作用集合。IDA 上下力引起的垂直方向涡流经常产生且明显,易于观察、把握(扩散理论)。泥沙不能完全按照冲淤规律进行,受到层流的破坏和叠加。层流限制,泥沙供给不足,使得大部分河流呈现出限制性的层流泥沙运动。

全沙饱和挟沙能力是由某种流速水流、水深的水体对某些泥沙挟沙能力的无限性、空间有限性、层流分布及其相互作用、河床泥沙供给有限性共同决定的。

## 3 动水水下休止角理论

设水下有一座沙峰,迎水面、背水面分别为水下休止角 $\beta$,水流的作用改变为 $\alpha$、$\gamma$,定义 $\alpha$、$\gamma$ 为泥沙在水流作用下的动水下水下休止角,简称为动水休止角、动角、动迎角、动背角。$\gamma$ 是变化的,如沙坡矮小,可将 $\gamma$ 作为一个定值。下面仅论述纵比降作用。

河床坡降介于水下休止角与动角之间,按照动角冲淤。与休止角冲刷相仿,同时包含冲淤原理。

某一段河流冲淤是动角叠加冲淤原理的结果,形成平衡比降。泥沙冲淤的3种形式为冲淤、动角、休止角。①坡降小于动角,以冲淤理论进行;②坡降大于水下休止角,以休止角进行泥沙冲淤。

溯源冲刷、溯源淤积原理:背水面的溯源冲刷首先沿水下休止角发展,称溯源休止角冲刷。床底溯源淤积同时形成,沿水下动休止角(或动土角)追赶休止角冲刷,称动角溯源淤积,休止角冲刷到达床面附近,与上游发展来的动角为主的沿程冲刷汇合,按照动角调整。冲刷中止点取决于追赶的动角淤积与两种冲刷的交汇点,与淤积追赶冲刷的速度差有关。此点短于理论的溯源冲刷的中止点,加上比降段影响,故一般条件下,溯源冲刷的冲刷范围是有限的。特殊情况下终止于沿程冲刷。同理,溯源淤积也不是无限发展的。见图5。

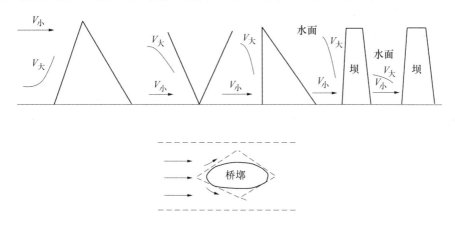

图 5　坝体及桥墩图

比降支撑点(见后)对冲刷淤积的限制作用有:

(1)溯源冲刷不能超过基岩型的凸型比降支撑点;

(2)溯源淤积可以超越低矮凸型比降支撑点,难以超越大于动角延伸高度的凸型比降支撑点;

(3)沿程淤积难以超越足够宽度凹型比降支撑点。溯源淤积难以跨沟,沿程淤积难以跨越一定宽度沟。

一般比降溯源冲淤,沿程冲淤都不能无限制地发挥作用。动角可解释边滩落冲、宽河非汛期冲刷。

横沟法原理:沙型河床比降段可建立凹型比降支撑点,来抑制溯源冲刷向上游发展,同时发挥溯源冲刷和沿程冲刷的作用。与其三门峡水库水库敞泄,不如潼三间建立横沟来控制非汛期冲淤。

挖河深度和长度一定程度上决定挖河效果,挖河深、长度长、溯源淤积追击慢,动角调整时间长。超越动角范围的过长挖河意义不大。

### 3.1　水库深孔大流量和水库泄空排沙机理

水库排沙类似于挖河,相当于无限长的挖河,还可一定程度控制动角,床面流速提高,降低动角,促使泥沙冲刷。深孔大排量冲沙进一步降低动角,前伸休止角冲刷起始点。

　　如图5所示,水坝是倒立水下三角形。当水面降低到靠近床面,$V_大$、$V_小$逐步靠近,$V_小$才真正快速增大,明显改变动角,同时延伸了冲刷起点,水库泥沙大量排出。

## 3.2 排沙机理深入认识与控水攻沙水库排沙法

　　比降、坡降大部分是相同的,在比降支撑点,尤其是水库壅水形比降支撑点,比降、坡降不同,只有排空两者才接近一致,类似普通河流而冲刷效果不佳。撇开比降从坡降来看,直接干预河床休止角冲刷,在休止角大致固定情况下,只能通过前移冲刷起点才能增加前后两向泥沙冲刷量。

　　底孔大流量排沙前移冲刷起点,增强休止角冲刷,敞泄排空是极限,两者都加强动角、休止角冲刷。不依赖水流作用,通过工程前移休止角冲刷起点,在壅水范围内制造坡降段,如图6所示,建立多个起点,消除不同库段淤积体,休止角冲刷涵盖水库淤积三角,淤积就不能存在。

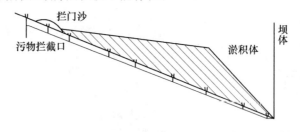

**图6　水库控法示意图**

　　大型水库建立前置式巨型冲沙管。前置口在回水的上下区域,沿线设立进水口若干处。连接装置置于库边山体内,末端从大坝旁侧通过,设立上中下出口。其意义是:①彻底解决水库泥沙问题;②节约水源;③产生各种组成含沙水,为下游治理提供技术条件;④解决水库污染。

# 4　动土角

　　在运动土层的作用下,泥沙的休止角称为动土土下休止角,简称动土角。由于动土角的存在,在 IDA 面以下,存在一定深度的运动沙层,命名为"沙河"。综合看沙河变化范围自终极 IDA 面到基岩;至河流中线到两岸以外,轴线自中线向深泓稍作摆动。类似三峡比降、水流、卵石大的河流,沙河深度大。沙河的运动、增减速、停止、转向,造成崩岸、串沟、堤河、大堤纵横斜、堤基面裂纹及上大下小裂纹、管涌、长距管涌、透水层、口门渗水、卵石灭失、狐洞等现象。

　　垂直方向,沙河可看做慢慢流动的基流,IDA 面上部的推移泥沙可看做这个基流的呼吸、蠕动。横剖面也有基流、呼吸,水坝拦截沙河,泥沙将在停滞基流之上重建基流或推移流、间隙流。

## 5 宏观泥沙学

### 5.1 泥沙学研究主体的性质分析

#### 5.1.1 清水和低含沙水

溶液看成溶质,清水对床身泥沙作用是无数细小泥沙对大颗粒泥沙作用。主要分量指向地心,最多产生侧滑,仅极少分量促使泥沙移动。清水对河床冲刷能力比含沙水流并不会高很多,仅减小层流对泥沙启动影响。作用边缘时主要分量指向壁,产生可能变形引起的滑动,在泥沙受重力、水顺流推力共同作用(剪力向量变大),使泥沙脱落边缘而去,故易塌滩。

#### 5.1.2 高含沙水

高含沙水黏性增加,形成向心分量,对滩壁压力减弱,剪切力降低,侧壁刨挖能力下降。槽底在重力作用下对床面产生锲入,在黏性力和水流推力下,裹挟被铲入泥沙而去或对泥沙挤压变形后滑移被裹挟离开。重力和黏性力为主的泥沙启动力远大于一般水流对床底剪切力,此既是高水对泥沙巨大刨削力的来源,也是高水随时停止流动的力量。

高含沙水冲淤点、均线由于黏性作用而下降。当黏性力发挥主导作用时,高水就与低含沙水从本质上分离,称为高水形成极限。由于黏性力和重力增加,对河底泥沙产生强大刨削力时,称为高水刨削极限。过高的高水楔入后水流推力撕裂楔入体,极大地增加阻力,另外,河床刨挖作用急剧下降,称高水阻断极限。高水维持运动条件有:①后续水流推力或适宜比降;②沿程水分补给。

高水忽涨忽落的原因如下:

(1)强烈的水沙呼吸、蠕动(含刨削)、再造、侵入等作用,造成蠕动的间隙流。

(2)整体性停滞性形成类 IDA,不断出现间隙流。

(3)间隙流不断侵入基流,产生对水体额外推力。

#### 5.1.3 比降与坡降

(1)第一个试验,把注射器放平,推动注射器,水会随着塞子前行。结论:比降很小的情况下,比降不是液体运动的主要动力。

(2)第二个试验,环形水槽上方设密集的切面及槽,将溢出水排空,放入流动水流。结论:水流动力可以不是比降作用,而是水流内在动力,比降并不是水速的唯一原因。

(3)第二个试验的负比降继续加大,总有一点,某一流速水流不能克服某一个比降而停止流动。结论:不同流速对应不同的比降。高过比降提供的速度,高出部分不是由此处比降造成的。

由于河宽等造成的流速改变,不是比降因素,而是水流内部能量的转换。结论:某段河床的比降不是该段河床水流速度产生的唯一原因。比降平缓的地方,对水流作用降低。

如图7所示,分别命名为IDA前、后、左、右、上、下力,把液体看做极其细小质点。特点是彼此容易滑动,主要作用是$F_3$,隆起液体分子向前涌动。向量$F_1$也有推动作用。二者比较,$F_3$的作用更为显著。水流内部维持水体前行动力来源于3个力量,比降力、后水对前水IDA前力、IDA力。IDA力:由于IDA上力引起水体上壅快速前行的水体对下层水体的推力,以IDA下力的摩擦、涡流等形式将能量传递给基流。

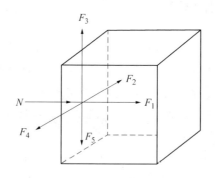

图7 流体力图

IDA上力引起的泥沙运动遵守扩散原理,而IDA力及水平基流引起的启动沉降遵守另外的泥沙运动规律。IDA前力与IDA力有变化曲线,水流速度越低,比降力与IDA前力越明显,水速增加后,IDA前力降低,到达极限速度后,IDA前力消失。IDA力随水速提高而不断提高。

窄深河槽IDA上下力抵消多,IDA上力作用比例降低,具有大IDA前力和IDA力,水流运动受比降影响降低。高含沙水由于黏性力作用,致使IDA上力降低,质点接触,IDA前力易传递,可克服更大负比降运动。在比降平缓河段,高含沙水运动动力更多来自于后部对前部的推力。

## 5.2 河床理论

IDA:某流速、水深和河床坡降下,作用一定时间后多数未能运动的大粒径泥沙中最小粒径泥沙。

### 5.2.1 IDA面

每一场洪水对河床的作用不同,河床可以分为不同的层。单场普通洪水:冲刷层(面膜层)、阻断层、基岩,先回淤少量阻断层泥沙,然后回淤面膜层泥沙。不同的洪水形成不同的阻断层。

射流冲沙击碎泥沙团,搬移IDA,暴露阻断层下细沙,依动角扩展而增加泥沙冲刷量。中水、窄槽增大冲刷深度,增大阻断层的粒径。控水攻沙法在窄槽作用基础上减少了面膜层的淤积。

以上方法没有真正解决更大阻断层的形成和抬高问题,仅仅延缓了终极IDA面的上升。

在某一流量作用一小段相同时间后,河道有些地方是 30 的 IDA,有些地方是 50 的 IDA,还有 20、70 的 IDA,不同 IDA 层面的连接,称做该流量下的河床最小阻断粒径面,简称 IDA 面。除此之外,还有历时性 IDA 面。由于水流、河床、历时因素,最终造成的稳定 IDA 面,称为终极 IDA 面。水流、河床因素导致终极IDA 面中对应的 IDA 称为终极 IDA。

### 5.2.2 河流全流域 IDA 分布理论

(1)河流具有普通 IDA、终极 IDA、普通 IDA 面、终极 IDA 面、IDA 段、IDA 过渡段。

(2)河流中下游的终极 IDA 面是提高的,普通 IDA 面可能有升有降,缺水或多沙河流振荡上升。

(3)上游 IDA 随着比降及河流的汇流增大,向下游递减,局部略有增大或减小。

(4)IDA 过渡段产生基于流域性因素的泥沙冲淤,通过当地冲淤及动角原理体现,含有全流域的性质,与当地的冲淤有所区别。过渡段可出现违反冲淤规律的"涨淤"现象。

(5)水流能量沿途衰减。

## 5.3 流体理论

### 5.3.1 水流呼吸作用

水流由于水层、河床阻力、地形等因素,主要是 IDA 上下力的作用,动能不断减弱,势能不断上升,后继水流不断积累上来,造成局部范围水位的壅高,增加河宽,加大比降,前部边缘水体由于大比降和后部水体推动,加速运行,降低河宽,此过程称为流动水体的呼吸作用,形成相应河流藕节形状。呼吸作用包含3(+1)个方向和作用:横向、纵向、垂直呼吸,河流可看做无数的水流呼吸叠加而成。呼吸本身衍生变化规律本文仅论述 2 级,泥沙相同,各种流体相同。

### 5.3.2 水流蠕动作用

前部水体排出小于后部水体涌入,壅水不断发展,积累到一定程度,突然加速,势能快速转化为动能,类似溃坝,大部整个壅水水体运行,称水流蠕动作用或水流垂直剖面呼吸。

### 5.3.3 水流藕节再造作用

不同的水流要求的藕节长度、宽度和比例也不同,从一种藕节形变为另外一种藕节形,称为水对藕节再造作用,也可称藕节呼吸或水流横剖面＋纵剖面呼吸,可细化为伸缩与展宽两种作用。不同的洪水极限,其再造作用也不同,洪水过程中不同时刻水流(及泥沙)的再造作用也不同。

## 5.4　流体泥沙理论

### 5.4.1　泥沙呼吸作用与藕节形原理

跟随水体呼吸作用,挟带的泥沙也产生呼吸作用,相应形成藕节。泥沙藕节以泥沙形态固定了水流藕节作用。

### 5.4.2　泥沙蠕动作用与冲淤波原理

随水流蠕动,泥沙也发生蠕动,同时泥沙可自发蠕动,整体动角冲淤,形成蠕动波。

### 5.4.3　泥沙再造作用

不同水流要求藕节长度和比例是不一样的,相应泥沙作用称泥沙的藕节再造或藕节呼吸作用。急性藕节呼吸使藕节长度及比例急剧调整,导致控导工程、边滩、大堤出现迅疾重大险情。

## 5.5　水沙汇合作用

水沙呼吸、蠕动、再造作用,组合起来产生河床不同地点的组合作用,称为汇合作用,主要是水沙组合及影响。游荡性河流的各种现象,是以上诸多原理的单一或组合体现。进行河道控导,改变汇合条件,形成会合点的转移,沿线会不断出险。

河流形态由汛期与非汛期水沙呼吸等原理塑造。大洪水、小洪水甚至非常态相同洪水,都有不同藕节要求。落水期前期,IDA 淤积,各种作用强化而出险。诸如三门峡水库,首次调水调沙下游堤防险情是以藕节再造为主系列作用表现的。

## 5.6　比降段原理

由于以上水流及泥沙作用,形成比降、坡降的变化。

比降段:河床中比降是不断变化的,定义大致相仿的比降区间为一个比降段,或称比坡段。比降支撑点:比降段与比降段的交界称为比降支撑点。

河流由一系列的比降支撑点、比降段组成。一般河床的冲淤受到自身和河床条件的影响,作用范围是有限的,冲淤的衰减有阶段性。挖掘河口解决河流一切问题的想法是夸大的,同样,河道冲淤会影响无限范围的观点也是错误的。

## 5.7　海洋波浪、海啸原理

海洋中流速与潮高(流量、水深)代表海啸定向能量,最终强度由到达岸边水体呼吸、蠕动等作用决定。印度洋海啸中孟加拉海岸损失轻微和钱塘江大潮是减弱和加强的典型实例。向岸波浪是包含临界角等原理束水攻沙碎浪后明显、河口闸下淤积是不完整冲淤过程反向控法。河流、波浪、海啸、假潮、风暴潮等机理相同(见图 8)。

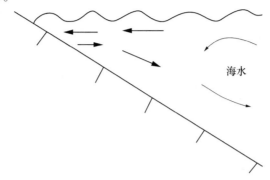

海水

图 8　波浪冲沙原理简图

# 6　应用泥沙学

## 6.1　水土保持理论

边界角:泥沙在坡面上受到水流、雨滴飞溅的作用,所处角度称为动水下边界角,简称边界角。

临界角:坡面上的泥沙,在水流、边界角的作用下,即刻进入启动的角度,称为临界角。泥沙在动水下的气体、液体、固体交界面的动水下启动休止角。细分有气、液、固临界角和界面下临界角(水上水下),后者是受水表面张力和侧壁强烈作用的特殊动角。

临界角随水浸入发生改变,一般随着含水量增加而变小。不同固体临界角不同,其变化率也不同,比如膨胀土、卵石等。当边界角大于临界角,泥沙启动。坡面泥沙同样存在 IDA、比降段等概念。沟蚀在面蚀基础上发生动角改变,导致 IDA 持续增大,风选的黄土 IDA 面太深,可种草或筑低坝堰,中止动角的继续改变。

森林特殊作用:降低泥沙边界角,提高临界角,维持地表覆盖物。覆盖物产生阀值概念,是特殊比降段,支撑点。突破阀值,IDA 突然变大。一类阀值对应于当地,另一类阀值对应于流域:分小、中、大流域级别阀值。阀值是水沙呼吸蠕动等规律的特殊体现,是特殊条件下的水沙宏观规律。

自然森林不会 100% 拦住泥沙,但能降低输出泥沙粒径、总量。径流量较之无林可能多或少,对产生泥沙没有直接关系,风成黄土特殊。森林作用可以称为拦粗排细,反向控法。

通过工程模拟森林作用,高坝 V 孔水库即超短距控库是理想拦泥库。汛前、汛中尽量抬高水面,汛后缓慢排空,保留很少水,放掉坝前泥沙,淤泥可种一季粮食。上年淤泥,来年出库。进行 1 级水库拦截,相当于郁闭度小、覆盖层薄的森林;进行 2~3 级拦截,相当于郁闭度大、覆盖层厚的森林。

泥沙不能全拦住,产沙越多越不能拦死。除库容下降,形成某年特别严重的集中下泄,下游无论采取何种措施,都难以应对长时间累积的泥沙,这正是自然主义泥沙观解决的问题,但其将泥沙产生作为点来处理则过度简化了上游泥沙问题,人类影响多年、环境变化、中上游纯自然主义对下游是纯不自然主义,下游河道难以处理过多的IDA。将IDA铺满河道,抑制河床沙化,在产沙区有利的产沙条件下等待IDA细化。小区域内拦截IDA,出区变为促进泥沙下行,称为"拦粗待细"。

## 6.2 游荡性河流

河流游荡性是结果,不是原因。不是游荡造成了泥沙淤积,而是特殊的淤积使得河流必须游荡,因为河流通过游荡来避免泥沙淤积;同时河流通过游荡保持足够的淤积能力。

将需要淤积的泥沙淤积,是河流游荡产生的根本原因;游荡时有效河宽缩窄,有效淤积面积增加,增加挟沙能力,增大淤积能力,是游荡的作用。直到大部分IDA落淤,河流中止游荡。

粗略的说,如果IDA多、水呼吸作用强,河流就可能游荡;如果IDA少、水呼吸作用弱,就分汊;如果IDA较多、水呼吸作用弱,就呈辫状、网状,没有多少IDA,成为弯曲状。不同的泥沙和水的呼吸作用的组合,形成了不同的河流形态,汛期、非汛期或临界河流有不同的水及泥沙作用类型,可以呈现不同河性,最终分型由不同作用的累加和及其他辅助条件决定,例如冰冻、高含沙水。关键在IDA淤积后增强(减弱)水流以及泥沙呼吸作用。

最终解释:游荡性河流首先具有比较强烈的泥沙、水流的各种作用,关键是水流、泥沙作用彼此强烈影响。淤积可游荡,冲刷也可游荡。

河流形状主要是由常态洪水塑造的,当一场洪水与常态洪水差异越大,藕节的形状和位置差异越大,并且周期性,藕节差异大到一定程度,差异又变小。

游荡性河流七原理(3,4,6,混7,8,9):水流、泥沙呼吸、蠕动、再造、汇合作用,四方面:河段输冲泥沙总量、性质,河床现状,沙河、河堤,以及特殊的高水IDA性对以上作用的加强,决定了游荡性河流的复杂性。例如:水沙藕跑到了节,造成节点堤防顶冲,再巧遇水沙蠕动、呼吸、再造、汇合和足够的IDA泥沙,加上沙河扩缩、加减速、转向,趟出串沟、裂纹、崩岸、管涌,河况就无比险恶。黄河游荡性河段上不良7+4组合产生概率太大,形成各种险恶河况,滚河、斜河、横河易产生。

## 6.3 河流的治理

### 6.3.1 河流治理的无为法则

找寻规模最小、强度最低、最小的改变河流本体面貌、对河流没有多少影响

的平衡点和平衡方法是河流治理的基础无为法则。无为法则的层次是:

基础无为:在不明了各种规律情况下,尽量不改变现状,或者极其微小地改变现状,也就不会过于触动自然规律,自然规律略微起些作用,自然环境就达到新的平衡。

中级无为:尽量小地改变现状或者采取相应措施抵消改变的现状,自然规律起些作用,就达到新的平衡。这个平衡有可能较之基础无为差些,但还可以被人类社会所接受。

高级无为:可以改变一处或者多处自然面貌,自然环境仍旧符合自然规律,而自然规律无须对自然环境进行明显调整,是规律无为,环境有为。其实质是宏观规律无为,微观规律有为。

以上三无为及微宏观规律是反说的,尚有更高层次的无为,这里自然规律主要指的是宏观自然规律。无为法则的作用:人为措施尽量不触动相应级别(各级)的自然规律,使它不来改变人类改变的自然环境,这是一切改变自然及人类环境的准则。

## 6.3.2　河流治理思想

人类一直在防守堤防,以线抗面或以面抗面。综观抗洪理念的发展,人类在对抗大碗盛的水比小碗多的公理并且越来越意识到此公理的不可抗拒性,应变线面对抗为面面对抗,已非对抗含义。

## 6.3.3　部分方法:泽法

洪水期分水主要防止水体呼吸加强为蠕动,蠕动是水位超高的最重要原因。抑制蠕动,水难以涨起来,而是缓慢上涨,留出充分时间进一步分水、输水。沿河均布的众多分水口意味着无限宽的河道,只吸不呼,水体呼吸难以到达极限而加强为蠕动,即使微小蠕动发生也在下一级分水口和藕段被消弱。在滞洪区闸口此效果很小,仅仅实打实地抽取河道水体。泽法是防御超级洪水的关键理论,主要消除上层动能巨大的间隙流、层流,结合泥沙引申出两类理论,一般与泽法共同使用。

## 6.3.4　束水攻沙理论缺陷及游荡性解决方案

目前水沙关系受到水盐关系强烈影响。最初一定水带走一定沙子产生水少沙多淤积概念,随着发现流速与含沙量有关,流速高含沙大,流速受水量控制,似乎从理论上证明了水少沙多淤积。问题就在水量与含沙量关系上,它们没有直接联系,是水量－水速、水深－泥沙粒径－泥沙供给－层流－含沙量联系起来的,与水盐关系截然不同。水少沙多的沙子怎么来的,无疑水带来的。

通过以上解释链,例如输沙缩短、淤积点后时间延长、水少沙多可作为淤积条件,可以科普性地讲,但以此涵盖泥沙理论片面而错误,影响深远、最关键的影响是将泥沙作为整体而认为无解,从而将注意力引向水。沙子没办法,只能加强水了,全程束水攻沙就新鲜出炉了。

束水攻沙推导:水量－水速水深(层流)→泥沙粒径→IDA 面→IDA 段→IDA 过渡段→1.中下游 IDA 过渡段不能完全消除→2.动能下降→IDA 淤积→游荡等→下游全程束水攻沙失败。

黄河出峡谷后,不摇摆就跳高。下游全程束窄河槽,符合微观河流泥沙冲淤理论,符合浅层次河性,但是严重违背了流域层次泥沙关系,违背了全流域 IDA 分布理论,违背了流域性的深层次河性。不能把有效的战术方法应用于战略,不能将微观规律简单应用于宏观。不改变水沙、沙沙关系,就想治理游荡性河流是异想天开。黄河下游仅采取束水攻沙是严重的流域性理论错误,必然失败,泥沙不淤,黄河永无宁日!

黄河的问题是淤积不彻底问题,沙子淤积,不想办法治泥沙而仅治水作用不大水干必须直接处理泥沙,分沙是对的,将泥沙排出河外,即促使河流游荡,让它至高至摇。问题是分沙必分水,则下游水少,水速等系列作用下降,导致更大淤积。这仅仅是具体分法的技术问题,古语"黄河清",既是结果也是方法,有两种层次:

(1)扩展解释:连水带沙都清空,一点也不留!注意,"清"字的含义,古代"清君侧"不是给贵妃洗澡,不是"洁"。清空了干流,下游还淤积吗?

(2)基础解释:清掉 IDA,让水流根本没有淤积作用对象,使得河流中不存在 IDA、次 IDA,河流还怎么淤积,如何升高?怎样游荡?怎么再造?怎么会合?怎么出险?还怎么"二级悬河"?

这就是"黄河清"的意义。古语的意思就是分离这些泥沙,去掉那些 IDA,使得黄河清一些,必要时连水带沙都清掉,黄河就无忧患了。"黄河清"才能黄河清,注意,清空水沙不意味着河中无水。

### 6.3.5 黄河下游的再认识

由于蓄清排浊及河道泥沙等,小浪底水库完全淤粗排细,下游完全细沙运行是困难的,况且粗泥沙将来总有下来的时候。普通调水调沙下切河床能力有限,但为什么要下切河床呢?只要不继续涨上去就可以了,如今黄河是地上河,这是环顾世界仅有的巨大优势,不仅是灌溉总渠,而且是世界上最大的平原高位水库。洪水来临,仅打开大坝最末闸口是使不得的!几千年来,人类不断完善这个闸口,就是没有提起其他众多泄水闸门,原来工程条件艰难,现在该是提起这些闸门的时候了。

### 6.3.6 河洛图说——黄河中下游治理方案概述

干流修筑河心排沙岛、完善渠系、干流两岸分水闸高些。

南北渠:其作用是:①承接干流分流水沙,向下游输送泥沙;②向子河排水及黏土等细泥沙;③向高渠排放 IDA,刷深南北渠自身河道。以南北渠为核心,输水、分选泥沙。

子河:经由南北渠高位闸分流入子河,输送水沙。

高渠:通过南北渠低位闸获得 IDA,储存、输送泥沙,下游沿高渠设立多处放淤点。

洪水原则:南北渠尽力接纳洪水和 IDA 泥沙,自身输沙,向高渠排沙,向子河排水,高渠造高水,尽力从高渠、南北渠放淤。情况危急,直接子河泄洪。洪初沿子河地域向子河排涝,洪峰将近,对子河沿河地域倒排洪。多次洪峰,反复如此,抽泥水排水。进一步沿子河划分多片地域,倒排洪于其中一片,平推过田地,可往复。超级洪水,放弃部分地域,施行洪水管理和保险。

(1)三门峡、小浪底水库进行控水攻沙改造,恢复三门峡水库库容,小浪底水库可造不同含沙水,小浪底水库拦截全部泥沙及洪水,汛期三门峡水库敞泄排沙,防范可能的突发洪水,小浪底水库适度放低水位,非汛期三门峡水库正常蓄水发电,潼三间横沟法。

(2)建下游沿河梯级枢纽,为渠系提供水源、动力、过河通道,运用方式另文分析,初期可缓建。梯级修建之日,就是河清之时,符合控法及天人合一(无为法则)的河清没有什么可怕的。

(3)建造 20～30 条南北跨流域分沙分水支流,以北为主,每条支流,在近堤可建立多处分水口,初期以 120 多个藕节为基本修建选址点。

(4)高水下行前,灌注干流,高水出峡谷后运行一定距离后,进入南北渠继续运行,再经过一段距离运行,进入高渠,分别由干流、南北渠对高含沙水补水、补沙提供动能。小浪底水库推送粗沙高含沙水流、污水流入海,其他高含沙水分片淤灌华北平原。

(5)南北渠汛期提高水位,降低大堤内外压力差,出现管涌利用最近南北渠内闸门提高管涌区段水位,抑制管涌,甚至留待汛后处理,减少护堤人员和紧急险情。将黄河干堤管涌变成需要几个人紧急处理一下的"小问题"。

(6)洪水上涨过猛,加大分洪,降低水流呼吸,进入猛烈淤积,提高排沙量,降低泥沙呼吸。

(7)顶冲大堤提高上下游排沙口排沙排水,缓解、改变水沙作用,建立动角冲刷。

(8)发生三小难以抵御洪水或非控制区大洪水,分水分沙削减洪水,20～30 条河流削减 1 万～2 万 $m^3/s$ 的流量并不困难,极大地加强了现有堤防标准。高渠先放后补。

(9)凌汛卡冰点上下建分水口,凌汛时开启分洪口,北支未解冻,南向分水,渠高冰封。

(10)下游下段建立母子河小央堤法,近入海口多汊轮换入海,利用潮汐消除拦门沙。

(11)可从小浪底水库到白鹤修高位渠下行清水,南北渠、子河、干流通航,建立贯穿流域的运河体系。

最终方案:枢纽提高水位,疏通黄河故道,形成流域级央堤,粗沙高水轮灌,细沙盖顶,形成千层,部分 IDA 泥沙入海,北淤灌平原,以放淤为主,不使渤海扩缩,南除放淤外,以沙、污水入海并造陆为主。目标:人工控制下的黄河定时泛滥,较尼罗河作用多得多(例如温孟滩的正反尼罗河运用、天人合一等),建立堤民制度。

含沙水动能不断下降,直接推入大海较困难,可通过控法支持。不用过于在意河槽情况,河槽自然会展宽、下切,用冲沙船稍加整理主槽即可,险工、丁坝非特殊情况不必建设,子河适当的逆淤、堰流法结合放淤即可。

以上称黄河下游控水导沙法治理规划。"地上悬河"非常适合控法运行,经历多年运行,通过水库、刷深、分流抵御黄河 5 万 ~ 8 万 $m^3/s$ 的流量是有可能的,且水源基本不浪费,所有的水都用于输水,所有的水都用于排沙,南水北调的水完全不用于冲沙。

高渠不必须,高含沙水也不必须,仅对黄河现状和放淤有积极意义。放干主流仅针对目前黄河流域平衡,长远考虑应以梯级枢纽为主。北治理华北平原风沙化,南改造明清黄河故道及黄泛区沙化,则黄河所及流域无忧,谨慎再造一个弱化可控江南,为进一步天人合一改造做技术准备。

黄河中游的潼关高程抬升、渭河下游问题的关键性因素为高含沙水,三门峡水库大坝一直背着黑锅。古语"神龙负图出洛水"就是解决此问题。以北洛河为例:淤地坝、绿化、洛惠渠、高水淤灌,1986 年以后潼关升高的关键原因是:1982 ~ 1985 陕北大片高水淤灌改造。北洛河改进意见:①阻止黄河干流袭夺北洛河;②停止洛河灌渠在高水期引灌;③暂缓洛河上游大批量淤地坝建设或改造淤地坝形式;④北洛河建造控法水库,下行高水,冲刷潼关、渭河口,同时解决灌溉。潼关问题并不严重,利用高含沙水便可。泾河对渭河下游有关键性的作用,作用机理更复杂,不能简单类推北洛河。

## 6.4 常见问题

河流能量传递形式:不断进行全断面的基流、间隙流(层流)的能量转换。

低流量洪水推进缓慢:间息流使得洪水快速推进,并不断增加基流动能,宽广的滩地抑制了刚刚出槽的水体呼吸作用,难以加强形成蠕动,也不能加强基流。

首场洪水作用,变幅大、河流游荡性强:汛期首场洪水,承接非汛期淤积,河床上非汛期淤积的泥沙,在瞬间,对于洪水头部都是 IDA,是瞬间完成的 IDA 淤积过程,对主流产生强烈作用。

揭河底:河床抬高密实河底一定深度泥沙,形成横向结构强度泥沙块,长历时高水刨除表面泥沙,刨除此泥沙块时产生揭河底,如具有较大比降,利于高水对泥沙启动。如存在横向结构强度冰块(冰土混合物),揭河底产生河床深度变小,易于形成并观察揭河底。

三门峡水库的原始泥沙设计问题:拦截大量普通泥沙(已变成 IDA),不是拦截造成原始河段缓慢抬升的原始 IDA 和原始终极 IDA,从而使泥沙设计寿命不只是几百年。

采河沙:超深度挖沙破坏 IDA 面,洪水到来时通过动角冲刷向两岸堤防、上下游蔓延。

调水调沙并未真正解决 IDA 问题,但却提高悬移质比例,有减少日常推移动角冲刷的副作用。根据冲淤原理,经历多次调水调沙后,调水调沙的冲沙作用将急剧下降,仅存输沙作用。

## 7 综述及禹、贾让、王景、潘季驯与控水导沙法的关系

控法对黄河的基本认识有:

(1)沙害为主,下游干流不应攻水;

(2)水是宝贵的,下排洪水浪费;

(3)全部时间处理泥沙,不累积到汛期或某年;

(4)泥沙宝贵而可怕,主要用于陆地而非海洋。

本文理论结构如下:

微观泥沙学:泥沙运动力学、层流理论。

基础泥沙学:动水理论、冲淤理论、动角理论、动水边界角、动土理论(有无水、承压)。

宏观泥沙学:水沙呼吸、蠕动、再造、汇合原理、比降段、IDA 分布理论。

应用泥沙学:河流分型及河性、水土保持理论、河流治理理论、河床演变、河流交汇。

中华水利文明史以禹法为框架分两部分,基础河流部分主要解决水与 IDA 问题,核心是围绕 IDA"黄河清"问题,处理 IDA、终极 IDA 的历史;高级部分阐述流域层次理论。

禹法理论体系达到巅峰而不可超越,禹在宽河大清中清,景在窄河大清大

清,实际是对动角及宏观泥沙学运用。贾让与禹一致,上策建立巨大大陆和九河,中策开创 IDA 沿途排放,导法与基础禹法基本一致,是禹、景、贾法的结合,仅处理方式及终极 IDA 存放有差异。

束水攻沙仅是对冲淤理论的简化应用,潘季驯不领会禹法大陆,无视终极 IDA 处理,无限制应用束法,更荒唐的是,连 IDA 都不顾忌,修洪泽湖交汇黄淮,束法 + 蓄清刷黄是王景、安史之乱以来令人匪夷所思、史无前例治河理论倒退的顶峰,导致黄淮千年祸患无穷,民不聊生。长江受此影响派生的洞庭湖与长江关系同样是最严重藕形流域形状,两湖流域不得安宁。

文化副作用:少部分人不相信禹、景治河,对中华河流文明乃至中华文明产生偏见,如《河殇》,不晓黄蓝优劣,莫名其妙。

世上惟禹(鲧)创造的束水攻沙法听之有理、行之有效,而万万不能在大江大河上独行! 黄委冲沙船调水调沙近似控法的单道变形,增加放淤是禹法、导法的变形。

西方河流文明基础缺陷:①牛顿经典力学将力神圣化;②西方认识论基础不对,将人神圣化。

控水导沙法,极大化利用多沙性河流水量,极小化维系河流泥沙平衡水量,符合现代社会要求,须在天人合一理论下运用,否则,祸患无穷。仅以此文向 4 000 多年前提出 IDA 概念的鲧致敬,向创立完善河流理论的禹致敬,向王景致敬。让我们从河流开始,重新认知中华文明的博大精深及蕴含的磅礴力量,融合互补的西方文明几百年微观科技成果,促进中华文明发展到崭新高度,书写中华民族及人类更加伟大辉煌的篇章。

# 基于 ASP.NET 的图形的设计与实现

## 张晓红　尚　领

（河海大学计算机及信息工程学院）

**摘要:**在黄河水量调度系统中,有大量的数据要显示,为了能形象直观地显示数据,需要有多种形式的表示方法,ASP.NET 自带的 DataGrid 等可以进行数据的选择输出,TeeChart 可以在 ASP.NET 平台上实现柱状图、饼状图、曲线等,能清晰地显示用户关心的数据变化趋势。
**关键词:**图形　ASP.NET　TeeChart 控件　水量调度

　　Internet 是目前世界上规模最大、增长最快的网络系统,现在全球用户已逾 1亿,用户数仍在不断地增长。Intranet 是符合 TCP/ IP 协议的内部网,Internet/ Intranet 已成为"信息高速公路"的雏形,我国政府也已大力推进 Internet 在国民经济中的应用。

　　黄河水量调度系统是较为复杂的信息系统,不但有数据信息的查询,还有各种大量的图形信息,需要根据用户不同要求对有关数据做出及时的统计,动态输出各种统计图,为决策者提供及时形象的表示。本文讨论并实现了动态输出统计图形的解决方案。

## 1　ASP.NET 平台

　　ASP.NET 是微软在 .net framework 上提供的一个全方位的 Web 开发平台,ASP.NET 大量使用组件技术,将 Web 浏览器和 Web 服务器之间的网络通信完全地包装起来。作为实现动态网站和开发 B/S 模式的应用软件,ASP.NET 是建立在公共语言运行库上的编程框架,可用于在服务器上生成功能强大的 Web 应用程序。与以前的 Web 开发模型相比,ASP.NET 提供了以下几个重要的优点:

　　(1)ASP.NET 是在服务器上运行的编译好的公共语言运行库代码。与被解释的前辈不同,ASP.NET 可利用早期绑定、实时编译、本机优化和盒外缓存服务。这相当于在编写代码行之前便显著提高了性能。

　　(2)ASP.NET 框架补充了 Visual Studio 集成开发环境中的大量工具箱和设计器。WYSIWYG 编辑、拖放服务器控件和自动部署只是这个强大的工具所提供功能中的少数几种。

（3）ASP．NET 基于公共语言运行库，因此 Web 应用程序开发人员可以利用整个平台的威力和灵活性。.NET 框架类库、消息处理和数据访问解决方案都可从 Web 无缝访问。ASP．NET 也与语言无关，所以可以选择最适合应用程序的语言，或跨多种语言分割应用程序。另外，公共语言运行库的交互性保证在迁移到 ASP．NET 时保留基于 COM 的开发中的现有投资。

（4）ASP．NET 使执行常见任务变得容易，从简单的窗体提交和客户端身份验证到部署和站点配置。例如，ASP．NET 页框架使您可以生成将应用程序逻辑与表示代码清楚分开的用户界面，和在类似 Visual Basic 的简单窗体处理模型中处理事件。另外，公共语言运行库利用托管代码服务（如自动引用计数和垃圾回收）简化了开发。

（5）ASP．NET 采用基于文本的分层配置系统，简化了将设置应用于服务器环境和 Web 应用程序。由于配置信息是以纯文本形式存储的，因此可以在没有本地管理工具帮助的情况下应用新设置。此"零本地管理"哲学也扩展到了 ASP．NET框架应用程序的部署。只需将必要的文件复制到服务器，即可将 ASP．NET 框架应用程序部署到服务器。即使是在部署或替换运行的编译代码时，也不需要重新启动服务器。

（6）ASP．NET 在设计时考虑了可缩放性，增加了专门用于在聚集环境和多处理器环境中提高性能的功能。另外，进程受到 ASP．NET 运行库的密切监视和管理，以便当进程行为不正常（泄漏、死锁）时，可就地创建新进程，以帮助保持应用程序始终可用于处理请求。

（7）ASP．NET 随附了一个设计周到的结构，它使开发人员可以在适当的级别"插入"代码。实际上，可以用自己编写的自定义组件扩展或替换 ASP．NET 运行库的任何子组件。实现自定义身份验证或状态服务一直没有变得更容易。借助内置的 Windows 身份验证和基于每个应用程序的配置，可以保证应用程序是安全的。

## 2　DataGrid

DataGrid 是一个非常重要的控件，几乎任何和数据相关的表现都要用到该控件。DataGrid 控件能以表格的方式显示数据源中的数据，并提供了诸如分页、排序以及过滤等一些强大的内置功能，所以它能大大简化 Web 应用程序的开发过程。同时，开发者还可以通过运用各种不同的数据绑定列来自定义 DataGrid 控件显示数据的方式，这样就大大增强了 DataGrid 控件的功能。

在 ASP．NET 的 DataGrid 数据显示控件编程中，我们有几种方式可以 DataGrid Columns。其中最常见的方法是在 Web forms 设计器中增加，通过在控件工具箱中拖动 DataGrid 控件到 Web 设计页面,然后在属性生成器中增加 Columns 列;还有一种方式就是在 HTML 视图模式下通过更改 HTML 代码的方式增加 Columns 列。但是这两种方式都是在设计时进行的,一旦设计完成就无法更改。其实我们也可以在程序运行时动态的增加或者删除 Columns 列。这里向大家介绍如何编程实现在运行时动态的增加和删除 Columns 列,其实是通过隐藏或者现实 Columns 列来实现的。

DataGrid 的 Columns 属性是访问 DataGrid Columns 的关键所在。访问这个属性返回的是 DataGridColumnCollection 这样的一个集合对象,它包含了所有的 DataGrigColumn 对象。DataGridColumnCollection 提供了增加一个 DataGridColumn 对象和删除一个已经存在的 DataGridColumn 对象的方法。我们将使用 DataGrid-ColumnCollection 的 Add 方法来增加一个 DataGridColumn 对象,从而在运行时动态的增加一列到 DataGrid 中去。一个 DataGridColumn 代表 DataGrid 的一列,Data-Grid 的 Visible 属性用来显示或者隐藏一个列。如表 1 所示。

**表 1  DataGrid 控件的成员**

| 成员名称 | 类型 | 说明 |
|---|---|---|
| AllowNavigation | 属性 | 指定是否浏览,浏览是指穿越表格 |
| BackgroundColor | 属性 | 指定包括数据行在内的所有数据表格部分的背景色 |
| AlternatingBackColor | 属性 | 指定交替行的背景色 |
| LinkColor | 属性 | 指定用来指示单击可浏览一个子表的文本的颜色 |
| ReadOnly | 属性 | 指定表格是否不可编辑,默认值是 True |
| Item | 属性 | 指定位于指定行列交叉处单元的值 |
| DataMember | 属性 | 在数据表格将要显示的 DataSource 中指定列表 |
| DataSource | 属性 | 指定表格正在显示的数据源 |
| SetDataBinding | 方法 | 将 DataSource 和 DataMember 属性设置为指定值 |
| ResetLinkColor | 方法 | 将 LinkColor 属性恢复为它的默认值 |
| IsSelected | 方法 | 返回一个详述指定行是否被选中的值 |
| Expand | 方法 | 为所有行或指定行显示子关系 |
| Unselect | 方法 | 取消对指定行的选择 |
| DataSourceChanged | 事件 | 当表格的数据源变化时该事件发生 |
| CurrentCellChanged | 事件 | 在用户浏览到新单元格时会引发该事件 |
| ReadOnlyChanged | 事件 | 当 ReadOnly 属性值变化时事件发生 |
| ShowParentDetailsButtonClick | 事件 | 当 ShowParentDetails 按钮被单击时引发该事件 |
| Scroll | 事件 | 当用户在数据表格内滚动操作时该事件发生 |

## 3　TeeChart 控件

TeeChart Pro ActiveX 是西班牙 Steema SL 公司开发的图表类控件,主要用来生成各种复杂的图表。TeeChart 具有极大的灵活性,并且使用起来非常方便,只要写很少的代码,就可以做出各种复杂、漂亮的图表。

TeeChart 的主类是 TChart。TChart 中使用了 56 个类、325 个属性、125 个方法以及 28 个事件,这使得 TChart 具有非常强大的功能。

TChart.Height:图表的高度(像素);TChart.Width:图表的宽度(像素);TChart.Header:图表的题头(Ititles 类);TChart.Series:序列(Series 类的数组);TChart.Axes:坐标轴(Iaxes 类);TChart.Legend:图例(Legend 类);TChart.Panel:面板(Ipanel 类);TChart.Canvas:画布(Canvas 类)。

Series 是要显示的数据的主体。在一个图表中可以有一个或多个序列,每个序列可以有不同的显示类型,如 Line、Bar、Pie,等。Axes 控制图表坐标轴的属性,在缺省的情况下,坐标轴可以自动地根据不同的数据设置好标度范围和间隔,当然也可以手工调整。Legend 控制图表的图例显示。Legend 是图表中的一个长方形的用来显示图例标注的区域,可以标注 Series 的名称或者 Series 中的项目和数值。Panel 可以设置图表的背景,可以使用渐变的颜色或者图像文件作为整个图表的背景。Canvas 可以让设计者绘制自己的图形,使用方法和 Delphi 中的 Canvas 一样,有 TextOut、LineTo、Arc 等各种画图的方法可以调用。TChart 的一些属性实际上是其他类的变量,这些类又具有自己的属性和方法。如 Ititles 类又具有 Text、Color、Font 等属性,我们可以用这些属性来设置题头的文本、颜色和字体。TeeChart 和其他的图表控件相比,有一个非常重要的特点是 TeeChart 可以把图表保存为一个 JPEG 格式的图形文件。调用格式如下:TChart.Export.SaveToJPEGFile(FileName, Gray, Performance, Quality, Width, Height),其中 FileName 是 JPEG 文件的保存路径和文件名,路径应该是操作系统中的绝对路径,而不是 IIS 中的相对路径,IIS 对相应的保存目录应该具有写权限。Gray 指明是否保存为黑白图像。Performance 指明 JPEG 是生成质量优先还是速度优先。Quality 是一个 0~100 的整数,100 时 JPEG 质量最好,但文件最大;Quality 越小则生成的文件越小,但图像质量也随之下降。为了解决在多用户并发访问 Web 的情况下 JPEG 文件互相覆盖的问题,我们使用了如下所示的一种 JPEG 文件的命名机制:OutputJPEGFile = "Chart" & Session.Sessionid &Replace(Time, ".", "")&".jpg",在文件名中包括了 Sessionid 和当前时间,并使用后台进程定期删除过期文件。TeeChart 的继承关系见图 1。

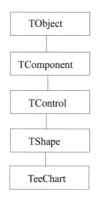

**图1　TeeChart 的继承关系**

## 4　图表的实现

下面我们用水量调度系统中一个例子来具体说明图形的实现,图2所示为动态生成水位—库容曲线,横坐标与水位绑定,纵坐标与库容绑定,在曲线图中我们可以增加标注,以便有效地显示数值。

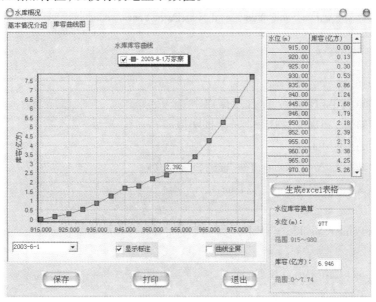

**图2　水位—库容曲线**

其实现代码如下:

```
Public Function DoCharting(ByVal TChart As Steema.TeeChart.TChart, ByVal Sqlstr As String, ByVal XField As String, ByVal YField As String, ByVal Period As String, ByVal
```

```
Title As String) As Boolean
    Try
            Dim ws As New wsdata.DataAccessServices
            Dim rs As DataSet
            Dim errstr As String

            If ws.ExecuteSQL(strCnn, Sqlstr, rs, errstr) Then
                If rs.Tables(0).Rows.Count > 0 Then
                    Dim YearSpan As Integer '用来保存多年数据时的年份跨度
                    Dim theLastDate As Date

                        If Not rs.Tables(0).Rows(rs.Tables(0).Rows.Count - 1).IsNull
                        (XField) Then
                        theLastDate = FormatDateTime(rs.Tables(0).Rows(rs.Tables(0).
                                    Rows.Count - 1).Item(XField))
                YearSpan = Now.Year - theLastDate.Year
End If

With TChart
        Dim yy As Double '保存数据点
        Dim xx, xDate As Date '保存日期值
        Dim i As Integer
        Dim s As New Steema.TeeChart.Styles.Line
        s.XValues.DateTime = True
        s.Title = Title
        s.Pointer.Visible = False

        Select Case Period.ToUpper
            Case "N"
                For i = 0 To rs.Tables(0).Rows.Count - 1
                    If Not rs.Tables(0).Rows(i).IsNull(YField) Then
                        yy = rs.Tables(0).Rows(i).Item(YField)
                        xDate = FormatDateTime(rs.Tables(0).Rows(i).Item(XField))
```

```
            xx = (xDate.Year + YearSpan).ToString + "-" + xDate.
        Month.ToString + "-" + xDate.Day.ToString
        s.Labels.Add(xDate.Month.ToString + "月")'根据需要只需将 x
                                轴标至月份

        s.Add(xx, yy)
    End If
  Next
Case "Y"
  For i = 0 To rs.Tables(0).Rows.Count - 1
    If Not rs.Tables(0).Rows(i).IsNull(YField) Then
      yy = rs.Tables(0).Rows(i).Item(YField)
      xDate = FormatDateTime(rs.Tables(0).Rows(i).Item(XField))
      xx = (xDate.Year + YearSpan).ToString + "-" + xDate.
Month.ToString + "-" + xDate.Day.ToString
      s.Labels.Add(xDate.Month.ToString + "月")'根据需要只需
                                将 x 轴标至月份

      s.Add(xx, yy)
    End If
  Next
Case "X"
  For i = 0 To rs.Tables(0).Rows.Count - 1
    If Not rs.Tables(0).Rows(i).IsNull(YField) Then
    yy = rs.Tables(0).Rows(i).Item(YField)
    xDate = FormatDateTime(rs.Tables(0).Rows(i).Item(XField))
      xx = (xDate.Year + YearSpan).ToString + "-" + xDate.
      Month.ToString + "-" + xDate.Day.ToString
    If CInt(xDate.Day) > = 1 And CInt(xDate.Day) < = 10 Then
      s.Labels.Add(xDate.Month.ToString + "月上旬")'根据需要
                将 x 轴标至具体旬份
    ElseIf CInt(xDate.Day) > = 11 And CInt(xDate.Day) < = 20
      Then
        s.Labels.Add(xDate.Month.ToString + "月中旬")'根据
                需要将 x 轴标至具体旬份
    ElseIf CInt(xDate.Day) > = 21 Then
```

```
                    s.Labels.Add(xDate.Month.ToString + "月下旬")'根据需要
                                将 x 轴标至具体旬份
                End If
                s.Add(xx, yy)
            End If
        Next
      Case ""
        For i = 0 To rs.Tables(0).Rows.Count − 1
          If Not rs.Tables(0).Rows(i).IsNull(YField) Then
            yy = rs.Tables(0).Rows(i).Item(YField)
            xDate = FormatDateTime(rs.Tables(0).Rows
            (i).Item(XField))
            xx = (xDate.Year + YearSpan).ToString + " − " + xDate.Month.
                ToString + " − " + xDate.Day.ToString
            s.Labels.Add(xDate.Month.ToString + " − " + xDate.Day.ToString)
                '根据需要将 x 轴标至具体几月几号
            s.Add(xx, yy)
          End If
        Next
      Case Else
          xx = xDate '按默认标出时间
          s.Add(xx, yy)
    End Select
    .Series.Add(s)
  End With
  rs.Clear() : rs.Dispose()
Else
    TChart.Visible = False : TChart.Visible = True
  End If
  End If
  ws.Dispose() : TChart.Legend.Visible = True
Catch ex As Exception
    MsgBox(ex.ToString)
End Try
```

End Function

类似地,我们还可以实现其他图形的显示,比如说饼状图(在水量调度系统中用于显示宁蒙灌区的农作物种植的比例)、柱状图(用于显示降雨量的多少)。图形的介入,可以更加直观方便地显示数据。

## 5 结语

在黄河水量调度系统中,正是这些图形的显示,使用户方便快捷地了解所需的信息,为最终的决策提供了有力的保证。

## 参 考 文 献

[1] 赵训坡,胡占义. 一种实用的基于证据积累的图像曲线粗匹配方法. 计算机学报,2005 (4)

[2] WANG Ren－Hong. Geometric Hermite Interpolation for Space Curves by B－Spline. 软件学报, 2005(4)

[3] Bill Evjen:Introducing . NET and ASP. NET

[4] ASP. NET Development Helper http://www. nikhilk. net/Project. WebDevHelper. aspx

[5] 屈喜龙,孙林夫. ASP. NET 中 XML 文档处理的各种方法的研究. 计算机应用研究,2005

# 双层和多层地基上堤(坝)
# 基础的渗透变形

张　蔷[1]　李翠玉[2]　李秀云[3]

(1.黄河勘测规划设计有限公司;2.黄河水资源保护科
学研究院;3.山东省鄄城县水务局)

**摘要:**双层或多层结构地基的渗透变形现象有"泉涌"、"砂沸"和"裂缝",且多发生在距下游堤(坝)脚 20 m 范围内。根据实测资料和计算分析,由于地基的入渗排渗条件、含水层覆盖层厚度、渗透系数等因素的不同,堤(坝)下游坡脚处的剩余水头多在 30% ~ 85% 之间,一般在 40%左右。根据实测资料分析,当覆盖层平均坡降大于 0.70 时,有可能产生泉涌出现翻砂冒水现象。

**关键词:**双层结构　泉涌　渗透变形　渗流控制

## 1　概述

透水地基上的堤坝,由于基础发生渗透变形而引起失事的事例是不少的。根据统计,在土坝失事的部分记录中,由于基础发生渗透变形而导致失事的坝,约占整个失事坝的 1/3。1962 年,江西省赣江赣东大堤万家洲堤段决口;1978 年 5 月,德国莱茵河西堤决口;1998 年 8 月 1 日,湖北省嘉鱼县牌洲镇长江堤防合镇段决口,同年 8 月 7 日,江西省九江市城区以西长江堤防决口,均属由于基础产生渗透破坏而导致的决口。

因此,对于修建在透水地基上的堤坝,必须十分重视其地基的渗流控制,特别是双层和多层结构地基。所谓双层结构地基,是指地表为黏性土,其下为砂土。多层结构地基是相对于双层结构地基而言,地表为黏性土,其下为砂土,再下为砂卵石层。位于江河中下游的堤防大多坐落在此类地基上。这类地基当地下水位超过覆盖层底部高程以后,在砂层和砂卵石层中就形成承压水。当承压水头达到一定值以后,就顶穿地表覆盖层的薄弱处产生冒水翻砂"泉眼"。根据观测和计算分析,由于地基的入渗排渗条件、含水层覆盖层的厚度、渗透系数等因素的不同,堤(坝)下游坡脚处的剩余水头多在 30% ~ 85% 之间,一般在 40%

左右。如东平湖水库围坝东段索桃园坝段(老桩号 60 + 425),含水砂层在坝脚下游被牛轭湖沉积的黏土截断,使坝脚处的剩余水头达 70% 以上。又如赣江赣东大堤张家脑段,地表覆盖层为黏性土,其下为中细砂层,再下为砂砾石层,地表黏性土层在上游缺失砂层露表,下游坡脚处剩余水头达 85%。一旦地基覆盖层被承压水顶穿后,该处的剩余水头降为零,此时,地基中一定范围内的渗流坡降迅速增大,并产生集中渗流。渗流将含水层中的砂粒不断地从"泉眼"处带出地表,产生冒水翻砂现象,人们称这种现象为"管涌"。当地基中的砂粒大量涌出,形成上下游贯通的渗流流管时,堤身下沉决口。

人们在分析双层结构地基发生渗流破坏坡降时,有的忽视了地基覆盖层被承压水顶穿后,地基中一定范围内渗流坡降的突然增大这一事实,而仍以覆盖层未顶穿前的地基渗流坡降作为地基渗流破坏时的坡降,这显然是不恰当的。德国莱茵河西堤,堤身高 3.5 ~ 4.0 m,坐落在 1.5 ~ 2.0 m 厚的亚黏土上,其下为细砂与砾砂,实测剩余水头 45%。西德 H.sommer 在分析莱茵河西堤决口坡降时,将堤基未发生渗流破坏时砂层中的平均渗流坡降 0.04 ~ 0.08,误认为是砂层发生渗透破坏时的渗流坡降。在实际工程中,堤基发生渗流破坏时的坡降是无法测得的,因为人们不可能预先知道何处将发生渗流破坏,而且当地基产生渗流破坏时,其发生发展过程是相当迅速的,人们就是发现也根本来不及观测,堤防就已决口。即使在其附近有观测资料,它也不能代表发生渗透破坏部位的渗流坡降,因为发生渗流破坏的部位是小范围的。

## 2 堤(坝)基的渗透变形

### 2.1 土壤的渗透变形类型

土壤的渗透变形是指土体在渗流作用下失去平衡,而改变土壤原结构与组成的种种现象的统称。渗流引起土壤渗透变形的现象和情况一般分为流土、管涌、接触冲刷和接触流土。

流土:是指黏性土和无黏性非管涌土,土体在渗流作用下均可发生。黏性土发生流土时,土体将膨胀、隆起,最终断裂而浮动。无黏性非管涌土发生流土时,土体所有颗粒同时启动悬浮。流土可分为整体流土和局部流土,整体流土是指土体都发生移动,局部流土是指在局部地段部分土粒同时发生移动。流土主要发生在建筑物下游地基渗流出逸段内,且无保护的情况下。流土这一术语并不能完全表达黏性土在上升渗流作用下的渗透变形现象。黏土的渗透变形除土体流失或隆起外,还出现裂缝,此裂缝有时成为集中渗流的通道。这种渗透变形现象发生在覆盖层为黏土的双层结构地基中。

管涌:是指无黏性管涌土,在一定水力坡降的渗流作用下,土体内小于某一级的细粒,从土骨架孔隙中移动或被带走的现象。管涌的发生,几何条件是前提,是必要条件,水动力条件是充分条件,二者缺一不可。管涌发生的部位可以是建筑物下游出逸段,也可以是建筑物地基内部,前者称为外部管涌,后者称为内部管涌。管涌发展过程中可以向危险方向发展,也可以向稳定方向转化。

接触冲刷:是指渗流沿着两种不同介质接触面流动,将其中细粒带走的现象。这种现象常发生在建筑物地下轮廓线与地基土的接触面、双层结构地基粗细层的接触面、坝内埋管管道与其周围坝体接触面或刚性与柔性介质接触面等。当粗粒土 $D_{10}$ 与细粒土 $d_{10}$ 的比值大于 10 时,在粗细层接触面上有可能发生接触冲刷,否则将无此可能。

接触流土:系指渗流垂直于细粒土与粗粒土接触面流动时,将细粒土层中的土粒带进粗粒层中的现象。当粗粒层中 $D_{15}$ 与细粒层中的 $d_{85}$ 的比值大于 4 时,就有可能产生接触流土。如土坝上游砂卵层上的黏土防渗铺盖未设过渡层直接铺设在砂卵石层上,或者过渡层与铺盖、砂卵石层的几何关系不良,致使黏土铺盖被渗流击穿。在建筑物下游渗流出逸段内,反滤层被淤塞的现象等均属此类。

## 2.2 堤(坝)基础的渗透变形形式

双层和多层地基上的堤(坝)下游脚处的剩余水头一般在 40%,多者达 80% ~ 85%。堤(坝)基础的渗透变形多发生在下游堤(坝)脚下游 20 m 范围内,个别发生在远离堤(坝)脚的坑塘中或覆盖层较薄处。其形式有"泉涌"、"砂沸"和"裂缝"。

泉涌:承压水顶穿覆盖层薄弱处,产生翻砂冒水现象,习惯叫管涌,实际是局部流土。"泉涌"的发生发展过程可分为以下三个阶段。

第一阶段,承压水顶穿覆盖层后,渗流将砂层中的砂粒带出地表,形成环绕出水口的砂环,并在砂层中形成锥形空腔,当锥形顶点 A 向下发展到一定深度后,砂层中的砂粒不再带出地表,仅少许砂粒在上升渗流作用下在出口处上下往复跳动(见图 1(a))。

第二阶段,随着上游水位的升高,出水口处砂层中的空腔也随之增大,在砂层与覆盖层接触面上逐渐形成许多裂缝。渗流带出砂粒增多,继续堆积在出口周围并上下往复跳动(见图 1(b))。

第三阶段,上游水位继续升高出水口径增大,大量涌水涌砂,水流呈浑浊状,此时砂层中砂粒随渗流带走,并形成流管继续向坝基上游发展,上游覆盖层被击穿,形成贯穿上下游堤(坝)基内渗流通道,地基中的砂粒随渗流大量被带至下游(见图 1(c)),随之堤(坝)身下沉决口。1998 年 8 月 7 日九江市堤防决口就是这种情况。

在实际工程中有的只出现第一阶段,有的开始就进入第二阶段或第三阶段。处于第一阶段的"泉涌"仅出水口附近局部地基受到渗流破坏,因此它不危及堤

(坝)的安全。

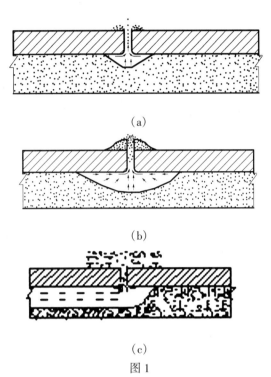

图 1

砂沸:双层或多层结构地基覆盖层较厚,且为壤土或砂壤土,承压水不足以顶穿覆盖层而产生"泉涌",上升渗流在堤(坝)下游坡脚附近出逸,由于出逸坡降过大,而在一定范围内产生砂沸。砂沸的发生和消失过程分为3种情况:①土体松动冒水翻花,土粒往复跳动并向周围移动(见图 2(a));②土粒呈悬浮状态随渗透水流徐徐翻动(见图 2(b));③冒水翻花消失,土粒呈浮状态(见图 2(c))。

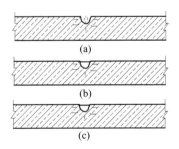

图 2

裂缝:双层或多层结构地基,覆盖层为黏土,在其下承压水作用下,覆盖层向上鼓起开裂冒水冒砂。如山东省东平湖水库围坝杨城坝坝段(新桩号 58 + 861 ~ 58 + 865),坝基覆盖层为黏土,其下为中粗砂层,当库水位达 43.33 m 以上时,坝脚外 10~27 m 平台地表大面积鼓起开裂,裂缝长达 3~5 m,缝宽 3 cm,发展迅猛冒水涌砂。

## 3 结语

双层和多层结构地基的渗透变形形式中,以"泉涌"形式危害性最大。堤(坝)基础产生渗透破坏决口,都是由于"泉涌"造成的。但"泉涌"发生的初期阶段由于承受的水头不是很大,而且稳定在一定值以下时,"泉涌"也处于相对稳定状态,不再继续往外带砂,处于此种状态时它不危及建筑物安全。"砂沸"虽然发生的范围大,但它不会引起基础内部的渗透破坏,而是会引起出逸段内堤(坝)坡滑坡。"裂缝"在双层和多层结构地基渗透变形中不多见。

## 参 考 文 献

[1] [西德]H. sommer. 莱茵河堤渗流破坏时的浸蚀研究 . 水利水运译丛,1981(1)
[2] 水利部科学研究所,河北省水利科学研究所 . 土坝安全检查与加固.北京:水利电力出版社,1975
[3] 胡一三,朱太顺 . 在长江防洪抢险及对黄河防洪的思考 . 人民黄河,1998(12)

# 黄河小浪底—花园口河段洪水预警预报

Peter KO[1]　　Yusuke AMANO[2]　　Binsar TAMBUNAN[3]

(1.格鲁吉亚、马德里、西班牙与亚洲开发银行合同协定的技术援助队;

2.马尼拉与菲律宾亚洲开发银行;

3.泛美联盟领导及马尼拉与菲律宾亚洲开发银行)

**摘要:**黄河水利委员会已经在黄河流域采用并正在开发一体化的洪水管理系统(the integrated flood management system,简称 IFMS)。作为 IFMS 的一个部分,黄河水利委员会正在小花间实施一项基于 GIS 的国家级工程,即洪水预警、预报系统。为了促进该系统的发展,为抗大洪水及洪水预报提供充足预见期和精度要求,亚洲开发银行技术援助(the ADB Technical Assistance)已开展如下两个基本方面的检测:①水文输入数据收集系统的相关性;②根据系统的可预测性和准确性的几个水文模拟模型的运用。

**关键词:**黄河　小浪底—花园口　洪水　预警预报

## 1 引言

由于洪泛区人口增加和相应经济活动的加剧,由洪水造成的经济损失在加剧。需要一体化的水土资源管理方法从防洪向流域范围内的洪水管理过渡,包括在其上游汇水区的水土保持、全流域最优化的水管理、防洪措施以及在其下游辅以洪水预警、预报系统。自黄河小浪底水库建成以来,源于小浪底水库上游的洪水通常可以通过小浪底水库及三门峡水库的联合运作得到控制,而小花间的几个支流洪水基本上得不到控制。所以,准确地在花园口预报大洪水现象是十分重要的,其先进的洪水预报可以为黄河下游河道发布洪水信息。在 2002 年 7 月,黄委已开始着手 IFMS 系统的设计和执行,其中包括对小花间的洪水预报。

作为 IFMS 系统的一个组成部分,一个综合性的协作防洪援助系统,即所谓的数字防汛系统[1]正在设计和实施。其将包括小花间洪水预警、预报系统,以及结合气象预报、防洪、紧急情况监视及紧急救援与救灾子系统。

小花间洪水预警、预报系统初步设计完成于 2004 年初,2004 年 4 月份被批复,随后在郑州召开了一次聚会讨论[2~5]。小花系统将成为一个国家级的、基于 GIS 的洪水预警、预报系统,天气多普勒雷达将与改善过的水文、气象站网络一起被引进。小花系统的执行目的在于为花园口提供一个 30 小时的关键预见期,同时改善其准确度,以提高抗洪能力,减少洪水损失。

为了促进小花系统的开发,亚洲开发银行提供技术援助和贷款计划——黄河洪泛管理区计划。由丹麦政府提供财政支持的、在亚洲开发银行与格鲁吉亚、马德里、西班牙等国之间合作协定实施的技术援助已考虑对小花系统作如下四个主题的检验:①降雨量事件的空间特征检验;②洪水事件的可预测性和准确度模拟;③地形特征相对于空间网格尺寸的预估;④分布式水文模型(TOPKAPI)的准确度检验。为了分析和模拟,伊河汇水区域被选定为测试区。

## 2 气象与水文输入

### 2.1 小花间降雨量的计量

目前,小花间共有143个洪水报汛站,其中98个属于黄委领导。在洪水报汛站中,有99个雨量站(其中委属72个)、1个气象站、4个委属水位站、25个水文站(其中委属20个)、14个水库站(其中委属2个),另外还有79个委属非防汛的雨量报告站。通过电报、广域网、黄委防洪通信网络等方式每隔2小时报告一次洪水情况。通常全部重点雨量站和流动条件报告可以在30分钟内完成。

带有附加降雨量站和水位站的升级数据收集网络已被设计出来。该网络中洪水报汛站总数已增至175个,其中雨量站127个、水位站9个、水库水文站14个、水文站25个。流量站密度仍保持在1 435 km²/站,而雨量站密度将从260 km²/站改善到216 km²/站。这比世界气象组织推荐的250 ~ 575 km²/站更好,其汇水区域与沁河、洛河及伊河相类似。可以预料,有了先进的小花系统,全部的报告可以在3 ~ 5分钟内完成。

### 2.2 雷达安装

覆盖半径为150km714C – Band雷达设备现已在郑州开始运行。虽然来自此雷达设备的图像与回声不能被YRCC用于定量预测降雨量,但可以支持大规模云的发展和运动的评定。可以预料,在2004年汛后,该雷达设备将由中美合作程序提供的一部分有关天气预报方面的NEXRAD X – Band雷达所替代。同时,一类似的雷达系统将安装在小花间西部的三门峡市。因此,从2005年汛期开始,该区域将由两个最新的雷达系统大面积覆盖。设计已经考虑到引进数字降雨量推算模型系统(亦称定量降雨模型,Quantitative Precipitation Forecasting – QPF)到小花系统。

随着新的雷达设备被安装,可靠的气象预报有望在10 km × 10 km的网格内提前1 ~ 3小时预报。现设计的雷达设备的扫描半径是150 km,意味着下游只有部分区域能够覆盖到。沁河流域基本上未被这两个设计的X波段雷达所覆盖,原因是该区域位于该信号使用范围之外。为了达到覆盖的目的,应考虑在其北部安装第三个雷达设备。作为一种替代物,卫星图像可能被考虑或应用。

### 2.3 伊河试验区洪水可预测性的评定

通过黄委会水文局,技术援助队获得了两个连续数据系列,包括 1980~1982 年、1994~1996 年降雨量、径流量,以及三个站的蒸发资料。为了阐明准确洪水预报系统模型的复杂性,一个简单的降雨 – 径流模型用伊河试验区的数据源进行校准(见图 1),降雨量准确性与洪水预报准确度的关系也得到分析。

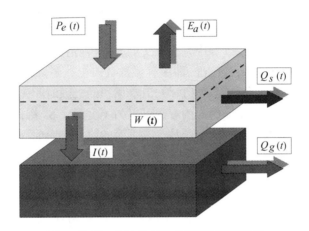

图 1   降雨 – 径流分析简单模型的图像演示

为了利用降雨资料快速评定伊河试验区洪水的可预测性,一个基于亚汇水区的线性存储水量平衡方程式的简易模型被使用:

$$\frac{\mathrm{d}W(t)}{\mathrm{d}t} = P_e(t) - Q_s(t) - E_a(t)$$

式中:$W(t)$ 是时间 $t$ 的累积;$P_e(t)$ 是有效空间降雨量;$Q_s(t)$ 是径流量;$Ea(t)$ 是实际蒸发量。

线性假设公式为:

$$Q_s(t) = kW(t)$$

式中:$k(\mathrm{T}^{-1})$ 是累积释放的时序表。有效降雨量被定义为空间的平均降雨量减去入渗到地下的水量,即 $P_e(t) = \bar{P}_N(t) - I(t)$。空间平均汇水区降雨量是根据第($N$)个雨量站在其实际的亚汇水区的观测值计算的。

实际蒸发量也与实际储藏量成比例,除以汇水区的最大存储容量($W_{\max}$),和观测到的潜在蒸发量 $E_p$,比如 $E_a(t) = \dfrac{W(t)}{W_{\max}} E_p(t)$。渗入量用菲利普方程模型定义该入渗过程,参数假定为亚汇水区的常数。菲利普方程定义如下:

$$I(t) = f_e + \frac{S}{2\sqrt{t}}$$

式中：$S$ 是吸附性，通常是地壳下岩石圈的初始温度梯度的函数，地表水包含于土壤和水土扩散系数；$f_e$ 是依赖土壤特性的参数；$I(t)$ 是入渗率。

简单的水量平衡模型可以用下列微分方程形式来表示：

$$\frac{1}{k} \cdot \frac{\mathrm{d}Q_s(t)}{\mathrm{d}t} = P_e(t) - Q_s(t) - \frac{E_p}{kW_{\max}} Q_s(t) = -\left(1 + \frac{E_p}{kW_{\max}}\right) Q_s(t) + P_e(t)$$

其用有限差分法解决如下：

$$Q_s(n+1) = Q_s(n) + \Delta tk(P_e(n) - \alpha Q_s(n))$$

式中：$\alpha$ 为蒸发修正系数。

通常实际蒸发在洪水事件中是无意义的，在这种情况下 $\alpha$ 可以设置为 1。

该模型有四个参数要被校准，即库容系数 $k(\mathrm{T}^{-1})$、各降雨量事件之前吸着性 $S_0(\mathrm{LT}^{-1/2})$、常量入渗参数 $f_e(\mathrm{LT}^{-1})$、清空累积的极限时间 $t_{\max}(\mathrm{T}^{-1})$。

对一个给定的亚汇水区后面的参数可以为不变量。$S_0$ 将代表实存不足额，例如能表示持久降雨事件的时间函数。在下面的模拟中，初始吸附性 $S_0$ 被设置为各事件之间时间的线性函数：

$$S_0(i) = \max\left(S, \frac{t_e(i-1)}{t_{\max}} S\right)$$

式中：$S$ 是汇水区的吸附性；$S_0$ 是降雨事件 $i$ 初始吸附性；$t_e(i-1)$ 是自上次降雨事件以来过去的时间；$t_{\max}$ 是第四个校准参数。

给出的模型已用伊河每个亚汇水区 1980 年每日空间平均降雨量分别进行校准。伊河已被分成四个亚集水区，即潭头、东湾、陆浑水库、龙门镇。该模型分别为四个亚集水区校准，利用莫司金干(Muskingum)洪水法汇流该系统的结果流入量。在潭头亚汇水区到陆浑水库河段的平均传播时间大约为 24 小时。在龙门镇亚汇水区汇流时间具有同一数量级，然而从陆浑水库放水期有 5~6 小时的水流传播时间。通常该模型能很好地模拟实测流量，包括由水库调度的不受干扰的三个水文站的峰值。

已用校准参数对 1981 年日值数据集进行了验证，其不是用来校准。其结果显示：该模型能很好地模拟每日值，并能重建全部流型(如图 2 所示)。

另一个试验是用来模拟 1982 年 7~8 月的洪水事件，其是小花间的一次大洪水事件(其结果如图 3 所示)。潭头水文站在每时降雨量与相应的洪峰滞后时间是 3 小时，其水位图能很好地由 IUH 模型来还原。

该模型在东湾水文站的流量模拟显示，其与实测流量达到最佳拟合。同时表明，即使是简单的模式，也能对伊河的河川径流(1 日洪量及每时洪峰)进行很好地还原。预报模式对连续更新的降雨量和径流能很好地完成。

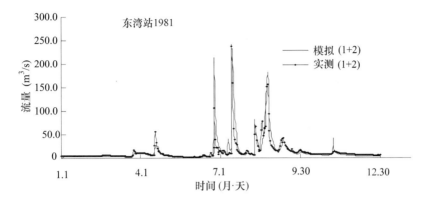

图 2　东湾站校准的模拟和观测流量

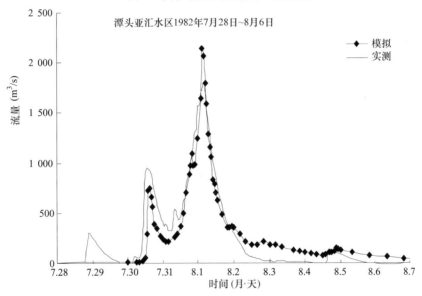

图 3　1982 年 7～8 月潭头站洪水事件的模拟

## 3　水文模型的检验

按照 YRCC 内部的经验,没有一种特定方式完全适合于小花间全部 17 个子汇水区,所以,对小花间系统的初步设计,分布式水文模型的开发是主要部分,同时推荐五个降雨径流模型,即 Horton 下渗模型、新安江(Xinanjiang)模型、TOP-MODEL(1 km×1 km 方格网分布)、SCS runoff 模型、Green 和 Ampt 下渗模型。

大家知道,TOPMODEL 模型的表现特性,即数字高程模型(DEM)网格大小显著地影响计算地形的参数和洪水过程线。网格尺寸可能比推荐的 1 km×1 km 的网格尺寸需要更高的分辨率。然而,更小的网格尺寸将显著地增加计算时间,从经济的角度来讲,其对实时洪水预报运作是不适宜的。在 2004 年 5 月,TOP-KAPI 模型,即一种基于分布式水文模型的网格化,引起黄委会水文局的注意。上述的五个模型中,只有 Horton 下渗模型和新安江模型已经包含在当前的洪水预报系统中。作为独立版本的新安江模型和 TOPKAPI 模型是很容易得到技术援助的,他们是由技术援助队在伊河试验区进行试验的。

### 3.1 伊河试验区地形指数

TOPMODEL 模型作为被选方案之一,被纳入小花系统的初步设计之中,其利用 1 km×1 km DEM 网格尺寸。根据从科技文献中获得的情报及 TOPMODEL 网点的推荐,为了产生良好的模拟结果,精细栅极尺寸可能是必需的。其中一个重要模型参数,其可以影响地形驱动模型模拟的水文学反应的就是地形指数($T_i$),被定义为 ln ($a/\tan B$),式中 $a$ 是泄流单位等同长度,$\tan (B)$是局部斜率。当技术援助队可以得到往复雷达设备地形学任务(SRTM)时,DEM 数据库由美国国家航空航天局(NASA)和天然气条例(NGA)产生,对伊河汇流区来说,用 90 m 大小的网格,技术援助队计算在四个不同的网格尺寸,即 90 m、250 m、500 m、1 000 m 的地形指数分布情况(见图 4)。人们相信该结果将会供应洞察未来发展的网格尺寸的选定区域。

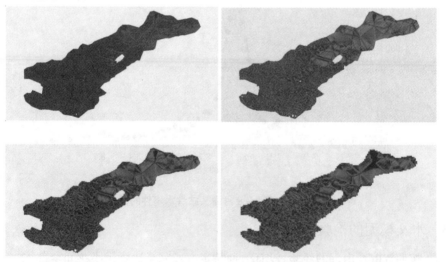

图 4　网格尺寸为 90 m、250 m、500 m、1 000 m 的伊河汇流区的地形指数

对已计算的四种不同网格尺寸的地形指数($T_i$)的区域分布点绘成图,如图 5 所示。从二维图中可以清楚地看到,伊河汇流区的地理特征可以用尺寸为 90 m 的网格图像清楚地反映出来。对另外的网格尺寸,其地理学的表现特征随网格化尺寸的增大而降低。由于伊河汇流区下游处于该地区的平坦地带,除了网格尺寸为 90 m 的外,其他尺寸网格地理学的特征不能很好地表征。

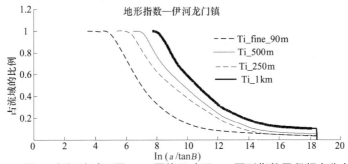

图5 伊河流域不同 DEM 网格尺寸下 Top 图形指数累积频率分布

## 3.2 新安江汇流区模型

自 20 世纪 70 年代以来,新安江模型就开始被使用。为了专门研究和普通施用的双重目的,该模型经历了多次修订,算法已经形成多个版本。以前为了小浪底多目标开发工程的新安江模型版本 2002 年在黄委内部生效,所以它被用于这次的测试。

在校验的过程中我们经历了一些常见的困难,也就是一组参数能很好地满足某一年的目标函数,但是不能很好地满足另一年的函数。这个问题通常是由于不同模式的水文事件引起的。例如对于潭头亚汇水区 1994、1995 年年降水量(分别为 662 mm、652 mm)是很相近的,但是暴雨事件的时间分布是很不相同的。因此,找到这两年不同组的参数是最佳选择。

基于校准经验可以得出结论,对潭头和东湾两个亚汇水区模型参数是很稳定的。这个结论可以从图 6 和图 7 所示结果中看出来。图中计算流量是潭头观测流量的总和,模拟流量来自潭头到东湾亚汇水区。对于 1994 年和 1995 年,良好的结果可以由同一组模型参数得到。

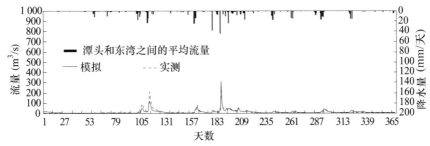

图6 伊河 – 新安江模型 1994 年结果

由于陆浑水库库容量巨大,其已经有效地控制了产生于其上游河槽的全部洪水。事实上,在此次测试期的洪水季节,从陆浑水库没有流出量。由于缺乏入库流量资料,新安江模型从东湾至陆浑亚汇水区未被校准。人们注意到由校准的新安江模型模拟将为陆浑水库运作提供有用信息,其为小花系统防洪的重要组成部分。

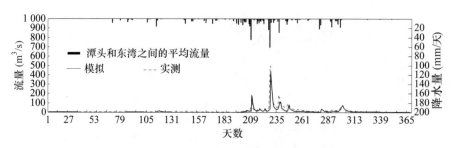

图7　伊河 – 新安江模型 1995 年结果

对于龙门镇亚汇水区,陆浑水库下游水文站 1994 年和 1995 年水文学特征相当不同。1994、1995 年降雨量分别为 629 mm、521 mm,然而 1994 年相应的径流量是 180 mm,1995 年只有 63 mm。这两年最优化模型参数是相当不同的。这个差异可能起因于其他因素,其可以包括数据集的误差,以及从伊河流域到洛河流域对应平坦地带的溢出量等。为了完全理解该地区的水文学和水力学流态,将要安排一些细节调查。该地形特征是在网格化模型的基础上分几部分分析的,将在下一节中论述。

每小时时间梯级的伊河 – 新安江模型也被开发和测试。1996 年 8 月一次大洪水事件的每小时资料被用于校准。对于每小时时段模型,沿着主通路的也被涉及到。对于潭头和东湾两个亚流域,两个特征河段中每一个都很充分,而对于陆浑和龙门镇之间的五个特征河段都很需要的。这个发现与一般期望的 Muskingum 路由选择过程一致,因为洪水波以平缓的斜率向下游河段演进时是十分重要的。模拟结果如图 8 和图 9 所示。

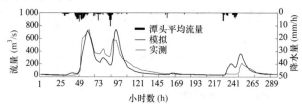

图8　伊河 – 新安江模型在潭头站按每小时步长结果

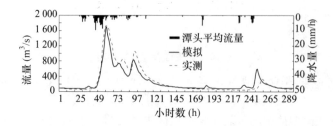

图9　伊河 – 新安江模型在东湾站按每小时步长结果

### 3.3 TOPKAPI 水文模型

TOPKAPI 模型是一个基于网格化的实体降雨 – 径流模型。在空间上基于一体化的非线性的运动波模型,TOPKAPI 模型公式产生了三个非线性的水库微分的方程,其代表土壤层的泄流、饱和或不透水土壤层的地表径流,以及沿着泄流网络的河床径流。通常一个计算网格的计算是基于流域的 DEM。TOPKAPI 模型的参数值显示独立的比例尺,其可以从数字高程基准面、土壤图、植被和土地利用图等得到。TOPKAPI 模型详细的公式可以从科技文献获得(Liu et al.,2002)。

对于伊河流域 TOPKAPI 模型用 1 km×1 km 网格规模进行试验,由 Liu 博士推荐,其为技术援助提供 TOPKAPI 模型工作副本。Liu 博士也供应一个图形用户界面,使用 ArcView 通用信息处理系统软件,其能促进地理学的信息数据输入到伊河 TOPKAPI 模型。伊河模型的地理信息由八层叠组成,其中的四层如图 10 所示。

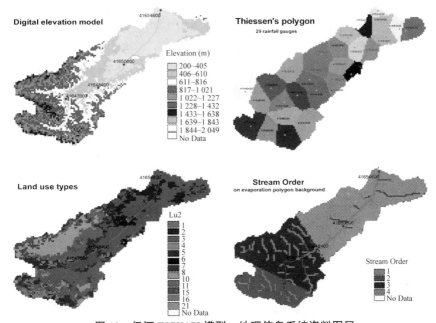

**图 10　伊河 TOPKAPI 模型 – 地理信息系统资料图层**

伊河试验流域的总的网格单元数是 5 209。试验区内部有 29 个雨量站,有效面积 由 Thiessen 多边形方法估算。渗入参数是基于土壤类型和土地利用图来估计的。蒸散值由蒸发资料与增益系数估计,其由校准过程决定。初始条件和其他的模型参数,如土壤层厚度、陆地水流和河渠的粗糙度系数首先被估计,并在校准过程中被改进。

"气流速度(stream burning)"方法已被并入 TOPKAPI 模型通用信息处理系统前处理器。使用该方法,伊河主河道能够相对较平稳地为伊河下游河道模拟。

这个特点也许可以加强 1 km ×1 km 网格 DEM 的可用性。

对于伊河试验区每日和每时步长的两个模型已被研制出来。在潭头、东湾、龙门镇的水位图与观测值一起显示于图 11~图 13,每时时间步长显示于图 14~图 16。可以看到,良好的模拟结果可以从潭头和东湾水文站每日和每时时间步长模型获得。这两个亚流域未被调整。对 TOPKAPI 模型的常用型,唯一简单的水库运行过程被合并,所以,陆浑水库的运行不包含于两模型的模拟。

比较在龙门镇观测到的河川径流量与在陆浑和龙门镇水文站之间的模拟增加流量是很有趣的。所以,来自陆浑至龙门镇的模拟结果的代数差被计算出来,并被点绘成与观测到的龙门镇每时河川径流的图 17。当代数差不能解释在陆浑和龙门镇之间的相应效果时,不能期望得到一个精确的匹配。然而可以认为是比较令人满意的。

TOPKAPI 模型的计算效率也被检测。基于对伊河流域耗费时间计算,估计如果 1 km×1 km 在网格规模已足够,小花间 TOPKAPI 模型每日用每时时间段在 Pentium – M 信息处理机信,Intel Centrino 系统,运行速度 1.7 MHz,系统内存为 512MB 的 Windows XP 专业版将大约需 3.5 s。可以预料,小花 TOPKAPI model 计算时间将不成为限制因素。

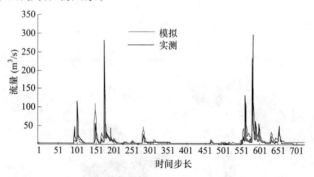

**图 11　潭头站 1994~1995 年每日 TOPKAPI 模型**

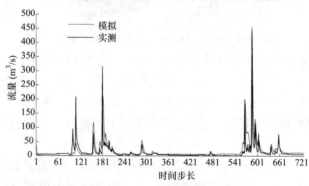

**图 12　东湾站 1994~1995 年每日 TOPKAPI 模型**

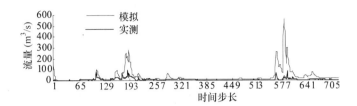

图 13　龙门镇站 1994～1995 年每日 TOPKAPI 模型

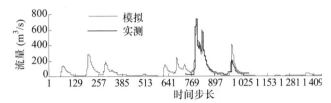

图 14　潭头站 1996 年 8 月每时 TOPKAPI 模型

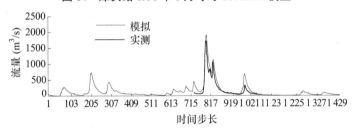

图 15　东湾站 1996 年 8 月每时 TOPKAPI 模型

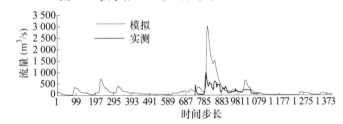

图 16　龙门镇站 1996 年 8 月每时 TOPKAPI 模型

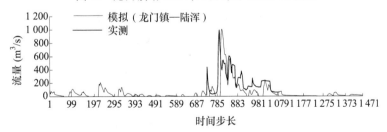

图 17　1996 年 8 月陆浑与龙门镇之间增加的径流每时 TOPKAPI 模型

## 4　评论与建议

### 4.1　监测系统和数据处理

伊河技术援助试验区包括潭头和东湾两个多山及暴发式洪水亚流域。陆浑水库坐落其中游,而下游河段伸展为具有平缓斜率的低地。黄委会水文局已经开始进行气象及水文测验网络的升级。规划具有数据自动传送能力的雨量站网格密度已经超过 WMO. 推荐密度。虽然由技术援助队指导的降雨资料的分析有限,但是可以得出结论:雨量站网络能够支持为大洪水预测运行的精确的水文模型。设计在三门峡安装一台新的 X – band 多普勒雷达。

为了在花园口提供 30 小时的缓冲时间为黄河下游河段的洪水预警,数字降雨量推算模型系统(QPF)已经开始实行。然而,基于有效事件预警时间典型最小与最大的制表,没有 QPF,在花园口 20 小时的一个预警期可以完成。

正如在初步设计报告中所描述,水文信息采集和分配系统是小花系统的一个子系统。该系统将在实时数据采集和数据处理中提供支持,并且可以在 10 分钟的时间间隔内收集到降雨区的雨量信息,其与 GIS 系统一起,随后产生面降雨量图。

### 4.2　预测模型

新安江模型及 TOPKAPI 模型显示对洪水预报模型系统均产生良好的效果,然而两模型的水库模拟组件应得到加强。技术援助队也注意到水库运用算法还没有与 TOPMODEL 模型的常用型合并。基于有限的 TOPKAPI 模型试验,似乎 1 km × 1 km 网格尺寸可能对小花间系统的水文模型的研制是充分的,然而,在做出最终决定之前,最好实施更多的较长的数据序列的分部试验。

基于技术援助队的经验和当前试验的支持,对小花间洪水预报的有效运行水文模型将成为一个限制因素是不可能的。供小花间系统使用的水文模型选定区域或许是根据大洪水预测群的经验和该系统的易于使用,其有效地综合了多样系统组件。

该模型的实时更新和递归更新将采用最新的水文学数据。这种能力将给预报员提供最适当类型的模型参数来反映当前的水文条件。

## 参 考 文 献

[1]　YRCC, Flood Prevention, Warning, Control Operation and Management (Collaboration) System of the Yellow River, Hohai University & Yellow River Department of Flood Control, April 2004. (in Chinese)

[2]　YRCC, "Preliminary Design of Digital Hydrological Platform for the Yellow River Xiao – Hua

Reach Storm and Flood Warning and Forecasting System", Henan Yellow River Hydrological Investigations and Design Institute, Hydrology Bureau, March 2004. (in Chinese)

[3] YRCC, "Preliminary Design of X Band Double Pole Weather Radar for the Yellow River Xiao – Hua Reach Storm and Flood Warning and Forecasting System", Henan Yellow River Hydrological Investigations and Design Institute, Hydrology Bureau, March 2004. (in Chinese)

[4] YRCC, "Preliminary Design of a Distributed Hydrological Modelling System for the Yellow River Xiao – Hua Reach Storm and Flood Warning and Forecasting System", Henan Yellow River Hydrological Investigations and Design Institute, Hydrology Bureau, March 2004. (in Chinese)

[5] YRCC, "Preliminary Design of Hydrological Information Acquisition and Distribution System for the Yellow River Xiao – Hua Reach Storm and Flood Forecasting and Warning System", Henan Yellow River Hydrological Investigations and Design Institute, Hydrology Bureau, March 2004. (in Chinese)

[6] Liu, Zhiyu, & Todini, E., "Towards a comprehensive physically – based rainfall – runoff model", Hydrology and Earth System Sciences, 6(5), Pages 859 ~ 881, 2002

# 黄河花园口—辛寨河段水流和
# 悬沙输运全三维模拟

黄国鲜 周建军 夏军强

(清华大学水利系 北京 10084)

**摘要**:数学模拟是认识黄河水沙输运机理的重要方法之一,由于黄河复杂的边界条件,高含沙量、较大快速的河道纵横向变形等方面的原因,在数学模型中还需要解决许多关键的问题。本文建立全三维模型来模拟黄河水沙输运的过程。模型中使用动态的正交网格和Sigma网格来模拟不断变化的复杂边界和地形,同时考虑干湿网格处理方法。模型中应用了标准的 $k-\varepsilon$ 模型,根据自由水面和河道的变化动态的识别壁函数的位置,自动赋值边壁附近的变量。此外,模型中使用较多的方法来提高模型的稳定性和收敛性,计算结果表明,该模型能够模拟出具有复杂边界和地形河道的三维水沙过程。

**关键词**:三维数值模拟 黄河 泥沙输运

## 1 概述

由于计算机计算的快速发展,三维水沙模拟的主要问题(尤其是计算速度和内存方面)得到较大程度的解决。最近三维水沙模型在具有规则和不规则地形的实验室和天然河道水沙输运方面得到一些成功的应用。(在实验室河道方面有:Shimizu 和 Yamaguchi 等,1991;Demuren,1993;Ye Jian 和 Mccorquodale 等,1997;Wu 和 Rod 等,2000;Olsen,2003。在复杂的天然河道方面有:Lin 和 Falconer,1997;Bradbrook 和 lane 等,2000;Fang 和 Wang,2000;Morvan 和 Pender 等,2002;Lu Yongjun,2002)。由于存在以下原因,黄河上的三维模拟计算较难得到稳定、收敛和合理的计算结果。

(1)复杂和快速变化河道边界和地形,由于在黄河中下游河道的大部分河段属于游荡性河段,河段上沙洲较多,由于陡涨陡落的水沙过程和河道较差的抗冲性使得河道的主流在洪水和枯水期存在较大的摆动;

(2)河道的宽深比较大,使得三维模型的计算网格出现畸形分布;

(3)在局部河段上由于存在较大的纵、横向水面比降和横河使得局部水流出现由缓流到急流的转变。

(4)在高含沙水流的消涨过程中很难用简单的经验公式来计算变量的分布。

如不同含沙浓度下非均匀沙的下沉速度,消涨过程中阻力系数的变化,非恒定高含沙水流的挟沙能力分布和变化等。而这些因素对模型计算的水位、速度、冲淤变形结果的合理性和正确性都十分重要。这些因素限制了三维水沙模型在黄河河段上的应用,尤其在具有较大的水面比降、沙洲较多的宽浅河段的情况。

## 2　模型的控制方程

模型的控制方程包括连续方程、动量方程、$k-\varepsilon$ 方程、分组悬沙输运方程。模型使用平面正交网格和垂向 Sigma 网格来拟合计算区域,使用坐标系统可以减小计算网格数、提高计算的效率和精度,与此同时会使得控制方程的附加项增加,方程形式复杂。

连续方程:

$$\frac{\partial \rho}{\partial t} + \frac{\partial (\rho u)}{\partial x} + \frac{\partial (\rho v)}{\partial y} + \frac{\partial (\rho w)}{\partial z} = 0 \tag{1}$$

$x$、$y$ 和 $z$ 方向的动量方程:

$$\frac{\partial (\rho u)}{\partial t} + \frac{\partial (\rho u u)}{\partial x} + \frac{\partial (\rho v u)}{\partial y} + \frac{\partial (\rho w u)}{\partial z} =$$

$$-\frac{\partial p}{\partial x} + \rho f v + \frac{\partial}{\partial x}\left[ \rho v_t \left( 2 \times \frac{\partial u}{\partial x} \right) \right] + \frac{\partial}{\partial y}\left[ \rho v_t \left( \frac{\partial u}{\partial y} + \frac{\partial v}{\partial x} \right) \right] + \frac{\partial}{\partial z}\left[ \rho v_t \left( \frac{\partial u}{\partial z} + \frac{\partial w}{\partial x} \right) \right] \tag{2}$$

$$\frac{\partial (\rho v)}{\partial t} + \frac{\partial (\rho v u)}{\partial x} + \frac{\partial (\rho v v)}{\partial y} + \frac{\partial (\rho w v)}{\partial z} =$$

$$-\frac{\partial p}{\partial y} - \rho f u + \frac{\partial}{\partial x}\left[ \rho v_t \left( \frac{\partial v}{\partial x} + \frac{\partial u}{\partial y} \right) \right] + \frac{\partial}{\partial y}\left[ \rho v_t \left( 2 \times \frac{\partial v}{\partial y} \right) \right] + \frac{\partial}{\partial z}\left[ \rho v_t \left( \frac{\partial w}{\partial y} + \frac{\partial v}{\partial z} \right) \right] \tag{3}$$

$$\frac{\partial (\rho w)}{\partial t} + \frac{\partial (\rho u w)}{\partial x} + \frac{\partial (\rho v w)}{\partial y} + \frac{\partial (\rho w w)}{\partial z} =$$

$$-g - \frac{\partial p}{\partial z} + \frac{\partial}{\partial x}\left[ \rho v_t \left( \frac{\partial w}{\partial x} + \frac{\partial u}{\partial z} \right) \right] + \frac{\partial}{\partial y}\left[ \rho v_t \left( \frac{\partial w}{\partial y} + \frac{\partial v}{\partial z} \right) \right] + \frac{\partial}{\partial z}\left[ \rho v_t \left( 2 \times \frac{\partial w}{\partial z} \right) \right] \tag{4}$$

方程 $(2) \sim (4)$ 中:$v_t = C_u \dfrac{K^2}{\varepsilon}$;$P = \rho h g + P_d$,$u$,$v$,$w$ 为 $x$、$y$ 和 $z$ 方向的流速;$\rho$ 为水流密度;$P$ 为水流的总压力,包括静水压力和动水压力;$v_t$ 为紊动黏性系数。根据水流的复杂性可以使用各种紊流模型或者经验公式计算。本文模型中使用标准的 $k-\varepsilon$ 紊流模型计算。

$$\frac{\partial k}{\partial t} + \frac{\partial (u k)}{\partial x} + \frac{\partial (v k)}{\partial y} + \frac{\partial (w k)}{\partial z} =$$

$$\frac{\partial}{\partial x}\left[\left(\frac{v_t}{\sigma_k}\cdot\frac{\partial k}{\partial x}\right)\right]+\frac{\partial}{\partial y}\left[\left(\frac{v_t}{\sigma_k}\cdot\frac{\partial k}{\partial y}\right)\right]+\frac{\partial}{\partial z}\left[\left(\frac{v_t}{\sigma_k}\cdot\frac{\partial k}{\partial z}\right)\right]+G-\varepsilon \tag{5}$$

$$\frac{\partial\varepsilon}{\partial t}+\frac{\partial(u\varepsilon)}{\partial x}+\frac{\partial(v\varepsilon)}{\partial y}+\frac{\partial(w\varepsilon)}{\partial z}=$$

$$\frac{\partial}{\partial x}\left[\left(\frac{v_t}{\sigma_\varepsilon}\cdot\frac{\partial\varepsilon}{\partial x}\right)\right]+\frac{\partial}{\partial y}\left[\left(\frac{v_t}{\sigma_\varepsilon}\cdot\frac{\partial\varepsilon}{\partial y}\right)\right]+\frac{\partial}{\partial z}\left[\left(\frac{v_t}{\sigma_\varepsilon}\cdot\frac{\partial\varepsilon}{\partial z}\right)\right]+C_1\frac{\varepsilon}{k}G-C_2\frac{\varepsilon^2}{k} \tag{6}$$

式中:$K$ 为紊动能量;$\varepsilon$ 为紊动耗散能,经验参数取值如下:$C_u=0.09$,$C_1=1.44$,$C_2=1.92$,$\sigma_k=1.0$,$\sigma_\varepsilon=1.3$(*Rodi*,1993);$G$ 为紊动动能的产生项,其表达式如下:

$$G=v_t\left[2\times\left(\frac{\partial u}{\partial x}\right)^2+2\times\left(\frac{\partial v}{\partial y}\right)^2+2\times\left(\frac{\partial w}{\partial z}\right)^2+\left(\frac{\partial u}{\partial y}+\frac{\partial v}{\partial x}\right)^2+\right.$$
$$\left.\left(\frac{\partial v}{\partial z}+\frac{\partial w}{\partial x}\right)^2+\left(\frac{\partial u}{\partial z}+\frac{\partial w}{\partial x}\right)^2\right]$$

非均匀悬沙的不平衡输运控制方程:

$$\frac{\partial(\rho s_i)}{\partial t}+\frac{\partial(\rho u s_i)}{\partial x}+\frac{\partial(\rho v s_i)}{\partial y}+\frac{\partial[\rho(w-w_s)s_i]}{\partial z}$$

$$=\frac{\partial}{\partial x}\left[\left(\rho\frac{v_t}{\sigma_s}\cdot\frac{\partial s_i}{\partial x}\right)\right]+\frac{\partial}{\partial y}\left[\left(\rho\frac{v_t}{\sigma_s}\cdot\frac{\partial s_i}{\partial y}\right)\right]+\frac{\partial}{\partial z}\left[\left(\rho\frac{v_t}{\sigma_s}\cdot\frac{\partial s_i}{\partial z}\right)\right] \tag{7}$$

式中:$s_i$ 为第 $i$ 组悬沙浓度;$\sigma_s$ 为紊动 Schmidt 数(取值为 $0.5\sim1.2$),计算中 $\varepsilon_\zeta=\varepsilon_\eta=v_t$;$\omega_s=$ 第 $i$ 组悬沙的下沉速度,计算中各组悬沙的下沉速度计算公式为:

当 $D_s\leqslant100~\mu m$ 时,使用 Skotes 公式:

$$\omega_s=\frac{1}{18}\cdot\frac{(s-1)gD_s^2}{v} \tag{8a}$$

当 $100~\mu m<D_s\leqslant1\,000~\mu m$ 时,使用 Zanke(1977)公式:

$$\omega_s=10\frac{v}{D_s}\left\{\left[1+\frac{0.01(s-1)gD_s^3}{v^3}\right]^{0.5}-1\right\} \tag{8b}$$

当 $D_s>1\,000~\mu m$ 时,使用 van Rijn(1982)公式:

$$\omega_s=1.1\left[(s-1)gD_s^2\right]^{0.5} \tag{8c}$$

式中:$D_s$ 为泥沙颗粒的粒径;$s$ 为泥沙和水流的密度比;$v$ 为运动黏性系数。在实际河道的计算中,泥沙颗粒的下沉速度可以改变成其他下沉速度公式或实际的测量值。

全沙输运连续方程:

$$(1-P')\frac{\partial z_b}{\partial t}+\frac{\partial}{\partial t}\left(\int_{z_b+\delta_b}^{s}Sdz+\int_{z_b}^{z_b+\delta_b}c_bdz\right)+\frac{\partial q_{Tx}}{\partial x}+\frac{\partial q_{Tx}}{\partial y}=0 \tag{9}$$

式中:$p'$ 为床沙的空隙率;$z_b$ 为床面高程;$\delta_b$ 为床沙运动层厚度;$\zeta$ 为自由水面;

$s_i$ 为各组悬沙的浓度，$q_{Tx}$、$q_{Ty}$ 为 $x$ 和 $y$ 方向上的全沙输沙率，由于黄河中下游河段的泥沙输运主要以悬移质方式为主，因此计算中推移质不考虑。因此，方程(9)简化为：

$$(1 - P') \frac{\partial z_b}{\partial t} + \frac{\partial}{\partial t} \left( \int_{z_b + \delta_b}^{\xi} S \mathrm{d}z \right) + \frac{\partial q_{Sx}}{\partial x} + \frac{\partial q_{Sy}}{\partial y} = 0 \tag{10}$$

式中：$q_{Sx}$、$q_{Sy}$ 为 $x$ 和 $y$ 方向上的悬沙输沙率。

## 3 边界条件

水流和泥沙边界条件包括进口、出口、自由水面和床面的水流泥沙边界条件。

### 3.1 进口边界条件

在计算区域的进口处根据实测和经验公式给定变量 $(u, v, w, k, \varepsilon, s_i)$ 的分布，并且压力纵向梯度 $\left. \frac{\partial P_d}{\partial x} \right|_{in}$ 设为零。通常情况下，进口处测量的紊动动能和紊动耗散率不易获得，因此采用如下公式计算：

$$k_{in(1,j,k)} = \frac{3}{2} (0.05 u_{in(1,j,k)}^2); \qquad \varepsilon_{ij(1,j,k)} = k_{in(1,j,k)}^{1.5} / 0.41 z_p$$

式中：$z_p$ 为计算点到床面的高度。

数值试验表明，进口处 $k$、$\varepsilon$ 数值大小对计算的结果影响不大，因为计算中的 $k$、$\varepsilon$ 会随着紊动产生项的变化而作出相应的调整。

### 3.2 出口边界条件

出口处所有变量沿纵向的梯度为零，此外，在计算过程中，要对出口处的变量作出修正，使其满足质量守恒。

$$\frac{\partial u}{\partial n} = 0; \frac{\partial v}{\partial n} = 0; \frac{\partial w}{\partial n} = 0; \frac{\partial p_d}{\partial n} = 0; \frac{\partial \varepsilon}{\partial n} = 0; \frac{\partial u}{\partial s_i} = 0 \tag{11}$$

### 3.3 河床河岸的边界条件

由于各种因素的影响（如非恒定的水沙输运过程，河道形态和泥沙级配及组合的实时调整；紊流的碎发和清扫、沙波的空间分布和运动等）使得河道边界附近水沙运动十分复杂，通常情况下，数学模型使用时均和平衡的边界条件。

模型中使用基于紊动的产生和耗散平衡的标准的壁函数来计算第一个内网格节点 $P$ 处紊动黏性系数 $v_t$、$k$、$\varepsilon$，以避免在边壁附近较多地计算网格节点。

对于 $k$：

$\frac{\partial k}{\partial n} = 0$ 或 $k_p = \frac{|\zeta_w|}{\rho C_\mu^{1/2}}$，当河床和河岸的边界条件复杂时，数值试验表明；使用

公式 $k_p = \frac{|\tau_w|}{\rho C_\mu^{1/2}}$ 能够避免出现较小 $k$ 值的情况并更能够使得模型稳定。此外，$G_p$

和 $\tau_w$ 的表达式为:

$$G_p = \tau_w \frac{\partial u}{\partial y} = \frac{\tau_w^2}{\kappa \mu y_p^+}, \qquad \tau_w = \rho u^{*2} = v_t \frac{\partial u_i}{\partial x_j} \tag{12}$$

对于 $\varepsilon$:

$$\varepsilon_p = \frac{C_\mu^{3/4} k_p^{3/2}}{\kappa y_p} \qquad v_t = y_p^+ \frac{\mu}{u_p^+}$$

式中:

$$u^+ = \frac{u}{u^*} = \frac{1}{\kappa} \ln(E y^+); y^+ = \frac{y(C_\mu^{1/4} k^{1/2})}{v} \tag{13}$$

在计算过程中,壁函数的位置随着冲淤的变化不断发生改变,模型中采用特定的算法来识别壁函数的位置并且基于标准壁函数的思想实时给出边壁附近变量的大小。

对悬沙质:

相对水流边界条件而言,悬沙边界条件更难获取,按照 Van Rijn(1987) 和 Wu Weiming(2000) 的做法,悬沙边界条件由方程(14) 给出,$s_{b*}$ 由 Van Rijn(15) 计算。

$$D_b - E_b = \omega_s(s_b - s_{b*}) \tag{14}$$

$$s_{b*} = 0.015 \frac{d_{50} T^{1.5}}{\alpha D_*^{0.3}} \tag{15}$$

公式(15) 的说明参见 Van Rijn's 的博士论文(1987),一般而言公式(14) 在第一个节点处以源项的形式出现。周建军等(1997)认为,在可冲的边界上冲刷和淤积时底边界应该不相同。

$$\begin{cases} s \mid_{z=z_{b+a}} = s_\alpha & 冲刷 \\ \frac{v_t}{\sigma_s} \frac{\partial s_i}{\partial z} \bigg|_{z=z_{b+a}} = -\omega_s S_\alpha & 淤积 \end{cases} \tag{16}$$

韩其为(1997) 基于非均匀悬沙的非平衡输运机理推导出底边界条件,此外河岸类型的多样性(如非黏性岸、黏性岸、非均匀岸、人工固定边岸等)使得边岸泥沙边界条件更加复杂。

### 3.4 自由水面处的求解和自由水面处的边界条件

#### 3.4.1 自由水面的求解

自由水面的计算是三维模型计算的难点,常用的方法有:钢盖假定,一维或二维浅水方程方法、二维 Possion 方程方法和 VOF 方法等。在小空间尺度和多面的自由水面计算过程中 VOF 是比较有效的方法。然而据作者所知,VOF 方法在较大空间尺度的天然河道水沙计算过程中成功应用较少。本模型计算自由水面的方法有:①曲面钢盖假定方法;②采用 Wu(2000)提出的方法用二维 Possion 方程求解水位;③根据自由水面处的动水压力分布求出自由水面,然后将表面附近的动水压力设为零。上述三种方法的选择主要看具体的问题。

### 3.4.2 自由水面的边界条件

设定自由水面的 $u$、$v$、$w$、$P_d$、$k$ 的一阶导数为零(见公式(17)),$\varepsilon$ 在自由水面的值由公式(18)给出,自由表面处的悬沙通量为零(见公式(19)):

$$\frac{\partial u}{\partial n} = 0, \frac{\partial v}{\partial n} = 0, \frac{\partial w}{\partial n} = 0, \frac{\partial p_d}{\partial n} = 0, \frac{\partial k}{\partial n} = 0 \tag{17}$$

$$\varepsilon \mid_{z=z_s} = k^{3/2}/(0.43H) \tag{18}$$

$$\frac{v_t}{\sigma_c} \cdot \frac{\partial s_i}{\partial n} + w_{si}s_i = 0 \tag{19}$$

数值计算结果表明,悬沙在表面的边界条件对计算的结果影响不大。

## 4 控制方程的离散和求解

采用周思平的思想,总压力分解为静水压力和动水压力,模型中采用同位网格和对应的动量插值方法(Rhie 和 Chow,1988)。动水压力的外延插值方法在某些情况下可能存在问题,因此本文采用 Seok - Ki Choi(2003)的质量守恒插值的方法来增加模型的稳定性,主控方程采用有限体积方法离散,使用 SIMPLEC 求解动水压力场。采用混合格式(Patankar,1980)离散 N-S 方程。试算表明,修正动水压力的求解对计算起着关键的作用,为了使得计算达到稳定和收敛,需要大量的迭代计算。为了较快获得收敛解,本文采用强隐方法求解动水压力的离散方程,对其他变量的离散方程采用三对角阵算法(Tridiagonal Matrix Methold,TDMA)或 SIP 方法求解。

## 5 三维模型在黄河上的应用

从 1959 年到 1964 年,黄委对花园口—辛寨河段(图 1)进行了大量的水流、泥沙和地形的测量,因此本次计算范围选择黄河花园口河段,该河段长 36 km,共有 35 个断面,8 个水位站和 1 个流量站,在计算网格数为 233 × 49 × 12(图 2),时间步长为 10 s,上游给定流量和来沙量的条件,下游给定水位条件。

初始水位由非恒定二维模型给出,然后开始三维计算。验证(图 3)表明,自由水面的计算值和实测值误差较大,尤其在分汊河道的右支汊(来童—三刘寨)(图 1、图 3)。计算误差可能由来源于计算中均匀分布阻力系数取值,两汊上高含沙水流和大的河床变形。在 2 540 m³/s 下表层、中层、底层的流速分布见图 4(a)、(b)、(c),目前流速和含沙场还没有验证,但计算值分布在定性上是合理的,下一步要增加这部分的验证。

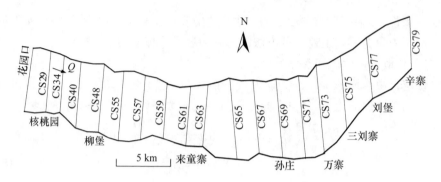

**图 1 花圆口—辛寨河段的基本断面分布图**

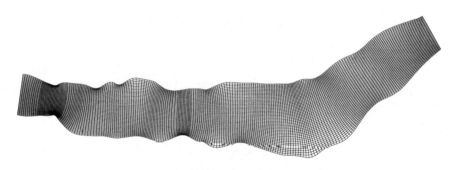

**图 2 平面上的正交网格分布图**($233 \times 49 \times 12$)

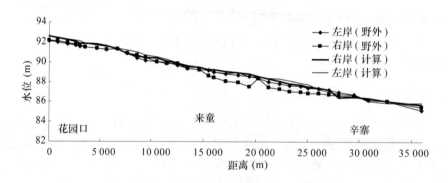

**图 3 自由水面的验证**($Q = 2\,540\ \text{m}^3/\text{s}$)

由于各汊道的流速和水位等方面的差异(图4、图5、图6、图7),在河道冲刷、河岸坍塌等作用下,各汊道的水流有可能交汇而形成横流。左汊的流速大于右汊的流速(图5),此外,左汊的水位高于右汊的水位(图3),这些因素导致了横流的出现。如果河床可冲,由于在横河区域的横向流速很大,将会造成较大的冲刷。

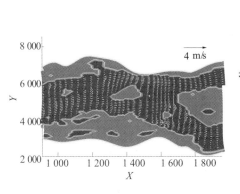

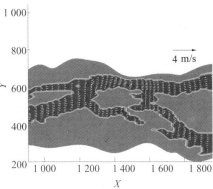

（a）　计算的局部流速分布（表层，$k = 12$）　　　（b）　计算的局部流速分布（中层，$k = 6$）

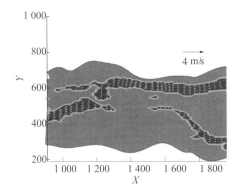

（c）　计算的局部流速分布（底层，$k = 2$）

图 4

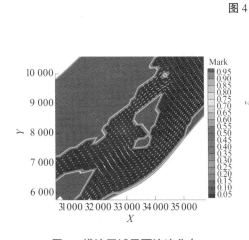

图 5　横流区域平面流速分布

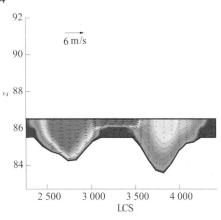

图 6　横流区断面 $v$，$w$ 分布

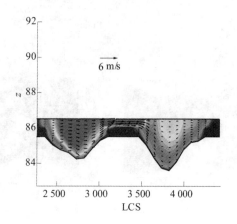

图 7　横流区断面 v,w 分布放大图

## 6　结论和讨论

本文(第一)作者建立和开发了基于平面正交坐标垂向 Sgma 坐标的全三维水沙输运模型,计算了典型来流来沙情况下流速和含沙场的分布,计算了分汊河道的汇流区域横流流速的分布。为了模拟三维的水沙输运和河床演变过程,作者认为将来还要进一步做如下工作。

(1)采用高精度的离散格式和健壮的算法来离散和求解非恒定的水沙输运控制方程。

(2)自由水面是三维模型的难点之一,数值试验表明,使用钢盖假定方法会比其他高级方法(如 HH-Simple,求解二维 Possion 方程方法等)使得计算更容易趋于稳定和收敛。然而,钢盖假定方法不能够模拟出由于水流的非恒定和河床变形引起的自由水面的变化。

(3)在较大的纵横向坡度情况下,当动水压力、对流和扩散项较大时,采用 Sigma 网格和最初的算法容易使得计算出现不稳定,下一步将会采用更加合理的算法。此外,在特定的情况下,计算结果可能出现与时间和空间步长不合理的情况,这些不足需要进一步的研究。

(4)由于黄河中下游常常出现非均匀、细颗粒高含沙水流,在高含沙情况下非均沙的下沉速度、泥沙的挟沙能力、级配的调整、在不同流量、含沙量情况下河道不同区域的糙率分布等方面需要在模型中得以体现。实事上,这些因素对数学模型获得合理的计算结果非常重要。

(5)模型中应该包含不同边岸失稳的力学机理模型,目前较少的水沙输运数学模型考虑到边岸失稳的过程。

总之,建立和应用能够正确模拟河道的纵横向变形、弯曲和分汊的形成与发展、主支汊的交替、河道裁弯等机理的水沙数学模型是数值河床演变研究的重要目标之一,虽然在国际地理、泥沙科学和工程方面有一些成功应用,但由于问题的复杂性和技术的限制等原因,要建立二维或三维模型来模拟天然河流的演变过程还有许多工作要做。

## 感谢

本工作得到中荷合作项目"黄河下游泥沙与河道地貌预报模拟"的支持,项目号:2004CB720402。此外,李凌云、易雨君在资料收集方面做了较多的工作,在此表示感谢。

## 参 考 文 献

[1] Ben. Alfrink, Leo C van Rijn. . 1983. Two – equation turbulent model for flow in trench, J of Hydr. Eng. ASCE 109(3): 941 ~ 958

[2] Demuren A O. 1993. A numerical model for flow in meandering channels with natural bed topography. Water resour. Res. , 29(4): 1269 ~ 1277

[3] Fang HW, Wang GQ. 2000. Three – dimensional mathematical model of suspended – sediment transport. J of Hydraulic Engineering, ASCE, 126 (8): 578 ~ 592

[4] H. Morvan, G. Pender, N. G. Wright and D. A. Ervine, 2002. Three – Dimensional hydrodynamics of meandering compound channels. J of Hydr. Eng. , ASCE, 128(7): 674 ~ 682

[5] Jian Ye, J. A. Mccorquodale,1998. Simulation of curved open channel flow by 3D hydrodynamic model. J of Hydr. Eng. , ASCE, 124 (7): 687 ~ 698

[6] K. F. Bradbrook, S. N. Lane, K. S. Richards,2000, Numerical simulation of three-dimensional, time-averaged flow structure at river channel confluences. Water resources research, 36(9): 2731 ~ 2746

[7] Lin Bingliang, Roger A Falconer. 1996. Numerical modeling of three – dimensional suspend sediment for estuarine and costal waters. J. of hydr. Res, 1996, 34(4):435 ~ 456

[8] Olsen N R B. 2003. 3D CFD Modeling of a Self – Forming Meandering Channel, ASCE J. of Hydr. Eng. , 129(5): 366 ~ 372

[9] Patankar S V. 1980. Numerical heat transfer and fluid flow. Hemispere Publishing Corp. , Bristol, Pa.

[10] P. K. Stansby, J. G. Zhou. 1998. Shallow – water flow solver with non – hydrostatic pressure 2D vertical plane problems. Int. J. Numer. Meth. Fluids 28: 541 ~ 563

[11] Rhie C M, Chow W L. 1983. A numerical study of the turbulent flow past an airfoil with trailing edge separation. Amer Inst Aeronaut Astronaut J, 21: 1525 ~ 1552

[12] Van, Rijn, L. C. 1982. Computation of bed-load and suspended load, Report S487-ii, Delft Hydraulics Laboratory, Delft, The Netherlands

[13] Rodi W. 1993. Turbulence models and their applications in hydraulics. 3rd Ed, IAHR

Monograph, Balkema, Rotterdam

[14] Seok-ki choi, Seong-o kim, Chang-ho lee, Hoon – ki choi. 2003. Use of the momentum interpolation method for flows with a large body force. Numerical Heat Transfer: Part b-fundamentals, 43(3):267 ~ 287

[15] Stone H L. 1968. Iterative solution of implicit approximations of multi – dimensional partial differential equations. SIAM J. Numer. Anal., 5,530 ~ 558

[16] Van Rijn. 1987. Mathematical modeling of morphological processes in the case of suspended sediment transport, thesis for Phd degree, Delft Univ

[17] Wu Weiming, Wolfgang Rodi, Thomas Wenka. 2000. 3D numerical Modeling of flow sediment and transport in open channels. J of Hydraulic Engineering, ASCE, 126 (1):4 ~ 15

[18] Wu Xiuguang, Shen Yongming, Zheng Yonghong. 2004. Vertical 2D modeling of free surface flow with hydrodynamic pressure using Arithmetic in 6 Coordinates. China Ocean Eng., 18(1), 79 ~ 92

[19] Yasuyuki Shimizu, Hajime Yamaguchi, Tadaoki Itakura. 1990. Three – Dimensional computation of flow and bed deformation. J of Hydr. Eng., ASCE, 116 (9): 1090 ~ 1109

[20] Zanke U. 1977. Berechnung der Sinkgeschwindigkeiten von seimenten, Mitt. Des Franzius-Instituts für Wasserbau, Heft 46, Seite 243, Tchnical University, Hannover, West Deutschland

[21] Zhou J G, Stansby P K. 1999. An arbitrary Lagrangian-Eulerian (ALES) model with non-hydrostatic pressure for shallow water flows. Comp. Meth. in App. Mech. and Eng. 178: 199   214

[22] Zhou J, Spork V, Koengeter J, Rouve G. 1997. Bed conditions of non-equilibrium transport of suspended sediment. Inter. J. of Sed. Res., 12(3):241 ~ 248

[23] 韩其为,何明民.论非均匀悬移质二维不平衡输沙方程及其边界条件.水利学报,1997 (1):1 ~ 10

[24] 黄国鲜.弯道和分汊河道水沙输运及其演变的三维数值模拟研究.北京:清华大学 (准备中),2006

[25] 陆永军.三维紊流泥沙数学模型及其应用:[南京水利科学院博士后研究报告].南京: 南京水利科学院,2002

[26] 夏云峰.感潮河道三维水流泥沙数值模型研究与应用.南京:河海大学,2002

[27] 周思平.三维含自由表面紊流流动的数值模拟—HH—SIMPLE方法.南京:河海大学, 1988

# 河流治导工程

Francesco Ferraiolo

(意大利 Maccaferri 公司)

**摘要:**惰性材料和活性植物的共同作用,需要在术语上和对不同物质作用方面进行分清,同时建立起共用的设计规范。

对于河岸/坡地的保护或对于它们稳定性/保持,必须使用标准的工程设计规范,有必要延伸到不同的生物工程措施。

从最简单的到最复杂的,为了找到最好的解决办法,"最小级能量概念"必须被采用,但需要在同一个设计精度和全局的安全系数下。由于结合了植物,各种措施的作用必须不断地更新,从而使现在可用数据能够根据经验的丰富而变化。本文不是一个技术手册,而应看做一个通用而又假设正确的指导方针,来解决从最广泛的多学科的观点到生物技术工程的应用。

**关键词:**护岸  护坡  金属筐和雷诺气垫组织  河流治导工程

## 1  河流治导工程的一般特点

### 1.1  混凝土河道

人类和河流之间的关系有时可能被认为是无法调和的,人们常常为了私用而改变河流形态,理应受到谴责。

这恰恰是我们忘记了所有河流及其生境连同典型湿地动植物的进化是永远在不停向前的。

由于人口增长、工厂的建立和交通通道的发展需要贸易和社会交换,自从那时,人和河流的关系发生了变化。尽管当前低洼地防洪问题,公路、铁路或工业区的保护需求不可能被忽视,但我们一定不要忘记天然河流是一个生命进化体,需要保护它免遭剧烈变化。

维持河流环境不被改变,一个值得尊重的态度和对待环境保护正确理性措施,至关重要的是采用适宜的处理材料。一条正确的设计途径包括对河流和汇流区的全面分析,目的是为了识别土地功能丧失的原因和可行的土地修复工程。

我们常常听到的是河流与它们的汇流区和地下水不再共生共存,如果有下列情况,这将是不争的事实:

(1)用混凝土材料把河流从它的周围环境几乎彻底隔离。

(2)从河床无限量地乱采伐砂石,如果不加以阻止,河流生态自净能力就会被彻底破坏。

（3）大面积的混凝土表面破坏了河流沿岸植物生长和动物赖以生存的自然环境。

（4）大量使用天然或混凝土障碍物妨碍了水流向河岸并干扰了河道的正常维护（见图1、图2、图3）。

图1　建设混凝土保护,图示混凝土衬层是如何割断了自然河岸,用光面石头修饰表面也是徒劳

图2　一条混凝土砌衬的水渠造成了表面草木不生

图3　混凝土护岸

## 1.2　金属筐和雷诺气垫组织

金属筐和雷诺气垫组织与周边环境很自然地在融合在一起。由于是透水结构，它们为河岸和地下水层之间的连续水交换提供了足够的过滤效果。另外，它们有助于维持水的天然自净能力以避免河流被污染。

由于金属筐和雷诺气垫组织被填充了石粒，因此该组织护岸就有了像天然河流一样的粗糙外表面，从而能够维持原来的水流形态，并避免水势发生变化或使水流加速。后者不仅能够导致河岸受到侵蚀（需要进一步治导），而且阻止了河流和地下水层之间的水交换过程,有助于局部的洪峰衰减及缩短最低流量周期。

金属筐和雷诺气垫组织的渗透性也能促进亲水性灌木、草和树木的生长。

进而,它们会恢复自然环境和河流生态系统之间的平衡,消除那些以不同方式限制所有生物类生长的因素。大家熟知,严重受侵蚀的河岸高处仅有很少量的生物群落存在,这是由于河岸与河道水量的交换不足。相反,受保护的河岸上植被能够自然地生长,单位面积上产生了大量的生物(见图4)。

(a)                 (b)

(c)                 (d)

图4　由于能够使河水与地下水自由交换,金属筐和雷诺气垫构造
可谓是与自然一体的方法

这个过程更适应微生物生成,它们是天然水生物食物链中的重要元素。

## 2　金属筐和雷诺气垫组织对环境影响研究

### 2.1　研究方法

一项独立的、以调查环境质量影响为目的研究在一些河流的河段上进行了实施,这些河段的河岸采用了金属筐和雷诺气垫组织进行了保护处理。该研究是由 Nino Martino(项目经理)和 Sergio Malcevschi 教授(技术协调)负责,工作小组由 7 位涉及各学科的专家组成,他们用一年的时间调查了意大利河流中的 7 个河段。这项研究有利于这些河流新生生态系统的特征和质量进行全面而详尽的摸底,进而沿保护河段进行更大范围的推广(见图 5):意大利北部的提契诺河和穆扎河,中部的阿尔诺河,南部的阿伦顿河、福拉河、桑格罗河和辛尼罗河。

图 5　研究点位置

## 2.2　研究内容

多学科研究小组对图 6 中的不同方面的内容进行了分析,并根据下面的因素对研究河段进行了分类:①新生态系统分析;②新生态质量评价;③为改善环境兼容性采用的方法。

考虑以下因素对研究河段进行分组:流域水文地质;安装金属筐和诺雷气垫后研究地点的气候状况;河道水文情势;新生生态系统特征;在工程建设后沉积在河床沉淀物(主要淤积)的数量和特点。

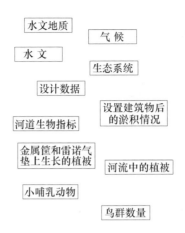

图6　研究范围

在分析中还要考虑，在置入组织后形成的新生态系统自然组织中植被生长、环境及影响；把生活在这些河段的小哺乳动物数量拿来作为核对生态系统均衡的指标；把生活在流动河流附近、较深层的大型动物数量作为研究河道生态系统环境质量的评价参数。

为了给研究结果提供实际而有效的解释，有必要对提契诺河和桑格罗河同属一个生态系统相邻但没有增加保护的河段也进行对比分析（见图7、图8、图9）。

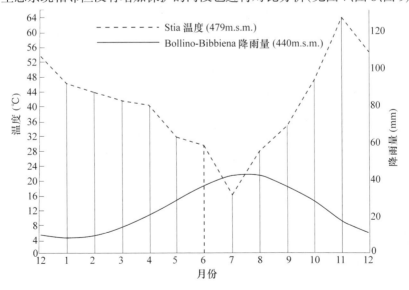

图7　阿诺河温度和降雨量曲线（1955～1988 年）

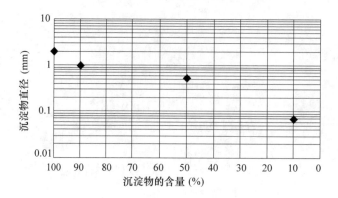

图 8　阿诺河保护层端面沉淀物粒度测定

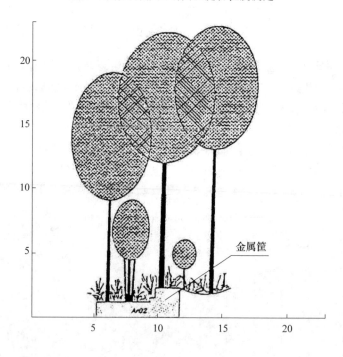

图 9　阿诺河岸边植被结构

# 3　研究计划

## 3.1　研究地点

### 3.1.1　穆扎河

穆扎河汇流阿达河水流向米兰省的 Tavazzano 热电厂(见图 10)。由于不断地运行和维护(对草皮进行除杂和修割),雷诺气护垫被整个用草地完全覆盖并发挥了很好的护岸作用。草地和一些灌木丛长势一直很好,根据对不同亲水性物质进行分析,河流中的水质一直也都很好。

对小型无脊椎动物的研究分析表明,在这些区域长期生活的物种种类范围很广(28 种中的 7 种属于淡水鱼苗),然而对微型哺乳动物抽样就不乐观,很可能是由于对护岸经常性运行维护的干扰所致(见图 11 和图 12)。

图 10　穆扎河示意图

图 11　在一座浮桥旁进行的涂有锌和 PV
材料的雷诺气垫防护河岸

图 12　河道现状

### 3.1.2　提契诺河

研究点位于河道上游左岸,从大桥到诺瓦腊城附近的 SS11(见图 13)。由于该区域坐落于提契诺自然公园内,临近一个野生动物保护区,因此具有很高的地理环境价值。1971 年实施了雷诺气垫护岸工程,在砌石块侧坡上放置一个挡板,金属网眼被很好地固定,雷诺气垫护岸被完整地安装在河岸上,并且状态一直很好。

在这里,有丰富的植被,包括上层茂密的乔木林,下部浓密的灌木层,特别是沿着河岸和它的周边地区,广泛分布着生活在树木丛中的生物群落(见图 14、图 15 和图 16)。

### 3.1.3　阿诺河

这是一项包含阿诺河左岸生态修复的河流治导工程。

河岸保护区位于河床下沉区的另一个弯道(见图 17),在那里,金属矿挡板很吻合高度上的变化,并且在结构上局部对其进行裁割以便保证保护层的稳定性。大量灌木丛、树木和水生植物被移植在金属筐上。紧邻河岸的是连绵的濒水树木物种,沿基水位 75 cm 以上分布的第一层植被分别是小柳树和大量树下灌木丛。

阿诺河不同时期的河道情况见图 18、图 19 和图 20。

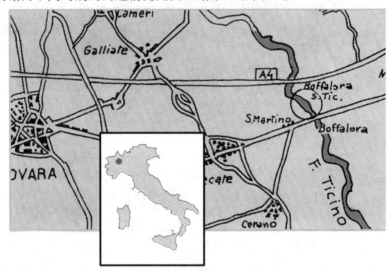

图 13　提契诺河示意图

图 14　1971 年放置的雷诺气垫护岸

图 15　河岸上浓密的丛林

图 16　在小径流期的河流现况(1994)(图片也表现了保护的根本所在)

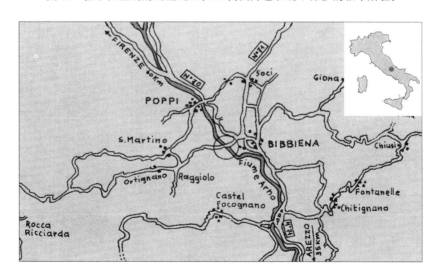

图 17　阿诺河示意图

图 18　阿诺河 1955 年的河道　　　　　图 19　阿诺河 1959 年的河道

图 20　阿诺河 1994 年的保护区

### 3.1.4　阿伦顿河

保护段位于阿伦顿河左岸(见图 21),流经佩斯卡拉郊区,工程于 1984 年实施,由原先交叉的全部河道组成。在小流量断面插入金属筐挡板进行保护,反之大流量河岸则安放雷诺气垫。

雷诺气垫运行状态一直很好(有一点沉积),沿着河岸保护层上面生长了灌木植被、草丛和小树木。

在紧邻水域,覆盖和环绕金属筐的优势物种是从一些柳科树种、寄生性绿色植物、一般树林和高大树木,显示出保护组织具有高级移植区的特征(见图 21、图 22 和图 23)。

小型哺乳动物分析表明,在这个区域长久居住着大范围多品种生物群落。

### 3.1.5　福拉河

福拉河在佩斯特拉河南大约 3 km 流向亚得里亚海。1984～1985 年进行河岸保护工程,雷诺气垫护层厚度 0.23 m。

因为金属筐护板被自然埋在土里并植上了赤皮杨树、萨利和其他一些重要的灌木树种,比如悬钩子属植物等,所以这些植物属于该区域亲湿性生物群,最能适应河流生态环境(见图 26、图 27 和图 28)。

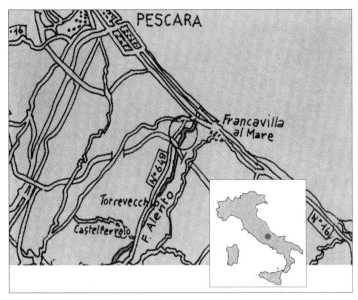

图 21　阿伦顿河示意图

图 22　工程建设中的全景

图 23　几年后的一小段河岸

图 24　1994 年修建的保护区

（注：浓密的濒水树木已经占领了金属筐保护层的小流量河道）

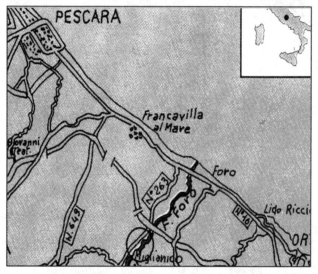

图 25　福拉河示意图

图 26　福拉河一段新修的河道

图 27　1989 年修建的保护区全景　　　　图 28　在河岸和河床上生长起来的
　　　　　　　　　　　　　　　　　　　　　　　濒水树木近景(1994)

### 3.1.6　桑格罗河

研究河段位于近门嘎几公里外的河流湿地(见图 29)。河岸保护区工程于 1981 年完成,箱状金属筐放置在袋状金属筐顶上,不需要铺满整个河道。

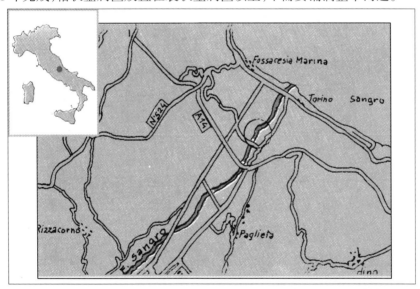

图 29　桑格罗河示意图

这些小防浪堤和良好的水质构成了自然环境与天然生态的和谐相处。防浪堤有利于泥沙的堆积,形成了近似于天然河流的特征。这些区域有很多有价值的物种,对邻近的上游无保护区进行研究,结果比较由于水质良好,水生物学分析的结果是很乐观的(见图 30)。

### 3.1.7　辛尼罗河

研究分析点在辛尼罗河右岸位于 Vasto 北高速路交叉处,SS16 州级公路大桥的上游(见图 31)。工程建设期间,原有的河流交汇处进行了修整,河岸被覆盖了 0.25 m 雷诺气护垫以及金属筐挡板。今天河岸被密集生长的树木、灌木植被、草和豆科植物所覆盖。

图 30　全景图及保护情况

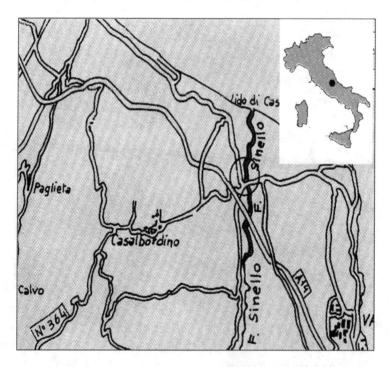

图 31　辛尼罗河示意图

　　大范围的泥沙会在坡脚尖、防浪堤底以及基水位处沉积,尤其像 Alba 树种喜水树木会在其上面扎根。草地又宽又厚,比如苔属物……呈现出该地区是典型的适林物种(见图 32 和图 33)。

图 32　1982 建设时期的工地现场

图 33　1994 年的同一河段

## 4　研究成果和结论

为了正确表达出研究结果,有必要对以下三种不同的环境状况进行辨别:

(1)研究地点显示在金属筐结构表面有新植被生长。

(2)沿堤岸局部被保护的地点。

(3)在同一河流生态系统中的天然控制点。

这个试验显示金属丝编制的金属筐和雷诺气垫不会伤害或者阻止乔木树种的扎根和生长。相反,在堤岸的外沿不同地点比如雷诺气垫被放置区,这种结构会被动植物共同拓殖。经过多年的沉积泥沙,培养了沿堤而置的这种移居组织。

在 Abruzzo 流淌的三条河流已经全部被渠道化了,泥沙几年时间已经淤积高达 10 cm,这种具有土壤特征的河道能够提供复杂的植被生长环境。穆扎河具有缓坡和适度的固体物迁移特点,可以观察到河道是一个典型的卵石潜层基系统,同时水位也在适度变化。在这个案例中利用了水生物指数,表现了金属筐和雷诺气护垫能够给复杂生物群提供一个适宜定居和生长的土壤基环境。

## 4.1 结果分析

总之,我们能够表述的是,新生态系统单元结构(优势物种、它们的组织和总生物数量产出)的一般结构结果是与喜水植物形成的自然生态系统结构相似。

沿辛尼罗河和阿伦顿河出现的 Apodemus flavicollis 现象证明了生态系统的复杂性。

水生系统中的水生物种和那些生长在高自然河岸和卵石地基上的物种具有相似的特征。

有趣的是可以看到,在位于穆扎河雷诺气垫上一些地方所有的生境生长茂盛,已经发展到像 Aphelocherius aestivalis(一种植物)在内的包括不同物种的存在和生长。实际上在意大利相当稀有,且是当地一种棘鱼发现的。

根据研究结果,环境系统分组如下。

### 4.1.1 参考自然系统(比照)

(1)有意义的初级产物。

(2)空间、营养和温度场所的存在。

(3)分级点。

根据采用的评价标准,这些生态系统已经被分类为高质量系统。

### 4.1.2 研究的新生态系统

(1)有意义的初级产物。

(2)在初级层生态系统的空间组织。

(3)与气候有关的典型本地物种存在。

(4)分级点。

根据选择的评价标准,这些生物系统已经被明确为高质量系统。正确的评价还必须要考虑恢复这些系统需要的时间。在工程建设期间最高级的环境影响评价要逐步展开,这些关系到天然护堤的破坏、河床和自然新生的微生境被大面积的无植被人造成分所替代。

在随后的新工程建设阶段,新种植的生态系统将快速地定居在新材料上,如果它们处于不受干扰的情势下发展,它们可能达到相当高水平的环境质量(见图34)。

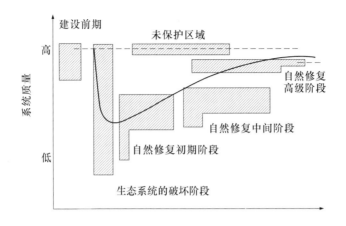

图 34 治导工程诱发的系统环境质量变化

正如研究指出的,不久前检查的保护点,它们潜在的演进还处于中间阶段,还没有达到将来要达到的高质量水平。

由于金属筐和雷诺气垫结构具有稳定固体物转移的能力,所以适宜于全部植物的生长和新生态系统环境容量的自我修复。在一些试点中,不管是一个完整的渠道还是局部,适宜的组织安放已经改善了低劣的环境质量(见穆扎河)。

# 5 土壤生态工程技术双双利用该产品

## 5.1 螺旋状金属丝

经验告诉我们,通过重新塑造环境的设计过程,我们一定会看到金属筐和雷诺气垫的潜力,但并没有把它完留给大自然。

植被和雷诺结构已经显示它们共同存在和互相提供有利生长环境的能力。由于金属筐和雷诺气垫组织被石头、土壤、树根填充,因此它们的耐久力将被改善。

同时,植被在最初的生长阶段会利用这些组织作为掩体。这个描述被看做是最最重要的,对于保护工程来说它的目的在于结合动植物(或提)和人造物质来抵消岸边侵蚀。事实上,当放置组织时我们必须考虑到所有植物,为了它们的生长和发挥作用,首先必须抵抗水压而受到保护。这可以看做是一个包含多学科设计方法的显著特征,这对于解决土壤侵蚀问题控制平衡设计是先决条件。特别是在我们研究证明了它们的实用性之后,下面例子意在提供有用的建议。

### 5.1.1 轻度保护河岸

对于低活性剪压力($5 \sim 10 \ \text{kg/m}^2$)的情况,适宜铺上一层加有土壤、适宜生存的水生生物种子或种植柳枝的适当地膜内衬(见图35)。

当河岸受到轻度侵蚀,河岸保护可采用人工的桩柳护岸,但在高侵蚀的情况下,必须使用雷诺气垫挡板(见图 36 和图 37)。

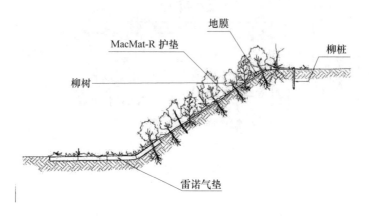

图 35　铺有地膜的轻度侵蚀河岸

图 36　桩柳护岸　　　　图 37　雷诺气垫挡板护岸

### 5.1.2　重度保护河岸

当水压条件包括高活性剪压力(超过 $10 \sim 165 \ kg/m^2$)被授予河岸特征时,自然属于高侵蚀状态,必须要使用雷诺气垫衬层。

方法很简单,就是在雷诺护垫上种植柳枝或乔木/灌木树枝。一个或多个雷诺气垫包用天然纤维膜排列连接起来,目的是把土壤加入气垫便于柳枝扎根。根据设计需要,这些植物包有助于促进植物生长(见图 38 和图 39)。

### 5.2　保持工程

### 5.2.1　自重保持工程

自重保持工程在河岸需要保护、加固和支撑时是很有作用的。通过简单在保护组织上种植乔木枝,就能够使植物生长和获得良好的环境(见图 40 和图 41)。

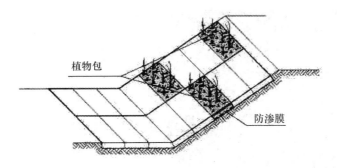

图 38　带植物包的雷诺气垫护岸示意

图 39　带植物包的雷诺气垫护岸外观

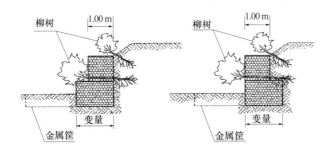

图 40　插入柳枝的金属筐护岸

### 5.2.2　加固的土壤保持工程

为了给河岸提供合适的保护,当河岸有必要既要局部又要全部再加固,或者寻找不到足够数量的填充石时,就可能要安置一个土壤加固组织,它由双螺旋铁丝网板组成,使用锌和 PVC 材料外裹金属丝(见图 42 和图 43)。

图 41　自重保持工程示意

图 42　加固的土壤保持工程

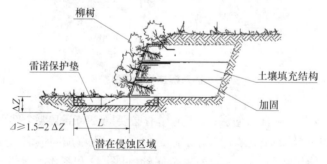

图 43　土壤加固组织示意

# 莱茵河与黄河——关于协作体制下 两个流域的相似之处与区别的探讨

J.M.T. Stam[1]    A. de Haas[2]    P. Janssen[3]    H. Stefess[4]

（1. 公共事业和水资源管理理事会(Rijkswaterstaat)    道路与水力工程
协会 DWW    德尔伏特    荷兰；2. 公共事业和水资源管理理事会
（Rijkswaterstaat）    内陆水资源管理和废水处理协会    RIZA 协会
莱里斯戴德    荷兰；3. 公共事业和水资源管理理事会(Rijkswaterstaat)
道路与水力工程协会 DWW    德尔伏特    荷兰；4. 公共事业和水资源管理
理事会(Rijkswaterstaat)    建设部    乌特列支    荷兰)

**摘要:**中华人民共和国水利部与荷兰交通、公共事业和水资源管理部之间就水资源管理有着长期的合作。近期,此项合作的重点集中到了黄河上。作为合作背景,本文对黄河和莱茵河进行了比较。从自然角度来讲,两条水系是截然不同的,但是,由于人口和经济的增长又给这两个流域带来了共同的问题。机构性的协作对于两国来说也同样是个挑战。然而,最尖锐的问题仍莫过于洪水的管理。历史上,两国均沿袭着相似的防洪策略(主要依靠大堤),但是从预防、防护措施和应急反应的角度,负责流域管理的机构正在考虑着一个范围更广的策略。改善水质和环境需要不同机构间的协调合作,甚至比防洪所要做的工作还要多。从此方面来讲,流淌在欧洲(由流域和欧盟内众多独立国家组成)的莱茵河与流经中国9省区的黄河具有可比性。在有效完成工程的同时达成横向与纵向的机构协作将是一个挑战。

**关键词:**流域管理    黄河流域    莱茵河流域

## 1    背景

1999 年 4 月, 中华人民共和国水利部与荷兰交通、公共事业和水资源管理部签订了一份理解备忘录(MOU)。该备忘录旨在将中荷双方水资源与流域综合管理领域的协作项目在平等互利的基础上扩展成为长期的协作。2004 年 11 月,该备忘录又被续延 5 年。中荷科学家的交流互访也为双边的相互学习经验提供了机会,下一阶段,政府间的交流互访将成为工作重点。

当前合作的重点集中在黄河上。荷方的经验主要汲取自莱茵河。从自然角度看,两大水系迥然不同(见表 1),但是就像大多数河流管理者那样,双方的相关机构均需应付相似的挑战。因此,无论是中国水利部还是荷兰公共事业和水资源管理理事会(Rijkswaterstaat)均可以从彼此的问题分析与解决途径中受益。本文的目的就是从自然、技术和制度的角度对两大河流系统的相似之处和区别进行探讨。文章结尾提出了已被更深层次的合作确定了的明确主题。

**表 1 莱茵河与黄河的主要特征**

| 项目 | 莱茵河流域 | 黄河流域 |
|---|---|---|
| 长度 | 1 320 km | 5 464 km |
| 流域面积 | 185 000 km² | 752 443 km² |
| 平均流量 | 2 300 m³/s | 1 785 m³/s |
| 洪峰流量 | 15 000 m³/s | 21 000 m³/s |
| 含沙量 | 0.25 kg/m³ | 28 kg/m³ |
| 平均年降水量 | 550～700 mm | 600～800 mm |
| 流域人口 | 5000 万 | 1.5 亿 |
| 人口密度 | 270 inh/km² | 134 inh/km² |

## 2 自然体系

### 2.1 莱茵河

莱茵河是欧洲最长的河流之一,也是世界上最重要的内陆航运通道之一。它发源于瑞士,流经法国、德国后进入荷兰。其主要水源为春季与夏初的雪山融水和冬季的降雨。所以,它的流量和水位相当的稳定,没有太大的季节性变化,因此也使得从鹿特丹到巴塞尔段的河道长年适于航行。莱茵河流域人口约为5 000万,包括一些欧洲城市和工业区,同时它还灌溉着密集型农业区和出产广受赞誉的优质葡萄酒的葡萄园。

莱茵河可被划分为以下河段。

(1)上游:从瑞士阿尔卑斯山源头到瑞士巴塞尔。此段河流为充满冰水的高山河流。

(2)莱茵河上游从巴塞尔到卡尔斯鲁厄段已发展成为一条相当规模的河流,流经瓦斯杰斯与黑森林间的广阔山谷,形成了法国与德国的边境。

(3)从德国的卡尔斯鲁厄到美茵兹为莱茵河的中游,它流经了东部低山脉区的广阔山谷。在人类涉足这一流域之前其曾是一段堤岸不稳定、岛屿众多的辫状河道。在此河段,汇入莱茵河的主要支流为内卡河和美茵河,它们相对辽阔的集水区为莱茵河带来了较大的流量。

(4)下游莱茵河从美茵兹到杜塞尔多夫,首先流经一个毗邻众多山地(陶努斯、藻厄兰和埃佛)的狭窄山谷,并从科隆开始变得更宽。在科布伦茨,莫塞尔河汇入莱茵河。

(5)位于荷兰的莱茵河三角洲属于平原地区,在此处,莱茵河分成了三段辫状河道:低地莱茵、艾瑟尔河和瓦尔河。

比例:1:6 500 000

图1 莱茵河流域图

很早以前人类便涉足莱茵河流域了。从古罗马时期的用沟渠连接邻近的排水区,到中世纪的依靠风车以及提升堤坝高度都是常见的实践行为。莱茵河上游及中游的重要工程始建于18世纪末和19世纪初,其主要目的是加固和稳定河道,以改善航运环境。在20世纪,水电站大坝开始兴建。同时,莱茵河还是饮用水和农业灌溉用水的主要来源。虽然防洪并不是此段莱茵河最初的治理目标,但是治理对莱茵河所产生的稳固效果却在最初提高了它的泄洪能力。然而治理又削减了自然滞洪区的面积,导致了流量的增加和支流与干流洪峰流量的同时发生,增加了洪水的危害(Bruin,2005)。

在莱茵河三角洲,洪水泛滥总是排在第一位的难题。18世纪末,为稳固从莱茵河到支流(瓦尔河、低地莱茵和艾瑟尔河)的分流,人们开始兴建工程。19世纪,为控制泄水能力和防止冰塞,人们开始修建导流堤和护岸工程。19世纪末和20世纪初,对河流的正常化治理保证了河流全年的通航。最终,在河流入海的三角洲最低部分,随着须德海的闭合(1932),防止来自海洋的洪水的防御工程在1932年开始修建,并在1954年开始兴建三角洲工程。

## 2.2 黄河

黄河是中国的第二大河流,中华文明的摇篮。流域内居住着约占全国人口总数10%(1.3亿居民)的居民。平均年降水量为450 mm,属于典型的半干旱型气候。黄河平均流量相对较低,但却常能达到极值,洪峰流量比平均流量的10倍还高。

黄河可被划分为以下河段(MWR and RWS,2003):

(1)黄河上游(3 500 km,从河源到河口镇),流域面积占全河总量的50%,径流量占全河的一半以上,并流向中国北部的沙漠地区。

(2)中游(1 200 km,从河口镇到小浪底)占整个流域面积的46%,径流量占全河的43%。其向南流淌的河段穿越了黄土高原——世界上最易蚀的地表。大量的泥沙流入黄河,占据了全河含沙量的90%,这也是"黄"河其名的由来。

(3)黄河下游(800 km,小浪底以下)已被大堤控制了千百余年,其结果便是闻名于世的"悬河"现象,有时候河床甚至比周边的滩地高出10 m。这一河段的主要作用是泄水,与周围的排水系统不相连。小型的生产堤保护了滩地内的村落。黄河下游滩地一共居住着100多万人口。

人类涉足黄河流域的历史已相当悠远,可以追溯到公元前的夏朝(其创始人就是治水的大禹)。从战国时期(公元前5世纪)开始,人们便修建大堤、疏浚河道以保护人民免受洪水之害(Davids,2004)。宋代(公元10世纪到13世纪),为了防洪,人们把黄河分成了若干股水流,但在明代,又根据总理河道潘季驯的设计利用大堤"束水攻沙"将黄河重整为一条河道。15世纪初大运河的改造又为黄河带来了航运的利益并完善了黄河的治理工作。

从20世纪50年代开始,大批的防洪、水力发电和灌溉基础工程开始上马。到2000年,整个流域内正在运行的各型水库达到10 000多个,其中22个为总库容达到6 200万 $m^3$ 的大型水库。利用黄河水灌溉的土地面积达到71 200 $km^2$。水电站装机容量为11.1 GW。同时,偏少的自然来水及大量的用水使得河流水量不断减少,到20世纪90年代,断流现象已时常发生。

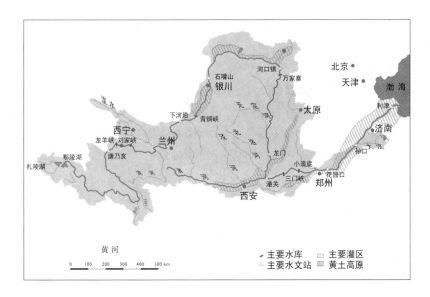

图 2  黄河流域图

## 3  流域机构的发展

### 3.1  莱茵河

莱茵河流经瑞士、列支敦士登、奥地利、德国、法国和荷兰。莱茵河流域还包括意大利、比利时和卢森堡。这些独立国家在国家、省和地方三级政府都有自己的河流管理机构。例如荷兰的水利管理机构有市政、水董事会(与省级相对应)和国家级的水资源管理理事会。其中水董事会是荷兰最早的政府性质组织,历来在水利管理中具有强力的发言权。在德国职责分为联邦(国家级)和地方(省级)。

莱茵河流域一体化管理需要这六个独立国家的紧密合作,需要每个国家的各级政府接受一系列国际协议及跨国合作组织。只有各方面的积极参与才能逐步实现一体化管理。

第一次合作是在拿破仑一世战争之后的维也纳条约,当时自由船运成为政治需要。1815 年,维也纳会议成立了第一个委员会,并最后促成 1868 年的曼海姆计划,即从技术、经济、政治等方面调整莱茵河及其支流的内陆航运。曼海姆计划至今还在很大程度上是适用的。莱茵河上的国际航运极大地带动了沿河国家的经济发展(de Bruin,2005)。

随着经济发展的加速,健康的莱茵河在 20 世纪初开始渐渐地退化。1950 年荷兰发起建立莱茵河国际保护委员会(ICPR)以防止污染。尽管成立了这个委员会,但河流形势持续恶化,到 1970 年,水栖生态系统几乎全部消亡。在传媒上莱茵河被称为欧洲的缝合剂。从那时起,政府注意力聚焦在签署污染控制协议上。随着第一个污水处理厂的投入使用,开始有了轻微改进的迹象。但是几年后的1986年,巴塞尔一家化工厂发生大火,造成严重灾难。大约20 t高毒性的杀虫剂泄入莱茵河。整个欧洲都震动了,在一年内莱茵河行动计划被提升为部长级。制定了2000年目标:重现消失物种,降低污染保障饮水安全。行动计划成果十分显著:生物群得到恢复,水质得到改善,水里有害物质大大降低。周边国家(瑞士、德国、法国和荷兰)每年投入到莱茵河行动计划的资金达20亿欧元。

### 3.2 黄河

中国中央管理水利有很长的历史,11世纪中叶就建立了治黄机构。16世纪的朝廷有著名黄河官员潘季驯,并且黄河和大运河的管理和维护是当时朝廷的一部门(Davids,2004)的重要责任。现代管理机构自20世纪开始,黄河水利委员会(YRCC)成立于1933年,是中国水利部的派出机构。直到今天,黄河水利委员会仍然是中国七大流域机构中唯一具有整个流域的水资源统一管理职能。黄委的职能涵盖很广,包括水资源管理、水利工程建设、地表水与地下水的管理、流域防洪、河流开发与管理以及水土保持等。沿河没有重要的航运。

除黄委以外,黄河龙门以上由各省水利部门管理,黄委负责指导与监督。龙门以下,黄委在山西、陕西两省沿河市县设有管理部门,主要职责是防洪工程建设与管理。

## 4 流域管理:面临的挑战

### 4.1 莱茵河

莱茵河流域国家面临的主要挑战:

(1)第一个问题是洪水管理。人口增长,林地变成农田,工业化与城镇化进程中伴随的地表硬化,都加剧了洪峰流量与洪峰水位。堤防的限制增加了冬季窄河道流量,导致洪水危险与洪水灾害的增加。现在大多数国家意识到要致力于多种途径:以堤防保护为基础,采取空间措施解决洪水相关问题。因此,洪水管理中对于流域重要措施是"拦、蓄、排"三步结合。此三步结合措施要依靠流域内国家的团结一致。1993年和1995年洪灾后,莱茵河国际保护委员会(ICPP)开始制定洪水管理规划。这项洪水管理规划得到了欧盟的支持,并且欧盟签署了洪水风险管理的信息协定。目前欧盟各国正在认真实施这项协定。

(2)第二个问题是建立河流质量和生态系统恢复的整体方法。2000年之后的几年,ICPR签署了一项新的行动计划,未来莱茵河保护政策的重点是生态环境的改善、水质的改善、洪水预防和保护的改善以及地下水保护的改善。这项莱茵河2020新计划于2001年被莱茵河部门大臣采纳。与之类似,欧洲议会和欧盟委员会在 2000 年通过了一项水管理指导框架(WFD),指导框架要求流域制定详细的水资源保护政策。WFD 的实施将使莱茵河 2020 计划的实质部分得以贯彻执行。几项措施也将服务于这两个目标。

## 4.2 黄河

2003 年 11 月,MWR 和 RWS 成立中荷黄河考察团。在报告中他们总结出黄河存在以下主要问题:

(1)洪水。黄土高原的高度土壤侵蚀及与此相关的河流和水库的泥沙淤积问题导致了黄河下游的"悬河"和下游地区洪水威胁的加剧。冬季,冰坝更增加了洪水威胁。

(2)缺水。流域东部地区社会经济的快速发展导致了更多问题的出现。首先,工农业和生活的高需求导致严重缺水,特别是在山东省。缺水成为制约黄河三角洲区域未来经济发展的因素,缺水还迫使黄委进行严格的水量管理和调配方案。在此"调度"方案中,应注意黄河流域不同民族之间的文化差异,还要兼顾上下游。

(3)污染。伴随着社会经济快速发展而来的问题是污染和环境质量。在这三角地带中宝贵的湿地正受到干旱和污染的威胁,此外还有山东的油田。如今黄委正面临着巨大的挑战:人与自然的和谐共处。

黄委主任关于黄河管理问题的讲话(李国英,2003 年)中提出了 建设"三条黄河"的治理思路。它包括了黄河的三种模型:"原型黄河"(自然状态下的概念模型)、"数字黄河"(数学模型)和"模型黄河"(物理模型)。

## 5 结论:相同点和不同点

对比黄河与莱茵河两个流域,我们可以清楚地看到它们的自然条件差异极大。黄河大约为莱茵河的 4 倍(长度和流域面积),季节变化明显并且含沙量大。在这个意义上黄河是独一无二的,世界上的其他流域也很难与之相比。

两个流域的共同之处是人口密度大和靠近中心经济城市。人口和经济的增长使黄河和莱茵河都面临着洪水管理、水质和生态系统等问题,以及程序处理水平、流域一体化管理等。由于发展过于迅速及规模巨大,这些问题在黄河上表现更为突出。

两个流域的防洪几个世纪以来一直都在持续,如今两条河因为改道河流形态有了很大变化。过去两条河的治理方略相似,即加高堤防控制洪水(Davids,2004)。然而自然结果是泥沙淤积在河床,使其高于堤外地面。黄河上泥沙大量淤积,形势更为严峻。在莱茵河下游三角洲地区周围淤泥的挤压致使河床升高,使得周边地区处于严重的洪水威胁之下。当前形势促使两个流域的管理机构

（YRCC、ICPR、欧委会及其成员国）研究制定综合的防洪措施，如预防、防护预案和应急措施。

人类大规模治理莱茵河始于19世纪，取得了大量的经验和教训并促进了历史的发展，但并不是整个流域的总体规划。黄河的大规模治理开发始于几十年前，总结出了更为科学的治理思路（"三条黄河"），并且新技术也得以应用。

改善水质和环境需要各个组织间协调合作更甚于防洪。在这方面，莱茵河流经欧洲几个独立国家与黄河流域跨越中国9省区相类似。在这个层面的合作之外，省和地方政府也同样有相应的责任。条块的结合对于欧洲和中国都是一个挑战。在中国，对流域的中央集权管理有着长期的传统。水利综合管理涉及其他许多方面，其他许多组织应该从制度上与流域机构结合在一起。在欧洲，有着极强的地方分权传统，条块机构的合作需要花费大量时间进行讨论以达成一致。这与希望工程尽快实施是一个矛盾。不幸的是，通常是要通过一场灾害才能引起更多的关注和效率的提高（例如1986年的莱茵河）。

## 6　将来的工作：合作的共同领域

莱茵河与黄河之间异同框架为中国水利部和荷兰水利委员会之间的合作具体主题打下了基础。以下为所选主题。

（1）河流信息系统：分析预测河流信息对防洪极为重要。其中流域气象预报领域就是双方很有希望合作的一个课题。

（2）健康河流：这涵盖了洪水管理、水质、健康的生态系统等以达到河流自然资源的可持续利用。在这一课题将主要关注河流指标体系（即所使用的指标、为什么使用以及指标所能表达的内容等）。

（3）防洪：合作应集中在堤坝的技术方面。一个重要的课题是增加对超标准洪水下堤防强度的认识。超常情况下大堤指标的测量、堤防探测技术革新及堤防加固创新都是将来需要精心研究的课题。

## 参 考 文 献

[1]　Dick de Bruin. 2005, Similarities and differences in the historical developement of flood management in the Lower Mississippi Basin and in the Alluvial Rhine Basin Stretches. paper presented at the ICID-Europe Conference, Frankfurt, Germany, May 2005

[2]　Karel Davids. 2005, Water control and useful knowledge: river management and the evolution of knowledge in China, Northern Italy and the Netherlands, paper presented at the Global Economic History Network Conference on the comparative history of useful and reliable knowledge'. Leiden September 2004

［3］ Li Guoying. Ponderations and practice of the Yellow River control. Yellow River Conservancy Press

［4］ Peter Van Rooy and Henk van Wezel. Impending floods... united we stand. IRMA makes the difference, published by IRMA program secretariat, 2001

［5］ MWR and RWS. Final report Sino – Dutch Yellow River Identification Mission. 27 October – 6 November 2003

［6］ Wang Sucheng. Resource Oriented Water Management , towards harmonious coexistence between man and nature. China Waterpower Press 200

# 黄河流域与水相关的生态环境问题探讨

杨立彬[1,2] 马迎平[1] 贾新平[3] 李清杰[1]

(1.黄河勘测规划设计有限公司;2.西安理工大学;3.黄河水利委员会)

**摘要**:黄河流域水资源匮乏,生态环境脆弱。随着经济社会的发展,人们对黄河的索取已远超过了其承载能力。水资源供需矛盾尖锐,各方面用水需求越来越大,大量生态用水被挤占,产生了一系列与水相关的生态环境问题。在大量调查分析的基础上,探讨了河道断流、水土流失、水污染加剧、地下水超采、湖泊萎缩、土壤次生盐渍化、土地沙化等生态环境问题及其成因。

**关键词**:生态环境 与水相关 黄河流域

据统计,2000年黄河流域工业、生活及农业灌溉等国民经济用水量为418.8亿 $m^3$,较1980年增加了75.9亿 $m^3$,增加了22.1%,远超过黄河水资源的承载能力。国民经济用水的大幅增加,大量挤占生态环境用水,使本就资源性缺水的黄河产生了一系列生态环境问题,严重威胁着母亲河的健康生命。

## 1 河道断流

### 1.1 黄河干流断流情况

黄河流域资源性缺水严重,随着经济社会的迅速发展,国民经济各部门的用水量超过黄河水资源承载能力,使黄河的基本生命流量难以保证,导致下游河段频繁断流。黄河下游经常性断流始于1972年,1972~1998年的27年中,黄河下游利津站有21年发生断流,累计断流88次、1050天,断流年份年均断流50天,断流延伸到河南境内的有5年。尤其是进入20世纪90年代,年年出现断流,1997年断流最为严重,利津站断流226天,断流河段延伸至开封柳园口附近。逐年断流情况统计见表1。

黄河下游的频繁断流和入海水量减少,造成下游引水困难,供需矛盾加剧,水质污染加重,对下游湿地和生物多样性的维持构成威胁,同时使下游主河槽淤积增加,平滩过流能力减小,下游防洪负担加重。

鉴于黄河断流的严峻形势,黄河水利委员会于1999年成立了专门的水量调度管理机构,并依据《黄河可供水量分配方案》、《黄河可供水量年度分配及干流水量调度方案》和《黄河水量调度管理办法》等国家颁布的文件,对黄河干流水量实施统一调度和管理,才遏制了黄河下游河道的频繁断流。但面对黄河日益复杂的用水形式和日趋紧张的供求关系,黄河防断流的机制仍然非常薄弱,黄河水量调度工作任重道远。

表 1　黄河逐年断流情况统计

| 年份 | 断流最早日期（月·日） | 断流次数 | 全年断流天数（天） | | | 断流长度（km） |
|---|---|---|---|---|---|---|
| | | | 全日 | 间歇性 | 总计 | |
| 1972 | 4.23 | 3 | 15 | 4 | 19 | 310 |
| 1974 | 5.14 | 2 | 18 | 2 | 20 | 316 |
| 1975 | 5.31 | 2 | 11 | 2 | 13 | 278 |
| 1976 | 5.18 | 1 | 6 | 2 | 8 | 166 |
| 1978 | 6.3 | 4 | | 5 | 5 | 104 |
| 1979 | 5.27 | 2 | 19 | 2 | 21 | 278 |
| 1980 | 5.14 | 3 | 4 | 4 | 8 | 104 |
| 1981 | 5.17 | 5 | 26 | 10 | 36 | 662 |
| 1982 | 6.8 | 1 | 8 | 2 | 10 | 278 |
| 1983 | 6.26 | 1 | 3 | 2 | 5 | 104 |
| 1987 | 10.1 | 2 | 14 | 3 | 17 | 216 |
| 1988 | 6.27 | 2 | 3 | 2 | 5 | 150 |
| 1989 | | 24 | 277 | | | |
| 1991 | 5.15 | 2 | 13 | 3 | 16 | 131 |
| 1992 | 3.16 | 5 | 73 | 10 | 83 | 303 |
| 1993 | 2.13 | 5 | 49 | 11 | 60 | 278 |
| 1994 | 4.3 | 4 | 66 | 8 | 74 | 380 |
| 1995 | 3.4 | 3 | 117 | 5 | 122 | 683 |
| 1996 | 2.14 | 6 | 122 | 14 | 136 | 579 |
| 1997 | 2.7 | 13 | 202 | 24 | 226 | 704 |
| 1998 | 1.1 | 16 | 114 | 28 | 142 | 449 |
| 1999 | 2.27 | 3 | | | 42 | |

## 1.2 主要支流断流情况

严重的缺水形势导致黄河大部分一级支流也出现了严重的断流现象,如汾河、渭河、伊洛河、沁河、大汶河、金堤河、天然文岩渠、大黑河、大夏河、清水河等都多次出现断流,具体情况见表2。主要支流径流量大幅度减少和断流,进一步加剧了黄河干流的断流形势。

表2 1980～2000年黄河主要支流断流情况统计

| 河流名称 | 1980～2000年发生断流的年数 | 最长断流河段位置 | 最长断流河段长度(km) | 累计断流次数(次) | 累计断流天数(天) | 断流年份年均断流天数(天) |
|---|---|---|---|---|---|---|
| 汾河 | 21 | 柴庄站—入黄口 | 120 | 55 | 902 | 43 |
| 伊洛河 | 5 | 龙门镇站—伊洛河交汇处 | 40 | 16 | 89 | 18 |
| 沁河 | 21 | 武陟站—入黄口 | 12.3 | 49 | 2 867 | 137 |
| 金堤河 | 20 | 濮阳县—范县 | 51.9 | 56 | 2 649 | 132 |
| 文岩渠 | 15 | 朱付村—大车集 | 41 | 51 | 755 | 50 |
| 大汶河 | 15 | 北望—入湖口 | 109 | 30 | 1 518 | 101 |
| 大夏河 | 6 | 双城—红水河口 | 12.5 | 54 | 1 186 | 198 |
| 清水河 | 9 | 清水站以上3 km | 4 | 48 | 440 | 49 |
| 大黑河 | 21 | 美岱水文站—入黄口 | 48 | 46 | 2 327 | 111 |
| 渭河 | 9 | 陇西—武山 | 29 | 44 | 754 | 84 |
| | 13 | 甘谷—葫芦河口 | 46 | 43 | 205 | 16 |
| | 6 | 葫芦河口—籍河口 | 20 | 8 | 100 | 17 |

# 2 水土流失

## 2.1 特点及危害

黄河流域黄土高原土壤结构疏松,抗冲、抗蚀能力差,气候干旱,植被稀少,坡陡沟深,暴雨集中,加上人类不合理的开发利用,水土流失极为严重,是我国乃至世界上水土流失面积最广、强度最大的地区。据1990年遥感调查资料,黄土高原地区水土流失面积达45.4万 $km^2$,占该区总土地面积64万 $km^2$ 的70.9%。

黄土高原水土流失类型多样,成因复杂。丘陵沟壑区、高塬沟壑区、土石山区、风沙区等主要类型区的水土流失特点各不相同。水蚀、风蚀等相互交融,特别是由于深厚的黄土土层及其明显的垂直节理性,沟道崩塌、滑塌、泄溜等重力侵蚀异常活跃。据调查量算,黄河中游河口镇至龙门区间,长度为 0.5～30 km 的沟道有8万多条,丘陵沟壑区沟壑面积占总面积的40%～50%,而产沙量占小流域总沙量的50%～70%;高塬沟壑区沟壑面积占总面积的30%～40%,而产沙量占小流域总沙量的 80% ~ 90%。

黄土高原地区严重的水土流失不仅造成了该地区的贫困,制约了经济社会的可持续发展,而且加剧了荒漠化的发展和其他灾害的发生,特别是大量泥沙淤积在下游河道,使河床不断抬高,成为地上悬河,大大加剧了洪水威胁。同时,为减轻下游河道淤积,还必须保证一定的水量输沙入海,又加剧了水资源供需矛盾。

## 2.2  治理成效

新中国成立以来,黄土高原地区开展了大规模的水土流失治理工作,取得了显著的成效。特别在一些重点治理区,一大批综合治理的小流域,其治理程度已达 70% 以上,成为当地农林牧副业生产基地。截至 2000 年底,水土流失初步综合治理面积累计达到 18 万 km²,其中建成治沟骨干工程 1 390 座,淤地坝 11.2 万座,塘坝、涝池、水窖等小型蓄水保土工程 400 多万处,兴修基本农田 646.67 万 hm²,营造水土保持林、草 11.5 万 km²。现有治理措施下平均每年可增产粮食 50 多亿 kg,解决了 1 000 多万人温饱问题,在一定程度上改善了农业生产条件和生态环境,局部地区的水土流失和荒漠化得到了遏制。20 世纪 70 年代以来,水利水保措施年均减少入黄泥沙 3 亿 t 左右,占黄河多年平均输沙量的 18.8%,减缓了下游河床的淤积抬高速度,为黄河安澜做出了一定贡献。目前,黄河水利委员会党组又提出了构筑黄河粗泥沙"三道防线"的战略部署,并把以淤地坝坝系建设为突破口的黄土高原粗沙区治理,作为构筑减少入黄粗泥沙的第一道防线,列入重要议事日程,得到了流域各省(区)和水土保持主管部门的高度重视与大力支持,这一行动,必将为黄土高原地区的生态建设提供重要的支撑作用。

## 2.3  存在的问题

一是长期以来投入严重不足,治理进度缓慢,现有治理标准低,工程不配套,林、草成活率低。初步治理虽在一定程度上改善了农业生产条件,但尚未有效控制水土流失,侵蚀模数仍远远高于国家规定的 1 000 t/(km²·a)轻度侵蚀标准,按现有的治理进度和标准,远不能适应脱贫致富、改善生态环境和促进国民经济发展的要求。现有措施的维护、巩固、配套、提高的任务还很重。

二是多沙粗沙区治理严重滞后,沟道坝系工程少。黄土高原 7.86 万 km² 的多沙粗沙区,产沙十分集中,既是黄河下游河道泥沙淤积的主要来沙区,又是经济落后、生态环境最为脆弱的地区。由于沟道坝系工程少,拦减泥沙效果不明显。

三是预防监督和管理不力,边治理、边破坏在一些地方还相当严重。随着人口迅速增长和大规模的生产建设活动,新的人为水土流失还在扩展。特别是在晋陕蒙、豫陕晋接壤地区煤炭和有色金属的开采过程中,忽视经济建设与环境保护的关系,使本来就十分脆弱的生态环境更加恶化;子午岭、六盘山林区面积也在逐年减少。随着中西部地区建设的加快,人类对自然的索取还会不断增加,水土流失的新因素增多,对环境的压力越来越大。

## 3 地下水超采

黄河流域 2000 年地下水利用量为 145.5 亿 $m^3$,较 1980 年增加了 56%,地下水的持续大量开采,造成部分地区地下水位不断下降,形成大范围地下水降落漏斗,并引发一系列地质环境灾害。

据初步统计,现状黄河流域存在主要地下水漏斗区 65 处,甘肃、宁夏、内蒙古、陕西、山西、河南、山东等省(区)均有分布,其中陕西、山西两省超采最为严重,两省分别存在漏斗区 34 处和 18 处。黄河流域 2000 年地下水超采量为 11.2 亿 $m^3$,其中陕西、山西两省超采量分别为 2.1 亿 $m^3$ 和 5.4 亿 $m^3$。2000 年流域漏斗区面积达到 5 929.9 $km^2$,其中陕西、山西两省范围分别达到 975.3 $km^2$ 和 2 728.0 $km^2$,范围最大的漏斗区为涑水河盆地,漏斗区面积达到 912 $km^2$。陕西省渭南市金城区岩溶水降落漏斗中心地下水埋深达 362 m。从漏斗性质看,浅层、深层、复合型漏斗均有存在。详见表 3。

表 3 黄河流域 2000 年地下水降落漏斗统计

| 省(区) | 甘肃 | 宁夏 | 内蒙古 | 陕西 | 山西 | 河南 | 山东 | 合计 |
|---|---|---|---|---|---|---|---|---|
| 数量 | 3 | 4 | 1 | 34 | 18 | 1 | 4 | 65 |
| 范围($km^2$) | 384.6 | 532.1 | 130 | 975.3 | 2 728 | 910 | 263.9 | 5 923.9 |
| 超采量(亿 $m^3$) | 0.04 | | 0.61 | 2.05 | 5.43 | 2.97 | 0.07 | 11.18 |

大面积地下水降落漏斗的形成,造成地面沉陷,使地面建筑物出现裂缝甚至倒塌,地下管线断裂,严重影响城市建设。地下水位下降,导致地表废污水下渗进而污染地下水,给缺水地区造成更大的水源危机。

## 4 其他生态环境问题

### 4.1 湖泊萎缩

黄河流域属干旱半干旱地区,湖泊相对较少。据统计,黄河流域 10 $km^2$ 以上湖泊萎缩的有 11 个,其中青海省 8 个,内蒙古、陕西、山西各 1 个。

严重萎缩的湖泊主要有位于青海省黄河源头的鄂陵湖、扎陵湖,内蒙古的乌梁素海和陕西省的红碱淖,其中鄂陵湖和扎陵湖地区人烟稀少,基本没有人类活动影响,造成水量减少主要是由自然因素造成;乌梁素海主要靠巴盟河套灌区灌溉退水补水,随着近几年节水灌溉的大量实施,灌溉退水减少,导致其呈现萎缩的态势;陕西省的红碱淖主要由 7 条小河补水,水面萎缩主要是由降水偏枯和沿河水资源开发利用造成的。

## 4.2 土壤次生盐渍化

土壤次生盐渍化是指在灌溉地区,由于过量灌溉或只灌不排,导致地下水位升高,造成盐分积聚于土壤表层的现象,一般处于灌溉条件便利从而大量引用地表水,而排水设施不完善的地区。据初步统计,2000 年黄河流域存在次生盐渍化面积 3 224.7 km²,青海、甘肃、宁夏、内蒙古、陕西、河南等省(区)均有分布。其中较严重的地区主要有宁夏平原、内蒙古河套灌区、陕西关中平原等。

## 4.3 土地沙化

初步统计,黄河流域存在土地沙化面积 43 821.4 km²,青海、甘肃、宁夏、内蒙古、陕西、河南等省(区)均有分布。其中较严重的地区主要有黄河源区、毛乌素沙地、宁夏平原、陕西省榆林地区等。黄河源区主要涉及青海省的果洛洲和甘肃省的甘南洲,其中青海的玛多县土地沙化面积年均增加 116 km²,是沙化较为严重的地区;甘肃省的玛曲土地沙化面积年均增加 2.6 km²,沙化现象也较为严重。干旱、少雨和大风等自然因素是导致黄河流域土地沙化的主要原因,但人类活动影响进一步加剧了土地沙化的进程。

## 5 结语

黄河流域资源性缺水严重,生态环境十分脆弱。随着经济社会发展和用水量不断增加,河道断流、水土流失、水污染加剧、荒漠化扩大、地下水超采等与水生态恶化有关的问题将更加严峻,对人民生存条件构成威胁。党的十六大报告提出"积极推进西部大开发,促进区域经济协调发展","打好基础,扎实推进,重点抓好基础设施和生态环境建设,争取十年内取得突破性进展",向黄河流域提出了更高的水资源支撑要求。因此,只有加强水资源管理、加快节水防污型社会建设、尽快实施外流域调水等多种措施并举,并合理配置生活、生产、生态各部门间的用水,才能实现黄河流域人水和谐,维持黄河健康生命!

# 水环境资源产权制度创新是防治
# 黄河流域水污染的根本途径

姚傑宝[1]　　柴成果[2]

(1.黄河水利委员会招投标管理中心;2.黄河水利委员会水文局)

**摘要:**黄河流域水污染已成为制约经济与社会发展的一大障碍,寻求科学、经济、有效的水污染防治对策,是非常必要的。本文通过对黄河流域水环境现状与水污染成因、水环境资源公共产权制度缺陷的分析,提出了以黄河流域为单元建立排他性的水环境资源的使用权制度和排污权交易制度,是防治黄河流域水污染的根本途径。

**关键词:**水污染　治理　排污权　交易

## 1　黄河流域水环境现状与水污染成因分析

### 1.1　黄河流域水环境现状

黄河流域的主要水环境问题为"水多"、"水少"、"水脏"、"水浑","水多"是指洪水威胁依然存在;"水少"是指随着黄河流域内外引用水量的增长,黄河水资源供需矛盾日益突出,缺水日益严重,水资源短缺;"水浑"是指水土流失造成的沙多;"水脏"是指因严重的水污染而造成的水质恶化、水体功能降低或丧失。其中水资源短缺和水污染严重是造成水质恶化的主要原因。

#### 1.1.1　水资源短缺

黄河流域内及下游引黄灌区引用黄河水的人口占全国的12%,耕地面积占全国的15%,而河川径流量仅为全国河川径流量的2.2%,水资源开发利用程度已达67%,缺水形势十分严峻,加上空间、时间上的分配不均,使得水资源供需矛盾更加突出。

#### 1.1.2　水污染问题严重

20世纪70年代以来,黄河水质污染状况已从支流发展到干流,干流水污染也从上游兰州段、包头段发展到中、下游河段。据2003年"黄河流域地表水环境质量年报"统计,在参加评价的断面中,超过3/4断面的水质劣于《地表水环境质量标准》(GB3838—2002)Ⅲ类标准,主要污染物质为化学需氧量、氨氮、高锰酸盐等,主要污染河段为石嘴山—乌达桥、三湖河口—喇嘛湾以及潼关—三门峡和湟水、汾河、涑水河、渭河、伊洛河、沁河等。水量少、废污水排放量大,导致污径比增高,水污染严重。

### 1.2 水污染成因分析

#### 1.2.1 客观原因

造成黄河流域水污染问题的客观原因是:一方面,黄河流域天然径流量减少,废污水排放量增加,污径比增大;另一方面,水环境的恶化是由于不健康的水利用循环(社会循环)所造成的,是由于溶解着和挟带着各种污染物质的城市污水、工业污水、地表径流不经处理和净化注入水体所造成的。目前污水处理率偏低,大量污水直接排放,面源污染严重,尚未找到有效控制措施。

#### 1.2.2 主观原因

造成黄河流域水污染问题的主观原因是:①由于黄河流域水资源的所有权归国家和全民所有,属公共资源,人们对共有产权的关心程度小于对自己私有财产的关心程度;②地方保护主义严重;③污染治理市场化机制还未形成,治污资金严重缺乏;④产业结构调整步伐太慢,造纸、食品酿造、化工、纺织印染等一些高耗水、重污染行业的主要污染物排放量占工业排污总量的比例较大等。

## 2 水污染与黄河流域水环境资源的公共产权制度

黄河流域经济发展相对滞后,水资源保护意识不足,法律制度不健全。从环境经济学角度看,水污染是一种典型的外部不经济现象,其实质是私人成本的社会化。对于某一用水户,在生活、生产过程中会不可避免地产生废弃物,废弃物有两种处置方法:一是处理后再排入水体;二是直接排入水体。处理废物需要花费人力、财力、物力,生活中或生产中人们受利益或利润动机的支配,为了节省自己的资金或私人的生产成本,以获得最大利润,对污水处理的积极性不够,因而放弃污水处理或污水处理率偏低,致使大量污水直接排入水体中,结果使私人个体收益,水污染环境中的很多人受到损害。由于黄河流域水环境容量的产权归国家所有,属公共环境资源,目前还不能进入水权交易市场,即不能通过市场形式自行解决黄河流域水环境污染带来的损失(市场失灵),这些损失是对社会造成的损失,增加了社会成本,即私人成本转化成了社会成本。

造成水污染的情况有两种,一是水污染的外部不经济性;二是黄河流域的水资源属于公共环境产权资源的制度缺陷。

### 2.1 水污染的外部不经济性分析

水污染的外部不经济性的实质是私人成本的社会化,所以要从根本上解决黄河流域水污染问题,也只有将这种外部成本内部化,即让排污者产生污染的外部费用进入他们自己的生产或消费决策,由其自己承担或"内部消化"。外部成本内部化的方式主要有两种:一种是收取污染费;另一种是征收污染税。

### 2.1.1 关于收取水污染费制度及其缺陷

我国现行的防治水污染措施主要是收取排污费制度,但实践证明,虽然这些制度的施行对防止水污染起到了作用,由于非对称信息的存在等,使该项制度在实施过程中也暴露出如下一些缺陷:①对排放速率和排放总量没有限制;②缺乏经济激励机制;③收费可依据的数据失真;④收费标准不易正确确定;⑤污染治理资金使用效益不高。由于这些缺陷的存在,排污收费制度在水功能区保护、水污染物总量控制、防止水污染方面难以达到预期的效果。[1]

### 2.1.2 关于征收水污染税制度与其不足

水污染税可以采取从量税,即每单位产出按照一定税率征收税款,税率的确定取决于社会边际成本和私人边际成本之间的差异。在没有征收污染税的情况下,过度水污染的损失均由社会承担,具体到水污染问题上,由于在黄河流域及其支流,上、下游相互联系,左、右岸互相影响,污染的成本由下游地区承担。征收水污染税后,污染的成本转到制造污染的生产者身上,生产者的生产成本随之上升。在合理规定水污染税率的情况下,私人成本将上升到和社会成本一致,私人最优产量将同社会最优产量相一致,日趋严重的水污染问题便可解决。但征收污染税制度的主要局限性在于,在这种方式下,企业将失去减少污染的动力。因为,企业缴纳的水污染税税额仅同企业产量相关,即使企业采取投入成本购入污染治理的设备、改进生产技术等手段减少了污染,所缴纳的税额并不会随之减少。因此,企业只会对产量做出调整,而不会主动治理污染。另外,不同产业造成的水污染程度是不同的,为了实现私人成本同社会成本一致,应征收的水污染税税率也应该是不同的。如果税率的制定有些出入,就无法实现社会最优。而这种无误差的制度在现实生活中是不可能实现的。

### 2.2 黄河流域水环境资源公共产权制度与水污染防治模式分析

水环境资源的公共产权制度是水污染难以治理的主要原因。黄河流域水资源的所有权属于国家,其附带的水环境及其容量也属于国家,由于水环境资源的公共产权属性,水环境资源的使用权不具有排他性,排污主体向公共领域的水体排放污染而不承担成本,这样也使其个人成本小于社会成本,从而导致水污染的蔓延,这是其一;其二,正是由于黄河流域水环境资源的公共产权属性,所以黄河流域水污染治理问题只有政府最关心,一般的用水户关心很少或根本就不关心,单靠政府部门来治理水污染问题,力量太弱了。不仅如此,有的地方政府为了地方的经济利益,不仅不去治理水污染,而且还充当水污染户的保护伞。由此可见,克服水污染的外部性,只有通过制度创新,建立黄河流域水环境资源所有权与使用权分离的制度,即建立排他性的水环境资源的使用权制度,使之边界清晰,达到黄河流域所有的用水户都来关心自己的水环境资源产权问题,实现每个用水户都按总量控制的要求排污,这才是解决黄河流域水污染的正确途径。尤其是在我国目前市场经济制度的大环境下,更需要水环境资源的产权制度按照我国社会主义市场经济体制和市场化程度的要求进行"私有化"的管理。在建立排他性的水环境资源的使用权制度的基础上,建立以黄河流域为单元的水污染的排污权交易制度,可以有效地克服收取水污染费或征收水污染税制度的缺陷,克服有害的外部性和水环境资源公共领域的"搭便车"问题,建立经济激励机制和引导机制,从而达到有效地防治黄河流域水污染的目的。

建立排他性的水环境资源的使用权制度和排污权交易制度,可以有效地防治黄河流域水污染。在以钱正英为首的43位院士和300多位院外专家编纂的《中国可持续发展水资源战略研究综合报告及各专题报告》中对江河湖海防污减灾的战略对策建议是:尽快实现从末端治理向源头控制的战略转移,大力推行清洁生产;从单纯点污染源治理,转向对点源、面源的流域综合治理等。如何实现这些很好而又权威的建议? 建立排他性水环境资源的使用权制度就是很好的方法。因为水污染物排放权配置到黄河流域的各污染户后,各污染户就会非常关心地根据配置的排污权安排生产,从而实现了水污染的源头控制和清洁生产的推行,也解决了资金问题;排污权不仅要配置到城镇居民、工业用水户,而且还要配置到农业用水户,这样才能体现由国家所有的使用权向各用水户配置的公平性(因为国家所有也就是人人都应该享有)。因此,无论是黄河流域的点源污染户,还是面源污染户,都会关心自己范围的水污染防治问题,从而实现点源、面源综合治理。

## 3 浅析水资源环境产权制度创新对防治黄河流域水污染的作用

通过黄河流域水污染防治的产权制度创新,正确地界定水权中的水污染排放权,建立排污权配置制度和市场交易制度是在市场经济条件下解决水污染的最根本方法。政府可根据黄河流域的水体纳污能力,选择公开竞价拍卖、定价出售或无偿分配等不同方式,对各用水户分配这些权利,然后通过建立排污权交易制度,使排污者从其利益出发,自主决定其污染治理水平,合法地买卖排污权。这种市场化手段不仅可以极大地调动排污企业的治污积极性,使其可以选择更有利于自身发展的方式主动减排污染物,而且能大幅度减少水污染物排放总量的总体削减费用。

## 3.1 排污权交易制度对防治黄河流域水污染的作用

(1)建立黄河流域排污权交易制度是价值规律的客观要求。目前,黄河干流和主要支流的水功能区的达标率在1/3左右,随着人们对水功能区环境质量要求的不断提高,污染者购买排污权的费用也会越来越高。对生产效益的追求客观上迫使污染者不断提高治理水平,尽可能少地使用纳污能力[2]。

(2)排污权交易制度有利于黄河流域水环境资源产权的优化配置。通过水环境资源产权的初始分配途径防治水污染,存在水环境资源的优化配置问题,通过排污权交易,可以使排污权向经济效益高、边际治理成本低的企业转移。黄河流域还存在一些重污染、高耗水企业,在排污权总量一定的情况下,经济效益高、边际治理成本低的新建企业要获得排污权,就可以在排污权市场上购得,这样有利于效益好的企业利用有限的排污权进行经济活动,提高了排污权的利用效率,实现了水污染权这一稀缺资源优化配置的目的,有利于经济和环境的协调发展。

(3)排污权交易制度有利于污染者的技术进步和推广清洁生产。企业生产的外部不经济性的系统内部化。只要企业排放污染物,就会将部分生产费用转嫁给社会,造成其生产的外部不经济性。实施排污权交易,一方面使企业通过购买初始排污权补偿了其外部不经济性;另一方面,企业通过提高治理水平争取的排污权转让给其他企业,使单个企业生产的外部不经济性转化为系统内部的经济性。[2]因此,企业会根据排污权市场交易情况和本企业的生产要求,或者到排污权交易市场上去买排污权,或者是采取先进技术和清洁生产。通过出售排污权,能够促使污染者获得更多的资金采用先进工艺,减少污染排放或采用更有效的控制设备增大污染物削减量。目前,黄河流域一些较大的企业污染治理技术水平较高,通过排污权交易制度,建立防治水污染的激励机制,可达到控制和治理水污染的目的。

(4)排污权交易可避免收取排污费或征收排污税中的一些问题。排污权交易不需要像收取排污费或征收排污税那样,事先确定排污标准和相应的最优排污费率或税率,而只需确定排污权数量并找到发放排污权的一套机制,然后让市场去确定排污权的价格。通过排污权价格的变动,排污权市场可以对经常变动的市场价格和企业水污染的治理成本作出及时的反应。

(5)政府可利用排污权交易市场控制黄河流域水污染的程度。如果政府希望降低黄河流域的污染水平,可以进入黄河流域水市场购买排污权,然后控制在政府手中,不再卖出,这样水污染就会得到有效控制;政府购买持有的这部分排污权,可以稍微高的价格卖给黄河流域的经济效益好并且采用先进技术与采用清洁生产的企业,这种解决办法不仅控制了水污染,而且做到了盈亏平衡或略有盈余,无需政府增加投资来解决水污染问题,因此这种方法是有效率的。但需要说明的是,在以黄河流域为单元的排污权交易市场上,排污权交易制度应明确规定仅政府具有这种特权,严禁一般污染户以此方式来扰乱市场并从中牟取暴利。

## 3.2 排污权交易制度需要有关法律法规的支持

虽然排污权交易制度对防治黄河流域水污染是一个很好的机制,但必须有相应的配套的法律法规制度作保证。比如,允许排污权交易,并不意味着排污企业只要有钱就能肆无忌惮地排放污水,无论"买"、"卖"双方,其交易都只能在水污染物排放总量控制的前提下进行,并且要保证水资源的环境质量[3]。又比如,污染户为了省钱而不到排污权市场上购买排污权,而是偷偷地超自己拥有的排污权排放水污染物。对此,仅有排污权交易制度是不够的,必须有针对解决该问题的法律法规的规定,如对违法违规超规定指标排放污染物的罚款,其罚款数额要比买排污权多用 5 ~ 10 倍的钱,严重者并可追究法人代表的刑事责任等。这样才能使排污权交易市场得以公平健康地发展,使日趋严重的黄河流域的水污染得到有效地控制。因此,只有在健全的法律法规的排污权制度框架下的排污权交易制度,才是防治黄河流域水污染的根本途径。

在以黄河流域为单元,针对排污权交易制度的排污权制度框架下的法律法规,应从以下几方面予以立法规范:

(1)立法保护黄河流域水污染物排放权的交易;

(2)对非法水污染物排放权交易的处罚;

(3)对违法违规超规定指标排放污染物的惩处;

(4)对连续几年达到要求的奖励,比如用水户通过采用清洁生产技术后实现达标排放等;

(5)对水污染物排放权交易的限制,比如交易规则等;

(6)对黄河流域的各用水户能用上达标水及环境的产权保护等。

## 参 考 文 献

[1] 黄解宇.市场化是解决水污染蔓延的根本途径.生态经济,2001(11)

[2] 刘晓磊.江苏省太湖流域开展水污染物排污权交易的思考.环境导报,2003(9)

[3] 陈树荣."二氧化硫排放交易"试点在七省市展开.人民日报,2002.05.31(2)

# 黄河流域片地表水饮用水源地
# 水质状况分析及保护措施探讨

王丽伟[1] 曾 永[1] 李 群[2] 李立阳[1]

(1.黄河流域水环境监测中心;2.黄河流域水资源保护局)

**摘要:**供水水源地是沿黄城市社会经济发展的重要保障,水源地的保护工作越来越受到政府有关部门的高度重视。黄河流域片地表水污染形势严峻,直接影响地表水城市水源地供水水质。本文根据黄河流域片水资源综合规划地表水水质调查评价成果,对黄河流域及西北内陆河地表水集中式饮用水水源地供水水质状况进行了分析,对水源地保护工作中存在的主要问题和应采取的对策措施进行了探讨。

**关键词:**黄河流域片 地表水 水源地 水质 保护

## 1 饮用水水源地概况

黄河及西北诸河是流域片几省区工农业生产和生活的主要水源,在城市化进程不断加快、用水矛盾日益突出的今天,黄河流域水污染问题已成为社会各界关注的事情。为了解黄河流域及西北诸河城镇集中式饮用水水源地水质状况,水源地的评价主要涉及水功能区划所确定的保护区中的集中式饮用水水源地、开发利用区中人口 20 万以上城镇日供水量 5 万 t 以上的饮用水水源地,对于部分不在以上范围但较重要的城市供水水源地也进行了评价。

黄河流域共选择评价地表水饮用水水源地 29 处,其中黄河干流上 13 处,支流上 16 处。这 29 个水源地中 14 个为水库水源地,15 个为江河水源地,分布在除青海外的七省区,其中 25 个为常年供水,4 个为季节性供水,年城镇生活供水总量 8.23 亿 t,供水量最大的水源地年供水量 1.93 亿 t,供水量最小的水源地年供水量为 59.86 万 t。

西北诸河共选择评价地表水供水水源地 14 个,分布在甘肃省和新疆自治区,均为常年供水,其中水库水源地 5 个,江河水源地 9 个。年城镇生活供水总量为 3.53 亿 t,其中供水量最大的水源地年供水量 1.10 亿 t;供水量最小的水源地年供水量 292 万 t。

## 2 饮用水源地水资源质量状况

### 2.1 评价方法

饮用水源地水资源质量评价依据《地表水环境质量标准》(GB3838—2002)基本项目Ⅲ类标准值和补充项目标准限值,采用单指标评价法,一项指标超标即评定为不合格。其中必评项目为溶解氧、高锰酸盐指数、氨氮、挥发酚、砷、硫酸盐、氯化物、硝酸盐、铁、锰。选评项目有 pH 值、五日生化需氧量、化学需氧量、氟化物、氰化物、汞、铜、铅、锌、镉、铬(六价)、石油类等。必评与选评水质项目中一项指标超标即评定为不合格。根据评价结果统计水源地的供水量、水质合格率等。供水合格率计算公式如下:

$$合格率(H\%) = \frac{\sum Q_{i合格}}{\sum Q_{i全部}} \times 100\% ,$$

式中:$Q_i$ 为 $i$ 水源地的供水量。

### 2.2 水源地水资源质量状况

#### 2.2.1 黄河流域

黄河流域评价的 29 个地表水饮用水源地,全年供水总量 82 310.04 万 $m^3$,合格水源地 15 个,合格供水量 43 138.06 万 $m^3$,供水合格率 52.4%;汛期供水总量 25 240.68 万 $m^3$,合格水源地 13 个,合格供水量 12 376.98 万 $m^3$,供水合格率 49.0%;非汛期供水总量 57 069.36 万 $m^3$,合格水源地 17 个,合格供水量 32 484.04 万 $m^3$,供水合格率 56.9%。

评价的 29 个饮用水源地中全年、汛期、非汛期均合格的水源地 13 个,其余 15 个水源地至少有 1 个水期供水水质不合格。龙羊峡—兰州区间水源地供水合格率较高,评价 4 个水源地均合格,全年、汛期、非汛期供水合格率为 100%;其次是龙门—三门峡区间,评价 11 个水源地,全年、汛期、非汛期供水合格率在 75% 以上;供水合格率较差的区间是河口镇—龙门、三门峡—花园口以及花园口以下区间,评价 9 个水源地中,除非汛期 1 个合格外,其余均不合格。主要超标项目是化学需氧量、氨氮等。

#### 2.2.2 西北诸河

西北诸河评价的 14 个地表水饮用水源地,全年供水总量 35 295.5 万 $m^3$,合格水源地 10 个,合格供水量 30 404.5 万 $m^3$,供水合格率 86.1%;汛期供水总量 14 652.3 万 $m^3$,合格水源地 11 个,合格供水量 13 717.50 万 $m^3$,供水合格率 93.6%;非汛期供水总量 20 643.2 万 $m^3$,合格水源地 11 个,合格供水量 18 053.8 万 $m^3$,供水合格率 87.5%。

评价的 14 个饮用水源地中全年、汛期、非汛期均合格的水源地 10 个,其余 4 个水源地至少有 1 个水期供水水质不合格。河西内陆区、阿尔泰山南麓诸河水源地供水合格率较高,评价 8 个水源地,全年、汛期、非汛期水质均合格;其次是天山北麓诸河,评价 4 个水源地,2 个合格,全年、汛期、非汛期供水合格率为 87.9%;供水合格率较差的区间是塔里木河源流,评价 2 个水源地,汛期、非汛期均有 1 个不合格,全年、汛期、非汛期供水合格率分别为 0、68.2%、31.8%。主要超标项目是铁、硫酸盐等。

## 3 饮用水源地污染原因分析

从地表水饮用水源地评价结果看,黄河流域地表水饮用水水源地供水合格率较低,超标项目主要为氨氮、高锰酸盐指数、化学需氧量等有机污染项目,不合格多是因为工业、生活等人为污染造成的;西北诸河水源地供水合格率较高,不合格主要是因为自然环境因素和农田排水造成的,水体中铁、硫酸盐含量较高。根据《国家饮用水水质标准》相关规定,饮用水地表水源地取水点周围半径 100 m 的水域内,严禁捕捞、停靠船只、游泳和从事可能污染水源的任何活动。取水点上游 1000 m 至下游 100 m 的水域,不得排入工业废水和生活污水,其沿岸防护范围内不得堆放废渣,不得设立有害化学物品仓库、堆放或装卸垃圾、粪便和有毒物品的码头,不得使用工业废水或生活污水灌溉及施用持久性或剧毒的农药,不得从事放牧等有可能污染该段水域水质的活动。而据调查,黄河流域威胁或潜在威胁饮用水地表水源地供水安全的污染因素来自于工业、城市生活和农业,部分取水口上游就有企业排污口、城市生活排污口和农灌退水渠,含有各种污染物的工业废水、城市生活污水以及农灌退水源源不断地排入,而且黄河流域水土流失严重,地表径流中含有大量有机物、氨氮及大肠菌群。另外,有少量水源地作为旅游景点开发,旅游节期间游船的废弃物及游人的生活垃圾给水源地造成一定污染。西北诸河大部分河流尚未受到工业污染,饮用水地表水源地周边一般没有企业排污口,但由于大部分河流均处在干旱的自然环境中,流域内植被稀少,水土流失严重,饮用水水源地主要污染项目与自然本地值和农田排水有关。

## 4 饮用水水源地保护及管理存在问题分析

近年来黄河流域机构和地方政府在饮用水源保护方面做了许多工作。一是地方政府加快立法,将饮用水水源地保护纳入地方立法的重要内容。大多城市水源地划定了饮用水水源保护区,制定了保护办法,关停、限产、迁移、治理了一批对饮用水水源有影响的污染企业。二是强化监督管理,流域机构、水利、环保、城建部门依《中华人民共和国水法》、《中华人民共和国防洪法》、《中华人民共和国河道管理条例》、《中华人民共和国黄河取水许可管理》、《中华人民共和国水污染防治法》、《饮用水水源保护区污染防治管理规定》等法律法规进行管理监督,定期检查。部分水源地水质状况已在报纸、网络等媒体上发布,以引起社会的关注与参与。三是加大投入。在水源地保护中,新建、扩建污水处理设施或污水处理厂是重要措施之一。近几年来黄河流域企业和城市污水处理厂建设速度加快,黄河干流受到废污水影响的城市水源地除三门峡拟建城市污水处理厂外都已建或正在建设污水处理厂。此外,针对黄河流域水质污染状况,流域与地方、水利与环境保护以及跨省间加强了协调,以解决跨行政区污染问题。

虽然在保护饮用水水源地方面做了大量的工作,但饮用水水源保护工作形势仍十分严峻。饮用水水源地保护资金投入严重不足,工业污染物排放和水土流失造成的污染仍在加重,个别地区水量不足和水质污染问题已成为制约当地经济社会发展和影响人民群众身体健康的重要因素。近几年来,黄河流域发生了多起污染事故,给城镇生活和工业生产造成严重影响。污染事故在造成大量经济损失的同时,引发了群众的强烈不满,直接影响到社会的稳定。综合来看,饮用水水源地保护及管理中存在的主要问题有以下几方面:

(1)污染综合治理力度不够。主要表现:一是重污染企业违法排污严重。一些重污染企业至今没有治污设施,一些企业虽然有治污设施,但工艺不合理,运行成本高,设备老化,不能正常运行或者治污设施处理能力不足,超标排放甚至偷排。二是工业结构调整速度较慢。近年来,尽管各地一直强调调整产业结构,并做了一些工作,但结构不合理的问题仍未得到根本解决,结构性污染依然突出,从而导致已经取得的水污染防治成果很容易毁于一旦。三是环保投入严重不足。许多地方特别是城市环境基础设施建设投入不足,建设相对滞后。城市污水处理厂无论数量还是规模都难以满足不断增长的生活污水处理需要。此外,环保执法手段相对落后,一些地方对环保执法还存在不当的行政干预;一些地方的环保部门执法队伍素质不高,存在着有法不依、执法不严、违法不究的现象。

(2)水源地管理分割,应对突发性事件能力不足。水源地的管理部门各不相同,有水利部门管的,有建设部门管的,有地方管的,也有流域管理部门管的;同时水源工程设施管理与水源地的水质管理分离,原水管理与城市供水系统管理分离。在这样的管理分割和分离的状况下,如果出现突发性事件,牵涉部门多,应急反应速度将大打折扣,统一行动艰难。另外,如何应对突发性事件没有详细的规定,体现在:一对突发性事故的种类没有详细划分,对应对突发事件缺乏技术支撑,二应急保护信息不完整或决策时信息不足,难以满足决策需要。

(3)对水源地的保护缺乏足够的重视。目前大众还没有把水源地的保护放在一个很高和很重要的位置,这里面既包括生活习惯等文化意识上的差距,也包括技术手段落后等方面的因素。尽管客观上一些水源地从以农业灌溉为主转变为向城市供水为主,但是在管理上依然依靠传统的一套,只讲"供",少讲"护"。随着干旱的频繁发生、供水人口的不断增加、人们现代生活理念的不断增强,同时也因为污染等各种突发危险因素发生概率的增大,保护好饮用水水源地的责任将越来越重大。

## 5  水源地保护措施探讨

水源地的保护关系到千家万户,需要管理部门和社会各界的共同努力,对加强饮用水水源地保护工作提出以下几点建议:

(1)加强领导和协调,建立有效的管理机制。水源地保护牵扯部门多,涉及上下游,需要统一管理,加强流域与区域间的沟通和协调。地方政府是水源地保护和管理的领导机构,应充分重视饮用水水源地保护工作,将饮用水水源地保护列入当地经济与社会发展长远规划,并与流域水资源保护规划相结合,使饮用水水源地保护与社会经济发展相协调;组织当地水行政、环保、城建等部门做好城市水源地的保护和污染防治工作,并加强对水污染紧急情况的预防和管理,建立高效的应急管理机制,提高应急管理水平。政府各有关职能部门必须明确分工,各负其责,相互配合,真正形成统一监督管理、齐抓共管的局面。流域在综合治理工作上要突出对饮用水水源地的保护,对流域水污染物排放进行统一监控。流域与区域通过建立会商制度,加强信息沟通,协调行动,联合保护水源地。

(2)建立水源地保护区管理制度,提高应急反应能力。所有集中式地面饮用水水源地应依法划定生活饮用水地表水源保护区,制定管理办法,建立有效的保护区管理制度,保障引水质量。在对水源地供水系统进行充分评估的基础上,编制特枯年份、特大污染事故、突发工程安全、洪水期间等应急状态下调度控制预案,在生活饮用水源受到严重污染、威胁供水安全等紧急情况下,采取强制性的应急措施。

(3)加大投入,综合治理,强化执法。水污染防治必须采用"治理为主,防治结合"的原则,并在总量控制和水污染防治等内容中予以贯彻。饮用水水源地的保护必须与流域水污染综合治理统一起来,尽快进行工业产业结构调整,加大重点污染源的治理力度,加快大中城市污水处理厂和小城镇污水处理设施建设以及城市基础设施建设,有计划地加大对饮用水水源地保护的投入,对供水设施的建设和维护引起高度重视,注意防治和解决饮用水二次污染问题,从源头和供水过程中保证饮水安全。

对水源地进一步加大执法力度,依法行政。各有关管理部门必须把饮用水水源地保护工作列入执法检查重点,对饮用水水源地进行定期检查和不定期抽查,发现问题及时处理,确保清除隐患。

(4)加强管理,广泛监督。水行政部门要不断加强水质现场监督监测能力,对饮用水水源地进行监督性、常规性和应急性监测;加强入河污染物总量控制监督管理;建立饮用水水源地保护信息网络,加强信息反馈,建立快速反应机制,增强快速反应能力,发现重点污染物排放总量超过控制指标的,及时报告有关人民政府采取治理措施,并向环境保护行政主管部门通报。环保部门应加强监督,实施水污染物排放总量控制制度;对排污单位排放的污水进行监督监测,做好城市生活饮用水源的污染防治工作。

水源地保护应注重开展广泛的宣传教育活动,使居民了解饮用水水源地保护工作的重要性,增强公众的参与意识和自我保护意识,强化舆论和群众监督,调动全社会力量做好饮用水水源保护工作。

# 中国解决农村饮水安全的途径

张敦强

(水利部农村水利司)

**摘要**:获得安全的饮用水是联合国"千年宣言"中的一个可持续发展问题。本文论述了近年来中国解决农村饮水安全的途径,介绍了中国农村的饮水现状,近年来解决饮水困难的政策、措施、进展与成就,分析了中国农村饮水安全面临的挑战、战略和对策。

**关键词**:解决 农村 饮水安全 途径

获得安全饮用水是人的基本权利,是保护健康的一项有效政策内容。联合国"千年宣言"提出:要使现有不能获得洁净饮用水的人口在 2015 年前减半。各国政府元首对此作出了承诺,并决心实现这一目标。最近,联合国总部宣布:2005 ~ 2015 年为"水为生命"国际行动十年。中国政府把让群众喝上安全洁净的放心水作为水利部门的首要任务。

本文的主要目的是阐述中国近年来解决农村饮水困难的实践和研究。首先介绍中国农村的饮水现状,其次是探讨中国农村近年来在解决饮水困难方面的政策、措施、进展和成就,然后分析中国农村在提供安全饮用水方面临的挑战、战略和措施,最后提出有关建议。

## 1 中国农村的饮水现状

中国是一个拥有 13 亿人口的国家,71% 居住在农村,包括 2.46 亿农户,9.36 亿人口,分布在 4 万个乡(镇)和 70 多万个行政村。由于自然、经济和社会原因,他们中的许多人居住在环境恶劣的山丘区和远离都市的偏远地区。这些地方缺乏江河、湖泊等地表水,在干旱季节,农民经常不能获得安全的饮用水,而且,一些地方地下水中氟、砷含量超标,或者是苦咸水,这不仅影响农民的健康,而且成为贫穷的原因。

中国是一个水资源短缺的国家。每人年均可利用的水资源量仅 2 200 m³,相当于世界平均水平的 1/4。而且,水资源分布的时间和空间很不均匀。西北、华北和东北地区年降雨量只有 200 ~ 600 mm,这些地区连年遭受干旱,导致持续的水短缺;人口增加,特别是在北方城市,进一步加剧了水短缺;另外一些地区水质恶化,也导致了水短缺。

中国还是一个 70% 是山区和丘陵的国家。这种水源条件导致一些地方难以建设供水设施。一些人口居住在山区,远离江河、湖泊,干旱季节地下水位下降。由于复杂的地形条件,陡坡和深谷,缺乏蓄水设施,获取生活用水十分困难。一些地区由于水文地质条件,或者工业活动(如采矿),造成饮用水中氟、砷、铁、锰等矿物质含量超标,导致饮用水很不安全,对人体健康造成危害。

由于地形、水文、地质和其他自然因素,经济条件包括人类活动的一些负面影响,以及农村地区缺乏供水设施,许多农民在正常年份都缺水,在干旱季节尤其缺水。一些农民饮用没有达到国家生活饮用水标准的水,严重影响他们的健康。

根据水利部和卫生部的调查,中国农村有 6 亿多人口,约 66% 的农村人口能够获得安全饮用水,41% 左右的农村人口拥有自来水。根据联合国的有关报告分析,中等收入国家农村地区的自来水普及率约 76%,欧洲和北美国家的这一比例在 20 世纪末已经超过 90%,其中一些国家已经达到 100%。如表 1 所示。

**表 1　获得安全饮用水的人口比例比较**

| 项目 | 中国（2003） | 中等收入国家 | 欧洲和北美洲国家 |
|---|---|---|---|
| 农村获得安全饮用水的人口比例（%） | 66 | 70～90 | 90～100 |
| 农村自来水普及率（%） | 41 | 70～90 | 90～100 |

## 2　中国政府采取的饮水解困政策和措施

我国 1984 年提出的饮水困难标准包括两个方面:一是到取水点的水平距离超过 1 km,二是垂直高差超过 100 m。

### 2.1　解决饮水困难的组织

按照上述饮水困难标准,水利部于 2000 年调查,中国有 5 700 多万人饮水困难。水利部汪恕诚部长将这一调查结果向时任国务院总理的朱镕基汇报,决定要解决这些农村人口的饮水困难,这一计划得到了中央政府的批准。

自 2000 年以来,中央政府安排了解决农村饮水困难的专项经费,各级地方政府水利部门把解决农村饮水困难作为他们的职责。在各级政府的领导下,充分调动受益农民的积极性,顺利地实施了这一任务。

### 2.2　中央政府财政支持

2000 年以来,中央政府把解决农村饮水困难作为农村小型基础设施建设的重要内容之一,把它列入"六小工程",包括节水灌溉、农村人畜饮水、乡村道路、农村沼气、小水电和草场围栏。改善农村生产生活条件,对于增加就业和农民收入都发挥了积极的作用。

### 2.3 实行项目管理

各级地方政府必须采取适合农村水利工程建设的有效管理措施。第一是对有饮水困难的人口实行登记建卡,通过报纸、杂志或公告将要解决的饮水困难人口进行公示,这样可以避免随意改变计划和资金投向;第二是对建设投资实行报账制,即在工程建设开始时,先支付一小部分启动资金,工程竣工验收后,再支付其余的投资;第三是对设备和材料实行集中采购,确保设备和材料的质量,同时可以获得较优惠的价格,有效地降低工程成本;最后对工程的质量进行监督。根据基本建设程序,较大的水利工程必须实行严格的监理制,聘用专门的监理机构和人员实行巡回监理,同时邀请受益农户参与监督。

### 2.4 技术支持

对于广大农村,技术指导和培训必须加强。首先是解决饮水困难,然后逐步提高标准。一些新的实用技术将会得到推广,包括找水、提水、雨水集蓄利用、劣质水处理等技术。对农村供水与卫生进行现场指导和培训。

### 2.5 改进工程运行管理体制

根据不同的工程规模和类型,采取不同的管理措施。对于小微型水利工程,如水窖、水池、水柜,政府给予适当补助,建设、管理、产权和使用都归农民所有。对于自然村和行政村的小型饮水工程,政府给予一定的补助,受益农民筹集资金,用于项目建设,由受益农户组建用水户协会进行管理。对于跨村、跨乡(镇)的饮水工程,实行专业化管理和用水户协会相结合地管理体制,合理地确定水价收取水费,促进工程的有效运行。水价实行成本收费,对于贫困地区,水价只收取运行和维护管理费。

## 3 解决农村饮水困难的进展与成就

中央政府采取了一系列的政策措施解决农村饮水困难,取得了显著成就。自 1949 年到 1999 年,全国累计解决了 2.16 亿人口的饮水困难。

2000 年以来,中央政府安排了解决农村饮水困难的专项经费。自 2000 年到 2004 年,中央政府共投资 103 亿元资金,加上各级地方政府和农民群众的投资,共安排了 200 多亿元的投资,建设了一大批饮水工程,使 6 000 多万农村人口解决了饮水困难。2005 年,中央政府又决定投资 20 亿元,用于饮水工程的建设,预计能够解决 1 100 多万人的饮水安全问题。

解决农村饮水困难已经产生巨大的经济、社会效益和生态效益。

### 3.1 减少了疾病,改善了农民健康状况

饮水困难的解决,不仅直接减少了水性致病,而且通过改善环境和个人卫生,间接地减少了疾病的传播。农村的健康状况得到了改善,尤其是对于妇女和

儿童。在高氟、高砷水地区,82%的疾病有所减少,平均每个农户家庭一年的医药费减少了207元。

### 3.2 缩短了取水时间,增加了富余劳动力

调查表明,实施农村饮水解困的地区,平均每年每个农户减少了53个劳动工日的取水时间,这些节约出来的劳动力可以用于其他生产和活动,增加他们的收入。

### 3.3 农村经济发展得到加强,减少农村的贫困

农村供水条件的改善,使农民养殖牲畜的数量和质量都得到了加强,而且还可以发展庭院经济和农村加工业,发展农村经济。

## 4 农村饮水安全面临的挑战

根据水利部、卫生部2004年颁布的《农村饮水安全评价指标体系》,农村饮水安全的标准包括四个方面:①水质必须满足《农村实施〈生活饮用水卫生标准〉准则》;②水量每人每天不低于40~60 L;③水源供水保证率不低于90%~95%;④人力取水时间不超过20 min。4项指标中只要有一项低于安全或基本安全最低值,就不能定为饮水安全或基本安全。

尽管中国在解决农村饮水困难方面取得巨大成绩,但饮水安全的形势仍然十分严峻。一些地区饮水存在水质严重不达标、供水保证率低、水性地方病等问题,严重影响着人民群众的身体健康。据卫生部门和水利部门的初步调查,我国还有3亿多人饮水不安全。

### 4.1 水性地方病

目前全国有6 000多万人饮用水含氟量超过国家生活饮用水卫生标准,200多万人饮用砷超标的水。

#### 4.1.1 饮水型氟中毒

根据我国卫生部发布的《生活饮用水卫生标准》(GB5749—85),饮用水中氟化物不得超过 1.0 mg/L。我国的氟超标多数分布在华北、西北和东北地区,大多数是地下水氟含量超标。饮用高氟水引起的氟中毒,会直接损伤全身各个系统,包括牙齿、骨骼、神经、肌肉、内分泌和酶等各个系统。轻者导致氟斑牙,重者导致氟骨症,表现为腰背部疼痛,逐渐累及多个部位和关节,乃至全身、四肢或躯干麻木、抽搐和僵硬。

#### 4.1.2 饮水型砷中毒

砷又名砒霜,根据我国卫生部发布的《生活饮用水卫生标准》(GB5749—85),饮用水中砷不得超过 0.05 mg/L。长期饮用高砷水,会出现手、足过度角质化,视力减退,肝脾肿大,神经衰弱,胃肠功能紊乱,严重损害人体健康,使人丧失劳动

能力,其至发生癌变危及生命。

苦咸水主要分布在北方和东部沿海地区。饮用苦咸水的人口有 3 800 多万人。苦咸水主要是口感苦涩,很难直接饮用,长期饮用导致胃肠功能紊乱,免疫力低下。

### 4.2 饮用水源污染问题

随着工业废水、城乡生活污水的排放量和农药、化肥用量的不断增加,许多农村饮用水源受到污染,水中污染物含量严重超标。过去饮用水水质超标大多表现在感观和细菌学指标方面,现在则是越来越多的化学甚至毒理学指标超标。由于水质恶化,直接饮用地表水和浅层地下水的农村居民饮水质量和卫生状况难以保障。

#### 4.2.1 病原微生物污染

饮用有病原微生物的水,会引起各种传染病,如霍乱、伤寒、副伤寒、肝炎等;饮用大肠杆菌超标的水会引起痢疾、腹痛等消化道疾病。比较常见的传染病,像甲肝、细菌性痢疾等,都是通过水传播的。

#### 4.2.2 其他化学和毒理学指标超标

水体受有害有机物(如酚、苯、三氯甲烷、四氯化碳、农药、合成洗涤剂、洗衣剂等)的污染,会引起各种中毒和疾病;水体受重金属($Hg$、$Pb$、$Cu$ 等)及其他无机毒物(氯化物、砷化物、亚硝酸盐等)的污染,会引起各种中毒。

### 4.3 局部地区季节性缺水问题

近几年,中央和地方安排资金建设饮水解困工程,重点是解决中西部严重缺水地区农民的吃水困难问题,缺水标准是 1984 年制定的(即居民到取水点的水平距离大于 1 ~ 2 km,垂直高差超过 100 m)。还有一些地方虽然饮水不是特别困难,但由于供水设施简陋或根本没有供水设施,直接从河道、坑塘、山泉、浅井取水饮用,水源保证率低,季节性缺水严重,干旱季节缺水时仍需远距离拉水或买水。特别是近年来气候变化大,干旱严重,河水减少其至断流,地下水位下降,泉水枯竭,再加上工农业和城市经济快速发展,生产和生活用水量大幅度增加,工农业争水、城乡争水,使一些地区农村生活饮用水不足问题更加突出。

## 5 保障饮水安全的政策和措施

饮水安全建设是一项系统工程,除了饮水工程建设外,还包括水源保护和水质监测体系建设等方面的内容。只有把这几项内容统筹考虑,才能达到预期的目标。

水利部汪恕诚部长在 2004 年全国农村饮水安全工作会议上指出:保障饮水安全,维护人的健康生命,是当前水利工作的首要任务。

解决饮水安全问题,首先必须根据各地经济社会发展水平和水资源条件,科学规划,合理布局。按照"先急后缓、先重后轻、突出重点、分步实施"的原则,优先解决对农民生活和身体健康影响较大的饮水安全问题。当前水利部正在规划全面启动农村饮水安全工作,要求各地根据当地条件、需求和可能,抓紧编制"十一五"农村饮水安全建设规划和到 2020 年农村饮水安全建设总体规划。"十一五"期间,重点解决高氟水、高砷水、苦咸水、污染水等饮用水水质不达标以及局部地区饮用水供应严重不足问题,到 2015 年,使无法得到或负担不起安全饮用水的农村居民比例降低一半。到 2020 年,使农村居民饮水达到安全或基本安全。

## 5.1 保护饮用水源是当务之急

水污染的治理,关键是要发展绿色经济,严格排污权管理。尽管国家已经下大力解决污染问题,但要彻底解决我国的水污染问题,仍需要很长一段时间。因此,我们的当务之急是要保护好饮用水源。要按照《饮用水水源保护区污染防治管理规定》等相关法规的要求,划定供水水源保护区和供水工程管护范围,制定保护办法,水源地周边严禁设置排污口,水源地周边限制和禁止有害化肥、农药的使用,杜绝垃圾和有害物品的堆放,防止供水水源受到污染。

## 5.2 因地制宜建设饮水工程

人口居住密集的地方,可建设自来水厂;人口居住分散的地方,可建分散供水工程。自来水厂的水,使水质得到净化和消毒处理,可达到生活饮用水标准,可以放心饮用。对于有的地方自来水管道的二次污染问题,可在家庭用水终端加装一个水质净化器,满足家庭饮水需求。对贫困地区的饮水工程建设投资,应以政府补助为主,农民自筹为辅。对经济发达地区的饮水工程建设,所需资金由政府、受益群众、市场等多种途径筹集。对饮水工程建设和运行中的用地、用电、税费等应实行优惠政策。对于兼有向第二、三产业供水任务的农村饮水工程,可采用股份制等形式吸纳社会资金或利用贷款进行建设。

## 5.3 加强水质监测

保障饮水安全,要完善饮水安全监测体系。在现有设施的基础上,建立和完善水质监测中心;以规模较大的集中供水站为依托,分区域设立监测点。对于集中供水工程,加强水源、出厂水和管网末梢水的水质检验和监测;对于分散供水工程,分区域定期进行水质监测。

## 6 结语

保障中国百姓喝上健康、放心的水,已成为摆在我们面前急需解决的问题!

(1)建议制定《饮水安全法》。在我国,安全饮用水涉及很多学科、很多部门,比如,水利、卫生、建设、财政、发展计划、环境保护等,因此需要一部法律来保障各个方面得以顺利实施。

(2)农村供水应该与卫生环境整治紧密结合。

(3)工程的可持续运行需要用水户的积极参与。近年来,我国建设了许多饮水工程,要保障工程的有效运行管理,需要得到用水户的支持,并且支付适当的水费。

## 参 考 文 献

[1]  水利部农村水利司.农村饮水解困五年历程.北京:中国水利水电出版社,2004

[2]  水利部农村水利司,水利部发展研究中心.农村饮水发展战略研究报告.北京,2003

[3]  水利部.中国水资源公报.北京,2003

[4]  国家统计局.中国统计年鉴.北京,中国统计出版社,2003

[5]  翟浩辉.坚持以人为本  可持续地解决农村饮水安全问题.北京,2003

# 尽早实施南水北调西线工程
# 向黄河补充生态水

## 谈英武

(黄河勘测规划设计有限公司)

**摘要:**南水北调东、中线工程,输水线路立交穿过黄河向北方供水,唯有西线工程,调水入黄河上游河道,向黄河补水。南水北调西线一期工程,项目建议书阶段任务即将结束,计划2010年前后开工兴建。在黄河面临严重缺水的形势下,加快前期工作进程,尽早实施西线一、二期工程调水90亿 m³,向黄河补充生态水,维持黄河的生命力,势在必行。

**关键词:**南水北调 西线 黄河 生态水

## 1 重视生态环境,我国已实施多项补充生态水工程

随着人口增长和经济社会的快速发展,水资源问题,尤其是水资源短缺问题,突出地显现出来。进行水资源调配,补充生态水,遏制生态环境的进一步恶化,恢复和改善生态环境,已成为社会关注的热点。

河西走廊的黑河,实施水量调度,合理削减上中游的引水量,增大向下游的泄水量,送水入东居延海,而且还送水入干涸42年之久的西居延海,使西居延海碧波重现。

塔里木河从博斯腾湖调出水量,向塔里木河尾闾台特马湖补水,使台特马湖湖区形成200余 km² 的湖面面积,创下近百年来湖区的最大水面面积记录。塔里木河沿河水质明显改善,下游河道各断面地下水位普遍回升,河道两侧约800 km² 的胡杨林及各种衍生植物等植被生存条件大为改善。

另外还有:引长江水改善太湖水质;引长江水向几尽干涸的淮河南四湖补水;为保持海河平原的白洋淀湿地,引漳河水补充白洋淀,使白洋淀重现浩渺的湿地;以及从内蒙古察尔森水库补水吉林省向海湿地等补充生态水的工程。

向几尽干涸的湖泊、湿地和下游河道补充生态水,是重视生态环境的体现。从而恢复和扩大了人的生存空间,维持各类生物生态链的用水需求,以水滋润生灵,复苏万物,使人与自然和谐相处。

## 2 向黄河补充生态水十分必要和紧迫

水,是黄河生命力的体现,是黄河的生命线。而黄河严重缺水,系资源性缺水。黄河多年平均河川径流量 580 亿 m³, 20 世纪 50 年代年均耗水 122 亿 m³,到 90 年代年均耗水 307 亿 m³,比 50 年代年均增加 185 亿 m³。入海水量 20 世纪 50 年代年均 480 亿 m³, 90 年代年均 120 亿 m³,比 50 年代年均减少了 360 亿 m³。进入 21 世纪, 2001 年和 2002 年全年的入海水量不到 50 亿 m³。据预测,未来 30 年黄河缺水形势更趋严重。

严重缺水,造成黄河干流及支流河道频繁断流,生态环境恶化,水污染加重,对河口地区湿地和生物多样化构成严重威胁。同时,黄河是世界著名的多泥沙河流,年输沙量和多年平均含沙量居世界之首,由于水沙关系不协调,致使黄河河床每年都在淤积抬高,平滩过洪能力减少,防洪难度增加,洪水威胁加重。至今,有三个河段成为非常难以治理的"地上悬河",即黄河上游宁蒙河段、渭河中下游河段以及黄河下游干流河段。

针对黄河水少沙多、水沙不平衡的特点,采取了各种治理措施。1999 年对黄河干流实行水量调度以来,断流现象有所缓解,而黄河缺水断流问题并没有从根本上解决。2002 年以来,进行了三次大规模的调水调沙试验, 2002 年 12 天时间,用 26 亿 m³ 的水将 6 640 万 t 泥沙输送入海。2003 年与 2002 年相同的时间和近似的水量将 1.2 亿 t 泥沙输送入海。2003 年 25 天时间,用 43.75 亿 m³ 的水,将 7 113 万 t 泥沙输送入海。河道冲刷效果明显,试验取得成功。实践证明,调水调沙是黄河泥沙治理最有效的措施,但受到黄河水资源非常短缺的困扰,要实现整个黄河最理想的冲刷效果,只有实施南水北调西线工程,调水入黄河上游河道,利用黄河已建大型水库的调控作用,居高临下,用以恢复和改善黄河河道的生态环境。而没有西线调水补充,调水调沙是很难走下去的。

## 3 向西北地区补充生态水

黄河是我国西北地区的重要水源,水是西北地区人民的生命线,是经济社会发展的生命线。

黄河上中游的青海、甘肃、宁夏、内蒙古、陕西、山西六省(区)地处我国内陆,海洋季风影响微弱,气候干燥,降水少,大部分地区年降水量为 200 ~ 300 mm,有些地区在 100 mm 以下,属干旱、半干旱地区。近 50 多年来,由于人类活动的不断增强,西北地区生态环境呈逐渐恶化的趋势。据有关资料统计,由于水资源利用不合理和土地资源利用不合理引起的荒漠化土地面积约 60 万 km²。生态环境恶化,威胁着该地区经济社会的发展;工农业用水大量挤占生态用水和黄河干流输沙用水,导致黄河频繁断流;一些河流特别是内陆河流逐年枯竭,绿洲衰退沙化;一些湖泊水位下降,面积缩小,水质矿化度增加;有些地区强沙尘暴天气增多,直接危及京津地区;西北地区生态环境的关健是解决水资源问题,水已成为该地区人类生存和发展的依托,有水则绿洲,无水则荒漠,水具有特殊重要的作用。

黄河上中游六省(区)地域辽阔,资源丰富,水能资源,煤炭资源,石油、天然气资源以及土地资源居全国重要地位。可开发的水能资源总装机容量 3 344 万 kW,年发电量约 1 136 亿 kW·h;火电发电量 2000 年为 1 603 亿 kW·h,预测 2030 年为 10 240 亿 kW·h;长庆和延长两个油气田,石油地质储量 60.4 亿 t,天然气地质储量 11 万 $m^3$,是西气东输的重要气源之一。这是我国经济发展潜力最大的地区,也是我国达到世界中等发达国家水平的希望所在,开发该地区的资源意义重大。

加快西北地区的开发建设,不仅对改善我国生产力布局,缩小东西部差距,促进全国经济持续健康发展有举足轻重的地位,而且对于增进民族团结,保持边疆稳定,巩固祖国统一和实现国家长治久安,也具有深远的战略意义。

实施西线调水,首先为遏制西北地区生态环境的恶化,进而为保护和改善生态环境供水,同时也要为西北地区经济社会的发展,以及为支撑西部大开发战略的实施,提供水资源。

## 4　几点思考

补充生态水,有以下几点思考。

(1)我国已经实施的多项生态补水工程,有跨流域调水和本流域内调水,取得了恢复和改善生态环境的明显效果,但从方式上多属应急式的,也就是说是应急性或紧急拯救性的,是解燃眉之急的拯救举动,以防止生态环境面临毁灭性的破坏,严重影响当地人的生存环境。俗话说:救得了一时,救不了一世。补充生态水,只能解决一时的、短期的危机。更需要受水地区注重生态环境保护,合理利用和保护水资源,实现经济发展与自然的和谐。至于如何统筹规划,设定边界条件,不定期或长期实施生态补水,还有待摸索。

(2)南水北调西线工程是一项大型跨流域调水工程,不仅是一项供水工程,更是一项生态环境工程。基于南方水多、北方水少的特点,华北和西北地区严重缺水,进行水资源合理配置,实施从长江调水到北方的南水北调工程,不是应急式的,而是长期的、历史性的补水工程。南水北调西线工程,是长期向黄河进行生态补水的工程。因此,需要建立长效的体制和机制。国务院批示同意的《南水北调工程总体规划》,肯定了南水北调西线工程调水的必要性和紧迫性,以及工程分三期实施,共调水 170 亿 $m^3$。西线一期工程调水 40 亿 $m^3$ 开工后,二期工程调水 50 亿 $m^3$ 可以紧接着开工,因为两条输水线路紧靠、平行。一、二期工程共调水 90 亿 $m^3$,相当于黄河多年平均可供水量的 1/4。这个补充水量,将对维持黄河的生命力发挥重大作用。

(3)西北地区是我国最干旱的地区,生态环境极其脆弱,随着经济的快速发展,不少地方水土资源已经过度开发,有的地方已呈现生态危机。西线调水入黄河后,根据规划安排,首先补充生态水,争取在未来 20 年左右,西北地区生态环境建设有重大进展,当然,更需要在今后的大开发中,保护和恢复生态环境,使经济社会得到持续发展。

(4)补充生态水是社会公益性的,主要由中央财政或有关地方政府投资,其生态环境效益和社会效益巨大,如何在取得一定经济效益时,运用市场经济手段,解决运行、维护和有关费用,使工程在经济上能够良性循环运转,尚需进一步探索。

## 5 结语

解决黄河和西北地区严重缺水和突出的生态环境问题,有各种措施和途径,而根本途径还是从长江调水入黄河,以丰补缺。因此,应加快南水北调西线工程前期工作进程,力争一期工程 2010 年开工兴建。随着调水量的不断增大,尽可能地使黄河流域及临近地区 20 世纪 60 年代以后消失和萎缩的湖泊、下游河道、湿地得到不同程度的恢复,并冲刷河床泥沙淤积,提高河湖的水质。为维持黄河的健康生命,保护和改善西北地区的生态环境,为经济社会的全面持续发展提供水资源支撑和保障。

# 2003年旱情紧急情况下黄河龙门以下河段水污染物控制与实施

殷世芳　　郝伏勤　　黄锦辉　　高传德

(黄河水资源保护科学研究所)

**摘要**:2002年入冬后,黄河龙门以下河段水体污染逐渐加重,入黄污染物超过水环境承载能力,严重威胁到下游沿黄人民群众以及引黄济津等用水安全。面对日益恶化的水环境,依据《2003年旱情紧急情况下黄河水量调度预案》,分析2003年旱情紧急情况下黄河干流龙门以下河段水体水质可承受水平、入黄支流和排污口污染物可控水平,研究提出黄河龙门以下河段入黄支流、排污口及有关省份限制排污总量意见,为水资源调度、管理和保护部门提供技术支持势在必行。通过限制排污总量意见的实施,2003年黄河龙门以下河段入黄污染物大大减少,水体水质明显改善,取得了良好的效果。

**关键词**:黄河　龙门　水污染物　控制　实施

## 1　水资源情势

2002年7~12月黄河流域主要来水区来水量136.17亿 $m^3$,与历年同期相比偏少62%,为有实测资料以来倒数第一,其中黄河上游主要来水区来水量比多年同期均值偏少56%,中游主要来水区来水量比多年同期均值偏少70%,下游主要来水区来水量比多年同期均值偏少80%。整个汛期,黄河干流花园口水文站实测径流量90.73亿 $m^3$,扣除小浪底水库补水量30.7亿 $m^3$,花园口水文站实测径流量为60.03亿 $m^3$,比多年同期均值偏少74.1%,为有实测资料以来倒数第二。截至2003年1月1日,黄河干流龙羊峡、刘家峡、万家寨、三门峡、小浪底五大水库蓄水量为123.53亿 $m^3$,其中可供调节水量34.94亿 $m^3$。与2002年同期相比,少72.57亿 $m^3$;与2001年同期相比,少92.05亿 $m^3$。根据长期径流预报分析,以及多年平均用水量和近几年黄河水量调度的实际情况分析,2003年1~7月10日黄河干流供需缺口较大,2003年黄河水资源形势严峻。

## 2　水污染形势

### 2.1　水质现状

2002年黄河流域气候异常,降雨稀少,来水严重偏枯,入冬以后黄河龙门以下河段尤其是潼关河段水体水质急剧恶化,严重威胁到下游取用水安全。2002年11月~2003年1月,黄河龙门—高村(豫鲁省界断面)河段水质评价结果见表1。由评价结果可见,龙门断面来水水质较好,相对比较稳定,为Ⅱ~Ⅳ类水。其下水污染加重,污染物因子$COD_{Cr}$、氨氮浓度分别在花园口和潼关断面出现峰值。由于龙门—潼关区间汾河、渭河、涑水河等污染严重的支流大量污染物的汇入,潼关断面水质急剧恶化,综合水质类别由Ⅳ类剧变为劣Ⅴ类;三门峡断面水质稍有好转,小浪底断面$COD_{Cr}$浓度再次升高,氨氮浓度呈下降趋势;小浪底—花园口间由于新蟒河、沁河、洛河等污染严重支流的汇入,花园口断面水污染呈加重趋势。花园口—高村断面间基本上没有污染物汇入,水体污染物有所自净降解,高村断面水质有所好转,但综合水质类别仍为劣Ⅴ类。

表1 2002年11月~2003年1月黄河龙门—高村河段水质评价成果

| 断面名称 | 断面间距 (km) | 时间 (年·月) | $COD_{Cr}$ | | | 氨氮 | | |
|---|---|---|---|---|---|---|---|---|
| | | | 数值 (mg/L) | 类别 | 超标倍数 | 数值 (mg/L) | 类别 | 超标倍数 |
| 龙门 | | 2002.11 | 13.1 | Ⅱ | | 0.48 | Ⅱ | |
| | | 2002.12 | 12.8 | Ⅱ | | 0.82 | Ⅲ | |
| | | 2003.01 | 21.4 | Ⅳ | 0.07 | 0.98 | Ⅲ | |
| 潼关 | 128 | 2002.11 | 28.6 | Ⅳ | 0.43 | 2.05 | 劣Ⅴ类 | 1.05 |
| | | 2002.12 | 15.5 | Ⅲ | | 2.42 | 劣Ⅴ类 | 1.42 |
| | | 2003.01 | 61.1 | 劣Ⅴ类 | 2.06 | 8.14 | 劣Ⅴ类 | 7.14 |
| 三门峡 | 116 | 2002.11 | 21.9 | Ⅳ | 0.10 | 1.24 | Ⅳ | 0.24 |
| | | 2002.12 | 22.6 | Ⅳ | 0.13 | 1.63 | Ⅴ | 0.63 |
| | | 2003.01 | 40.6 | 劣Ⅴ类 | 1.03 | 5.61 | 劣Ⅴ类 | 4.61 |
| 小浪底 | 129 | 2002.11 | 50.3 | 劣Ⅴ类 | 1.52 | 1.29 | Ⅳ | 0.29 |
| | | 2002.12 | 61.4 | 劣Ⅴ类 | 2.07 | 1.02 | Ⅳ | 0.02 |
| | | 2003.01 | 73.1 | 劣Ⅴ类 | 2.66 | 1.87 | Ⅴ | 0.87 |
| 花园口 | 128 | 2002.11 | 69.3 | 劣Ⅴ类 | 2.47 | 2.39 | 劣Ⅴ类 | 1.39 |
| | | 2002.12 | 77.9 | 劣Ⅴ类 | 2.90 | 1.84 | Ⅴ | 0.84 |
| | | 2003.01 | 66.2 | 劣Ⅴ类 | 2.31 | 2.49 | 劣Ⅴ类 | 1.49 |
| 高村 | 189 | 2002.11 | 40.8 | 劣Ⅴ类 | 1.04 | 0.97 | Ⅲ | |
| | | 2002.12 | 42.1 | 劣Ⅴ类 | 1.11 | 1.5 | Ⅳ | 0.50 |
| | | 2003.01 | 42.1 | 劣Ⅴ类 | 1.11 | 1.5 | Ⅳ | 0.50 |
| Ⅲ类标准 | | | ≤20 mg/L | | | ≤1 mg/L | | |

总的来看,黄河龙门以下河段水污染形势严峻,水质远不能满足水功能区划的要求。

### 2.2 纳污量分析

黄河干流龙门以下河段污染物$COD_{Cr}$月输送量为5.47万t,氨氮月输送量为5 150 t。其中,接纳的污染物主要来自支流,入河支流污染物$COD_{Cr}$月输送量占该河段干流污染物接纳量的95.7%,氨氮月输送量占干流的75.9%。这主要是由于黄河龙门以下河段沿岸的城镇相对于支流沿岸城镇较少,污染物大多通过支流进入黄河所致。就各省来讲,接纳的污染物主要来自山西、陕西和河南三省,入河污染物$COD_{Cr}$月输送量占干流的99.3%,氨氮月输送量占干流的93.0%。调查结果表明,渭河、汾河、涑水河、新蟒河、沁河、洛河等6条主要支流,其入河污染物$COD_{Cr}$月输送量占该河段支流输入总量的91.2%,氨氮月输送量占72.4%;黄河干流龙门以下河段入河排污口58%以上为超标排放,$COD_{Cr}$平均浓度在220 mg/L左右,氨氮平均浓度在95 mg/L左右。因此,为改善黄河干流龙门以下河段水质,保证沿黄用水安全,在龙门上游来水得到有效控制的基础上,切实加强陕西、山西和河南三省的水污染防治工作将是非常关键的。

根据对黄河干流龙门以下河段现状纳污量分析,筛选出废污水和污染物输入量大、对黄河水质影响显著的支流和排污口作为重点控制对象。重点控制的支流是渭河、汾河、涑水河、洛河、新蟒河和沁河等6条支流;重点控制的排污口为直接入黄的山西铝厂、永乐造纸厂、芮城西庐沟、大禹渡造纸厂、陕县化肥厂、三门峡化纤厂、三门峡城市生活污水、孟州一干渠、翟庄闸等9个排污口。其入河污染物$COD_{Cr}$和氨氮月输送量分别占黄河干流龙门以下河段纳污总量的95.5%和90.0%。

## 3 限排方案制订

### 3.1 水污染物控制思路

根据《水法》第三十二条规定,2003年旱情紧急情况下污染物限排方案,综合考虑国家产业政策、污染治理水平、社会经济可承受能力等因素,突出城市河段以及城市生活饮用水水源地等重点河段、水域的保护,以《2003年旱情紧急情况下黄河水量调度预案》为设计条件,以龙门断面为背景,考虑上游来水水质状况,拟订主要控制因子$COD_{Cr}$、氨氮的背景浓度,率定相应的水力因子和河道边界参数,进行纳污能力审定,以龙门—三门峡和小浪底—花园口区间污染严重支流和主要入河排污口为控制重点,充分考虑重点控制对象的输污现状、污染特性及其近年来变化过程,拟订入黄主要污染物$COD_{Cr}$、氨氮控制浓度,提出黄河干流龙门以下河段污染物$COD_{Cr}$、氨氮总量限排预案,在黄河来水特枯的情况下,基本保证重点河段的用水需求。

### 3.2 重点控制对象可控水平分析

#### 3.2.1 渭河

渭河是黄河的第一大支流,流域工业集中、城镇密集,渭河沿岸分布有宝鸡、咸阳、西安、渭南、铜川等大中城市,沿途接纳了甘肃、陕西两省大量的化工、纺织、造纸及城市生活污水,水体污染严重。对比渭河枯水期水质状况,$COD_{Cr}$浓度均值为 95 ~ 123 mg/L,氨氮浓度均值为 12 ~ 15 mg/L,但入河污染物通量变化不大,$COD_{Cr}$为 4 200 ~ 4 500 g/s。因此,考虑近 3 年渭河的水质变化趋势、枯水期污染物浓度变化范围,以及陕西省已建 3 座城市污水处理设施状况等,综合确定渭河污染物目标控制指标:$COD_{Cr}$浓度 60 mg/L,入河污染物通量在现状基础上削减 60%左右;氨氮浓度按 10 mg/L 控制,入河污染物通量在现状基础上削减 30%左右。

### 3.2.2 汾河

汾河是黄河的第二大支流,流经山西省中南部的忻州、太原、晋中、吕梁、临汾和运城等 6 个地市的 34 个县(市),是山西省工业集中、农业发达的地区。目前,汾河水体污染严重,枯水期水体几乎全部为沿途排入的废污水,主要构成为造纸、化工和生活污水。从近 3 年实测的资料来看,汾河 $COD_{Cr}$浓度值最低为 93.9 mg/L,最高达 3 500 mg/L,氨氮浓度值最低为 8.9 mg/L,最高达 84.9 mg/L,水质很不稳定。枯水低温期 $COD_{Cr}$浓度均值在 450 mg/L 左右,氨氮浓度均值在 20 mg/L 左右,$COD_{Cr}$入黄通量为 2 300 ~ 2 500 g/s,氨氮入河通量为 95 ~ 130 g/s。根据污染源必须按国家要求达标排放及考虑生活污水在短时期内难以集中治理的现实,综合确定:$COD_{Cr}$入河浓度按 200 mg/L 控制,入黄污染物通量在现状基础上削减 50%左右;考虑城市生活污水的现状可控水平,氨氮浓度按照污水综合排放标准 15 mg/L 控制。

### 3.2.3 涑水河

涑水河发源于山西省绛县陈村峪,流经闻喜、夏县、运城、临猗县,于永济市泓道园以西汇入黄河,枯水期没有天然径流,河道内几乎全部为沿途排放的工业废水和城市生活污水,流量一般维持在 1 $m^3$/s 左右。$COD_{Cr}$浓度年均值为 283 ~ 529 mg/L,氨氮浓度均值为 190 ~ 549 mg/L。考虑涑水河沿岸工业以化肥行业为主,入黄污染物参照化肥行业排放标准:$COD_{Cr}$浓度按 200 mg/L、氨氮浓度按 40 mg/L 进行控制。

### 3.2.4 洛河

洛河发源于陕西省华山南麓蓝田县境内,在河南省巩义市黄河焦作公路桥下汇入黄河。洛河沿途主要接纳了化工等工业废水,据近年来监测资料分析,水质有明显改善,$COD_{Cr}$基本稳定在 30 mg/L 左右,但氨氮较高,多在 6 mg/L 以上。基于此,洛河水质按现状水平控制,即 $COD_{Cr}$浓度 30 mg/L、氨氮浓度 6 mg/L。

### 3.2.5 新蟒河

蟒河流经济源市、孟州市、温县,在孟州市白墙水库以下分为新蟒河、老蟒河。目前新、老蟒河污染严重,水体主要由造纸废水和生活污水构成。从近 3 年水质监测资料来看,COD$_{Cr}$和氨氮浓度测值跳跃性非常大,且入河污染物通量变化也比较大,主要原因是枯水期河道内没有天然径流,河流水体受沿岸污水排放控制。考虑新蟒河的污水构成主要为制浆造纸排水和生活污水,根据国家政策和黄河水资源保护需要,结合河南省对新蟒河的水质考核目标(200 mg/L),综合确定新蟒河目标总量控制指标为:COD$_{Cr}$浓度 200 mg/L,氨氮浓度 15 mg/L(参照污水综合排放标准)。

### 3.2.6 沁蟒河

老蟒河于河南武陟县境汇入沁河。目前,由于沁河、老蟒河流域沿岸存在大量制浆造纸企业,加上沿岸生活污水的汇入,非汛期基本无天然径流,沁河、老蟒河汇合后水质状况很差。考虑其污水构成与新蟒河类似,并结合河南省对新蟒河的水质考核目标(200 mg/L),其目标控制指标与新蟒河相同:COD$_{Cr}$浓度 200 mg/L,氨氮浓度 15 mg/L(参照污水综合排放标准)。

## 3.3 黄河干流水质可控水平分析

2002 年黄河流域来水严重偏枯,黄河干流污染形势严峻。根据"黄河流域水资源保护规划"黄河干流龙门以下河段有关控制要求,考虑 2003 年旱情紧急情况下,沿黄用水要求及其对水体水质的最大可承受程度,拟订黄河干流龙门以下河段主要水质断面及水功能区的水质控制目标,具体见表 2。

表 2  2003 年旱情紧急情况下黄河干流龙门以下河段水质控制目标

| 序号 | 水质断面或功能区名称 | 水质目标 |
|---|---|---|
| 1 | 龙门 | Ⅲ~Ⅳ |
| 2 | 渭南、运城渔业农业用水区(潼关) | Ⅳ~Ⅴ |
| 3 | 三门峡、运城渔业农业用水区 | Ⅳ |
| 4 | 三门峡城市生活供水口 | Ⅳ |
| 5 | 三门峡饮用水工业用水区 | Ⅳ |
| 6 | 小浪底 | Ⅲ |
| 7 | 孟津大桥 | Ⅲ~Ⅳ |
| 8 | 焦作饮用农业用水区 | Ⅲ~Ⅳ |
| 9 | 邙山提灌站 | Ⅲ~Ⅳ |
| 10 | 东大坝提灌站(花园口) | Ⅲ~Ⅳ |
| 11 | 高村 | Ⅲ~Ⅳ |

## 3.4 预案结果

根据 2003 年旱情紧急情况下黄河干流龙门以下河段水质控制目标,参照《2003 年旱情紧急情况下黄河水量调度预案》,在河段水体纳污能力审定的基础上,考虑入黄支流、排污口的可控水平,综合确定入黄重点控制对象的控制指标和沿黄各省污染物总量控制指标,详见表3、表4。

**表3　重点控制对象目标总量控制指标一览表**

| 序号 | 排污口、支流名称 | | $COD_{Cr}$ | | 氨氮 | |
|---|---|---|---|---|---|---|
| | | | 入河控制浓度(mg/L) | 入河控制量(t/月) | 入河控制浓度(mg/L) | 入河控制量(t/月) |
| 1 | 排污口 | 河津铝厂排污管 | 100.0 | 40 | 15.0 | 6.0 |
| 2 | | 河津铝厂排污渠 | 92.6 | 63 | 15.0 | 10.2 |
| 3 | | 永乐造纸厂排污沟 | 450.0 | 27 | 15.0 | 1.0 |
| 4 | | 芮城西垆沟排污沟 | 450.0 | 53 | 15.0 | 1.7 |
| 5 | | 大禹渡造纸厂排污渠 | 450.0 | 8 | 15.0 | 0.3 |
| 6 | | 陕县化肥厂排污沟 | 100.0 | 12 | 40.0 | 4.7 |
| 7 | | 陕县化纤厂排污沟 | 100.0 | 18 | 10.3 | 2.0 |
| 8 | | 三门峡城市生活污水口 | 237.0 | 393 | 36.4 | 60.4 |
| 9 | | 孟州一干渠 | 100.0 | 73 | 40.0 | 29.0 |
| 10 | | 翟庄闸 | 100.0 | 164 | 40.0 | 65.7 |
| 11 | 支流 | 汾河 | 60.0 | 6 812 | 10.0 | 1 135.0 |
| 12 | | 涑水河 | 200.0 | 3 888 | 15.0 | 292.0 |
| 13 | | 渭河 | 200.0 | 524 | 40.0 | 105.0 |
| 14 | | 洛河 | 30.0 | 2 074 | 6.0 | 156.0 |
| 15 | | 新蟒河 | 200.0 | 1 296 | 15.0 | 97.0 |
| 16 | | 沁河 | 200.0 | 897 | 15.0 | 246.0 |
| | 合计 | | | 16 342 | | 2 212.0 |

**表4　黄河干流龙门以下河段各省区目标总量控制一览表**

| 省份 | $COD_{Cr}$总量控制量(t/月) | 氨氮总量控制量(t/月) |
|---|---|---|
| 山西 | 5 201 | 438 |
| 陕西 | 6 991 | 1 156 |
| 河南 | 6 692 | 766 |
| 山东 | 242 | 70 |
| 合计 | 19 126 | 2 430 |

### 3.5　可行性分析

在各重点控制单元达到初步拟定的目标总量控制水平下,对黄河干流龙门以下河段水质进行预测。预测结果表明,在龙门断面水质基本达到地面水Ⅲ~

Ⅳ类水要求下,水体水质较现状有明显好转,小浪底下泄水体水质基本能够满足地面水Ⅲ类水要求,就 $COD_{Cr}$ 来讲,潼关断面达到地面水Ⅳ~Ⅴ类水质,三门峡、花园口等断面达到地面水Ⅳ类水质,与设定的水质控制目标基本吻合,同时基本满足用水需求,应该指出的是,即使在采取上述控制目标下,鉴于现有技术条件,对控制氨氮点面源尚无针对性的有效措施,就预测结果来看,各断面氨氮普遍超标。由于直接入黄重点控制对象污染源均是超标排放排污口,且大多是造纸、化肥等污染严重行业,根据当前国家环保政策和经济技术水平,各污染源达标排放是应该也必须做到的;根据6条支流污染状况和污染可控水平分析,有关部门在严格执行国家环保法规和产业技术政策,切实加强水污染防治工作后,其控制目标和削减任务是可以实现的。因此,对6条主要支流河10个重点排污口的污染物目标总量控制指标是比较适宜的。

## 4  实施措施和实施效果

### 4.1  实施措施

2003年4月29日黄河水利委员会依法向陕西、山西、河南、山东四省发出了"关于2003年旱情紧急情况下黄河干流龙门以下河段入河污染物总量限排意见的函"(以下简称"限排意见"),受到了水利部、国家环保总局和四省政府领导的高度重视,得到了陕西、山西、河南、山东四省地方政府和环保、水利部门的大力支持,4月31日国家环保总局印发了《黄河流域敏感区域水环境应急预案》,陕西、山西省水利厅根据黄河水利委员会"限排意见"分别编制完成了"渭河流域(陕西段)入河污染物总量限排意见"和山西省境"限排意见监测计划";陕西、河南省环保局根据国家环保总局的"应急预案",分别编制完成了"陕西省渭河流域水环境应急预案"、"河南省黄河流域敏感区域水环境应急预案"。与此同时,四省环保部门为遏制水污染形势、改善黄河干流水质,加强了对所辖区域污染源的监管力度,关停了一批违法排污企业,查处了一批超标排污企业。黄河水利委员会对重点入黄排污口、重要支流及干流断面加强限排实施情况的监测和监督检查,积极主动与地方环保、水利部门就"限排意见"、水功能区管理、入河污染物总量控制制度等方面沟通协商,及时向地方政府通报限排工作实施情况。另外,为发挥各种媒体的舆论宣传作用,2003年6月黄河流域水资源保护局负责人与水利部水资源司领导一起接受中央电视台采访,7月份中央电视台新闻频道记者一行对限排区域进行了实地采访。

### 4.2  实施效果

国家、政府各级领导的重视和肯定,推动了"限排"工作的开展,水利、环保部门所采取的保障措施的实施有力地保证了"限排"工作的顺利进行。

通过"限排意见"的实施,部分非法排污企业被关停,大部分重点入黄排污口超标排污现象有所控制。与 2003 年 5 月中下旬相比,7 月份重点入黄排污口 $COD_{Cr}$ 浓度达标率控制目标由 20% 上升到 50%,氨氮浓度达标率控制目标由 10% 上升到 30%;重点入黄排污口 $COD_{Cr}$ 总量达标率控制目标由 10% 上升到 60%,氨氮总量达标率控制目标由 20% 上升到 50%;所有重点入黄排污口 $COD_{Cr}$ 总量平均下降了 53.1%。

支流污染有所控制,入黄 $COD_{Cr}$、氨氮浓度及总量有所下降。主要支流 $COD_{Cr}$、氨氮浓度达标率平均由 5 月中下旬的 16.7% 上升到 7 月份的 66.7%;与 5 月中下旬相比,6、7 月份主要支流入黄 $COD_{Cr}$ 总量下降了 27.4% 和 15.3%,氨氮总量平均下降了 48.9% 和 21.6%。

黄河干流龙门以下河段水体水质明显好转,到 7 月份,花园口—添口河段的 $COD_{Cr}$、氨氮浓度达到控制目标;潼关—小浪底河段氨氮浓度虽超标(潼关、三门峡、小浪底断面分别超标 0.97、1.47 和 0.20 倍),但与 1~4 月份相比,水质有所好转。

2003 年 1~7 月黄河龙门以下河段重要断面水质变化趋势见图 1。

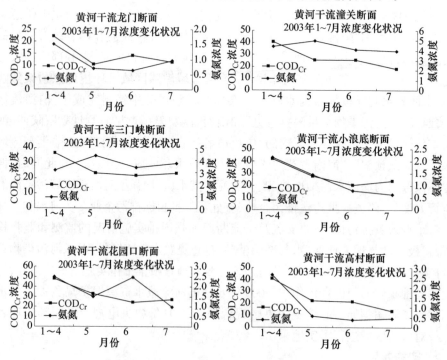

图 1　2003 年 1~7 月黄河干流龙门以下河段重要断面水质变化过程　（单位:mg/L）

## 5 结语

通过"限排意见"的实施,黄河干流龙门以下河段入河排污口、支流口入河污染物浓度、污染物通量有了较大下降,黄河干流水体水质有了明显改善,但是由于黄河流域城市污水处理率很低、水污染治理历史欠账较多、部分污染源不能做到稳定达标排放、偷排和超排现象仍然存在、"十五小"和"新五小"仍在非法生产,可以说一定时期内黄河干流水体水污染形势不容乐观。因此,加大黄河流域的水污染防治力度,加强城市污水处理工程的建设,建立健全水资源保护法规,完善水利、环保等部门"联合治污"机制,建立信息通报、重大问题会商制度,建立统一的黄河流域水环境监测网络,充分发挥流域水资源保护机构的协调作用,切实改善黄河流域水污染状况,保障黄河流域经济、社会和环境的可持续发展,其任务是长期而艰难的。

## 参 考 文 献

[1] 方子云.水资源保护工作手册.南京:河海大学出版社,1988

# 太湖富营养状态的修复

## 朱　威

(中国太湖流域水资源管理局)

**摘要:**中国最大的淡水湖太湖最近几十年来一直深受超营养作用之害。磷(P)对海藻的生长有限制作用。本文介绍了太湖流域自 1996 年以来污染控制计划的执行情况,以及太湖流域管理局采取的提高水质的分水措施,并对下阶段太湖的修复策略进行了讨论。

**关键词:**太湖　超营养作用　引水

## 1　太湖流域简介

太湖流域位于中国长江三角洲的南部,北至长江,南到杭州湾,东至东海,西面是山脉(见图 1)。流域总面积 36 900 km²,其中 53.1% 位于江苏省,33.4% 位于浙江省,13.5% 位于上海。到 2003 年末,流域内总人口 3 680 万人,城市化比例达到 51%,国内生产总值 1 820 亿美元。流域内人口密度每平方公里 997 人,是中国人口最密集的地区之一。

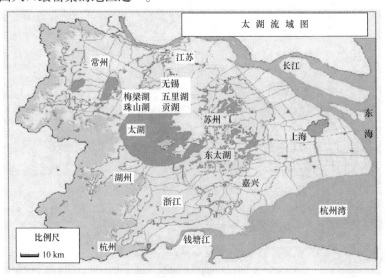

**图 1　太湖流域图**

太湖是中国三大淡水湖之一,水面面积 2 338 km²,正常水位(海平面以上 3.05 m)下湖的容积44.8亿 m³。太湖相对较浅,平均深度 1.89 m,水的平均滞留时间为 309 天。太湖地理特性见表 1。

**表 1　太湖地理特性**

| 1 | 水面(km²) | 2 338 | 6 | 平均深度(m) | 1.89 |
|---|---|---|---|---|---|
| 2 | 集水表面(km²) | 36 895 | 7 | 最大深度(m) | 3.0 |
| 3 | 海岸长度(km) | 405 | 8 | 湖容积(m³) | $4.4 \times 10^9$ |
| 4 | 湖长(km) | 68.5 | 9 | 每年入流量(m³) | $5.7 \times 10^{10}$ |
| 5 | 平均宽度(km) | 34 | 10 | 滞留时间(d) | 309 |

注:每年入流量为上游河流的年均流量。

## 2　太湖的超营养作用和修复技术

自 20 世纪 80 年代以来,由于超营养作用,太湖水质持续恶化。超营养作用的字面意思为"在营养方面表现富足",虽然一些湖泊是天然的富营养,但"eutrophication"这个单词通常是指人类活动无意间引起的富营养,特别是与湖泊生态系统相关联的不利变化。过多增加的营养物、有机物和淤泥产生大量海藻,降低水的透明度,从而造成湖泊的退化。这种情况下的水体失去了它的美好性、娱乐的魅力以及对工业、民用供水的有效性和安全性。

超营养作用是由磷、氮两种营养物浓度的逐渐增加引起的,这造成了湖泊生态系统中藻花的持续生长。然而,对世界范围内大量超营养作用状态下的浅湖的研究表明,限制性因素是磷而不是氮(除了一些例外的状况),因此治理浅湖超营养作用的关键是限制磷的排入。

20 世纪 80 年代之前,太湖水还没有被严重污染,那时太湖处于中度营养状态。根据历史记录,1980 年之前很少有大规模的绿藻花出现。然而,在过去的 20 年中,随着太湖流域工农业的快速发展和城市化的增长,大量未经处理的废水和经过处理的污水,携带丰富的营养(磷和氮)注入太湖。农业上对化肥和杀虫剂的大量使用是另一个重要的污染源,因此太湖被污染,近年来水质持续恶化。

本项研究使用 Vollenweider 模型(Kelderman, 2000)评价太湖的营养状况。外部进入湖区的所有磷主要包括三部分:①从支流进入的;②从大气进入的;③从湖岸附近的厂矿、城镇和农业耕地进入的。从 1998 年到 2000 年,平均每年外来的磷的数量是 1 785 × 10³ kg,也就是湖面上 0.76 g/(m²·a);1998 ~ 2000 年,平均每年出湖水量 11.4 × 10⁹ m³/a,也就是 4.86 m/a。图 2 为用 Vollenweider 模型计算的太湖的超营养状态与其他 51 个湖泊的对比情况,可以看出,太湖的营养状态远远高于过量 TP 线而处于超营养区。因此,为使太湖从超营养状态恢复到贫营养状态,磷的排放量必须减小到小于 $0.18$ g/($m^2 \cdot a$),换句话说,外来磷的数量要减少 76%。

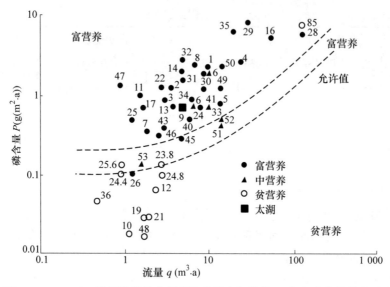

图 2　**Vollenweider 模型计算的太湖超营养状态与其他 51 个湖泊营养状态对比**

将太湖与其他 51 个湖泊(主要在欧洲和美国)对比后发现,太湖属于超营养湖泊,它有一个相对长的滞留时间和过量的 TP 排放量,然而,太湖明显不属于过分超营养湖,也就是极度超营养湖。根据 Vollenweider 模型(见图 2),基本上有两条途径将太湖从超营养状态恢复到贫营养状态或中营养状态。第一个途径是减少进入湖内的磷的排放量,包括外部的和内部的;第二个途径是提高进入湖区的流量,那意味着向湖区引入更多的清洁水,降低滞留时间。

需要指出的是,太湖的大部分湖底仍然是磷的主要接受器,每年大约有 1 000 t磷(也就是 $0.4$ g/($m^2 \cdot a$))沉入湖区的泥沙中,也就是说,太湖泥沙吸收的磷约占磷减少量的 60%,这种磷的吸收无论如何是不能接受的。因此,对于修复太湖来说,很明显的第一步是减少外部磷的排入量。根据 SEPA (2001)的数据,太湖流域大约 56% 的外部磷来自家庭废水,38% 来自无点源,只有 6% 来自工业水源。因此,建立一系列污水处理厂(WWTPs)和排水系统对于修复太湖来说是非常重要的,对于无点源和农村区域的废水,湿地是一个好的解决办法。

## 3　太湖流域污染控制计划

### 3.1　1996～2000 年第一阶段污染控制

1996 年 4 月,国务院召开了第一次太湖流域环境保护检查会,同意成立太湖流域水资源保护领导小组。为 2010 年解决太湖流域污染问题,设计了一个两阶段计划。第一阶段(1996~2000 年)的太湖流域政府污染控制计划重点控制工业污染源,在废水处理厂(WWTPs)中收集处理家庭污水。从 1996 年开始,江苏省和浙江省地方政府在控制污染方面取得了一些进展。根据政府文件(SEPA),主要的工业污染源(总计 1 035 处)到 1999 年 1 月 1 日必须达到污水排放标准($COD_{Cr}$),太湖湖岸 5 km 范围内的所有旅馆必须安装处理设备以达到排放标准。1999 年以后,所有生产、销售和使用含磷清洁剂(包括家庭使用)的行为都被禁止。在第一阶段(1996~2000 年)污染控制计划执行以后,2000 年太湖水质变坏的趋势停止。然而,整个湖泊的水质并没有明显提高,迄今,执行第二阶段计划的进展缓慢,没能达到以前制定的污染控制目标。

### 3.2 2001~2005 年太湖水质改进计划

2000 年以后,中国政府决定及时审视发展策略和取得的进步,以最大的成本效率和及时的方式向前发展。因此,2001 年 9 月,中国政府批准了太湖污染控制的第 10 个五年行动计划(SEPA,2001),决定太湖流域"十五"(2001~2005 年)期间采取综合整治措施,"十五"行动计划主要包括以下四个方面的内容:

#### 3.2.1 污染源控制措施

2001 年至 2005 年期间计划建立 81 个废水处理厂,总的污水处理能力为 391 万 $m^3/d$,其中 65 个废水处理厂建在江苏省,14 个在浙江省,2 个在上海。为有效去除营养物(磷和氮),废水处理厂主要采用两阶段生物学方法或 AA/O 方法。

对工业污染源,主要集中在减少磷和氨水的排放量。计划选择 87 个重污染企业(磷或氨水的主要排放者)建设新的磷或氨水的处理设施。

#### 3.2.2 从长江向太湖引水

从 2002 年 1 月起,太湖流域管理局(水利部)开始实施一项从长江向太湖引水的计划。根据监测数据,长江下游靠近 Wangyu 运河口的水质仍然可达到 II 类水(中国地表水标准),也就是说长江水质要比太湖水质好得多。截至目前,大约 63 亿 $m^3$ 优质水从长江通过 Wangyu 运河引入太湖流域,其中相当于太湖容积 3/4 的 35 亿 $m^3$ 长江水注入到太湖中,这明显提高了太湖的水质。

#### 3.2.3 生态恢复

制定了一个 2001~2005 年沿太湖建立一个生态缓冲区的计划,这个生态缓冲区包括一个丛林区和一个淹没水生植物和水上植物的混和区。

#### 3.2.4 无点源污染控制

"十五"(2001~2005 年)期间太湖已经禁止用网捕鱼,包括东太湖。

一些大规模的畜牧厂(超过 200 头猪、40 头奶牛或 80 头肉牛)已经安装了处理设备,牲畜的肥料处理后被重新应用到农业耕地上(生态农业),而不是直接排入河中。鼓励农民在田地上多用有机肥,减少化学杀虫剂和化肥的用量。

## 4  2000 年以来水质改进状况

从 1996 年到 2004 年,建立了大约 50 个废水处理厂并投入运用,这明显降低了进入太湖的磷的含量。从 2002 年 1 月开始的从长江向太湖引水的计划也提高了太湖的水质。

根据太湖的监测数据,太湖 $COD_{Mn}$ 的平均浓度已经从 2000 年的 5.28 mg/L 降到 2003 年的 4.31 mg/L(见图 3)。2000 年到 2003 年间,$NH_3-N$ 和 TP 的浓度分别降低了 34% 和 31%(见图 4、图 5)。这显示自 2000 年以来采取的全面治理措施已明显提高了太湖水质。然而,目前太湖的 TP 浓度(0.07 mg/L)仍然高于Ⅲ类水标准(0.05 mg/L),湖区北部仍有可能形成海藻花。因此,下阶段在太湖流域开展进一步的污染控制行动是非常必要的,特别是对农业的无点源污染。

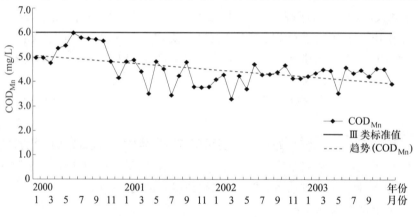

图 3  太湖水 2000 年至 2003 年 $COD_{Mn}$ 浓度的变化

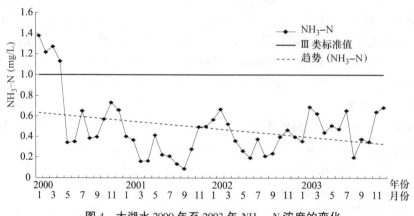

图 4  太湖水 2000 年至 2003 年 $NH_3-N$ 浓度的变化

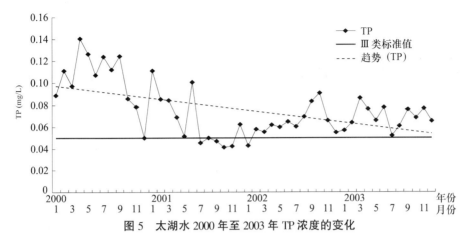

图 5　太湖水 2000 年至 2003 年 TP 浓度的变化

## 5　结语

(1)太湖有一个相对较长的滞留时间和过量的 TP 排入量,属于一个超营养湖泊;但是,它不属于过分超营养湖,也就是极度超营养湖。污染主要集中在湖区的西北部,也就是五里、梅梁和 珠山区域。

(2)根据大量的资料估算,平均每年进入湖面的外来 TP 的总量为 1 780 t,其中 89% 来自支流,其他来自太湖周围的点源、无点源和降雨。目前 TP 的排入量达到 0.76 g/(m² · a),是太湖允许值 0.18 g/(m² · a)的 4.2 倍。

(3)为修复太湖水质,明显的第一步是减少外部磷的排入量。建立一系列的废水处理厂和排水系统对修复太湖来说非常重要,其他的措施(包括引水和生态修复)也提高了太湖的水质。

(4)由于采取了全面的治理措施,包括建立一系列废水处理厂和引长江水到太湖,太湖的水质自 2000 年以来有明显提高,但是目前太湖的 TP 浓度(0.07 mg/L)仍然高于Ⅲ类水标准(0.05 mg/L),因此,下阶段在太湖流域开展进一步的污染控制行动是非常必要的,特别是对农业的无点源污染。

## 参 考 文 献

[1]　Kelderman P. 2000. Water chemistry and biology, Lecture notes. IHE, Delft, The Netherlands

[2]　Vollenweider R A. 1976. Rotsee, a source, not a sink of phosphorus? A comment to and a plea for nutrient balances studies, Schweiz. Z. Hydrol. 38:29 ~ 34

[3]　SEPA, 2001. 10th Five – Year Action Plan of Lake Taihu Pollution Control in China

# 欧盟水框架指南下的地表水监测与评价

## Paul Buijs

### (欧盟流域污染治理专家)

**摘要**:在 2000 年,欧盟水框架指南进入实施阶段,水框架指南旨在介绍欧盟成员国及其候选国在水管理政策与实践中的一些切实的变化。主要包括对地表水监测与评价的要求,水框架指南的最终目标是在 2015 年使水体达到良好的水质要求,在水框架指南中,良好的地表水状态是根据生态及化学状态两个方面来定义的。生物状态由生物质量要素(大型的无脊椎动物群落、水生浮游生物和鱼类)、物理化学质量要素(氮、氧、透明度)及水文地貌质量要素(河流的连续性、流量情势等)组成。化学状态由排放到河流的特定人工合成和非人工合成污染物确定,主要包括优先物质组群。为了能够确定地表水状态,必须根据生物、物理化学和水文地貌质量要素的覆盖范围布设监测网络,为评价水体的生物状态,就必须要计算水体的生物质量率(EQR),EQR 是度量实际生物条件与参照条件(几乎没有受到干扰,接近天然基准状态)差异的一个指标,为了对较好的化学状态进行评估,采用了环境质量标准(EQS),EQS 是由基于生物毒理学风险评估推导出来的,欧盟专家组对优先物质群落定义了环境质量标准。在欧盟水框架指南下实施了一个复杂的监测与评估计划。到目前为止,所有的欧盟成员国在根据水框架指南要求调整和升级地表水监测网络时,都遇到了几个复杂的问题。

**关键词**:水框架指南　地表水监测与评估

## 1 简介

本文是第二届黄河国际论坛的流域管理与水污染专题的的欧盟特别专题的一个汇报内容,论文与会议汇报都作为流域管理项目中的前期项目活动内容(欧盟框架合同 AMS/451, Lot VI: Environment)。

论文题目"欧盟水框架指南下的地表水监测与评价"的选择是基于以下两个原因:①为那些不熟悉该方面的学者介绍一些地表水监测与评估方面的概念和途径;②为项目前期活动提供参考,即对黄河流域水污染监测与管理的思考。

因受篇幅所限,本文和相应的大会汇报材料仅涉及水框架指南下的地表水监测和评估的一些主要特征及一般性的描述,对该方面感兴趣的读者可以进一步参考针对框架指南的监测手册(参考文献 1)。

文献中表述的见解、结论及解释只是作者本人的观点,绝不是用来反映欧洲委员会的政策和观点。

## 2  欧盟水框架指南

如详细地论述水框架指南,则超出了本文所涉及的范围,本节主要总结一些指南的特征,对地表水监测评估时,也仅做些一般性的设置介绍,大量涉及水框架指南的文献可以在网络上查阅,下面就是涉及该方面内容的一个非常有用的网站:http://forum.europa.eu.int/Public/irc/env/wfd/library。

欧洲议会和欧洲委员会 2000/60/EC 理事会建立的水政策领域的共同体活动框架的指南涉及了欧盟水框架指南,并于 2000 年 12 月 22 日开始实施,从而标志着欧洲在水资源可持续利用方面迈出了很重要的一大步。主要通过开发和实施流域管理规划,水框架指南要求各成员国采取任何可以在 2015 年达到良好水质状况环境目标的措施,欧盟水框架指南责令欧洲各国建立严格依赖于人类活动与所有自然过程相和谐的一体化流域管理,而这些人类活动则可以影响给定流域的水文循环,水框架指南的中心特征就是将流域作为水规划和水管理行动的基本单元,围绕该单元,所有的其他元素都做了统一的安排。尽管已经认识到水的物理及水文边界条件,但并没有规定性的管理方面的限制,主要通过流域管理规划的开发与实施,全面的水框架指南的环境目标是在 15 年的周期内欧洲的地表水和地下水达到较好的状况,因此水框架指南的实施将囊括风险相关者的一个巨大的范围群体,具体包括个体消费者、主要的用水部门(诸如农业和工业)、次要的水用户(如水上娱乐、供水、水处理公司、科学家、自然保护主义者),及在当地、区域、国家、国际不同水平层次范围的土地规划、用水的权利机构。

## 3  "到 2015 年达到良好的水质状况"

水框架指南的整体目标是到 2015 年各种水体达到良好的水质状况,对于那些水质尚未达到良好的水体,为改善水质,必须制定并实施具体的措施,水框架指南论文 2.18 给出如下定义:"良好的地表水状况"意味着地表水体的生物状况和化学状况均至少达到"好"的状况。

无论水体是否具有"良好状况",其中很重要的一部分就是必须通过监测和评估来确定,图 1 给出了水体状况评估的常规方案,同时介绍了水框架指南的几种特征。

上述评价方案意味着要求以下输入:①量测数据。对生物、物理、化学、水文地貌条件的量测资料等。②评价标准。实际状况与"参证条件"、"优等状况"、"确保生物系统功能"、"环境质量标准"等相比较的系统标准。这也就意味着地表水监测网必须能够监测不同的质量要素,并且可以对收集到的数据进行处理,进而根据水框架指南中的评价标准对水体进行评估。

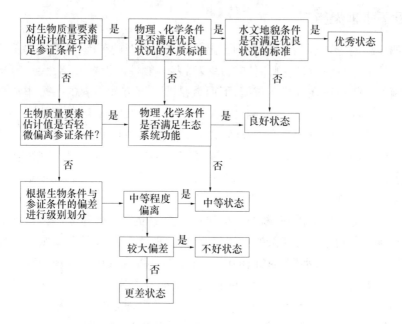

图1　生物状况分级中的生物、水文地貌、物理、化学要素的
相关规则指标（REFCOND Guidance Document, ref. [2]）

## 4　与水框架指南一致的地表水监测项目中的质量要素

水框架指南,特别是它的附件Ⅴ,描述了在不同的水体状况分级中用到的质量要素,并且在表1中做了汇总,水框架指南区分了4种类型的地表水源,即河流、湖泊、过渡水体、海岸水。正如表1中给出的那样,有时候在不同的地表水源进行不同的质量要素监测。

涉及到的质量要素部分依赖于监测类型,下述标准引自参考文献[3]中的第5章:

　•所有生物、水文地貌和所有的一般性及特定物理化学质量要素的监测参数都需要进行监测。

　•对用到的备选监测参数应该是那些比较敏感的生物、水文地貌质量要素和全部主要的排放污染物及排放量巨大的污染物。

常规监测和备选监测都是水框架指南介绍的新概念例子,常规监测是对地表水总体概况及长期变化的一般性评估,原则上,对常规监测需要选定有限数目

表 1　水框架指南地表水监测项目中的质量要素汇总

| 质量要素 | 河流 | 湖泊 | 过渡水体 | 海岸水 |
|---|---|---|---|---|
| 生物要素 | | | | |
| 浮游生物 | × | × | × | × |
| 海底植物 | × | × | | |
| 大型水底植被 | × | × | | |
| 大型藻类 | | | × | × |
| 包膜生物精子 | | | × | × |
| 大型无脊椎动物群 | × | × | × | × |
| 鱼 | × | × | × | |
| 物理化学要素 | | | | |
| 一般条件 ＊ | × | × | × | × |
| 主要的污染物 | × | × | × | × |
| 其他特定的污染物 | × | × | × | × |

＊ 热力条件、富氧条件、养分条件、透明度、盐度、酸性状况(仅适用于河流与湖泊)

| | 河流 | 湖泊 | 过渡水体 | 海岸水 |
|---|---|---|---|---|
| 水文地貌要素 | | | | |
| 水文要素 | | | | |
| 水流动力条件及水量 | × | × | | |
| 与地下水的联结 | × | × | | |
| 滞时 | | × | | |
| 河流的连续性 | × | | | |
| 水文预算 | | | × | |
| 淡水流量 | | | | × |
| 主流方向 | | | | × |
| 地貌要素 | | | | |
| 深度和宽度的变化 | × | | | |
| 河床结构 | × | | | |
| 近岸区域结构 | × | | | |
| 流速 | × | | | |
| 河道形态 | × | | | |
| 湖泊深度变化 | | × | | |
| 湖底结构 | | × | | |
| 湖岸结构 | | × | | |
| 深度变化 | | | × | × |
| 床底的量化结构 | | | × | × |
| 潮汐区域间的结构 | | | × | × |

的代表性监测站点,并且在规划期内(一般为 6 年),每年至少都要进行常规监测,而备选监测只是在水体面临风险时才进行的监测,至少这些水体质量都劣于"好的水质状况",这种监测在 6 年的规划期内必须进行。实际上,人们常期望备

选监测成为最常规的监测,然而在备选监测项目中,仅有一些精心挑选的质量要素被包括进去,而表1中所列出的所有项目都包括在常规监测内容中。

## 5 生物状况评估

生物状况由2组质量要素组成:①生物质量要素;②支持生物要素的物理、化学质量要素。

后1组也称为"一般性条件",主要包括热力条件、富氧条件、营养条件、透明度、盐分、酸性状态(后者主要针对河流和湖泊)。

对于生物质量要素,成员国期望建立起一种称为生物质量率($EQR$)的指标,正如水框架指南中叙述的那样:"为了确保这样一个监测系统的可比性,由每一个成员国进行监测的系统结果都应该可以由生物质量率表征对生物状况的分级,这些比率应该代表给定地表水体生物参数与参证条件之间的关系,该比率应该介于0~1之间,越好生物状态的比率值越接近1,而差的生物状态的比率值接近0。"

基于水框架指南的生物质量率对生物状况分级的基本原理由图2说明。

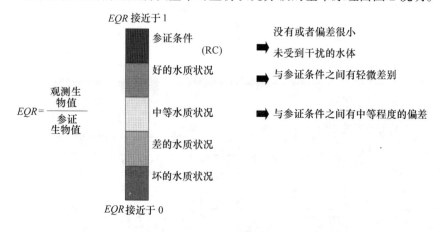

**图2 基于水框架指南的生物质量率对生物状况分级的基本原理**(REFCOND Guidance document, ref. [2])

水框架指南的附件V描述了"一般性条件"下的水体良好状况:

·温度、富氧条件和透明度在确保生物系统和生物治疗要素功能而建立的范围之内。

·营养物质含量不得超过确保生态系统和生物质量要素功能的水平。

各成员国也定义了各自的水质标准,标准的描述是为确保生态系统的功能,但目前还没有达到实际操作水平,为"一般性条件下质量参数"设置合适的标准在实践中会遇到多种复杂情况,特别是因为对于不同类型的水体经常需要提供不同的质量标准。

## 6 化学状况评估

在水框架指南的第 16 篇论文"防御水体污染的策略"中,第 1 段中提到:欧盟议会和理事会应该采取特定的措施防治可对水生环境造成显著污染风险的单一污染物或群体污染物,包含对饮用水汲取造成的风险。对于那些污染物,采取的措施应旨在降低污染物含量,特别是对于那些在论文 2 中标定的有害物质,应该马上或者逐步停止其排放或者流失。

"化学状况"包含特定合成的污染物和非合成污染物两种,非合成污染物包括那些水生环境中来自于自然环境或由自然过程中形成的污染物,如重金属、碳氢苯类等;合成污染物是指那些人工制造的物质,如杀虫剂、塑料等;但是比较感兴趣的是那些以显著数量、最可能引起污染的排放到河流中去的特定污染物,这些污染物已经在 2001 年公布。

由各种特定污染物基于生物毒理学风险评估的环境质量标准(EQS)将作为"好的化学状况"评价准则,水框架指南附录 V1.2.6 程序在总体上对化学质量标准设置做了描述;对于那些重点污染物将进一步做专门的规定。在论文 16.7 中,水框架指南提到:委员会将提交可应用于地表水、泥沙淤积区或生物区的重点污染物浓度的质量标准建议书,在重点污染物专家顾问论坛(EAF – PS)和重点污染物监测和分析专家组(AMPS)的支持下,已经开始起草这些环境质量标准,但目前仍然处于汇总及讨论阶段,这些标准目前还没有正式公布。

## 7 讨论

如本文前言提及的那样,在水框架指南下,已经提出了地表水监测与评估中的重点内容的选择,然而,上述已经做出的选择揭示着水框架指南下,包括欧盟成员国的世界大多数国家对地表水监测与评估必须承受着比目前更为不同和复杂的监测方案,但并不是要求尽善尽美,下述观测是值得注意的。

水框架指南下地表水的监测与评估是非常复杂的,特别是水文生态质量要素的卷入进一步加剧了复杂性,大多数传统的地表水监测网主要集中在物理、化学参数方面,对引用水或娱乐用水,偶尔也涉及到一些微生物参数(如大肠杆菌),当主要监测物理化学参数时,生物目标经常由整体目标推断,然而,当评估水生环境的时候,物理、化学条件仅仅是其中的一项内容,水框架指南需要对水文生态要素进行实际的监测与评估,这样可以对生物条件提供更为直接的信息,水文地貌条件的涉入是一体化监测与评估方案中另外的例子,例如,对于鱼类的迁徙,水文地貌障碍(如大坝)经常对鱼类产生比水质更为严重的问题。

当然,越复杂和综合程度越高的方案,实现的复杂程度也越大;基于欧盟成员国的经验,这里提及一些共同存在的问题。

## 7.1 生物状况的评估

生物质量比率概念应用的复杂性包括:

(1)参证条件的定义与规范化,几乎没有欧盟成员国能够说出他们仍然拥有完全或几乎没有被干扰的水,什么可以被用作参证标准? 这个问题是非常复杂的,因为人们需要区分特指类型的水体(对湖泊和河流的参证条件是不同的,海水和淡水的参证条件也不一样,即使在同一个国家的河流与湖泊之间乃至一个流域之内仍然存在不同类型的水体)。

(2)*EQR* 或许是一个非常具体的量测指标(介于 0 ~ 1 之间),但仍然没有几个定量化的因素可以应用,诸如"参证生物值"、"参证条件的轻微偏差"。

(3)生物系统的变异性(在时间和空间上),水系统是动态的,一系列条件不仅随年、季节和日循环而变化,而且受瞬间条件的驱动,诸如天气和其他的随机事件,因此在收集和解释生物资料数据对一个状态进行评估时,需要一个细致的途径和适合的专家知识。

除了概念和方法方面的复杂性,一些欧盟成员国遇到几乎没有资料来详细阐明生物评估系统这样一个难题,因为水文生物监测并不是在一个较为系统的基础上开展的,因此所需要的资料不可利用,也就意味着那些国家不得不采取抽样调查监测。

## 7.2 建立重点污染物分析的能力

重点污染物的试验分析需要现代和复杂的分析仪器与技术,特别是对预期的环境质量标准的浓度水平。在一定数量的欧盟成员国(不仅包括如波兰一样的在 2004 年新加入欧盟的国家,而且包括几个原来的欧盟国家),还不具备这样的能力,除了资金的投入之外(西欧将花费 120 万欧元用于新实验室的建设和设备的配置),还需要具有多年污染物分析经验的技术员工,重点污染物的实验室的分析订单也就意味着对实际的水生环境现状没有足够的知识储备,因此在上述实验能力达到之前,起草削减污染措施的时候,仍然具有较大的差距。

## 7.3 对现存监测网络的再设计

在一些案例中,根据水框架指南的需要,现存监测站点位置或许对监测的目的来说是不适合的。例如:常用的监测站点位于近污染区来评估各种废物排放所造成的直接影响,这样的站点在很多情况下或许并不适合于评估某一水体的代表性生物和化学状况;另外,对物理化学监测的监测站点经常不能满足生物水文取样的需要,在桥上取水样是很常见的现象,但是这也不是水文生物取样的适宜位置;此外,多数国家也是根据某种特定的区域或者局地目标而进行地表水的监测,而这些目标常是水框架指南中所没有覆盖的。因此,在没有大量增加监测站点数目的情况下适当调整监测站网的基础建设是可以实施的问题之一。

### 7.4　体制的不明确性

由于新质量参数的引入(如水文生态和水文地貌质量要素),必须根据取样和分析的职责、数据信息的储存与交换等方面做出相应的规定,在一些欧盟国家中,在流域层面的水管理还没有组织实施,许多水管理机构所管辖的河段经常根据省界确定,根据实际流域界匹配和重叠部分职权的重新定义是一件非常浪费时间的过程,有时也需要国家立法的改变。

当然,复杂性的列出还可以进一步扩展,但是根据上述例子,在水框架指南下,对于大多欧盟成员国来说,满足监测需要也确实是一个挑战,根据水框架指南实施计划,监测站网应该到2006年底实现备选监测,一些国家到截止日期前尚难以满足的事实也是可以预料的。

正如最终观测的那样,非常有趣地注意到包括监测与评估需要的水框架指南确实对统一欧盟国家具有一定的贡献,因为一些概念、方法和途径对于所有的成员国都是崭新的,在其他成员国内收集经验中也具有很大的乐趣,在一个成员国学到的教训经常可以促进其在其他成员国内的实施。

## 8　结论

水框架指南的地表水监测与评估是很复杂的,达到"好的水质状况"将可以保证与地表水有关的大多功能(生物、养鱼、引用水供应、游泳用水等)。因此,地表水体状况的监测与评估可以为改善水质措施提供统一的信息。

当提供综合方案时,水框架指南下的监测与评估的实现也是很复杂的,并且需要相当多的资源与时间。

尽管监测与评估方案是镶嵌在水框架指南的整体策略与政策中的,对于未来地表水监测站网来说,它也适合于更具有一般性的模式。例如,当生物质量比率概念成为一个非常复杂问题的时候,人们可以通过在更多系统基础上引入水文生态监测而开始,即使当它尚未与水框架指南的"良好状况"内容完全协调的时候,水文生态监测数据已经能够提供与生物条件相关的信息。

包含监测与评估策略的水框架指南介绍了对所有欧盟成员国来说非常新颖的概念与途径,对于经常实施的"通过做而学习"已经成为不可避免,欧盟成员国学到的一些教训对于那些考虑引入基于水框架指南途径的其他国家来说是非常有用的。

# 参 考 文 献

[1] Guidance on Monitoring for the Framework Directive. Produced by Working Group 2.7 - Monitoring. FINAL VERSION, 23 January 2003

[2] Guidance on establishing reference conditions and ecological status class boundaries for inland surface waters. Produced by Working Group 2.3 Reference conditions for inland surface waters (REF-COND), 30 April 2003

[3] POLICY SUMMARY to Guidance Document No. 7 Monitoring under the Water Framework Directive Produced by Working Group 2.7 - Monitoring

[4] Overall Approach to the Classification of Ecological Status and Ecological Potential. Working Group 2.A - Ecological Status (ECOSTAT), November 2003

# 建立黄河河源区生态环境监测体系的可行性分析

许叶新[1]　杜得彦[1]　邱淑会[2]

(1.黄河河源区水文水资源水生态研究所；2.黄河水利委员会水文局)

**摘要**：黄河河源区(指黄河干流唐乃亥水文站,即黄河龙羊峡水库以上黄河干流区域)是黄河上游的主要来水区,素有黄河"水塔"之称。流域面积为 12.2 万 $km^2$,占黄河流域面积的 16.2%,多年平均径流量 204.7 亿 $m^3$,占黄河年径流量的 35.3%。

　　本文充分利用现有的气候、水文、草地、森林资源和环境监测网站以及遥感、地理信息系统和全球定位系统技术(即"3S"技术)等方面资料,从技术、经济、工程等不同层面对建立黄河河源区生态环境监测体系进行了可行性研究分析,通过分析认为,借鉴国内外先进的生态环境监测技术和监测项目,建立黄河河源区生态环境监测体系是完全可行的。

**关键词**：黄河河源区　生态环境　监测　体系　可行性　分析

## 1 黄河河源区概况

　　黄河河源区是指黄河唐乃亥水文站(即黄河龙羊峡水库)以上黄河干流区域,位于东经 95°55′ ~ 102°50′、北纬 32°10′ ~ 36°05′之间,流域面积为 12.2 万 $km^2$,占黄河流域面积的 16.2%,多年平均径流量 204.7 亿 $m^3$,占黄河年径流量的 35.3%。该地区平均海拔在 3 000 m 以上,空气稀薄,含氧量 0.166 ~ 0.186 $g/m^3$,为海平面的 60%。其间星海众多,水系比较发达,流域面积大于 1 000 $km^2$ 的支流有 23 条,多年平均径流 205 亿 $m^3$,折合径流深 168 mm,年径流系数 0.37,是黄河的天然水池。

　　河源区大部分地区属于高原大陆性气候。表现为寒冷、干燥、少雨、多风、缺氧,温差大,冬长夏短,四季不分明,气候区分布差异大,垂直变化明显。由于地势高,年平均气温比我国东部同纬度地区要低得多,年平均气温在 0 ℃以下,7 ~ 8 月为无霜期,基本属于寒区。区域内降水分布地区差异显著,季节变化大,由东南向西北递减,雨量集中在 6 ~ 9 月,占全年降水量的 70% ~ 80%。

　　黄河河源区跨越青海、四川、甘肃 3 省,共 24 个县(市),有汉、藏、回、撒拉、蒙古族等 10 多个民族,多数是藏族。大部分地区平均人口密度仅 7 人/ $km^2$,因受自然、经济环境的制约,人口分布不均,工业、农业基础薄弱,畜牧业比较发达,是经济收入的主要来源。

## 2 黄河河源区生态环境现状

随着人口的增加和人类活动的加剧,加上严酷自然条件的侵蚀,造成草地生态系统的平衡失调,环境恶化,草地大面积退化和沙化,森林面积减小,直接威胁着黄河流域的生态平衡,严重阻碍着区域社会经济的可持续发展。主要表现在以下几方面。

### 2.1 超载放牧,草地退化

黄河源区自然条件恶劣,经济基础和技术力量薄弱。草地畜牧业生产仍未从根本上摆脱逐水草而居、靠天养畜的单一经营方式。据研究,青藏高原现有各类牲畜约7 000万头(只),家畜存栏数相当于20世纪50年代的3倍。长期的粗放经营管理、超载过牧,使大部分水草丰美的冬春草场严重退化,平均产草量下降了20%~50%。超载过牧不仅使草地初级生产力下降,而且使草场质量变劣,优良牧草减少。

### 2.2 鼠虫危害严重,生态环境恶化

黄河源区害鼠不仅与牛羊争食,而且使草地原生植被破坏,并形成斑块状的决生裸地。次生裸地不断扩大,相互联片,最后形成寸草不生的"黑土滩"。

### 2.3 水土流失严重,生态平衡失调

黄河河源区生态环境严酷,海拔高,山势陡峭,由于水蚀、风蚀和冻融剥离等因素的影响,部分山体、坡麓草皮层滑塌,经风吹雨淋,表土层流失,岩石裸露,土壤养分大量流失,草地生态平衡和物质循环失调。

### 2.4 物种减少,生物多样性破坏

随着人类经济活动的加剧以及对生物资源开发力度的增大,人类生存最关键的生物多样性受到严重威胁。根据对黄河源区40个采样点、150个样方的测定,在0.25 m²退化草地上平均有8.7种植物,总盖度为45.72%;而原生植被有18.3种植物,总盖度为86.0%;退化草地单位面积上的种数仅为原生植被种数的47.54%,总盖度仅占53.16%;退化严重的地区仅有1~5种矮小植物,总盖度几乎为零。

### 2.5 水资源量呈逐年减小的趋势

黄河源区河川径流主要来自大气降水,年降水在250~700 mm之间;其次为冰雪融水和地下水的补给,冰川面积191.95 km²,冰川储量191.95亿m³,年融水量165亿m³。黄河河源区大面积沼泽失水而枯竭,草甸被揭开,成为荒漠。众多湖泊出现面积缩小,一些小湖甚至消失,湖水咸化、内流化和盐碱化严重。玛多县原有4 000多个大小湖泊,干涸了2 000多个,现有湖泊的水位下降明显,仅

鄂陵湖、扎陵湖水位下降 2 m 以上。

## 2.6 土壤环境恶化

土壤也是土地资源的主体,在植被及其他物质生产中是不可缺少的资源,也是整个人类社会和生物圈共同繁荣的基础,而多数现代动力地质作用会导致水土流失、土地荒漠化、土壤盐碱化、土壤化学情况恶化、土壤污染等生态环境恶化。

## 3 黄河河源区生态环境监测现状

在生态环境监测中,为了对某一过程或某一生态环境进行评价,经常要求在某一空间范围内建立对某些生态环境的监测网,这种监测网可以在不同空间尺度范围内建立。由于海拔较高,自然条件比较恶劣,目前在黄河源地区除了一定数量的地面气象观测站、少量的专业(牧业)气象观测站、一个大气特种观测站和若干水文站以外,其他生态环境地面监测站点很稀少。

在黄河源地区现有 12 个地面大气监测点,其中包括 1 个大气特种观测站。地面大气监测点的监测项目主要为温度、气压、湿度、风向、风速、降水、天气现象、云量、能见度、蒸发和地温等要素;大气特种观测点主要监测项目包括温室气体和微量气体的监测,如臭氧、一氧化碳、二氧化碳、碳黑、甲烷等。2003 年 5 月开始,青海省气象局在黄河河源地区布设了 16 个生态环境监测点,并开始业务化监测。

在遥感监测方面,青海省遥感中心和生态环境评估中心主要从事生态环境变化监测和评估等工作,具有能够接收和处理美国 EOS、NOAA 卫星系列、FY 系列卫星数据设备,并利用"3S"技术在生态环境动态监测和研究做了大量的工作。

## 4 建立黄河河源区生态环境监测体系的可行性分析

### 4.1 建立黄河河源区生态环境监测体系的必要性

黄河河源地区是我国生物物种形成、演化的中心之一,也是国际科技界研究气候与生态环境变化的敏感区和脆弱带。有关研究表明,黄河河源地区气候及生态环境的变化不仅直接影响着当地的资源开发利用和经济建设,而且对全国乃至全球气候变化及生态平衡均起着极其重要的作用。

建立黄河河源区生态环境监测体系,可以利用地面观测数据、采用对地观测及其相关的信息采集与模拟技术,建立生态环境遥感监测模型、预测预警模型、评估分析模型、服务网络系统等,为黄河源地区生态环境动态监测系统的建立提供理论基础和实践经验,直接服务于黄河河源区生态环境的保护和建设工程。

### 4.2 建立黄河河源区生态环境监测体系的可行性

#### 4.2.1 技术路线

(1)充分收集、分类整理现有的森林、草地、水资源、气候资源、温室气体等生态环境和气候灾害以及社会经济等各方面历史资料与编研成果。

(2)建立具有代表性的、符合不同生态监测指标特征要求的遥感详查监测基准点,进行连续的实地观测。

(3)应用卫星遥感、地理信息系统和全球定位系统,对黄河河源地区森林、草地、水资源利用特别是冰川退缩、湖泊萎缩、流量减小、草场退化等现状进行遥测,并与地面详查信息进行综合性对比研究。

(4)建立资源、环境基本信息库,研制生态环境动态监测系统及气候灾害监测评估系统。

(5)开展黄河源区生态环境动态监测业务,不定期地提供生态环境要素的监测评价报告。

### 4.2.2 建设内容

(1)监测站网布设。在唐乃亥水文站以上黄河干流区域,以地面水文站、自动气象站、单雨量站为监测基础,以卫星遥感空间大尺度监测为中心,建成卫星遥感与地面监测相结合的生态环境监测网。

(2)监测项目。自动气象站主要观测项目包括气温、降水、蒸发、湿度、日照、风向、风速、雪深;新增土壤水分、土壤蒸渗、水土流失相关的水蚀变化、地下水位变化和部分水面蒸发观测。

水文观测项目有水位、水文、雨量;分别观测水位、流量、泥沙、降水、蒸发、气温、地温、土壤水分、土壤蒸渗等项目;在线水质自动监测站观测项目和巡测项目有温度、pH(值)、电导、溶解氧、浊度、氨氮、TOC/COD/BOD、总磷、总氮、钙、氯化物、六价铬、硬度、硝酸盐氮、硫酸盐、氟化物、亚硝酸盐、氰化物、石油、高锰酸盐指数。

(3)监测站网系统构成。由信息采集系统、信息传输系统、资源卫星遥感监测系统、水资源及生态环境数据与信息处理系统以及水资源、生态环境产品服务系统五部分组成。

信息采集系统,负责采集各类水资源信息;信息传输系统,将采集到的各类水文、气象信息快速、准确地传输到数据信息处理中心;资源卫星遥感监测系统,包括开发、建立黄河河源地区水资源遥感监测集成系统、建立遥感监测本底基础数据库、建成 EOS/MODIS 接收处理系统和水资源遥感监测业务应用系统等内容;水资源及生态环境数据与信息处理中心系统,实时接收、监控、检索和处理各类信息;水资源及生态环境产品服务系统,根据处理结果,向有关部门提供监测评价报告。

### 4.2.3 卫星遥感监测内容

建立黄河河源区生态环境监测系统,利用多时相、多源遥感数据,对全区域内主要草地森林等植被、湖泊水系、高原湿地、融雪冰、土壤水分、流域水量、生态需水量、水土流失与侵蚀、土地沙漠化及水土保持等进行长期监测。具体有以下几方面的内容：

(1)湖泊水系监测。利用 TM、SPOT 等资源卫星资料,快速完成黄河河源区域内夏季湖泊、水库等水域面积和数量的调查与监测,建立湖泊水系本底数据库,采用卫星遥感接收资料,进行湖泊水系季节性变化的动态监测。

(2)融雪冰监测。遥感对雪盖范围、雪的状态以及雪盖融雪程度的监测十分有效。通过高时间分辨率的积雪遥感动态监测,确定区域内积雪的分布范围、积雪深度、持续时间、融雪程度与状态,可以为更准确地估算融雪含水量与进行融雪径流预报提供重要基础数据和依据。

(3)高原湿地监测。利用 TM、SPOT 等资源卫星资料,快速完成黄河河源区域内湿地调查与监测,建立黄河河源地区湿地本底数据库。在湿地遥感调查与监测的基础上,对比、分析湿地萎缩与扩张动态变化,完成湿地连续动态监测与变迁评估。

(4)土壤水分监测。利用 EOS/MODIS 等极轨卫星数据对黄河河源地区土壤水分进行实时动态遥感监测。参照地面观测数据,点面结合估算特定流域内土壤水分储量。

(5)水土流失与侵蚀监测。利用 TM、SPOT 等卫星资料,对黄河河源区域内水土流失和侵蚀进行全面调查与监测。以 5 年或 10 年为期进行动态对比监测。

(6)沙漠化遥感监测。沙漠化与气候和过度的人类活动有关,也和水资源变化密切相关。利用 TM、SPOT 等卫星资料,对黄河河源区域内沙漠化土地和沙漠化程度进行全面调查与监测,建立黄河河源地区沙漠化本底基础数据库。

(7)草地森林资源动态监测。利用草地森林资源地面监测站,结合"3S"技术监测结果,综合研究其动态变化特征。

### 4.3 黄河河源区生态环境监测体系现实作用

建立黄河河源区生态环境监测体系,为提高对该区域生态环境变化的认识和研究,具有以下现实作用：

(1)建立黄河河源区生态环境变化的基本数据集,为研究黄河河源区生态环境变化与全球变化的响应机理和规律奠定基础。

(2)建立降水变化的数据集,在黄河河源区大山体下建立 4 处(巴颜喀拉山 2 处、阿尼玛卿山 2 处)降水随高度变化的垂直雨量、气温、蒸发观测点,为研究大地形影响下的降水分布规律提供数据。在此基础上建立水资源年、季的气候预测模型和面雨量动态变化预测系统。

(3)黄河河源区生态环境预测系统,在生态环境变化研究的基础上,分析黄河河源区突出的生态环境问题。结合有关气象数据及社会经济统计资料,从气候、人口增长、过度放牧和自然灾害等方面分析造成主要生态环境问题的原因,预测生态环境的变化趋势。

(4)黄河河源区生态的评估系统,利用气象观测资料、遥感监测和本底调查资料、生态环境监测资料、水资源监测数据等,建立黄河河源区生态环境评估系统。

## 5 结语

建立黄河河源区生态环境监测体系,对研究黄河河源区气候及生态环境的变化,进行动态监测和评估,提出合理、有效的生态环境保护措施是十分必要的。

通过建立黄河河源区生态环境监测体系,可以收集大量的水资源及生态环境信息,及时摸清黄河河源区水资源及生态环境的动态变化,准确预测水资源的变化趋势,提出防治黄河河源区生态环境进一步恶化和恢复生态环境良性循环的科学对策,提供有效保护该地区生态环境平衡的科学依据。使河源区水资源及生态环境得到合理、有效的利用和保护,协调水资源开发利用与生态环境保护、生物多样性保护之间的关系,保障黄河流域的用水安全、生态安全,提高生态环境治理质量,对维护黄河河源地区河流的健康生命具有现实意义。

# 荷兰莱茵河鱼道水力及建筑工程
# 使河流鱼类自由通行

## C.J.道斯特[1]　　F.R.考克[2]

(1.荷兰交通部海岸工程高级项目经理　公共工程及水管理　土木工程部；
2.荷兰交通部项目筹化项目经理　公共工程及水管理　东荷部)

**摘要:**由于莱茵河水质急剧下降以及河流调蓄工程的建设如拦河围堰、水坝及水电站,至1985年像鲑鱼、海洋鲑鱼等河流鱼类通过莱茵河进行迁徙的数量已显著减少。最近几十年与鱼类迁徙密切相关的莱茵河水质以及周围环境得到了极大改善。同时,关于恢复鱼类迁徙的可行性问题开始展开国际性的讨论。沿莱茵河所有国家在1987年采取了莱茵河行动计划,该项计划的目标之一就是恢复莱茵河主河道作为生态系统中枢的作用,其主要支流作为鱼类迁徙的栖息地。

在奈德—莱茵河3座拦河围堰上建设的3个鱼道是荷兰在莱茵河上恢复鱼类迁徙路线的主要行动。通过对不同鱼类的行为及迁徙环境的准确调查,最后形成由大型水池及围堰构成的鱼道设计,作为鱼类在洪泛区的旁路通道。带有V形垂直槽围堰的通道能使各种迁徙鱼类在河流不同流量的情况下进行迁徙。

鱼道的设计和施工并非易事,了解迁徙鱼类的习性、所需的水利环境、水管理及工程施工方面的知识都是非常重要的,只有一个由多学科人员组成的队伍才能够完成。所有这些方面将在本文中进行讨论。

**关键词:**莱茵河　鱼道水力　建筑工程　鱼类　通行

## 1　简介

沿莱茵河各国政府在1987年制定了一项远景规划,到2000年在莱茵河重新引入大西洋鲑鱼。鼓起勇气这样做的原因就是自1957年以来,整个莱茵河汇水盆地的鲑鱼(Salmon salar L.)面临绝迹。造成这一现象的主要原因是水质差、产卵及育卵场地的减少以及像围堰、水闸、水坝(Lelek,1989)等障碍物的建设。在荷兰有3座拦河围堰用来调节下游莱茵—莱克河支流的水量。为了改善航道深度、提供新鲜的饮用水以及减少海水入侵,水量调节是必要的。但正是这些围堰形成了鲑科鱼以及非鲑科鱼(Klinge,1994;Winter & Van Densen,2001)向上游迁徙的障碍。

据调查,鲤科鱼从来没有在莱茵河的荷兰段进行产卵。因此,除了当前的大坝、围堰及工业区域,恢复措施集中在如何使那些通过此河段的鱼类完成它们的迁徙路线。

本文作为一个多学科研究的例证阐述荷兰3个鱼道的现实及前景。

## 2 莱茵行动计划

自20世纪50年代,莱茵河扮演着"欧洲最大的排水沟"的悲哀角色。经济衰退及人口增长日益明显,莱茵河沿岸各国除了定期的会议以及对人口控制达成一致外,还应认识到这样一个事实,就是莱茵河作为实际上的一条死河是极不正常的。

1986年11月1日,在巴塞尔附近施威泽海勒的散得兹工厂发生一起火灾,10~30 t杀虫剂以及灭火用水一起排入莱茵河(Lelek,1989),导致大量鱼类死亡,主要是鳗鲡,大约有200 t。这次偶然事件清楚地表明需要采取一项新的措施,最终采取了一项国际性的河流恢复计划"莱茵行动计划(RAP)"(ICPR,1987,1999,2003),该计划制定的主要目标如下:

(1)莱茵河生态系统必须成为一个适合鱼类生存的栖息地,以便让原先在此的高级物种重新返回(如鲑鱼、海鲑鱼)。

(2)必须确保莱茵河水作为饮用水。

(3)有毒物质的污染必须显著降低,尤其是沉积物。

通过20年的努力,逐步改善水质的目标已经达到。目前,水的含氧量已接近自然状态,但是水质的改善还无法让鲑鱼返回。根据RAP的第一个目标,莱茵河各国设想了一项生态总体规划,即莱茵"鲑鱼2000"计划。该项计划集中在两点:

(1)恢复主河道作为生态系统中枢的作用,尤其是对长途迁徙的鱼类如鲑鱼、海鲑鱼、西鲱鱼、海七斯鳗鱼及河七斯鳗鱼。

(2)保护、保存及改善莱茵河及莱茵河谷生态重要河段,提高本土动植物的多样性。

## 3 莱茵河及其拦河围堰

莱茵河从瑞士的源头到北海的入海口总长1 320 km,汇流区225 km²,其中25 km²位于荷兰境内,形成了三角洲区域。莱茵河进入荷兰处(在洛贝斯)的平均流量为2 200 m³/s,越过荷兰边境之后即分成3条支流,主要支流为瓦尔河,其输水量占总水量的65%,娄尔莱茵—莱克河占21%,埃塞尔河只占到14%(f.i. Middelkoop and Van Haselen,1999)。

沿着娄尔莱茵—莱克支流建有以下 3 座堰、闸联合坝：

(1)卓尔堰、闸联合坝位于道恩沃斯附近，是最上游的拦河坝。该坝如一个水龙头将低流量的莱茵河水逼入埃塞尔河，这样就改善了该支流的适航深度并确保了埃塞尔湖的供水安全。

(2)阿莫荣根堰、闸联合坝在 Wijk bij Duurstede 以上，是中游的拦河坝。该坝的作用是保持卓尔与阿莫荣根之间(23km)的水位以满足航运及水管理的目的。在左岸有一座 4 个涡轮机组、10MW 容量的水电站。

(3)哈哥斯坦堰、闸联合坝位于 Vreeswijk 附近，娄尔莱茵—莱克支流的最下游。它是为了防止海水入侵荷兰西部以及保持阿莫荣根与哈哥斯坦之间河段的水位而建的。在该坝的中墩有一个发电容量 1.8MW 的涡轮机组。

3 座堰、闸联合坝设计尺寸几乎一样，坝体最重要的部分是挡板门，一个半圆形的"阀"，因其形状及提升方式，让人想起古代的骑士钢盔(见图 1 和图 2)。

图 1　哈哥斯坦开放的拦河坝　　　　图 2　卓尔部分开放的拦河坝

拦坝的管理方案依莱茵河在洛贝斯的流量而定。一年中拦坝将完全关闭 3 个月，部分关闭 6 个月，使河流保持平均流量(见图 2)，另外 3 个月水位已达到足够高度，因此拦坝无需任何操作。当河中有大量流冰时，挡板门也将被提起来。

## 4　鱼群组成

鱼类学者根据所拥有鱼类的不同特征将大河分成不同的地带。在荷兰根据鱼类的水流偏好及生态繁殖，一种常用的鱼类生态分类为亲流性淡水鱼类、海水淡水洄游鱼类、湖泊类及非特定鱼类(Quak,1994)。在下游亲流性鱼类的比例在减小，湖泊类及广适性鱼类在增加(Aarts and Nienhuis,2003)。因此，在荷兰的河系当中，湖泊类及广适性鱼类占主导地位。亲流性淡水鱼类只是利用莱茵河荷兰段作为迁徙路线，将德国、法国及瑞士段作为产卵地。在所有鱼类中有 59 种在莱茵三角洲被发现(Brenner et al.,2004)。因此，通过"鲑鱼 2000"计划，监测结果显示许多鱼类的数量呈上升趋势(见图 3)。

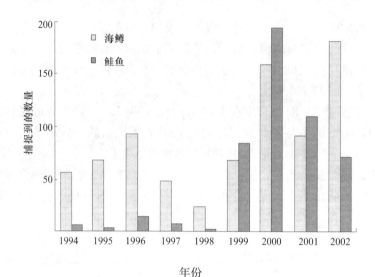

图 3 在哈哥斯坦捕捉的海鳟和鲑鱼

## 5 生态设计标准

设计鱼道必须了解鱼的习性,最重要的方面包括以下设计标准。

(1)迁徙周期:决定河流不同流量时鱼道的实用度。

(2)游行能力:决定拦坝的最大流速及水池的尺寸。

(3)迁徙方向:决定拦坝与鱼道入口的相互关系。

### 5.1 迁徙周期

在荷兰鱼道的一个主要设计标准就是除了亲流性鱼类、湖泊类及广适性鱼类以外能使所有河流鱼类进行迁徙。河流鱼类的迁徙行为由诸多因素决定,如水温、天气、河水流量及月亮位置,基于以上原因,鱼的迁徙周期在不同年份是不同的。梭子鱼和雅罗鱼向上游产卵迁徙开始于 1 月或 3 月(Winter and Van Densen,2001)。鲑鱼及海鲑鱼在 7 月开始产卵前迁徙,在 10 月结束(见图 4)。

### 5.2 游行能力

不同的鱼类有不同的游行能力,这还要取决于鱼的尺寸。鲑科鱼是游行好手,鲤科鱼大多数游行速度较慢(Winter and Van Densen,2001)。鱼道的水流流速应该始终低于目标鱼类的最大流速,如果部分鱼道的流速超过鱼的最大游行能力,就有必要设置水池供鱼休息。在拦坝下游的水池中水流流速将降低,并且旋涡可以给鱼提供了适宜的休息区域。

### 5.3 游行方向

鱼向河流上游迁徙通常尽可能沿同一路线,当水流减少或变得湍急时它会改变其游行路线,而且会朝着直线结构如河床、河坝或码头围墙沿着无扰流和最

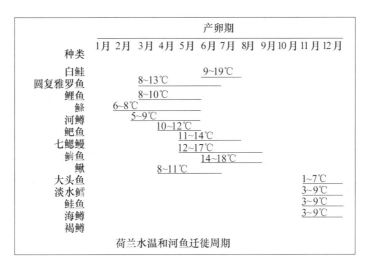

**图4 荷兰河流鱼类迁徙周期**

小逆流游行。鉴于这种习性,鱼道的水流入水口(鱼的上游出口)实际上不是很重要,只要鱼能安全地从出口游向上游而不被吸入水电涡轮机即可。一旦鱼能通过鱼道,它们能很容易地发现并沿着河道主流游行。另一方面,鱼道水流出口(鱼的下游入口)必须在合适的位置,特别是当拦坝部分开放时,这一点变得更为关键和重要。鱼道水流在通过出口时必须在拦坝下游侧增加一个吸引水流,且正好在湍急水流区域的后面。吸引水流必须能使鱼发现鱼道的出水口。

因此,鱼道的流量与河流主流流量的关系非常重要,当鱼无法直接通过河流拦坝的时期,鱼道水量必须至少是主流流量的3%。

## 6 鱼道围堰设计

与鱼的迁徙周期及游行能力相关的生态设计标准是鱼道设计的边界条件,其中围堰设计扮演着非常重要的角色。在开放式鱼道中两种人工围堰比较著名,第一种围堰形式为 V 形(见图5),此种围堰的突出优点是通过围堰的水流方式及流速的多样性,它能使不同大小的各种鱼类通过,例如小型鱼类可以从侧流通过,强壮的鱼类可以从围堰中间的水流通过。另一方面,V 形围堰的功能对水位及水头变化非常敏感,当鱼道中水头差波动非常明显时,只有在围堰高度可调节时才可以应用,这种功能使得鱼道造价非常高。例如,当鱼道上游处于高水位时,围堰需要相对较高的位置来限制通过围堰的水流流速使鱼能顺利通过,在此情况下当上游水位下降时就可能使得鱼道无法发挥作用。

第二种围堰的形式是只有垂直槽(见图6)。此类围堰的鱼道能处理显著的水位及水头差。这种鱼道的一个主要缺点就是只有强壮的鱼类才能通过,因此这种鱼道通常叫做"鲑鱼梯"。

图5　在比利时好莱丹的 V 形围堰　　　图6　在德国 Ifesheim 的垂直槽围堰

在奈德—莱茵河上的卓尔、阿莫荣根、哈哥斯坦鱼道上采用了一种创新的围堰形式,它是结合两种标准围堰进行的改良(见图7、图8)。这种 V 形围堰拥有垂直槽,综合了标准围堰的优点,并消除了它们的缺陷。

图7　阿莫荣根鱼道施工中的垂直槽 V 形围堰

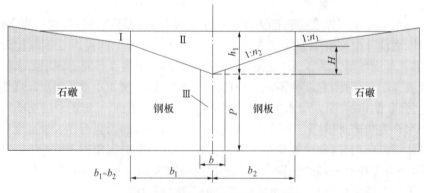

图8　拥有垂直槽的 V 形围堰截面

围堰的几何尺寸是由通过鱼道的最大允许水流流量决定的。通过与水电站协商,确定通过阿莫荣根和哈哥斯坦鱼道的水流流量为 4 m³/s(卓尔为10 m³/s)。为了使鱼道发挥最佳作用,需要在整个水位变化范围内保持此流量。

V 形垂直槽围堰与水量的关系推导如下(WL|delft hydraulics,1998):

当 $h_1 \geqslant 1.25 H_b$ 时

$$Q = G_{S\,I} C_{D\,I} \left(\frac{4}{5}\right)^{\frac{5}{2}} \sqrt{\frac{g}{2}} \tan\left(\frac{\theta_1}{2}\right)(h_1 - H_b)^{2.5}$$
$$+ C_{S\,II} C_{D\,II} \frac{2}{3} \left(\frac{2}{3} g\right)^{0.5} 2 H_b \tan\left(\frac{\theta_2}{2}\right)\left(h_1 - \frac{1}{2} H_b\right)^{1.5}$$
$$+ 0.8 b_{vs} P \sqrt{2g(h_1 - h_2)} \tag{1}$$

当 $h_1 < 1.25 H_b$ 时

$$Q = C_{S\,II} C_{D\,II} \left(\frac{4}{5}\right)^{\frac{5}{2}} \sqrt{\frac{g}{2}} \tan\left(\frac{\theta_2}{2}\right)(h_1)^{2.5}$$
$$+ 0.8 b_{vs} P \sqrt{2g(h_1 - h_2)} \tag{2}$$

式中　$b_{vs}$——垂直槽宽度,m;

$C_D$——流量系数,由上游顶点水头及顶部宽度和几何尺寸确定(此围堰 $C_{D\,I} \approx 1.1 C_{D\,II} \approx 0.6$),( - );

$C_S$——亚临界流动修正因数,由 $h_1/h_2$ 值确定,( - );

$H_b$——扭面至顶点高度,m;

$h_1$——上游水位至顶点高度,m;

$h_2$——下游水位至顶点高度,m;

$P$——垂直槽高度,m;

$Q$——流量,m³/s;

$\theta$——V 形槽开放角($\tan(\theta/2) = n$)(此围堰 $n_1 = 7, n_2 = 3$),(°)。

根据鱼的短距离游行能力,通过截面Ⅲ的最大允许流速为 2 m/s,并由此确定水头差$(h_1 - h_2) \approx 0.16$ m。根据最大允许流入量,可以对围堰尺寸进行优化。

因为整个鱼道的最大水头差达 3.8 m,因此需要 24 个围堰。两个围堰之间的水池长度至少需 10 m,以增大鱼的休息区。水池的尺寸是由池内最大流速(0.8 m/s)以及鱼的长距离游行能力和最大流量(4 m³/s)决定的。水池的长度以及围堰数量决定了鱼道的最小长度为 230 m。另外,与垂直槽相邻的河床底部避免产生激流区也是非常重要的。

上游卓尔和哈根斯坦拦河围堰的水位波动非常明显(达 1.3 m),因此在此处的鱼道有一条旁路。当上游处于高水位时,旁路被关闭,整个水头差被 24 个围堰平分;当处于低水位时,开放的旁路关闭 5 个围堰,整个水头差(相对较小)

有 19 个围堰平分。3 个鱼道的特征见表 1。

**表 1 3 个鱼道的特征**

| 鱼道特征 | 卓尔 | 阿莫荣根 | 哈哥斯坦 |
|---|---|---|---|
| 鱼道关闭天数(天/年) | 240 | 320 | 340 |
| 上游水位范围(m) | 1.32 | 0.38 | 0.85 |
| 围堰数量(-) | 19 | 24 | 24 |
| 入水口数量(-) | 2 | 1 | 2 |
| 总长度(m) | 470 | 730 | 390 |
| 总宽度(m) | 16 | 10 | 10 |
| 最小流量($m^3/s$) | 1 | 1 | 1 |
| 最大流量($m^3/s$) | 10 | 4 | 4 |
| 最大流速(m/s) | 0.8~1.0 | 0.8~1.0 | 0.8~1.0 |
| 水池间落差(m) | 0.15 | 0.16 | 0.16 |

## 7 吸引水流

关于鱼类游行方向的生态设计标准认为水流出口的合理位置与通过鱼道的合理水流流量都是至关重要的。在鱼不能直接通过河流拦坝的时期,鱼道的水流流量应该至少是主河流量的 3%,对于哈哥斯坦及阿莫荣根鱼道来说这就是个问题。通过鱼道的流量无法随着河道流量的增加而增加,当河流流量增加时,河流拦河围堰开放得越来越大,导致通过鱼道的水头差减小,结果使鱼道的流量减小。据估计,在拦河围堰完全打开之前,鱼无法直接通过拦河围堰,围堰下面的湍流和高速水流将阻止鱼的通过。根据这种假设,3% 的流量是无法满足要求的。

解决方案是调整鱼道设计增大流量,或者从上游通过一条捷径(如 Ifesheim鱼道的管道或旁路)直接通向鱼道出水口。根据水电公司的意见,这两种方法都不允许在阿莫荣根和哈哥斯坦鱼道应用。然而,在哈哥斯坦鱼道通过尝试应用额外的管道取得较好效果,明显改善了出口的流量(见图 9)。对于流量与位置的关系在理论上没有最佳方案,应根据鱼类的迁徙对鱼道进行监测,以了解其效果。

## 8 施工问题

通过顾问及承包商的集体智慧和创新能力,3 条鱼道在设计及承包合同的基础上进行了施工 。委托条款没有包含功能要求,但是鱼道的空间功能设计(围堰的几何高度及位置)是在对 Rijkswaterstaat 研究的基础上进行的。设计的自由度在详图设计(材料和尺寸)、后勤保障问题(两条鱼道同一合同同时施工)和施工程序中体现出来(例如有无地下降水)。

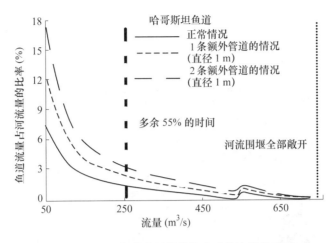

图 9　哈哥斯坦鱼道应用额外管道改善流量关系图

施工程序决定围堰设计，因为地下降水对周围地区是非常危险的(阿莫荣根)或者造价很高(哈哥斯坦)，所以承包商选择应用预制装配式钢围堰(见图10)。在样板水道中这些预制围堰可以置于地下水位以下。在卓尔鱼道地下降水毫无必要，围堰是用钢板桩施工的(见图11)。

图 10　哈哥斯坦及阿莫荣根鱼道　　　　图 11　卓尔鱼道钢板桩围堰
　　　　预制装配式围堰

## 9　监测

对鱼道的效果进行评估，需要根据鱼的迁徙通过一个广泛的监测程序在不同的水位上进行，在整个流域通过遥感技术对迁徙鱼类进行监测(Breukelaar et al.,1998)。通过这种方法很多鲑鱼及海鲑鱼在河口被铺捉，并对每条鱼植入可以发送独特信号的转发器。当所有这些鱼通过沿着河槽和鱼道铺设的电缆时都会被监测到。一台计算机专门负责收集信息并始终对迁徙鱼类进行跟踪。

在当地还使用了一种传统的方法，就是在鱼道入水口将所有经过的鱼都捉入网袋，网袋捕捉在 3～6 月每周实施 5 天。

对鱼道工程技术的监测主要集中于水力学、水位、水头差、水量、水流流速以及吸引水流的形式(见图 12)。

图 12　阿莫荣根鱼道

如果有必要对围堰顶高进行调整,监测程序的结果将被用来改善河流拦坝的运行操作以使鱼的迁徙效果最佳,同时可以改善今后的鱼道设计。

迄今为止,发现很多种不同大小的亲流性淡水鱼类、海水淡水洄游鱼类及广适性鱼类利用鱼道进行迁徙(见图 13 和图 14)。

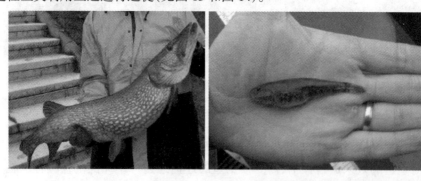

图 13　在哈哥斯坦鱼道用网袋捕捉的梭子鱼　图 14　在阿莫荣根鱼道用网袋捕捉的管鼻虾虎鱼

# 参 考 文 献

[1]　Aarts B.G.W., Nienhuis P.H. Fish zonations and guilds as the basis for assessment of ecological integrity of large rivers: Hydrobiologia 500: 157~178, 2003

［2］ Brenner T., Buijse A.D., Lauff M., et al. The present status of the river Rhine with special emphasis on fisheries development. In Abell R, Thieme M & Brenner B.L (2004) Ecoregion conservation for freshwater systems, with a focus on large rivers. Proceedings of the second international symposium on the management of large rivers for fisheries Volume II. FAO Regional Office for Asia and the Pacific. Bangkok

［3］ Breukelaar A.W., bij de Vaate A., Fockens K.T.W. Inland migration study of sea trout Salmo trutta into the rivers Rhine and Meuse (The Netherlands), based on inductive coupling radio telemetry. Hydrobiologia,1998,371/372: 29 ~ 33

［4］ ICPR. Aktionprogramm Rhien. International Commission for Protection of the Rhine, Koblenz, 1987

［5］ ICPR. Ist der Rhein wieder ein Fluss f·1r Lachse (Is the Rhine once again a river for salmon). International Commission for Protection of the Rhine, Koblenz, 1999

［6］ ICPR. Upstream: outcome of the Rhine Action Programme. International Commission for Protection of the Rhine, Koblenz,2003

［7］ Klinge M. Fish migration via the shipping lock at the Hagestein baragge: results of an indacative study. Wat. Sci. ecn, 1994(3):357 ~ 361

［8］ Lelek A. The Rhine River and some of its tributaries under human impact in the last two centuries. In: Dodge, D.P. (ed.) Proceedings of the international Large River Symposium. – Canadian Special Publication of Fisheries and Aquatic Sciences, 1989,106: 469 ~ 487

［9］ Middelkoop H., Van Haselen C.O.G. Twice a river: Rhine and Meuse in the Netherlands. RIZA Institute for Inland Water Management and Waste Water Treatment, Arnhem, 1999.127

［10］ Schulte Wlwer Leidig. Out-line on the ecological masterplan for the Rhine. Wat. Sci. ecn, 1994. 273 ~ 280

［11］ Quak J.Klassificatie en typering van de visstand in het stromend water. In: Raat, A.J.P. (Ed). Vismigratie, visgeleiding en vispassages in Nederland. Organisatie ter verbetering van de binnenvisserij, Nieuwegein,1994

［12］ Winter H.V., van Densen W.L.T. Assessing the opportunities for upstream migration of non-salmonid fishes in the weir-regulated River Vecht. Fisheries Management and Ecology,2001, 8: 513532

［13］ WL|delft hydraulics. Samengestelde overlaten, vispassages Driel, Amerongen en Hagestein, project Q2393, WL|delft hydraulics,1998

# 对黄河水污染监测与管理方面的思考 *

Amara Gunatilaka[1]　　Hanchang Shi[2]

(1.欧盟水环境专家;2.清华大学)

**摘要:**黄河是华北平原的主要水源,由于快速的工业发展、人口增加和农业发展,当前黄河面临着严重的污染问题。此外,黄河下游及其主要支流常发生断流,洪泛区地下水位快速下降,含水层也面临着正在进行的污染情势,黄河同时也挟带了大量来自黄土高原的具有高吸附性的细颗粒泥沙,悬移质泥沙流经中下游河道过程中也吸纳了一些排放的污染物,泥沙淤积在下游冲积平原之前,这些污染物不断累积,由于下游冲积平原是重要的农业区,这些污染物最终可以进入食物链。在对黄河中游的主要研究中,我们调查了目前现存的水污染控制系统、水污染管理的制度框架、实验室对水样和环境样本分析的程序、在线和离线的水质管理步骤,这里旨在讨论我们认为存在的差距,并且为现存系统的可能改进提出了建议。

**关键词:**MWR　YRCC　SEPA　微污染物　在线监测　实时数据　数据库　GIS　DSS　生物监测　早期预警系统

黄河是中国第二大河,河长 5 400 km,也是世界第十大河,流域面积 75 万km²,最后注入渤海湾。从河源到内蒙古的托克托是黄河上游,河长 3 472 km,中游河长 1 224 km,自托克托到河南省的桃花峪;下游河长 786 km,自桃花峪到入海口(见图 1)。黄河流域面积大约 64 万 km²,几乎占流域面积 80% 的地区是覆盖着 50~200 m 密实黄黏土的黄土高原,这些黄黏土非常容易受侵蚀(徐,2003)。黄土高原的 70% 为活跃侵蚀区域,因此它被认为是世界上最大的侵蚀区(YRCC,2002)。据估计,最近几十年来,黄河平均每年运送 16 亿 t 富含钙质的黄黏土到下游,不但引起当地上层土壤流失,而且降低了土地生产力,进而引起严重的异地环境效应,譬如河流污染和富营养化,还带来了下游大量污染物的顺流沉积问题。引起污染的其他原因是密集型农业、中下游地区飞速发展的工业以及人口由从农村向工业中心转移所带来的人口压力。

---

\* 感谢黄河水利委员会以及山西、陕西、河南环境保护局提供了黄河监测项目的监测信息及项目活动信息,本项目由 EC 框架支持,属河流管理项目(RBMP)的前期活动,本文的观点纯属作者个人观点,不代表 EU 或者中国政府和组织的观点。

图 1　黄河流域(黄河中游被分为 3 段,上游(3 472 km),中游(1 224 km)
和下游(786 km),中游是这次研究的区域)(IWMI,2004)

有几个水问题在黄河流域是非常重要的：

(1)干旱。下游河槽及主要支流如汾河和渭河由于干旱而断流。

(2)地下水耗竭。中下游地区的地下水位迅速下降。

(3)污染。浅水层与地下水层的污染正在逐步升级(刘和夏,2004;刘和郑,
2004)。由于中游地区是发展压力最大的地区(见图 1),因此我们主要讨论了中
游地区(见图 2)的污染问题。然而,干旱和地下水的损耗直接引起了黄河流域
污染问题的升级。

在为期两个月的考察中,我们从黄河水利委员会和水利部以及陕西、山西和
河南省的环境保护局、水利厅收集信息,调查目前使用在黄河流域的水质控制和
污染管理的程序。同时,我们也利用了其他来源的信息来处理黄河的环境问题
(例如:黄河水利委员会,2002,2003;ADB,2005)。在到水质监测实验室(包括废
水治理厂的分析实验室)参观期间,我们有幸见到了相关的研究人员,并且详细
谈论了他们的监控程序、研究流程,还调查了正在使用的分析设施和数据。本文
中将讨论我们的观测资料以及应用于监测欧洲大河水系的相似规程(如莱茵河
和多瑙河)。

# 1　黄河流域现有的水污染控制系统

中国的水污染控制与管理的法律体系与体制在过去的 20 年间得以发展。
中国的两个主要机关即水利部和环境保护管理局,它们负责法律、水环境计划编
制及管理的政策与制度。对于黄河来说,跨边界的污染问题已经受到了广泛关
注,由于黄河到渤海湾要跨越 9 个省(区),跨边界污染问题是主要问题。

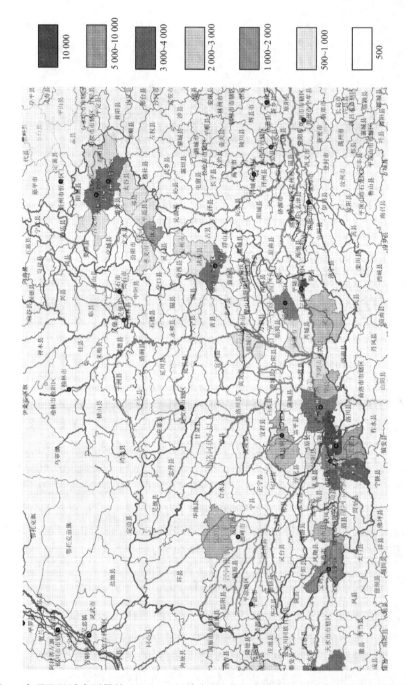

图2　在项目区域内测得的 COD(t/a)污染负荷(黄河中游有两大被高度污染(水质水平
大于5)的渭河和汾河汇入,这两大支流挟带着从太原、西安和三门峡排出的污水,
这些大城市排出大量的污染物(各个城市 COD 含量超过10 000 t/a),其次是
宝鸡和咸阳(COD 含量为从 5 000 t/a 到 10 000 t/a))[源自 YRCC]

为了在黄河流域实行全流域管理,跨行政的水污染管理是一个需要法律和制度体系的主要问题。中国最高的立法机关——全国人民代表大会负责法律的起草和批准,为国家环境保护总局批准了《水污染预防和控制法》,为水利部批准了《水法》。这两个各自独立的部门各自负责对这些法律的执行。在水污染预防和控制法中,规定了水利部的水资源保护局将负责省际边界的监测并向国家环境保护总局提供信息。目前的水污染预防和控制法由以下几部分组成:

(1)1996 年 5 月 15 日《污染物的预防与控制法》及其 2000 年 3 月 20 的修订。

(2)《水法》(2002 年 10 月 10 日修订本)。

(3)《清洁生产法》及其 2002 年 6 月 29 日的修订。

(4)2003 年 3 月《关于污染物排放与收费的行政章程》。

这些修订试图改进中国的水管理,并充当流域大范围的计划与管理的根本角色。修订过的《水法》和它的实施细则为中国的地表水及地下水的污染预防与控制提供了法律体系(Ongley 和王,2004)。

## 2 水污染管理的制度框架

缺水和污染问题一直困扰着中国。因此,在水事管理中,水利部必须扮演非常重要的角色。水利部是一个有着悠久历史的权力部门,同时水利部还负责对洪水灾害的管理。然而,与水利部相比,国家环保总局相当的年轻,在 1998 才由一个比较小的机关升级到部级单位。早前,它仅作为国务院的一个有着环境事务咨询功能的国家环境秘书处。但在新设定后,国家环境保护总局监管着包括各方面污染规划与控制的环境质量。国家环境保护总局制定政策、规定全国标准、制定在全国以及各级流域的污染控制计划、监督执行、通过全国和地方研究所网络执行环境质量研究,并且向国务院和全国人民代表大会报告环境质量。它没有具体的操作职责,所有具体的操作职责都被向下委派到省环境保护局。

环境保护局可以分 4 类,即省、自治区、市和县。省环境保护局接受国家环境保护总局的指导,但它们是省或当地政府的机关并对各自的行政主体负责。它们在本省内通过环境保护局的网络工作。水利部与国家环境保护总局有着或多或少的相似的运作模式,即通过省级和当地水利局。水利局的组织结构与环保局的组织结构相似。虽然环保局应该作为强制执行法律的最前方管理组织,但是它们需要考虑当地政府的观点,因为它们依赖于当地政府的权威、工作人员和预算。

流域管理机构是水利部的下级组织。中国的 7 条主要河流有 7 个流域管理机构,黄河水利管理委员会是它们中的一个。它们主要负责对江河流域的水力的规划、水力工程的管理以及其他与洪水预警与防护的相关基础设施的维护。

在各个流域委员会内部都有一个水资源保护局,它们在水质监视活动中充当着一个重要角色。黄河的水资源保护局位于郑州。在水利部与国家环保总局的双重领导下,它们最初建立的目的是充当流域内水质管理的一个角色。这个安排在 20 世纪 80 年代运作得很好,直到在 1998 年当国家环境保护局根据由国务院做出计划升级为部级单位后(Ongley 和王,2004)。

黄河水利委员会由水利部直接领导,它拥有包括污染监视的所有水源管理的方面的权力。因为国务院保留了国家环保总局在水污染管理(负责污染源的管理)上的权力,这就存在了一种在权益上的冲突。因此,像黄河水利委员会这样的流域管理机构与环境保护局或水利局没有官方的链接,因而没有污染控制或管理的职责。相反,如果黄河水利委员会是自治的且独立于国家环保总局和水利部,那么它们是实施现有的环境和水法的部门,并对它的区域负责(9 个省(区))。

## 3  水质监测

黄河流域的水质监测是在由国家环境保护总局和水利部领导之下的环境保护局和水利局各自执行的。它们在郑州设立了中央黄河流域水和环境监测中心(包括花园口监测站)、上游水和环境监测站(兰州、宁夏和内蒙古监测站,包括三门峡水库和山东的中下游监测中心)。它们负责主要河流和跨界水体以及与水体相关的水质监测。到 2000 年底,黄河水利委员会已经建立了 50 个常规测站、30 个省界测站、10 个水源测站和 12 个取水测站。目前,在黄河流域内共有 257 个黄河水利委员会的水质监测站(未包括国家环境保护总局与地方环境保护局的测站)。此外,在项目区(见图 1,中游) 有水利部、国家环境保护总局和各省水利局的 76 个水质监测站。除此之外,为了进行实时水质管理,黄河水利委员会还有 133 个水位测站(其中一些测站实行不间断测量)和 2 个实时水质监测站(在花园口和潼关)。为常规水质监测,参数必须根据表 1 中的《国家水质标准》测量(2002)。当前的这些测站形成了黄河流域的水质监测网络,并基本上满足了为主要流域、在大城市被污染的支流、水库和湖泊水质评估和管理的需要。

与黄河流域水质监测的相关机关还有卫生局和土地资源局。卫生局为水处理厂进行地表水和地下水(饮用水井)的定期监测,它主要做公共卫生微生物学的调查,但在某些情况下它也包括表 1 中的完全水质分析。土地资源局负责地质勘测并对地下水进行主要的分析。废水处理厂的建筑是建设局的任务,WWTP 的实验室负责污水质量的监测。综上所述,许多机关和政府部门在没有一个相同的计划下介入了黄河流域内的水质监测。因此,重复的活动是不可避免的。

表 1　水质监测:地表水中监测的参数（YRWR,2004）

| 水体 | 需要的参数 | 优化的参数 |
|---|---|---|
| 河流 | Temp., pH , SS, Hardness, EC, DO, $COD_{Mn}$, BOD, $NH_4^+$, N, $NO_3 - N$, $NO_2 - N$, $CN^-$, $F^-$, $SO_4^{2-}$, Cl −, Phenols, $Cr^{6+}$, Hg, As, Cd, Pb, CuColiforms | $S^{2-}$, $NH_4^+$, KN, TP, COD, Fe, Mn, Zn, Se, Oil, DOC, Benzene, TOC |
| 家用水源 | Temp., pH , SS, Hardness, EC, DO, $COD_{Mn}$, BOD, $NH_4^+$, N, $NO_3 - N$, $NO_2 - N$, $CN^-$, $F^-$, $SO_4^{2-}$, $Cl^-$, Phenols, $Cr^{6+}$, Hg, As, Cd, Pb, CuColiforms | Fe, Mn , Cu, Zn, Se, Hg, COD, Oil, OC, Benzene, PAHs, Radioactivity |
| 湖泊及水库 | Temp., pH , SS, Hardness, Transmittance, DO, CODMn BOD, $NH_4^-$ N, $NO_3 - N$, $NO_2 - N$, $CN^-$, $F^-$, Phenols$Cr^{6+}$, Hg, As, Cd, Pb, Cu, Chlorophyll − a, TP, TN | EC, Alk. K, Na, $SO_4^{2-}$, $Cl^-$, Zn |

## 3.1　一般性分析问题

由细沙和黏土颗粒组成的非常高含量的悬移质是黄河水的重要特征,在选择适宜程序进行化学分析时,会带来一系列的问题,含钙的黄土泥沙由淤泥、黏土等组成,按照颗粒尺度分布,大概有 6.7% 的沙、72.1% 的淤泥、21.2% 的黏土(He and Huang, 2001),花园口实测的平均悬移质含量为 35 $kg/m^3$,这很轻易地使黄河成为世界上含沙量最高的河流,实测的暴雨洪水含沙量在 800 ~ 900 $kg/m^3$ 之间变化(Zheng 等,2005),三门峡站实测最大含沙量为 920 $kg/m^3$,这也就意味着河道中只是泥浆而不是水(Giordano 等,2004),用来分析的水样的泥沙浓度一般在 35 ~ 900 g/L 之间,这些均没有考虑水样分析的标准化方法。存在的主要问题是:

(1)用于分析溶解性或者微粒构成的样本一般推荐用孔隙直径为 0.45 $\mu m$ 的薄膜过滤,但这在实际操作中分析高含沙水样是不可能的。

(2)对河水选用的常规分析一般允许 1 h 的泥沙沉淀(直径 < 2 $\mu m$ 的一般需要 8 h 的沉淀时间),然后进行过滤,但这可能导致严重的分析误差,若未经沉淀就进行分析,悬浮的细颗粒仍然能够干扰光谱分析,从而导致估算结果偏高。

(3)包含大量泥沙和钙质黏土的颗粒组成,可以通过吸附的途径除掉溶解的成分(Stumm and Morgan, 1995; Langmuir, 1997)。对水样中溶解的营养物质、金属和其他的微小有机污染物的估算或许就严重偏低,因为它们被吸附在黏土或淤泥颗粒上,Huang (2003)对黄河泥沙(fraction < 33 $\mu m$)在实验室进行了金属吸附实验,发现吸附动力相当迅速,泥沙的最大吸附能力达到 2.9 ~ 3.8 g $Cd/m^3$,这是相当高的。

(4)生物活动。在长期的淤积过程中,微生物的新陈代谢可以反映溶解气体、碱度、重碳酸盐和 P、N 浓度的变化。

(5)尽管分析实验室使用最新的国家和地区水质标准进行水质分析,但是它们依然不足以用来分析黄河的高含沙水样。然而,对全部或溶解成分的分析或许可以带来好的分析结果,泥沙充当污染物的沉淀池,泥沙分析应该成为黄河流域水质监测中非常重要的部分。

因此,有必要开发有效的黄河水沙分析程序,这可以分两个阶段进行:首先是实验性方法的开发,其次是标准化方法的使用,这是美国公众健康协会标准化方法开发的一般性程序、也是美国环境保护署推荐的有效程序。对试验方法经过 5 年的测试,若无有效拒绝理由提出,则可宣布成为标准化方法。

## 3.2 数据质量

在黄河流域有大量机构从事水质监测,若收集的各种调查资料都是有意义的,在很多方面一定程度上的协调是必须的。黄河流域实验室都是在实验度量许可下认证的,包括它们用于分析的国家或地区标准化方法。然而,我们也发现使用它们也存在较小的无效性,因为我们参观的任何实验室均没有配置它们自己的手工作业方法。只是简单地维持国家标准是不足够的,每个实验室都必须根据它们的分析目标、样本类型、可利用的仪器和员工的培训水平,基于规定的标准化方法提出它们自己的方法。最终,根据实验室的实际和手工作业途径,对这些方法的确认是开发标准化操作程序是必须的,所有实验室都应该遵循分析的一般规程,也应该在维持常规有效性适宜记录的基础上,开展循环测试以进一步提高分析的熟练程度。对黄河流域监测实验室来说,建立一般性 QC/QA 程序是必备的,这也是进一步协调黄河流域水质数据库的重要一个环节。

表 1 给出了不同水体国家标准的水质清单,大多数实验室挑选了 20～30 种参数用于常规分析,根据需要,实验室之间的数据质量或许存在较大差异,它们大多分析主要离子(见表 1),但是它们不能检查离子之间的平衡,这是对分析结果正确性的基本检查,因为它们的分析项目中没有包括所有的阴离子和阳离子,隶属 UNEP 项目的 GEMS/WATER 提出使用全球范围地表水和地下水监测站网的全球淡水问题,并推荐进行下述群体水质参数的监测(见表 2),这些参数可以作为黄河流域监测站网进行综合性水质参数监测的表单,从而在颁布的时间框架内,成为采纳 EU-WFD 建议进而得到良好水质状况的基奠 (EU-WFD, 2003)。

## 3.3 有机污染物和微生物指标

在黄河流域大多监测项目中,值得注意的就是缺乏对有机污染物和详细微生物的分析,我们也注意到对微生物的调查也仅限于大肠杆菌方面,由于工业的发展、农业实践和排泄污染物的增多,这两个方面监测的严重不足会影响对公众健康影响的评估,资料的缺乏反映了设备、培训人员的匮乏和资金的限制,及变化的制度对资料采集、常规资料抛弃的响应。

表 2    UNEP – GEMS/WATER 监测项目—趋势监测的团体参数指标(Chapman，1996)

| Groups | Parameters |
|---|---|
| 主要离子 (7) | Ca, Mg, Na, K, $Cl^-$, $SO_4^{2-}$, $HCO_3^-$ (Alkalinity) |
| 金属和非金属(12) | Al, Cd, Cr, Cu, Fe, Mn, Ni, Zn, Pb, Hg, As, Se |
| 营养成分(3) | $N^-$ ($NO_3$-N, $NO_2$-N), P-[$PO_4^{3-}$, T-P (dissoved), T-P (unfiltered)], Si-(reactive) |
| 有机污染物(6) | Total hydrocarbons(mineral oil, petroleum products), PAHs, Pesticides (PCBs & sum of , Dieldrin, Aldrin, sum of DDTs,), Atrazine, Phenols and surfactants |
| 其他指标(5) | EC (electrical conductivity), SS, pH, BOD, COD |

由于流域内人类活动导致大量有机污染物进入河流,主要是农业化合物、杀虫剂、除草剂、石化产品和其他工业污染物,对这些污染物的探测需要更为复杂的仪器（GC，GC/MS 或 HPLC)和相当高的培训员工,这些成分广泛分布在黄河流域。除此之外,在常规监测项目中也没有对全碳氢化合物、苯酚及有机污染物进行监测。对常规监测而言,必须基于流行性、毒理性和其他指标(见表2)对一些重点有机污染物进行有选择的监测。对常规分析来说,大多实验室也应该根据流行性和重要性列出一个有机污染物的主要单目,我们发现一些实验室配备了良好的有机物分析仪,但它们仅将此应用于特定的项目研究。

最可能对健康带来风险的是与微有机物引起的疾病密切相关,黄河是 1.15亿人口的主要引用水源,大量未经处理的污水、农业和城镇径流及家庭废水进入河流,微生污染物是不可避免的,人的粪便里面包含有大量病原体,通常是沙门氏病毒、埃稀氏病毒、大肠杆菌等,偶尔也可以发现其他病原体,如分支杆菌、细螺旋体和肠道病毒等,肝炎病毒、轮状病毒也由自己的途径进入河流水体(Chapman，1997；Jørgensen et al.，2005)。一旦这些病毒进入水体,它们可以吸附在泥沙颗粒上,或者汇聚成团。考虑到中国最近流行病的爆发,在将来黄河流域水质监测项目中开展包括微生物指标的监测是非常重要的。

### 3.4    生物调查

生物调查应该成为黄河水质监测的一部分。但是,目前尚缺乏正在进行的常规监测程序,河流的生物状况由河流动物群落来反映。在欧洲,传统上开展大型动植物群落调查以检测有机污染,深海无脊椎动物和鱼类是非常好的栖息环境结构与河流生态系统完整性的指示剂,因为它们复杂的栖息环境是生命循环过程的需要(Jørgensen et al.，2005),对多年这类变化的记录能够探测河流环境的改善或恶化。我们参观的实验室,它们并没有开展生物调查,而这种生物调查对确定河流生物状态是非常有意义的。

自然事件和人类影响能够在很多方面对水生环境和生活在河流中的有机物

产生影响。由于高含沙水流引起的紊动,黄河生态系统已经承受了很大的压力。在过去的几十年内,水文系统的变化、循环性干旱及工业排污、合成化合物的排放都远超过水体的承载能力,从而导致河流生态系统较大的变化。大多有机物对这类变化是非常敏感的,最坏的影响是导致这些有机生物死亡或者迁徙到别处。由于缺乏规划好的生物监测计划,黄河流域监测实验室并没有这类变化的记录,在河流的极端变化过程中,例如下游断流 226 天、断流长度 720 km、过去 20年断流 26 次。毫无疑问,动植物群落必然有巨大的变化,一些物种彻底消失,从而威胁到生物多样性与河流稳定生态系统的可持续性。因此,监测网必须按照这样的途径进行设计,以覆盖整个生物、物理、化学和水文地貌参数的很大范围(Golterman,1979;APHA,1995;Chapman, 1997;EU-WFD, 2003)。

### 3.5　地下水

到目前为止,灌溉是最大的用水户,因为粮食安全在黄河流域是非常重要的问题。在过去的几个世纪,中国每 3 年就要遭受 2～3 次雨养作物问题,直到最近黄河流域的灌溉农业才不是那么重要了。在过去的 50 年,自从管井和泵站建设以来,连续性作物种植成为可能,廉价抽水技术的发展进一步革新了地下水的开发,同时,有效能源建设(如汽油、电力、柴油等)的连续性开发也滋生增强了地下水井的建设,农业产量的最大收获也带来昂贵的代价(Shah et al., 2000;Gunatilaka, 2005),地下水的过量开发导致地下水的抽取率严重超过补给率,从而带来更大的问题:地下水位下降、地表沉陷,同时由于农业、工业和其他人类活动,进而导致地下水透支、水灾害、盐碱化和污染。区域内最大的问题是开矿导致的地下水富含氰化物、Hg、Cd、Pb、Mn 等有毒物质,黄河中游和下游目前面临严峻的这些问题,从而导致水质的日益恶化。近些年,连续性的负面影响已经引起国际的关注(Kendy et al., 2004;Liu and Xia, 2004;Liu and Zheng, 2004;Ongley, 2000;Tang et al.,2004)。

另外的一个地下水问题是黄河下游特有的,也就是"地上悬河"问题,它可以引起河道水向淮河和海河流域的含水层倒灌,这些水又用来灌溉作物(Giordano et al., 2004)。黄河流域另外一项几乎被完全忽略的方面是生态系统对地下水的依赖,诸如湿地,几乎季节性或间隔性地依赖于地下水来维持其目前组成、生物多样性和功能。

### 3.6　地下水调查

环境保护局和水资源局在流域内开展地下水水质监测,但是对于样本的详细分析,相对缺乏重点,采样大多是每年 2 次,一次是在干旱月份,另外一次是在秋季的雨后,参数分析限制在表 2 中给出的主要离子和指示剂参数。在大多数实验室内,示踪金属和微有机污染物是不被调查的,例如,在汾河流域有 2 700

眼地下水观测井(为太原市提供引用水),对它们进行的常规监测是非常基本的,仅限制在对地下水位和电传导度的测量。

在黄河流域,人们一直处在大规模的环境变化中,这些变化主要是农业方面的变化,通过改变对地下水的补充和对含水层冲盐,从而影响水文循环的土壤水部分,在过去的40~50年,仅依靠大量使用肥料、杀虫剂和田地的高强度灌溉,就实现了作物产量的稳定增产,特别是磷酸盐和含氮肥料的使用。除草剂和杀虫剂的使用可以有效抑制植物和动物的代谢活动(Notenboom et al.,1999),这些混合物都是一些潜在的致癌物质,我们已经发现黄河水利委员会实验室已经在特别研究项目中开展了对杀虫剂残留物的分析(大概每周采样10次),肥料和杀虫剂在田野的过量使用也可以带一些有毒的重金属到地下水,如水银、镉、硒等,这些也可以增加盐分含量(US EPA,2000)。

地下水的有机污染也主要来源于动物饲养厂和作物灌溉(废水灌溉),动物饲养厂可以从肥料中产生大量废弃液体,通过微生物对引用水的污染而对公众健康产生影响,地下水中有大量新出现的污染物,如类固醇、抗生素、未规定的药物及动物排泄物等。在世界的其他地区已经有报道说两类常用的抗菌剂出现在地下水和地表水中,如硫胺类药剂和四环素(Lindsey et al.,2001;Kolpin et al.,2002),在中国也大量使用于动物饲养中,这些抗菌剂进入废水中,最终渗透到含水层中。目前在黄河水利委员会与南开大学环境科学与工程学院合作的项目中,已经可喜地看到开展了类似的调查,研究结果表明,由于工业污水和家庭废水的排放,黄河兰州河段受苯碳氢类污染的情势已经非常严重。河水和床沙质中均出现了类似的污染物。

## 3.7 实时监测

在过去数十年内,环境监测技术方面取得了稳定的进展,并且早在20世纪70年代,一些进展已经用于欧洲的河流监测。Gunatilaka 和 Diehl(2001)回顾了近些年该方面取得的一些成就,通过连续性监测,使得对事故、有毒物质的非法排放监测成为可能,从而有助于开发有效的事故早期预警系统(AEWS),监测系统的一部分实现了自动化,主要包括简单的物理化学参数的测量,如 pH 值、含氧浓度、温度、浑浊度和传导度,这些都可以轻易地进行连续性监测。目前,自动化测量也已经扩展到其他参数,如养分、一些金属和有机污染物,但毕竟还是很有限的。目前,在黄河流域已经建成2个连续性监测站,一个位于中游的潼关,另外一个位于下游的花园口,对一些参数以2 h 为间隔进行连续性测量,参数见表2。

## 3.8 在线生物监测

在线监测的目的是在最短的时间内确定尽可能多的污染物造成的影响,与化学测验相比较,连续性生物监测是可以有选择性做的,以可以快速地探测到河水中的实际有毒性污染物,利用标准的 GC-MS/HPLC 分析程序。根据报道,在莱茵河下游有超过 1 000 种单个的有机污染物,但仍然有相当多的有毒物质不能用这种方法确定(AEWS 的数据库中,莱茵河和多瑙河中有超过 15 000 种危险化学物质)。然而,即使采用自动观测,这些方法相比较而言,也是旷日持久的。通常而言,真正需要的数据资料是非常零星和滞后的,从而导致了一些污染事件错失过去。因此,才开发了快速响应的生物系统,Aldwin 和 Kramer(1994)对称为生物早期预警系统做了综合性回顾。Gunatilaka 和 Diehl(2001)也对此做了系统总结,这些系统依赖于生物体对水体毒性变化的特征反应。生物早期预警系统如动态水蚤测试(Gunatilaka et al.,2001)和马斯河监测仪(Kramer and Foekema,2001)都隶属于 10 种在北美成功监测中扮演重要角色的生物监测系统,特别是在莱茵河和多瑙河流域(Butterworth et al.,2002)。连续性生物监测在近 20 年内已经在欧洲河流中运用,它们是对物理化学的实时监测的有效补充。

在欧洲,河岸过滤水常被作为最初始的引用水源,在莱茵河流域,大概占到85%。因此,在这些河流系统内,多数事故污染常引起很严重的问题,引用水源常受到突发性水质恶化的威胁,经常导致引水口的关闭。在跨边界的河流系统内,下游用户严重地受到这类事故的影响,在莱茵河和多瑙河,由于 ICPR 实施了复杂的生物早期预警系统,从而可以及时地通知下游用户。基于生物测试,ICPR于 2001 年完成了国际预警系统的建设,从而完善了基于化学分析的现存系统,提出的方案见图 3,这样的一个系统必须是基于良好测试和简单化分级处理模型的,因为实施程序是非常昂贵的,因此对于适宜的组合警报系统的功能,先进软件传感器的开发是首要条件(Gunatilaka and Dreher,2003)。

### 3.9 黄河流域的连续性生物监测

污染事件来势迅速,消失也快。因此,需要连续性的有效监测,当生物监测附加到物理化学监测传感器上时,这种有效性才可以得到保证,因为物理化学传感器可以对生物酸性有机质和无机质具有较快的反应,从而对反常水质给出宽幅度的污染迹象。若这种信息可以及时产生,那么管理决策就会更加有效,Hellawell(1978)将生物监测定义为"确保前期标准满足而进行的监测",其意图是当监测系统信号明显偏离预期值的时候,调用管理干涉的途径确保水质,并提供了两项必需的信息:①提供对化学群体的相对毒性反应的目标指数;②充当对有毒物质新出现的支持,这些物质或许并没有出现在已知或预期的有机物质列表中。当我们考虑黄河流域内的大型化工厂时,同时必须考虑到河流也充当着流域内 1.15 亿人口的引用水源,连续性的生物监测系统可以是在线监测站点BEWS 的必要补充,黄河流域内大量的污染工业在建设时应该鼓励使用 BEWS

作为工业排污控制的在线早期预警系统。

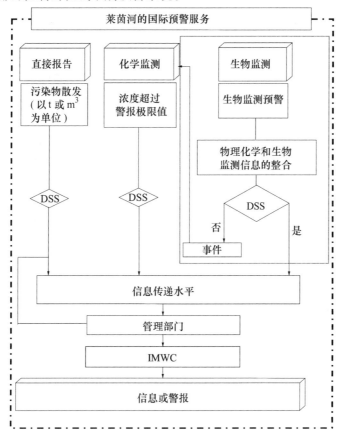

图3　莱茵河的警报预警框架(到目前为止,莱茵河警报和预警服务是基于化学物质的测量
　　　及污物排放的分析信息。自2001年以来,化学制品和生物监测的信息被整合到警报系
　　　统中)(Diehl et al., manuscript in preparation; IMWC – International Main Warning Centre;
　　　after Gunatilaka & Dreher,2003)

## 4　数据管理

### 4.1　信息与决策支持系统

　　黄河流域需要一个可以将交互数据库与信息系统合并的中心数据库,该信息系统能够处理大量在线和离线的监测数据以及其他相关的数据(生物、水文地貌、社会经济等),它也应该能够提供一些工具和必要的功能来捕获、储存、监测和分析河流环境相关的数据。水资源开发及管理需要同时考虑一系列的关系及影响(土地利用、森林砍伐、降水、水量储蓄、灌溉、农业需要、干旱、地下水、工业

需水、供水、引用水、污染等)。黄河水利委员会具有对大量信息整合进而提出决策的需求,其需要的信息覆盖了非常广泛的河流功能以满足广泛的政策目标需要,诸如可持续发展、进行全面的环境措施的经济评价、考虑洪水削减措施、水量分配的需求、水量储蓄、抗旱及河流干旱化防治等方面的需要,这些都是一些需要决策支持和专家建议的具体活动,合理使用及协调发展的规划和政策需要大量的各个领域的背景信息,这些信息必须是以可利用的格式,以便于规划及决策者直接使用。

没有普遍被接受的决策支持系统的定义,几乎所有的基于计算机的系统,从数据库管理、信息系统到数学程序或优化的模拟模型都能够令人信服地支持决策,决策支持系统试图提供给水资源管理者一些基于目标评估的合理选择,并由此减少一些决策的主观性,这就要求有多种限制在水文水资源领域内的途径。对于决策而言,也需要大量的信息,可能是在经济、环境、社会、政治方面的考虑。因此,决策支持系统被认为是人工智能的形式,这种形式不仅可用来预测不同给定假设情况下将发生什么,而且可以有效补充决策中的管理经验。

## 4.2 一体化模拟和决策支持

由大气模块、水文模块、水动力模块、地貌模块和生态模块组成的综合模型是决策支持的重要工具,为了将模型输出转换为实际的决策,还需要与其他类型的信息相结合,这些信息主要指基础建设、控制的可能性、社会经济信息等。通常,决策是在不同可选择的方案之间进行的,而每一种方案均代表了正负影响之间的平衡。将这些工具与数据耦合在一起的决策支持信息是通过合并可利用的标准化软件如地理信息系统、模型等而完成的,图4中给出了其耦合过程。

决策支持系统的第一步是利用水文学、水动力学、气象学和生态学(水质、富营养化)模型描述自然过程,这些模型必须被整合到一起而形成一般性的决策途径,更复杂的综合模型或许也可以用于气候研究中洪泛区和湿地的环境影响评价。

为了将模型的结果转换为有用和切合实际的决策,需要将输出结果与其他类型的信息,如土地利用、水用户、生态影响区、社会环境因素结合起来,同时也需要与影响削减或控制的可能性结合起来。第一类信息可以由复杂的地理信息系统来管理,为得到优化的规划,对或多或少地反映影响的控制措施的不同选择方案必须以多目标的途径来进行描述。

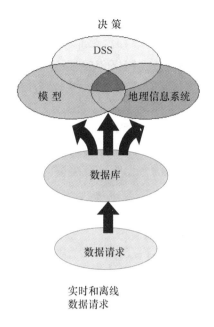

**图 4  决策支持系统框架**

## 5  结论

(1)新水法描述了水质资料框架、分析实验程序、质量担保和质量控制,水利部和国家环境保护总局要执行这些程序并且负责维护黄河流域的监测站。在水利部和国家环境保护总局下有很多机构具体负责监测,诸如环境保护局,水资源局,水资源保护局,黄河水利委员会,国家、省、县、市层次的土地资源局、建设局和卫生局,但这些必然要导致下述弊端:①监测站点的大量重叠;②责任模糊;③无资料共享的需求。相对而言,《水法》赋予水利部监测所有功能区的权力。

(2)水质监测历经了体制的差异,水质监测的重复性与重叠性是非常浪费的,同时也是无效率的。实现黄河流域水质监测、污染控制和环境管理的功能协调是最基本的要求,对于明晰相关水质监测部门与组织的职权是非常必要的。

(3)有必要进一步开发普遍性的水质监测计划以让流域的职能部门切实实施,该计划应该包含以下方面:①国家环境保护总局与水利部共同关心的站点;②分配监测责任;③数据共享机制。

(4)黄河及其主要支流目前污染严重,并且已经认识到点源和非点源污染对流域地表水和地下水污染的贡献。根据 WPPC 水法,水污染管理是环境部门的主要职责,详细地论述对政府机构和排污者都是非常必要的。

(5)分析方法:由于黄河水中多泥沙,通常的分析方法并不可用,因此开发有效的分析程序是很必要的,这应该受到正在进行的 WRPB 研究项目、国家环境保护总局和黄河水利委员会的支持,并且研究结果可用于在线和离线的监测项目。

(6)黄河流域常规生物监测的介绍,对污染监测使用生物指标是很必要的,历年的生物指标变化可以揭示河流生态系统的改善或恶化,实时生物监测的介绍将有助于提高对偶然污染事故和污染防护的生物早期预警系统的有效性。

(7)黄河流域中心数据库的开发将可以促进水文(水文预报、水量分配、抗旱)、污染控制和环境管理方面的数据管理及决策支持。

## 参 考 文 献

[1] ADB. Transjurisdictional environment management of Yellow River Basin (Component B) TA No. 3588-PRC, Final report. AHT Group AG Management and Engineering & Seatec International, 2005

[2] APHA. Standard methods for the examination of water and waste water, 18th edition. (Eds. Clesceri, L.S., Greenberg, A.E. & Trussell, R.H.). APHA, Washington, D.C,1995

[3] Butterworth, F.M., Gunatilaka, A., Gonsebatt Bonaparte, M.E. Biomonitors and biomarkers as indicators of environmental change, Vol. II. Kluwer Plenum Pub., NY,2001

[4] Butterworth, F.M., Gunatilaka, A., Diehl, P. The Rhine/Danube monitoring paradigm: border applications in sensor technologies. In. Proc. Int. IWA Symp on Automation in Water Quality Monitoring – Autmonet 2002, Vienna, May 21 ~ 22, 2002. (eds. N. Fleischmann, G. Langergraber & R. Haberl), 2002,p.299 ~ 305

[5] Chapman, D. Water quality assessments. A guide to use of biota, sediments and water in environmental monitoring. Second edition. E & FN Spon, London,1997

[6] EU-WFD. Common implementation strategy for the Water Frame Work Directive (2000/60/EC), Guidance Document No. 7. Monitoring under the Water Framework Directive Produced by Working Group 2.7 – Monitoring,2003

[7] Giordano, M., Zhu, Z., Cai, X., et al. Water management in the Yellow River Basin: Background, current critical issues and future research needs. Comprehensive Assessment Research Report 3. IWMI, Comprehensive Assessment Secretariat, Colombo, Sri Lanka,2004

[8] Golterman, H.L., R.S. Clymo. Methods for chemical analysis of fresh water, IBP – Handbook No. 8. 2nd edition. Blackwell Scientific, Oxford,1979

[9] Gunatilaka, A. Groundwater woes of Asia. Asian Water (Jan/Feb. 2005), 19 ~ 23

[10] Gunatilaka, A., Diehl, P. A brief review of chemical and biological continuous monitoring of rivers in Europe and Asia. In: Butterworth, F.M., Gunatilaka, A., Gonsebatt Bonaparte, M. E., (eds.). Biomonitors and biomarkers as indicators of environmental change, Vol. II. Kluwer Plenum, NY. 2001,p9 ~ 28

[11] Gunatilaka, A., Diehl, P., Puzicha, H. The evaluation of 'Dynamic Daphnia Test' after a decade of use — benefits and constraints. In: Butterworth, F. M., Gunatilaka, A., Gonsebatt Bonaparte, M. E. (eds.). Biomonitors and biomarkers as indicators of environmental change, Vol. II. Kluwer Plenum Pub., NY, 2001, p 29 ~ 58

[12] Gunatilaka, A., Dreher, J. Use of real — time data in environmental monitoring: current practices. Water Sci. Technol. 2003. 47, 53 ~ 61

[13] He, X., Huang, Z. Zeolite application for enhancing water infilterationand retention in loess soil resources. Conserv. Recycl. 2001. 34, 45 ~ 52

[14] Hellawell, J. M. Biological surveillance of rivers. Water Research Centre, Medmenham, Stevenage, U. K, 1978

[15] Huang, S. L. Adsorption of cadmium ions onto the Yellow River sediments. Water Qual. Res. J. Canada, 2003, 38, 413 ~ 432

[16] Jørgensen, S. E., Löffler, H., Rast, W. et al. Lake and reservoir management. Developments in Water Sciences — 54. Elsevier, Amsterdam, 2005

[17] Kendy, El., Zhang, Y., Liu, C., Wang, J. et al. Groundwater recharge from irrigated cropland in the North Chaina Plain: case study of Luancheng County, Hebei Province, 1949 — 2000. Hydrol. Process. 2004, 18: 2289 ~ 2302

[18] Kolpin, D. A., Furlong, E. T., et al. Pharmaceuticals, hormones, and other organic wastewater contaminants in US streams, 1999 ~ 2000; a national reconnaissance. Environ. t Science & Technol, 2002, 36: 1202 ~ 1211

[19] Kramer, K., Foekema, E. M. The Musselmonitor( as a biological early warning system. In: Butterworth, F. M., Gunatilaka, A., Gonsebatt Bonaparte, M. E. (eds.). Biomonitors and biomarkers as indicators of environmental change, Vol. II. Kluwer Plenum Pub., NY., 2001, p 59 ~ 87

[20] Laws, E. A. Aquatic pollution. John Wiley & Sons, New York, U. S. A, 1993

[21] Langmuir, D. Aqueous environment geochemistry. Prentice-Hall, Inc. NY, 1977

[22] Lindsey, M. E., Meyer, M., Thurman, E. M. Analysis of trace levels of Sulfonamide and Tetracycline antimicrobials in groundwater and surface water using solid-phase extraction and liquid chromatography/mass spectrometry. Analytical Chemistry, 2001, 73: 4640 ~ 4646

[23] Liu, C., Xia. J. Water crisis and Hydrology in North China. Hydrol. Process., 2004, 18: 2195 ~ 2196

[24] Liu, C., Xia. J. Water problems and hydrological research in the Yellow River and the Huai and Hai River basins. Hydrol. Process., 2004, 18: 2197 ~ 2210

[25] Liu, C. and Zheng, H. Changes in components of the hydrological cycle in the Yellow River basin during the second half of the 20th century. Hydrol. Process., 2004, 18: 2337 ~ 2345

[26] Lu, X., Zhang, X. Environmental geochemistry study of arsenic in Western Hunan mining area, P. R. China. Environ. Geochem. Health, 2005, 27: 313 ~ 320

[27] Notenboom, J., Verschoor, A., Van der Linden, et al. Pesticides in ground water: occurrence

and ecological impacts. RIVM report 601506002, 1999

[28] Ongley, E. D. The Yellow River: managing the unmanageable. Water International, 2004, 25: 227 ~ 231

[29] Ongley, E. D. , Wang, X. Transjurisdictional water pollution management in China: the legal and institutional framework. Water International, 2004, 29: 270 ~ 281

[30] Pintér, G. The Danube accident emergency warning system. Wat. Sci. Tech. , 1999, 40(10), 27 ~ 33

[31] Qui, S-Z, Luo, F. Water environment degradation of the Heihe River basin in arid north western China. Environ. Monit. Assessment, 2005, 108: 205 ~ 215

[32] Shah, T. , Molden, D. , Sakthvadivel, R. , Seckler, D. The global groundwater situation: overview of opportunities and challenges. , Unpublished report, IWMI, Colombo, Sri Lanka. http://www.cgiar.org/iwmi/pubs/WWVisn/GrWater.htm, 2000

[33] Stumm, W. and morgan, J.J. Aquatic Chemistry, 3rd ed. John Wiley & Sons, NY, 1995

[34] Tang, C. , Chen, J. . Shindo, S. , Sakura, Y. , Zhang, W. Assessment of groundwater contamination by nitrates associated with wastewater irrigation: a case study in Shijiazhuang region, China. Hydrol. Process. , 2004, 18: 2303 ~ 2312

[35] US EPA. Report to Congress: Groundwater Chapters. Report EPA 816-R-00-013. EPA Office of Water, Washington DC, USA, 2000

[36] Xia, J. , Wang, Z. , Wang, G. , et al. The renewability of water resources and its quantification in the Yellow River Basin, China. Hydrol. Process. , 2004, 18: 2327 ~ 2336

[37] Xu, J. Sedimentation rates in the lower Yellow River over the past 2300 years as influenced by human activities and climate change. Hydrol. Process. , 2003, 17: 3359 ~ 3371

[38] Xu, J. Temporal variation of river flow renewability in the middle Yellow River and the influencing factors. Hydrol. Process. , 2005, 19: 1871 ~ 1882

[39] Xu, J. , Dai, S. , Liu, X. Investigation of typical organic pollution status in Yellow River, Lanzhou Reach. ( #238) Proc. , Int. Cof. On Environ. Sci. and Technol. . American Acdemy of Sciences, Jan. 23 ~ 26, New Orlens, LU U.S.A, 2005

[40] YRCC. Yellow River Basin planning. YRCC website. http://www.yrcc.gov.cn, 2002

[41] YRWR. Water environment monitoring network of Yellow river. http://www.yrwr.com.cn, 2004

[42] Zheng, F. , He, X. . Gao, X. , et al. Effects of erosion patterns on nutrient loss following deforestation on the Loess Plateau of China. Agriculture Ecosys. Environ. , 2005, 108: 85 ~ 97

# 农业之外的水调工程

## ——亚洲在新千年的挑战

Kusum Athukorala

(斯里兰卡水网)

**摘要:**随着社会以及经济的发展,从传统的农业用水向其他工业用水的水资源再分配是不可避免的社会现象,当然,如果调度不当对社会将造成不可预见的伤害。斯里兰卡的调度经验将向我们解释各利益团体间意见不同的原因及如何确保用水安全问题。

**关键词:**水调工程　水资源　水库

亚洲很多地区的灌溉农业已有超过 2 000 年的历史和传统。在由农场主管理的体系中,它通常支持水稻的生产。特别是斯里兰卡,令他们引以自豪的是数千个小的用于灌溉的水库和通常分布在江河流域内像细绳一样的渠道,并有一种技术精密的高水平的给水贮存和分配系统。斯里兰卡支持水稻生产的这一物质体系的卓越技术为它赢得了"水利文明"这一称号,这一国度恰如其分地被称为"东方的谷仓"。

斯里兰卡水稻灌溉耕作的标志是它与用水系统网络的密切联系,且与充分的环境保护结合起来,例如受到良好保护的流域和集水区、湿地和河口。沿河水库中的渠道都为灌溉留有特殊的区域,很清楚地把它与森林和其他自然资源的保护分离出来。每一渠道都在对稻谷像对其他庄稼一样供水,对家禽像对野生动物一样供水,对庄稼生产像对食品加工一样供水。多功能用水的相同模式在亚洲的其他地方不同程度地得以显现。

在这个地区,多用途的水资源开发体系是伟大文明的基础。它们支撑着人们的生活和自然环境,对两者给予平等的爱护和考虑,并带有自然资源社会共有的强烈意识。国家和认同人与自然和谐共存的人们推动着水资源的开发活动。大多数古代斯里兰卡的灌溉系统是为人们的生计提供主要来源,并是为"国家的利益"和"排除对所有有生命物种的怜悯"而建设的。古代斯里兰卡首相的历史文献《默罕瓦木萨》中表达了共同拥有资源、平等使用和国家信用体系的理念:"伟大的国王、天空中的鸟和地上的野兽有同样的权利在这片土地的任何地方活动。这片土地属于人们和所有生物,他们是它唯一的保护者。"这是公元前 223 年所言。

今天,水需求的竞争规模和复杂性已经影响了平等共存的模式;依靠灌溉的稻米耕作的社会正面对着各种因素竞争的压力方式,这种压力似乎还有迅速增加的趋势。为了说明这项挑战的范围,我们可以简单了解一下 Thuruwila 村庄的故事,那是在斯里兰卡的中北部省的 Anuradhapura 地区的一个村庄。

Anuradhapura,坐落于中北部省的区域中心,它是斯里兰卡古代的首都,一个佛教朝圣的膜拜中心,位于一个古老的用于灌溉的水库的联合体系中。在现代,这些水库已经被赋予其他目的,主要是城市供水。虽然仅有 84 000 的居民人口,但 Anuradhapura 正经历着水资源的紧张压力,主要由于在佛教主要节日期间,曾经有百万位朝拜者涌入该市。

国家给排水部(水机构)负责从 Nuwara Wewa 和 Tissa Wewa 抽水来满足 Anuradhapura 的城市用水,它数次努力试图通过增加抽水量来满足日益增加的需求,但均以失败告终。失败主要归因于灌溉部门的反对,他们加强了对农民负面影响的关注。1994 年,曙光再现,水机构计划通过亚洲开发银行(ADB)资助的 Anuradhapura 城市供水项目来从一个中型水库 Thuruwila 来调水以增加供水。

根据社区的资料来源,《默罕瓦木萨》中的 Thuruwila Wewa 是一个古代 (Purana)水库,很可能在公元前 6 世纪已经建成。当然,很多考古的保存物表明历史上在附近地区就有居民活动。由于自身极好的集水系统,在活着的人的记忆里,Thuruwila 水库仅有一次(1976 年)对稻谷耕作支持的失败。

这里比起现代灌溉措施有更多的社会规范内的保守者,Thuruwila 的 Purana 村庄有一个封闭的编织交叉的群体,他们保持着传统的农业耕作习惯和节日,有着强烈的灌溉稻谷维持生计的意识。像很多斯里兰卡的灌溉系统一样, Thuruwila 是有家传的 Velvidane(灌区首领或者当地水管理者)的一种社区管理体制直到国家参与其中,但是 Velvidane 家族也继续参与水管理。

Thuruwila 水库像很多亚洲的灌溉系统一样是多功能的,它提供两个季节的水稻灌溉用水并且支持像椰子那样的永久植物,提供饮用、冲洗、卫生和养育小动物的用水。水库使用者实施的一项名为 IFPRI 的研究调查表明,水库的使用是变化的,使用者并不是仅限定在社区内,而是包括 12km 以外的周围村庄的人口,像来自 Anuradhapura 的家族一样。捕鱼、莲花和根的采集及挖沙很少被当做水库的应用功能,它仅仅为那些没有土地和收成的穷人提供了微薄的生活供给。

随着 Sinhala 王国的衰败及人口的大批死亡,Thuruwila 水库也年久失修,大约在 1874 年,英国殖民地政府对 Thuruwila 水库进行了修复。在 1946 年的 32 号灌溉行动中,Thuruwila 水库被列为中型规模水库而受到国家重视,它的所有权和维护权从社区转交给国家。因此,应金融机构要求(ABD 亚洲开发银行和法国政府),水机构必须从资源所有者那里获得书面承诺作为提供资金的前提,并接管灌溉部门以获得使用 Thuruwila 水库的许可。Thuruwila 水库作为从大的 Mahaweli 河取水(流域间调水)工程的补充,它的规模被扩大(渠道提高两英尺)了以供应额外的水。在很大程度上感觉没有必要通过另一媒介来告知社区,确实有很少信息通过政客及少数当选的社区领导来传递给社区。

但是,当社区最终认识到工程的自然属性,基于对水库管理的长久历史,一场反对转交水库先前管理权利的运动开始了。这项抗议同样对通过亚洲开发银行的资助活动而实行新的国家水资源政策的提案提出反对。这一起草的政策因为建议可贸易化的水权而受到质疑,并因此被一些管理人认为是水的可能私有化的前兆。对水的私有化的恐惧推动了 Thuruwila 水库的抗议活动。这一抗议一直得到 NGOs 的支持和人权委员会及最高法院的合法许可。针对农民的呼吁,最高法院规定,只有这一项目能够确保农民继续获得 Thuruwila 水库对两个季节的稻谷用水的供应,该项目才能进行实施。但正在进行的工程建设近段时期还不能保证这一条件。

对工程的反对,还源于他们察觉到了生活方面的损失,同时也丢失了他们一直认为是可继承的社区的用水决策权:Thuruwila 水库社区有着长久的管理水库和放水决策权的传统(可以追溯到 2 000 年前)。合理协商的缺乏和信息交流的不够导致了不断升级的抗议,最终引起了社区内部的分歧。

既然那些反对者从未全部否认这一工程(送水到朝拜者那里,佛教徒认为是一件值得赞赏的事),如果有更多的交流和恰当的协商机制,在广泛理解的指导原则下,通过协商可以避开更多的紧张状况。

Thuruwila 水库的事例可以洞察到水调中出现的负面影响,这一现象将越来越多,它正影响着很多亚洲地区被长久灌溉的稻谷耕作支撑的农村乡镇。灌溉农业正承受着带有更大政治和经济因素的城市和工业行业对水需求的压力,这主要影响了生活、地貌和文化。迁移的人口恐惧和对乡村经济基础的蚕食增加了乡村往都市的迁移和许多城市的扩张,已经成为影响亚洲的严重问题。随着水调的进行,减弱的环境容量影响着生态系统,同时影响了移民群体的生活,他们依靠这些生态系统而生存,通常影响最大的是贫穷的妇女。男性外迁造成的生活损失使得农业耕作的负担加在了妇女身上。

在亚洲,水长久以来就被认为是一种共同资源,一种上帝和自然赐予的礼物。水作为基本权利和"口渴的城市"的口号获得了全球对水调的支持,而没有给予城市节水相同的关注。

全球对水资源统一管理的舆论为管理人被告知的机会和参与机制给予了较

高保障。强调参与者和社区协商的水资源统一管理作为最具可持续的方式而被接受。

强调共享机制和管理人告知机会的 IWRM 原则,被全球认同是有前途的水资源管理方式。然而,很多跨流域调水创造协商和影响乡村管理人的补偿谈判的机会方面是薄弱的。这样从上至下的水调很可能将削弱社区对水的控制权,而更倾向将决策权赋予更有权的水利机构。

社区负责的百年传统的改变和州当局的相应进入已经削弱了受影响社区申诉他们主张的能力。因此,针对这样的状况,有必要在保证公平的前提下来框定原则。这样的原则将有利于保护社区用水的优先权利,甚至在泉水和小溪那样的水资源正被生产成更多的瓶装水的情况下。

哪些因素是支撑平衡和公平的水调?需要哪种措施去保证水调中的决策民主?是否有一种缓解剂来缓和诸如 Thuruwila 水库一类的压力,改变依靠灌溉农业维持生计的农村社区的状况?

在 20 世纪,国际大坝委员会已经意识到由于大坝开发而受影响和迁移的人们的状况。国际大坝委员会的提议受到高度重视,并得到广泛的接受,他建议建立受影响的人们在决策、恢复生活和补偿公平方面的参与机制。它包含的目的对水调来说是必要的。制定原则、强化移民群体的对咨询和协商机制的权利将援助那些移民群体,如无土地的农业劳动力、低下阶层和妇女,无法申张他们主张的贫穷和弱势群体。对受影响社区管理人的角色和权利的广泛解释也是有必要的。不应该认为只有土地所有人是协商和补偿的对象。

在可行性阶段进行的综合环境影响评价特别是社会影响评价尤其重要,它鉴证了管理人的需求和态度。缺少社会影响评价常常不是因为缺乏可用的专家机构,通常是因为缺乏上工程的意愿。在 Thuruwila 水库项目上,水机构内部现有的社会科学专家并没有用来洞察可防止的危机。

水利专业人士和一些较小范围的政治家成了 Thuruwila 水库的决策者。职业的观点需要经历一个巨大的改变以对社区福祉的关心来取代专业方面的优先考虑。在新千年需要的是为社会认同的和与环境感应的水利工作者,他们通过学习能够在技术方向以外方面做出行动。

需要一些建筑物的创新来支撑社区方面的开发。强调专业技能的大学和其他专业学院的学习,促进专业上的优先。它对整体的社区的智慧没有给予充分的认可,其实它更长久地支撑着亚洲的灌溉系统。在斯里兰卡,水利专业工作者经常以有 2 500 年历史的古代灌溉系统而感到骄傲,但他们并没有认识到这项伟绩应归功于社区和国家的集体努力。

虽然与各种各样的伟大工程相关的移民安置和异议在水部门众所周知,但是已经引起抗议的这些工程大多数由国际机构投资,制定了完善的水管理规定并支持社区意见。因此,投资者和金融结构在确保乡村社区公平的角色和责任的重要性上还没有足够的压力。

21世纪,亚洲农业部门和灌溉系统将更多地被呼吁重新定位水资源以重新满足中心城市不断增长的需要。农业之外的水调是必要且不可避免的。在这种情况下,有关的股权者,在不同程度不同行业需要通过协商来达到一致,以保证公平和对乡村社区和生活的支持。从而,这样的水调将会以一种不会对亚洲乡村社区产生社会创伤和生计损失的一种方式来进行。

# 黄河水权转换工作中应重视
# 的几个问题

刘晓岩[1]　　席　　江[2]

(1. 黄河水利委员会水文局;2. 黄河勘测设计有限公司)

**摘要:**2003年以来,黄委为解决制约西北地区经济社会发展中用水"瓶颈"问题,在宁夏、内蒙古率先开展了水权转换试点工作,颁布实施了《黄河水权转换管理实施办法(试行)》,并审查通过了宁蒙两区水权转换规划,批复的水权转换试点项目业已铺开建设。但是,随着工作的逐步深入,笔者发现,在目前推进的工作中,尚存在一些亟待改进的方法和问题。通过对问题的分析,提出了进一步完善初始水权分配、建立健全水权制度、编制总体可行性研究报告、严格控制水权转换额度以及加强基础工作研究等建议。

**关键词:**水资源　使用权　转换　黄河

## 1　黄河水权转换基本情况

### 1.1　宁蒙灌区基本情况

　　宁夏回族自治区和内蒙古自治区地处黄河流域上游,位于西北干旱半干旱过渡地带,是水资源严重短缺的省(区)份。得天独厚的灌溉引水条件,使得宁蒙两区早在秦汉时期就开始修建一些渠道灌溉工程,发展引黄灌溉,素有"黄河百害,惟富一套"之说。

　　在两千多年的发展过程中,宁蒙两区灌排系统发达,境内沟渠纵横交错。目前,称之为前套的宁夏青铜峡灌区和后套的内蒙古河套灌区是我国六个特大型灌区中的两个,同时也是国家重要的商品粮生产基地。

　　但是,由于灌区年久失修、渠系配套程度差、渠道渗漏等损失严重、现状灌溉水利用系数低、灌区用水量居高不下使水资源紧缺和用水浪费现象并存。20世纪90年代后期,两区相继编制完成了灌区节水改造规划,并通过水利部组织的审查,工程总投资近百亿元。但是,受投资限制,灌区节水改造工程进展缓慢。

### 1.2　黄河水权转换产生过程

　　近几年来,宁蒙两区年均引黄耗水量均超过年度分配指标。随着全面建设小康社会战略目标的实施和工业化、城镇化、农牧业产业化进程的快速推进,水资源短缺已成为制约两区经济社会发展的"瓶颈",大量涉水项目因没有取水指标而无法进入立项程序。

2002年下半年以来,宁夏、内蒙古两区政府及水利厅多次向黄委行文要求解决新建火电厂等工业项目用水问题;分管副主席也专程到黄委汇报新建项目对自治区经济腾飞的促进作用。鉴于两区已无余留引黄水量指标的实际情况,为支持流域经济社会发展,积极探索利用水权制度优化配置黄河水资源的途径,优化用水结构,促进节水型社会建设,黄委同意在不增加引黄引水量指标的前提下,在宁蒙两区选择少数项目开展黄河干流取水权转换试点,即新建工业项目投资引黄灌区的节水改造工程(渠道衬砌和渠道建筑物改造),使减少的渠道渗漏量节约下来转让给工业。

## 1.3 水权转换开展的主要工作

水权转换开展的主要工作有:①从制度上来规范黄河水权转换行为。根据《中华人民共和国水法》、国务院《取水许可制度实施办法》和水利部《关于内蒙古宁夏黄河干流水权转换试点工作的指导意见》,结合黄河水资源管理和调度工作实际,制定并颁布实施了《黄河水权转换管理实施办法(试行)》,向试点省区下发了黄河水权转换试点意见,起草了水权转换节水工程验收管理办法;②开展小范围试点。按照《黄河水权转换管理实施办法(试行)》有关要求,指导宁夏、内蒙古两区完成了水权转换总体规划,组织专家审查并批复了该规划;组织专家对水权转换试点项目的可行性研究和水资源论证报告书进行了审查和审批,并对另外的4个拟建项目的有关报告进行了技术审查;③开展对试点项目的调研工作。

## 1.4 黄河水权转换预期效果

黄河水权转换是水资源管理中的一项重大创新,其意义在于开创了干旱地区经济社会发展用水的新路子,充分体现了水资源管理市场调节作用,如其成功,可实现五赢:一是通过水权转换,为拟建工业项目提供了生产用水,解决了水资源短缺地区为水所困的"瓶颈"问题;二是拓展了节水融资渠道,变单纯依靠国家或地方政府解决灌区节水工程投资为多渠道融资,使多年未落实的节水工程投资有了着落,渠道工程老化问题得到解决;三是在水资源利用效率和效益提高的同时,保护了农民合法用水权益,减少了输水损失,降低了水费支出;四是遏制了省区超用黄河水问题,提高了黄河水资源管理调度水平,生态效益得到改善;五是促进了节水型社会的早日实现,变以往依靠行政措施单一推动节水为公众自觉参与节水。

## 2 水权转换工作中存在的问题

黄河水权转换尚处于摸索经验阶段。在审查两区的水权转换规划和工程实施过程中,笔者发现了一些问题。

## 2.1 初始水权分配不具体

初始水权分配是进行水权转换的基础。《黄河水权转换管理实施办法(试行)》第三条规定:"进行水权转换的省(自治区、直辖市)应制定初始水权分配方案……"在实施水权转换的过程中,宁、蒙两区虽制定了初始水权分配方案,把国务院"八七分水方案"分配给本区的水量,通过自治区政府文件明晰到市(地)级,但以此作为初始水权分配方案并用于未来转换水权不好操作,突出表现在:一是初始水权只分配到市一级,市以下以县或灌区为用水单元的用水户初始水权并没有明晰;二是在初始水权分配中没有将支流水量量化,地表水和地下水没有进行统筹分配;三是初始水权分配方案中,没有明晰国民经济各个行业用水、优先顺序及保证率,等等。所有这些不仅没有明晰用水户的用水权益,导致取水人权利、责任、义务的分离,还会给今后的水资源管理调度和黄河水权转换带来不便操作的麻烦。

## 2.2 水权转换前期工作尚待改进

当前,黄河水权转换前期工作有待完善。一是水权转换规划中要求点对点(转换项目用水量直接对某一段渠道)安排项目,从实施过程中已经出现了个别问题,因为新建项目在立项过程中的不确定因素多,没有先来后到之说,所以不好确定项目先后次序,有的项目也可能就立不上项。因此,如果点对点确定渠段衬砌的话,则会出现渠道衬砌隔断的现象;二是试点省(区)水权转换规划中节水潜力计算量偏于乐观,个别省(区)为了多计算节水量,把实施水权转换渠道工程衬砌后的渠系水利用系数取得很高,高于有关规范要求和国家大型灌区续建配套规划系数,不仅给人一种不现实的感觉,还让人感觉又影响了生态平衡问题;三是水权转换项目多集中在用水绝对量不多且节水潜力不大的地区,而耗用水量大的地区和有节水潜力的地区没有或少有项目涉及。

## 2.3 水权转换没有形成良性互动

由于黄河初始水权只分配到市一级,没有分配到用水户,所以当前黄河水权转换只是市水行政主管部门与新建项目业主之间通过水权转换取得引黄水量指标,而不是用水户与业主之间的水权转换,加之节水工程投资投向市水行政主管部门(个别是渠道管理部门),因此受益的是水行政主管部门(个别是渠道管理部门),而非用水户特别是农业用水户,这些用户没有从水权转换中得到实惠,当然节水的积极性不会被调动起来,加上一些没有尝到水权转换带来好处的水管单位认为节水将减少水费收入,节水的愿望和意识就不迫切,就会出现水行政主管部门积极性高而用水户积极性低的现象,尤其是当一个市(地)年分水量一定时,随着通过水权转换取得用水指标的工业用户保证率提高,当地农业用户的用水量势必减少。建立不起良性互动机制,只能给日后的水资源管理和调度带来更加被动的局面。

### 2.4  基础工作尚待深入

当前,困扰黄河水权转换的主要问题是基础研究工作跟不上需要。突出表现在:一是宁蒙退水量尚不能准确掌握,引耗水量难以准确计量;二是尚没有系统的黄河水权制度,没有对初始水权分类类型进行划分,水权拥有或转换期限确定单一;三是跨市之间的水权转换问题;四是超用省(区)超水还账年限及惩罚措施;五是渠系水监测及工程验收时节水效果评价;六是前期研究尚不够深入,现行规划均存在不同水文地质条件下灌区灌溉水利用试验数据的引用规范、不同来水频率初始水权分配、水权转换改变取水用途项目用水保证率确定、水权转换补偿等问题。

## 3  对策建议

### 3.1  进一步完善行政区域内的初始水权分配

明晰初始水权是水权转换的基础。黄河是我国西北、华北地区的重要水源,而我国西北、华北地区是水资源非常匮乏的地区。所以,黄河水资源管理遇到的问题是中国大江大河中所有问题的集中体现。正是因为如此,黄委对流域初始水权分配工作起步早,并率先于其他流域对可供水量进行了分配,经国务院批准施行。《黄河可供水量分配方案》在一定程度上遏制了沿黄省(区)过度增长的用水势头,为黄河取水许可管理和水量调度提供了依据。但是,由于水权转换是新老用水户之间在取水用途上发生的使用权的变化,所以水权转换的前提是明晰各个老用户的使用权,即在总量控制的前提下,将行政区域内干、支流的初始水权细化到以乡镇自然村用水户为单元的农民和国民经济其他行业的用水户,并明确其责任、权利、义务,让他们感觉到在具有水资源使用权利的同时,也有节水的义务和责任,并通过这些获取更大的利益。

### 3.2  建立健全水权制度

水资源配置与管理不仅对维持河流健康生命具有重要意义,而且涉及政治、经济和价值取向等问题,因此说水权分配是复杂的系统工程,必须有一套与市场经济体制相适应的水资源权属管理制度,即水权制度。当前,我国还没有一套完整的水权制度,只是在《中华人民共和国水法》中对水资源的所有权和取水权做了规定,所以,实现以水权管理为基础的水资源管理尚有难度。特别是黄河流域,在西线南水北调生效以前,每个省(区)都不会新增用水指标,解决省(区)发展用水问题,都要进行水权转换。为此,建议有关部门尽快研究适应黄河流域水权管理的水资源使用制度和水权转换制度,通过水权制度建设来实现水资源的优化配置。

### 3.3　编制全区总体可行性研究报告

当前正在宁夏、内蒙古进行的水权转换试点都是一个项目编制一本可行性研究报告和一本建设项目水资源论证报告书,基本的顺序是:先干渠后支渠再斗渠最后毛渠,并将项目一对一(定灌区渠道桩号等)落实到灌区渠道。这种做法无可厚非,但实施当中发现,由于项目核准的不确定性,这种点对点的做法到最后出现灌区渠道衬砌不连贯的问题。所以笔者建议,宁蒙两区应在黄委审查批复的《黄河水权转换总体规划》基础上,编制一本总体可行性研究报告(而不是一个项目一个可行性研究报告),分别对拟将转换水权的灌区干、支、斗、农渠道节水潜力进行分析,进而计算出每公里渠道节约的水量、工程量及经费,转换的项目只作建设项目水资源论证报告书,根据用水合理性分析后提出引耗水量,将批复的用水量结论告诉当地水行政主管部门,由他们与用水户视具体情况共同安排水权转换的渠道地段,按用水量计算渠道衬砌工程长短并收取费用,这样可避免节水工程时断时续的现象。

### 3.4　严格控制水权转换额度

当前,沿黄省(区)用水量都已基本接近或超过国务院"八七分水方案"以及年度分水方案,按照国家要求,没有余留水量的省(区)是不能进行水权转换的,但是,不通过水权转换多渠道筹措节水工程资金,实现节水又是不可能的。因此,现实的情况在于通过水权转换优化用水结构和合理配置水资源,提高水资源的利用效率和效益,抑制日益增加的用水需求,以强势的工业群体扶持农业这个弱势群体,以此达到节水的目的,而不是为了满足新增需水者的要求。由于水权转换带来的保证率提高以及排污量增加,都可能影响其他用水户和水域周边环境,所以,笔者建议要严格控制水权年度转换额度,从严审批项目。

### 3.5　积极给耗用水大户找"婆家"

目前,黄河上游水权转换项目尚未打破市(县)行政区划界限,原则上是新建项目建在哪个市(县),就在哪个市(县)寻找取水量转换指标,其结果是,原本耗用水绝对量和节水潜力都不大的一个市(县)要承担十几个乃至二十几个项目的用水,耗用水大户和节水潜力巨大的市(县)却很少或没有一个转换项目,这样以来势必导致超用水的继续超标,原来不超用水的市(县)通过水权转换将余留指标转换给工业用水户,导致黄河水资源继续恶化。基于此,建议实施水权转换的省(区)有关部门积极给像内蒙古河套地区这样的耗用水大户找"婆家",让其通过转换水权进行灌区续建配套工程改造,减少输水环节渗漏量,提高渠系水利用系数,真正达到节水目的。

### 3.6　加快基础研究工作步伐

应根据当前水权转换工作中遇到的问题,开展相关方法的研究,尤其要规范节水潜力计算方法,加强水权转换分级渠道的监测试验,研究制定水权转换项目验收办法和有关奖惩制度,严肃处理为上项目骗取取水许可的现象。

笔者相信,通过努力和实践,黄委将探索出一条适应黄河自身情况的水权转换模式,并使水资源恶化趋势得以控制,一个健康的有生命延续的河流将展现在世人面前。

# 水动力学模型合理评价及发展趋势探讨

余　欣[1]　李跃辉[2]　朱庆平[3]

(1.黄河水利科学研究院;

2.黄河水利委员会国际合作与科技局;

3.黄河水利委员会)

**摘要:**为客观评价、合理引导数学模型可持续健康发展,进一步分析明确了水动力学数学模型的定位,分析了主要误差来源,提出模型评价原则及其要素,并对数学模型发展趋势做了初步探讨。

**关键词:**基本定位　误差来源　评价要素　发展趋势　水力学模型

## 1　水动力学模型基本定位

数学模型、物理模型、原型观测和理论研究是水科学研究的主要手段,数学模型是提供定量分析的主要手段之一,既可以进行方案比选,又可以帮助我们深入认识事物规律性,但其局限性也是显而易见的。

(1)数学模型是对现实对象提供分析、预报、决策、控制等方面定量估算的工具,可以进行大量方案的设计优选,并已得到广泛应用。

任何一门学科的发展都是由定性描述到定量表达、定性模糊到定量清晰的过程。而且随着研究的深入,必须要求定量,要求研究那些引起质变的量(界限、阈值),数学模型也应运而生。定性与定量是相对的,某一种性质总与一定的数量相关联,正如没有冲淤量、冲淤分布,河相系数也难以对河流河床演变和泥沙输移给以恰当的定性认识。定量分析必须以定性研究为基础,定量研究又是定性研究深化的必然要求和结果[1]。

基于 CFD 水动力学数学模型已在航空航天、汽车制造、气象预报等领域得到广泛应用,如爆炸试验、飞行器设计、汽车对撞、天气预报等。水动力学模型具有较好的性价比和可重复性,业已广泛用于水利枢纽规划设计、河道及河口整治规划和演变预测等大量方案的比选和优化,同时可以辅助进行复杂因素作用下单因子影响分析。

(2)水动力学模型有助于对事物规律性认识的深入。主要表现在以下几个方面:①水动力学模型要求对模拟现象的机理应清楚。它的建立需要尽可能利用已有的理论、公式,总体上讲,可靠性较高,通用性较好。②在模型检验时,要对这些理论、公式作出评价。因此,使用这种模型可以促使理论水平的提高,理论联系实际。③从数学模型中各环节配套计算出发,往往会提出一些研究不够充分的问题,从而有可能促进理论研究的发展。④这种模型如果建立得很成功,反映了客观规律,在具体使用中有时可揭示一些意想不到的现象。这是因为对一些复杂过程的模拟,给出一些初始条件和边界条件后,不通过计算机演算,单纯靠人的脑子直接推理,对可能出现的现象是不容易得出确切估计的,这是其一。其二,人的认识往往受已有的经验束缚,没有新的认识,新的结果(包括数学模型计算的)就出不来[2]。

如小浪底水库规划设计阶段,总体概念是水库运用水位高,支流拦门沙坎则高,支流库容淤损较大,所以应尽量控制初期低水位运用。1996 年以后开展了小浪底水库拦沙初期 3~5 年运用方式研究,经数学模型计算发现,随水库初始运行水位抬高,就所有支流而言,库容淤损增加,但就各支流而言,其倒锥体淤积形态因支流位置不同而有所不同。位于干流三角洲的前坡段和坝前段的畛水河,其拦门沙坎高度随水库起始运行水位升高而降低;亳清河位于干流三角洲的顶坡段,拦门沙坎高度则随水库起始运行水位升高而升高。初步分析认为,水库运用水位高,干流淤积部位靠上,含沙量沿程衰减迅速,进入靠近坝前支流的沙量少,支流拦门沙坎则低;反之,水库运用水位低,干流淤积部位下移,进入靠近坝前支流的沙量多一些,支流拦门沙坎则高(见图 1)。小浪底库区库容较大的支流(大峪河、畛水、石井河)多位于坝前段,这对水库初期较高水位(如 210 m)蓄水拦沙是有利的。随着干流三角洲的推进,库容较大的支流多位于坝前段的优势将会减弱,此时水库适当降低水位对控制支沟的淤积倒灌是有利的。

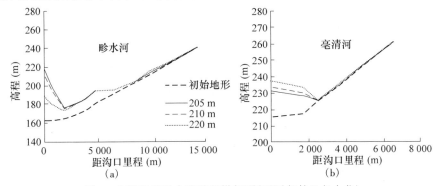

图1 小浪底库区支流淤积纵剖面(不同起始运行水位)

再如,进行巴家嘴水库区长系列泥沙冲淤计算时,若计算步长采用 1 天(规划设计阶段一般如此),则验证计算的滩地淤积量明显偏小。经分析发现,由于巴家嘴水库来沙集中在高含沙洪水期,洪水历时短,一般仅几个小时。以日为计算步长,则水沙过程严重坦化变形,本应上滩的洪水不再上滩,致使滩地淤积量明显偏小。将计算时段按洪水时段划分,模拟结果则大为改善。类似问题不经水动力学模型计算是很难想到的。同样的道理,也适用于黄河干流和支流河道泥沙冲淤计算。

(3)数学模型有其局限性。数学模型是沟通实际问题与所掌握的数学工具、事物规律性认识的一座桥梁,数学模型是对事物规律性认识的数学表述,决定了数学模型的研究深度不可能超越人们对事物规律性认识的水平,水动力学模型受制于河流动力学、河床演变学、紊流力学、计算流体动力学、水力学等学科的发展水平。数学模型所要描述研究对象的特征也决定其精度不可能超过研究对象的测量工具和方法的精度,所以系统误差是不可避免的。

## 2 主要误差来源

数学模型主要误差来源包括数值误差、物理误差和边界误差三个方面。数值误差指计算机本身带来的可能误差和数值方法产生的误差;物理误差指模型所描述的物理现象数学表述不完备或简化处理而引起的误差;边界误差主要指初、边界条件表达不完备所引起的误差。

### 2.1 数值误差

在计算机上进行数值计算时误差主要由实数运算而来(Runoff – errors),计算中数字(浮点数)的表达是由有限的位元(bit)数来表示的,计算机系统中的实数其实是不连续的,不可能用有限的 bit 来完整表示无限(连续)的数字。因此,就存在进位或是去位的误差,在某些情况下会导致计算结果没有意义。图 2 为某商业网格生成器所生成的三角形网格,从局部放大的图中可以看出,在转折处形成"扁长"的严重变形的三角形网格,同样的问题在"黄河下游二维网格生成器"研发中也出现过。进一步分析发现,所有这些问题都是由于实数精度不足所引起的。解决此类问题可以通过使用双精度或群组加以控制,但不能全部避免。

偏微分方程离散时利用差商代替微商同样会带来截断误差。如考虑任意标量或向量函数 $f$ 的一阶空间微商,假定函数的微商连续,在 $p(j,n)$ 区域向前展开泰勒级数:

$$f_{j+1} = f_j + \left(\frac{\partial y}{\partial x}\right)_j (x_{j+1} - x_j) + \frac{1}{2}\left(\frac{\partial^2 f}{\partial x^2}\right)_j (x_{j+1} - x_j)^2 + \cdots +$$

$$\frac{1}{n}\left(\frac{\partial^n f}{\partial x^n}\right)_j (x_{j+1} - x_j)^n + 0|x - a|^n$$

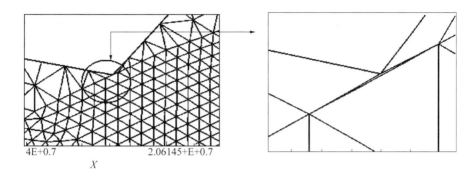

图 2　生成的局部变形网格图

如果取前 $n$ 项,则 $n+1$ 项以后的舍入误差是必然存在的。

水动力学方程中代数方程组求解、进出口边界确定等都涉及迭代求解的问题,不同的收敛准则会引入不同的收敛误差。

### 2.2　物理误差

水动力学方程组属于有源项的弱守恒形式,源项中摩阻项求解通常利用曼宁公式,而该公式只适于恒定均匀流,对于非恒定性和非均匀性的实际水流,摩阻计算乘以修正系数或加修正值,其误差也不能完全避免。

更重要的是,泥沙计算中所涉及水流挟沙力、挟沙力级配、动床阻力、恢复饱和系数等问题目前仍需深入研究。如常用的水流挟沙力公式,特别是在高含沙情况下点绘的 $S_* \sim u^3/gh\omega$ 一般是一条较宽的带。不同的计算公式结果有相当的差别,对于冲刷情况下计算结果更是差强人意。考虑分组沙的情况问题就更为复杂。目前在多沙河流应用相对成熟的一维模型主要是用于长河段、长时段计算,计算过程通过动床阻力、悬沙和床沙交换的自动调整,一定程度上可以掩盖这方面的问题,短历时洪水过程计算暴露的问题会更多。以上所述仅是一维模型,二维模型所涉及的二维挟沙力和动床阻力,三维模型所涉及的床面附近含沙量和分组挟沙能力确定尤为困难。

动边界处理中带来的浅水问题,极小水深情况下,为避免计算不稳定,强制赋定水深小于限定值(一般取为 $0.05 \sim 0.1$ m)时流速也会带来质量守恒方面的误差。

### 2.3　边界误差

地形概化会引起一定的误差。一维模型概化为子断面,大流量情况下,由于概化而引起的过水面积或地形误差在整体过流中所占权重较小,有关结果(如 $Q \sim Z$ 关系)基本可以满足要求。枯水流量条件下,该部分的权重相对增大,计算的 $Q \sim Z$ 关系与实际有一定差别。二维模型同样面临计算量与地形拟合精度的选择,要完备反映实际地形就必须加密网格,但随之而来的计算工作量成倍增长。如进行的 5 000 m×30 000 m 河段计算结果可以看出,不同网格大小,计算流量会有相当差别(见图3)。若考虑水流漫滩后对生产堤、堤河、地物地貌的影响,所造成的误差可能会更大。

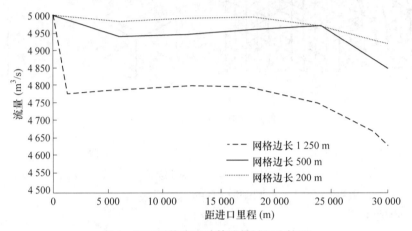

图3 不同网格密度计算流量过程比较图

模型验证采用资料也是模型误差的主要来源之一。数学模型中的主要参数是利用实测资料率定的,关于实测资料的精度,有关规范规定如下:流量系统误差为 4%~8%,随机不确定度为 8%~10%;悬移质泥沙系统误差为 2%~3%,随机不确定度为 18%~20%。从黄河下游断面法和沙量平衡法冲淤量成果来看,淤积量测验系统误差更大。这种误差是数学模型本身所无能为力的。

## 3 关于模型评价

### 3.1 模型/软件存在的主要问题及原因[3]

水动力学模型目前存在的主要问题包括如下几个方面:

(1)对模型/软件开发成本和进度估计常常不准确;

(2)用户和开发者本人对"已完成的"模型/软件不满意的现象经常发生;

(3)模型/软件质量往往靠不住;

(4)模型/软件常常是不可维护的;

(5)模型/软件通常没有适当的文档资料;

(6)模型/软件成本在计算机系统中所占的比例逐年上升;

(7)模型/软件开发生产率提高的速度远远跟不上计算机应用迅速普及深入的趋势。

导致这一系列问题的重要原因,一方面与模型/软件本身的特点有关,另一方面也和软件开发人员的弱点有关。许多模型/软件开发人员对模型/软件开发和维护还有不少糊涂观念,在实践中或多或少地采用了错误的方法和技术,同时没有认识到模型/软件开发不是某种个体劳动的神秘技巧,而应该是一种组织良好、管理严密、各类人员协同配合、共同完成的系统工程。相互封锁、闭门造车严重影响数学模型的发展和推广应用。

## 3.2　模型质量评价要素[4]

数学模型质量的评价结果往往因人而异,有几个人就有可能有几种不同的评价,这主要取决于评价的人是偏重于普遍性、实用性和精确性以及费用、时间消耗等中的哪个方面。当然,也受个人偏好和专业知识的影响,实际上涉及一个评价标准的问题。评价标准的不统一不利于数学模型健康、持续、快速的发展。初步考虑模型评价以通用扩展性、实用精确性、经济高效性为基本原则,主要因素应包括如下几个方面:①基本假定及简化方面的评价;②算法和数值格式方面的评价;③应用范围和限制方面的评价;④质量与费用效益方面的评价;⑤咨询推广方面的评价。

关于模型评价工作已有一些案例可资借鉴。如 1989 年可压缩流数值模拟国际学术讨论会前,曾拟定六个考题(每题又包含几组数据),对包括中心格式、逆风格式(MUSCL 法)、特征格式在内的 21 种格式进行了数值检验,测试重点侧重于数值方法方面。1997 年、2001 年、2002 年黄委曾开展了三次数学模型比试,比试模型涉及一维、二维水动力学和水文水动力学模型等,测试重点侧重于模型实用性。类似案例从测试方案选择、基本资料准备、测试方式确定、专家遴选等方面可为此类工作开展提供有益借鉴。

## 3.3　注重规程规范制定

数学模型研发属于软件工程范畴,因此需严格按照软件工程要求开展需求分析—概要设计—详细设计—构件测试—模型率定—模型验证—模型试运行等工作,保证过程合理。考虑到水利学科的特殊性,建议在软件工程标准基础上进一步编制有关的规程规范,提出对过程和结果的双重控制原则。

《海岸与河口潮流泥沙模拟技术规程》(JTJ/T 233—98)对基本资料、基本方程、计算模式、计算域确定及网格划分、初始和边界条件、基本参数的确定、验证计算及精度控制、方案计算、成果分析都提出了基本要求。对潮位、流速、流向、流路、潮量、潮流平均含沙量、床面冲淤厚度允许误差做了规定。如潮流平均含沙量允许偏差为 30%,平均冲淤厚度允许偏差为 30%。为规范黄河数学模型的研发,黄委编制了《黄河数学模型研发导则(试行)》(SZHH05—2003),提出模型设计、编程、程序测试、率定、验证、输入输出、可视化、成果等方面的基本要求。在以上工作基础上,进一步提出诸如水库、河道泥沙模拟技术规程是必要的。

## 4 主要发展趋势

### 4.1 注重数学模型耦合集成

河流是一个系统,主要传质包括污染物、泥沙、河冰、温度等,在水流动力作用下对流扩散,输送迁移。不同传质之间互相影响,如污染物由于泥沙存在而产生的吸附降解作用显著改变着各自的运动变化。为研究某一因素将各种传质分裂开来的"分析"方法,要逐步与多传质耦合的"综合"方法结合,来复原河流的本来面貌。由于人类活动的加入性,天然河流已变成人工河流,满足单目标的分散模型已不足以反映各种工程与非工程措施所引起的河流复杂响应。建立河流模拟系统,耦合集成流域产流产沙模型、水质评价、河口海岸的泥沙输移模型与传统的河道冲淤、展宽模型一体化;将三维模型与快速的一维、二维模型结合起来,形成所谓的耦合、嵌套模型来处理复杂的模拟区域。"一揽子"解决流域产沙、中游水库联合调度、下游河道非恒定流洪水演进预报、枯水条件下水量调度和水质评价的模拟、河口海岸迁移仿真等[5,6]。MIKE、Delft3D、NCCHE、HEC 等模型系统的建设理念值得借鉴。

### 4.2 与 IT 技术完备结合

模型系统的发展要考虑设计 IT 技术与水利现代化完备的解决方案。在表达方式上,向高度可视化、过程可引导化方向发展,注重与 IT 技术完备结合,实现水文基础信息、地理数据、遥感影像等数据的自动收集和传输,并与 GIS 相嵌入和外接,使其具有较好的可视化和实时检查存储功能。高度可视化可以为模拟结果快速反馈和调试提供工具支持,也可以为决策者提供全面翔实的技术支撑。

模型系统的建设同样需要稳定快捷的运行环境。流域尺度、多传质数值模拟必须突破容量和速度的"瓶颈",有必要建设高性能计算平台,最终实现软硬件环境共享的网格计算。鉴于成本/效益考虑,基于 MPI 的 Cluster 机群是现实的选择。可以满足大区域模拟计算和局部区域为实现地形完备反映加密计算网格所增加的计算量要求。

### 4.3 注重数据质量,提高模型精度

数据质量主要包括数值全面性、时效性、准确性,数学模型主要通过"数据驱动",其质量决定了模型的功能和质量。

(1)全面性。数学模型要适应原型观测,也要注意挖掘原型观测的潜力,能用实测资料尽量用实测数据,减少因数据提供不足而产生的误差。如在利用平面二维模型进行洪水演进预测时,既要提供断面平均状态向量,同时也要给出开边界的实时垂线平均流速、含沙量、级配等。

(2)时效性。在实时预报时,对时效性要求是显而易见的,"振动式测沙仪"、"声学多普勒流速剖面仪"、"激光粒度仪"等先进测验仪器不断应用,实时数据获取成为可能。另外一种情况是对河床边界而言,当河道边界条件发生显著变化时,要及时进行测量;河势及滩地地物地貌变化,应考虑尽快利用卫星影像进行遥测。

(3)准确性。数学模型的精度不可能高于实测资料的精度,因此提高数据精确性是提升模型模拟精度的主要途径之一。

为描述不同尺度的河床演变行为,应注重河道游荡性河段断面加密测验建设。在进行模型率定和验证时,历史河道情况要尽可能还其原貌,以提高率定参数的合理性。

## 4.4 与误差评估和实时修正技术的结合

一个好的模型应该具备估计计算误差范围的功能,确定性的水动力学模型不可能把一切因素考虑在内,特别是一些随机影响。由于引起的误差不可避免,一般来说,当数学模型的误差范围已接近这种不可避免的误差时,通过模型(方法、系数)的改进追求更高的精度是没有意义的。因此,有必要利用水信息技术进行计算误差可信度的评估,对可能存在误差进行预估,为实时修正提供技术参数。

与实时修正技术结合,可以完善模型的预测功能。水动力学模型用于洪水预报,主要解决水文学模型不能解决或解决不甚理想的一些课题,例如复杂水情、分汉河段、分洪、溃口等预报对象以及冲淤环境下河道断面形态发生了明显变化后的水力要素计算等,尤其是需要计算河段内任何断面、任何时刻的水位流量等要素时。利用卡尔曼滤波实时修正技术,以观测变量、糙率参数以及综合变量(受水位、流量、糙率影响)作为状态向量,可以实现水动力学模型参数动态化和预报实时校正,并已取得良好效果[7]。

## 4.5 仿真一体化设计平台的应用

任何一个复杂系统的设计研制都需要经过系统建模、设计、分析、数学仿真、系统或部件性能测试、系统半实物或全物理仿真等工作阶段及不同阶段间的反复修改历程。传统设计技术中,上述设计工作是在不同的设计环境与软件支持下完成的,花费大、周期长、有效性低。现代设计技术,是将上述研究工作放在一个统一有效的设计环境(设计平台)中完成。先进的一体化设计平台具有如下主要功能:①提供适应于系统方案评估用的系统建模与数学仿真开发环境;②提供适应于系统有关部件或分系统性能测试用的开发环境;③提供适于原型模拟系统实时仿真及方案修正的开发环境;④完成产品及系统性能实时测试与产品性能的评估。

据了解,波音 777 飞机设计过程中,利用一种名为 CATIA 的软件系统,专业人员可在计算机网络上进行三维模拟设计,成百上千不同专业的工程师可以同时针对飞机的同一构件进行虚拟操作。实际上,参与设计的几个工程师团队以及供货商之间相隔数千公里,软件系统使他们能够在一个共同的虚拟空间中一起工作,各个团队因此可以通过虚拟仿真对飞机的各部分进行数字化预装。当各个团队负责的部件设计完毕后,把这些数字设计及时传输并汇总到一起,最终形成经过多次模拟优化的波音 777 飞机数字模型。

河流动力学模拟系统的建设应注重借鉴这种先进理念,逐步统一平台,协同攻关,资源共享。仿真一体化设计平台的应用可与"网格计算"相得益彰,具有广阔的发展前景。

## 参 考 文 献

[1] 李钜章.现代地貌学数学模拟.见:金德生.地貌实验与模拟.北京:地震出版社,1995
[2] 韩其为.河床演变的几个问题.见:金德生.地貌实验与模拟.北京:地震出版社,1995
[3] 吴钦藩.软件工程–原理、方法与应用.北京:人民交通出版社,1997
[4] 沈受百.关于评价和抉择泥沙数学模型的基本考虑.郑州:黄河水利科学研究所,1986
[5] 王光谦,吴保生.泥沙学科前沿问题述评.见:张楚汉.水利水电工程科学前沿.北京:清华大学出版社,2002
[6] 朱庆平,余欣.关于黄河数学模型系统建设的思考.人民黄河,2005(3)
[7] 葛守西,程海云,李玉荣.水动力学模型卡尔曼滤波实时修正技术.水利学报,2005, 36(6)

# 维持黄河下游健康生命的
# 河道断面形态分析 *

张晓华[1]    岳德军[2,3]    黎桂喜[4]

(1.黄河水利科学研究院;

2.中国水利水电科学研究院;

3.黄河水利出版社;

4.河南黄河河务局)

**摘要**:黄河下游的断面形态是黄河健康生命体系中的关键指标,平滩流量综合表征了河道的断面形态。文章通过输沙需求、未来径流量保证的可能、防洪需求等方面的综合分析,认为未来平滩流量可保持在 3 500 ~ 4 500 m³/s。

**关键词**:断面形态  黄河下游  健康生命

## 1  黄河下游断面形态特点及指示因子

### 1.1  黄河下游断面形态特点

黄河下游是典型的冲积性河道,河道横断面形态一般呈复式,由主槽、嫩滩(或称一级滩地)、二滩(或称二级滩地)组成;在东坝头以上还有老滩(三级滩地),为 1855 年铜瓦厢决口后溯源冲刷形成,20 世纪 80 年代以前一般洪水不漫滩(详见图 1)。主槽的河床阻力小、流速大,是河道排洪输沙的主体,其排洪能力一般占全断面的 60% ~ 90%,输沙能力几乎占全断面的 100%。因此,对黄河下游断面形态分析的对象是主槽。

### 1.2  断面形态的指示因子

反映断面形态的常用因子主要是面积、河宽、水深、宽深比等,对黄河下游这种河道摆动迅速、幅度很大的游荡性河道来说,完全单独确定这些因素是十分困难的,而且对于生产实践来说,这些因子不够直观且不具可操作性,因此在现阶段分析中未采用。

---

*  基金项目:国家自然科学基金委员会、水利部黄河水利委员会黄河联合研究基金项目(50239040)。

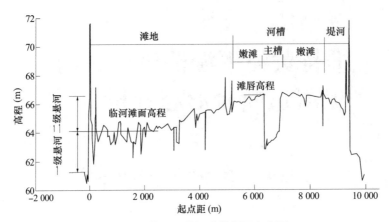

图 1　黄河下游河道横断面示意图

平滩流量一般是指汛前水位与嫩滩滩唇齐平时的主槽过流流量,它是水流未漫滩时主槽的最大过流流量,反映出主槽当年的过洪能力。流量是过流面积和流速的乘积,在主槽河床组成变化不大的黄河下游,流速又主要取决于断面形态,因此平滩流量是断面形态变化的综合反映。

在表征黄河健康生命的指标体系中,平滩流量是极为重要的因子,它的确定就意味着确定了主槽的排洪输沙能力,也就是我们能够通过主槽控制的洪水、泥沙量。下面几部分从高效输沙、未来水量的维持水平、河道排洪等三个方面论述维持黄河健康生命所需要的平滩流量。

## 2　高效输沙需要的平滩流量

黄河下游来沙量巨大,下游河道长期以淤积为主,因此首先要有一个能够以较高效率输送泥沙的主槽;同时,由于黄河中下游水库修建的一个主要开发目标是减淤,在初期运用阶段基本上都要蓄水拦沙,黄河下游会出现一个低含沙水流形成的持续冲刷时期,因此我们也需要在这宝贵的时期内实现高效冲刷。故需论证在淤积时期和冲刷时期能够满足黄河下游高效输沙的平滩流量。洪水期间发生漫滩,滩地将大量淤积,导致全下游淤积量增大,河道的输沙效率降低。因此,在以主槽高效输沙为目的的研究中,主要以不漫滩洪水为对象,研究其输沙规律。

### 2.1　淤积时期

建立不漫滩洪水河道淤积情况与来水来沙条件的关系图形可见(见图 2),淤积比(淤积量/来沙量)随水沙搭配参数($\frac{S}{Q^{2/3}}$)的增大而增大,其关系为:

$$\frac{S}{Q^{2/3}} = 0.23 \times e^{0.021\,5\eta}$$

式中　$S$——平均含沙量；

　　　$Q$——平均流量；

　　　$\eta$——淤积比。

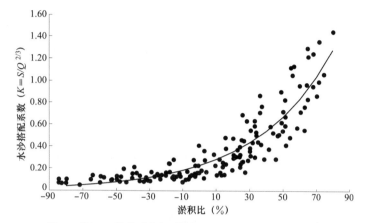

图2　黄河下游洪峰期河道淤积比与水沙搭配系数的关系

上述关系说明河道淤积情况是随着水沙搭配的不同而不断变化的。如果确定了一定的洪水期含沙量 $S$，可得到不同流量时对应的河道淤积情况（见图3），在相同含沙量条件下，随流量的增大，淤积比相应减小，从实测资料反映的图形来看，并不存在明显的拐点，即没有某一流量表现出河道淤积比显著减小、输沙效率明显增高。如果平滩流量越大，主槽能够通过而不漫滩的流量越大，则淤积比越小，输沙效率越高。

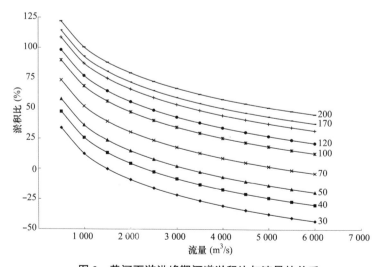

图3　黄河下游洪峰期河道淤积比与流量的关系

首先平滩流量无限大是不现实的;其次黄河下游的洪水特点一般是大水带大沙,因此大流量时含沙量一般较高,来沙量较多,此时即使输沙效率高,河道淤积量也很大。因此,应该选择一个河道能够承受的淤积条件下、输沙效率又较高的流量作为目标平滩流量。

我们综合考虑黄河下游来水来沙条件、输沙用水量、河道淤积情况,三者相互关系由图4可见,随着含沙量的增加,输沙水量呈减少的趋势,河道淤积比呈增加的趋势,即如果来水含沙量越大,需要的输沙水量越少,但河道淤积越严重。因此,需要平衡两者的矛盾,选择既能维持河道少淤,又能减少输沙水量的水沙条件。将图形划分为三个区域:Ⅰ区以冲刷为主,但输沙用水量很大;Ⅱ区为高效输沙区,兼顾了河道淤积程度及输沙用水量的大小,高效输沙区洪水期平均含沙量在45 ~ 110 kg/m³。Ⅲ区输沙水流最小,但河道淤积严重;岳德军[1]也曾于20世纪90年代对黄河下游高效输沙问题进行了研究,得到的认识为:平均情况洪水期平均流量3 500 m³/s左右、含沙量70 kg/m³左右的非漫滩洪水是最适宜的高效输沙洪水,此时其输沙效率为16.6 m³/t,淤积比为13.5%,两方面研究确定的高效输沙的水沙条件基本一致,综合分析认为,淤积时期的平滩流量在3 500 m³/s左右时有利于主槽高效输沙。

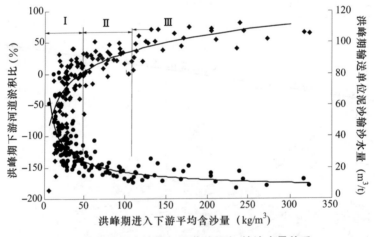

图4 洪峰期含沙量与河道淤积比、输沙水量关系

## 2.2 冲刷时期

1960年10月 ~ 1964年10月三门峡水库蓄水拦沙运用、1999年10月至今小浪底水库拦沙运用,下游河道都发生持续冲刷,以这两个时期的实测资料为主分析冲刷时期的高效冲刷流量。

为认识不同流量级的冲刷效率,我们分析了黄河下游清水冲刷时期三黑小流量与下游冲刷效率(单位水量冲刷量)的关系(见图5),通过分析发现,冲刷效率随洪水期平均流量的增加明显增加,但流量在 4 000 m³/s 以下时,冲刷效率增加幅度较大;流量超过 4 000 m³/s 后,冲刷效率增加幅度显著减小,4 000 m³/s 是冲刷效率较大的一个变化流量级。

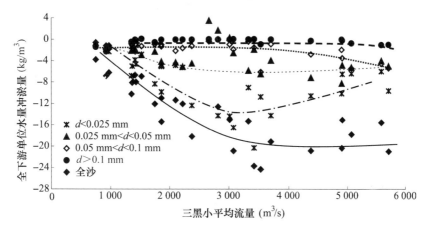

图5　水库拦沙运用期分组沙单位水量冲淤量与平均流量关系

通过对不同粒径组泥沙的变化情况分析可知,细泥沙($d < 0.025$ mm)和中泥沙($0.025$ mm $< d < 0.05$ mm)的冲刷效率都是随着流量增大先迅速增大,流量超过 3 000 m³/s 后,细泥沙冲刷效率降低,中泥沙冲刷效率保持稳定;较粗泥沙($0.05$ mm $< d < 0.1$ mm)和特粗泥沙($d > 0.1$ mm)的冲刷效率随着流量的增大先是变化不明显,当流量超过 4 000 m³/s 后,较粗泥沙冲刷效率开始增加,当流量超过 5 000 m³/s 后,特粗泥沙冲刷效率开始增加。因此可以说,下游洪水期平均流量超过 3 500 m³/s 后冲刷效率增加不明显的主要原因是细泥沙补给不足。

对淤积时期及冲刷时期的高效冲刷规律的分析表明,平滩流量在 3 500 ～ 4 000 m³/s 时输沙效果较好。

## 3　未来径流条件所能维持的平滩流量

黄河河川径流条件在过去 50 多年中发生了很大变化。以花园口、利津断面为例(见表1),1950 ～ 1985 年年均实测水量为 460 亿 m³,其中汛期为 260 亿 m³;而 1986 ～ 1999 年年均实测水量只有 276.5 亿 m³,减少幅度约 40%,汛期实测水量只有 131.4 亿 m³,减少近 50%。实测水量的减少有流域进入相对干旱时期的影响(流域降水平均减少 7% ～ 8%),更多的是人类活动造成的耗水量增加、产汇流条件改变、地下水超采等因素。根据对未来降水和人类活动影响的发展趋势分析,未来 30 ～ 50 年,流域降水在经历了近 20 年的枯水段后可能会有所增加,并继续遵循丰枯交替的规律;水土保持耗水量将会随着水土流失治理力度的加大而增加 10 亿~20 亿 m³;地下水超采现象仍会存在;区域经济的进一步发展决定着人类用水水平不会降低,但由于国务院分水方案的约束,沿黄省(区)的实际用水量也不会超过其分水指标。因此,在外部水源进入黄河前,未来年均进入黄河下游的水量很难超过 1986 年以来的水平,即年均汛期水量 130 亿 m³ 左右,年水量 270 亿 m³。

表 1 黄河下游实测水量变化     (单位:亿 m³)

| 时期 | 年水量 | | 汛期水量 | |
|---|---|---|---|---|
| | 花园口 | 利津 | 花园口 | 利津 |
| 1920~1929 年 | 399.5 | | 234.7 | |
| 1930~1939 年 | 499.1 | | 315.6 | |
| 1940~1949 年 | 544.6 | | 334.4 | |
| 1950~1959 年 | 479.9 | 480.4 | 294.3 | 298.6 |
| 1960~1969 年 | 505.9 | 501.1 | 287.7 | 294.5 |
| 1970~1979 年 | 381.6 | 311.0 | 214.1 | 187.7 |
| 1980~1989 年 | 411.7 | 285.8 | 241.6 | 189.7 |
| 1990~1999 年 | 256.9 | 140.8 | 116.3 | 86.2 |
| 2000~2004 年 | 208.0 | 105.6 | 82.4 | 58.2 |

水流是塑造河槽的最主要动力,黄河下游断面形态与来水量的多少密切相关。由花园口断面平滩流量与汛期径流量及其与汛期大于 2 000 m³/s 流量级的洪水水量的关系发现(见图 6),当花园口汛期径流量约 130 亿 m³ 时,下游平滩流量能维持在 3 500~3 700 m³/s;如未来洪水维持 1986~1999 年的水平(即流量大于 2 000 m³/s 的洪水水量约 50 亿 m³),则平滩流量可基本维持在 3 600 m³/s 左右。由此看来,未来进入下游的水量条件长时期能维持的平滩流量在 3 600 m³/s 左右。

## 4 河道排洪需要的平滩流量

### 4.1 未来可能出现洪水分析

由于主槽是黄河洪水运行的主要通道,因此其断面形态应能够基本适应未来出现频率最高的洪水量级。近期黄河干流洪峰流量明显降低,首先,由图 7 可知,1986 年以后花园口站年最大洪峰流量只有 7 860 m³/s,其中 2000~2004 年最大洪峰流量只有 3 550 m³/s;其次,由于洪水场次减少导致大流量过程减少,由图 8 可以看出,90 年代汛期 97.2%、99.1%、99.8% 的历时流量分别在 3 000 m³/s、4 000 m³/s、5 000 m³/s 以下,2000~2004 年上述比例分别高达 99.7%、100%、100%。由此看来,1986 年以后花园口日均流量 4 000 m³/s 左右已经成为黄河中下游汛期洪水的主要量级。

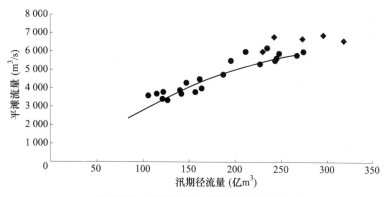

(a)花园口平滩流量与汛期径流量的关系

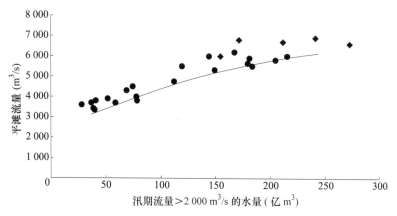

(b)花园口平滩流量与汛期流量在 2 000 m³/s 以上水量的关系

**图 6　花园口平滩流量与汛期水量的关系**

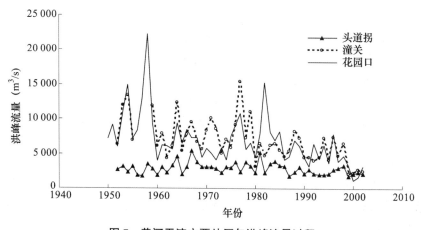

**图 7　黄河干流主要站历年洪峰流量过程**

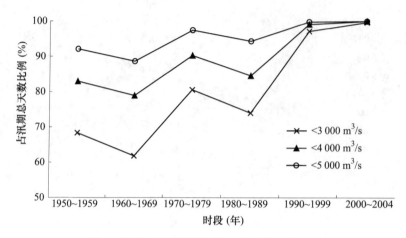

图 8    花园口不同时期汛期日均流量历时变化

引起洪水特点变化的原因既有气候条件,也有人类活动的影响。目前,人们尚难以准确预测未来降水的趋势,但周期性变化的规律为大多数人所接受;而上游龙羊峡和刘家峡等大型水利枢纽的调蓄削峰减少中下游洪水基流的影响以及中游大规模水土保持和水利工程建设滞蓄洪水的作用将长期存在,因此可以预估未来下游洪水形势(包括最大洪峰流量和 4 000 m³/s 以上洪水天数等)可能仍将维持 1986 年以来的水平。

上述分析表明,如果下游平滩流量维持在 4 000 m³/s,基本能够满足排泄经常发生的洪水。

### 4.2  滩区人类生存对洪水漫滩的制约条件

滩地是河道组成的一部分,是河道滞洪滞沙不可缺少的部分。对黄河这种来沙量巨大、洪水涨落迅速的冲积性河流来说,滩地的滞洪沉沙功能极为重要。首先,山东艾山以下窄河段过洪能力小于河南河段,花园口发生 22 300 m³/s 的大洪水时,艾山以下窄河段的防御能力只有 10 000 m³/s,只有通过滞洪措施和河南河段滩地滞蓄洪水削减洪峰流量和洪量,才能保障山东河段的防洪安全;其次,大洪水时,河南宽河段滩槽水沙充分交换,泥沙在滩地大量落淤,减少了进入山东窄河道的泥沙,降低了水流含沙量并改变了泥沙组成,保障了山东河段不大量淤积;第三,滩地淤积在一定时期内形成滩槽同步抬高,减少了"二级悬河"的危害,1950～1999 年黄河下游共淤积泥沙 93.1 亿 t,其中滩区淤积量占 68%。因此,洪水漫滩对黄河下游河道来说是必不可少的。如果滩区的滞洪沉沙功能不能正常发挥,黄河下游将面临巨大的洪水泥沙处理压力。为了黄河防洪安全,在发生大洪水时滩区必须漫滩。

而黄河下游滩区情况十分特殊。由于历史上下游河道多次改道,目前下游的部分滩区原不是滩地,在多次改道后才成为滩地,而原居住地的居民就"被迫"成为滩区居民了。目前,两岸滩地上居住着181万人,拥有375万亩耕地,这是一个不容忽视的事实。据不完全统计,1949年以来,黄河下游滩区遭遇过不同程度的洪水漫滩30余次,累计受灾人口900多万。在小浪底水库已投入运用、黄河治理开发取得巨大成就的情况下,频繁的洪水漫滩对滩区人民生产生活十分不利。

由于滩区群众对平滩流量要求与沉沙滞洪对平滩流量的要求相差较大,因此科学确定可接受的漫滩频率是非常困难的。1998年黄河防总曾对黄河下游的编号洪峰进行了修订(黄防办【1998】22号文《关于印发黄河洪峰编号的暂行规定》),综合考虑当时的主槽排洪能力(警戒水位、平滩流量)以及其他因素,确定花园口流量大于4 000 m³/s的洪水作为下游编号洪水。参考此文,平滩流量能够维持在4 000 m³/s左右,基本控制小于编号的洪水不漫滩,更易被人们所接受。

### 4.3 不同平滩流量对洪水水位的影响

为认识不同平滩流量对河道排泄大洪水的影响,利用黄河下游二维水沙数学模型,初步比较了不同平滩流量情况下花园口发生22 000 m³/s洪水时的洪水水位 $Z_{22000}$ 情况(见图9)。从计算结果看,随平滩流量增加,$Z_{22000}$ 一直呈降低之势,但影响程度并不大。当平滩流量由3 000 m³/s(小浪底水库运用前的平滩流量)增加到8 000 m³/s(1958年大洪水前的平滩流量)时,虽然 $Z_{22000}$ 相应增加,但仅抬高了0.44 m,说明平滩流量的大小对大洪水的水位影响并不大。按照黄河现状堤防防御洪水标准为22 300 m³/s水位并超高2~2.5 m设计来看,即使在平滩流量较小(只有3 000 m³/s)时发生大洪水,仍在堤防防御能力之内。

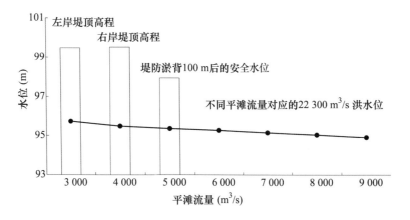

图9 不同平滩流量条件下22 000m³/s洪水位

需要说明的是,如果平滩流量维持在 4 000 m³/s 左右,在发生特大洪水时,滩地过流量可能会较大、顺堤行洪的流速可能会偏大、高水位浸泡时间延长,将对堤防安全造成压力。因此,未来的堤防建设不仅要强调防御高水位,同时还要注意提高堤防的抗渗和抗冲能力。

## 5 未来平滩流量的综合确定

根据以上对下游河道高效输沙规律、未来径流条件、河道排洪的要求等多方面的分析,综合考虑认为,黄河下游平滩流量的恢复目标在 4 000 m³/s 左右。

### 参 考 文 献

[1] 岳德军,等. 黄河下游输沙水量研究. 人民黄河,1996(8)

# 石羊河流域水资源开发对
# 水循环模式的改变

钱云平　　高亚军　　蒋秀华　　王志勇　　宋瑞鹏

(黄河水利委员会水文局)

**摘要:**石羊河流域位于河西内陆干旱区,受地质构造条件和自然地理环境所制约,地表水与地下水转换频繁。通过对流域地表水与地下水转化关系变化分析表明,由于流域大规模的人类活动干扰,改变了天然水循环状态,使流域地表水与地下水转换关系发生了较大变化,流域地表水—地下水—地表水的复杂循环模式逐渐被单一地表水—地下水的循环转换模式所取代。

**关键词:**地表水与地下水转换关系　　水循环　　武威盆地　　民勤盆地　　石羊河

## 1　流域概况

石羊河流域是祁连山进入河西走廊的三大内陆水系之一,南依祁连山,北至走廊北山,西接黑河流域,东与广阔的腾格里沙漠接壤,流域总面积 40 687 km²。

山区是流域水资源的主要形成区,中下游盆地降水量小、蒸发量大,是重要的农业灌区,是流域水资源的利用和消耗区。由于中游灌溉用水量过大,进入下游盆地水量持续锐减,致使下游盆地绿洲萎缩、植被退化和土地沙化,产生了严重的生态环境问题。

目前的石羊河流域是河西内陆河流域人口最多、水资源开发利用程度最高、用水矛盾最突出、生态环境最严重的地区,也是水资源对经济发展制约最大的地区。

## 2　水文地质条件

流域南部为祁连山,中部为武威盆地,北部为民勤盆地。祁连山区主要为变质岩系,普遍赋存水质良好的裂隙水。武威盆地、民勤盆地广泛分布巨厚第四纪松散沉积物,其孔隙含水层为地下水的赋存和运移提供了巨大的空间。

武威盆地南部冲洪积带为单一结构潜水含水层,北部细土平原地区则分布双层或多层潜水—承压含水层。含水层厚度南部冲洪积扇中上部为 100 ~ 200

m,含水层主要为砂砾卵石及砂砾石;北部细土平原区一般为 100~150 m,含水层主要为砂砾石。

民勤盆地含水层厚度一般为 60~100 m,含水层自南向北由无压的潜水过渡为多层潜水—承压水系统,南部含水层岩性主要以砂砾石、砂为主,北部含水层主要为砾砂、砂、粉砂等。

在承压水区,隔水层主要为黏性土,没有稳定的区域性隔水层,各含水层之间存在一定的水力联系。

## 3 水资源特性

### 3.1 降水

石羊河流域的水资源主要来源于祁连山区的降水,祁连山区的年平均降水量一般为 300~600 mm,处于流域中部武威盆地年平均降水量为 150~300 mm,而民勤盆地年平均降水量不足 150 mm。石羊河流域降水主要集中于汛期 6~9 月份,一般占年降水量的 65%~70%。

### 3.2 出山口径流

流域水系均发源于祁连山,自东向西由彼此不相联系的大靖河、古浪河、黄羊河、杂木河、金塔河、西营河、东大河、西大河等 8 条河流组成。西大河、东大河、古浪河及大靖河由于水量较小或者是水库修建调蓄的影响,地表水已不能直接汇入石羊河干流河道。出山口 8 大支流多年(1956~2000 年)平均天然径流量为 14.55 亿 m³,径流量主要集中于汛期 6~9 月,来水量占年来水量的 65%左右。

### 3.3 水资源开发利用现状

50 年来,石羊河流域水利工程建设有较大发展,形成了上游山区水库调蓄、中游平原渠道输水、下游机井渠灌溉的水资源开发利用布局。

2000 年,流域实际用水量 28.4 亿 m³,农业灌溉用水占流域总用水量的 90%。其中武威盆地 13.35 亿 m³,民勤盆地 7.82 亿 m³;流域地下水利用量所占比重较大,占总用水量的 56%,地下水严重超采,特别是民勤盆地,近年来由于地表来水较少,流域大量超采地下水,地下水开采量占用水总量的 90%。

## 4 地表水与地下水转化关系分析

### 4.1 上游山区

石羊河流域南部祁连山降水和冰川资源丰富,是流域水资源的形成区。

南部的祁连山地,地下水接受降水和冰川消融水的渗入补给,在出山口,由于山前阻水构造,地下水以泉的形式泄入沟谷河床形成出山河流,直接以潜流形式流入盆地的水量是很少的。

对于山区地下水转化为河水的量,可以将河水基流量作为地下水转化的河水量,根据出山口河流水文站日流量资料,采用日流量过程基流切割法分割基流量,1957～2004 年,山区地下水多年平均转化为河水的量占河川径流量的20%～30%。

### 4.2　中游武威盆地

山区河流出山后进入武威盆地,在盆地南部山前洪积扇带,分布大厚度的第四纪松散沉积物,含水层岩性主要为砂砾卵石及砂砾石,透水性极强,河道和农田灌溉渠系大量渗漏入渗补给地下水,山前洪积扇带地表水的入渗补给,是武威盆地地下水的主要补给来源。

在洪积扇扇缘带,是山前倾斜平原与细土平原的交会过渡带,由于地势变缓,含水层岩性变细,透水性由强变弱,地下水流因受阻而导致水位升高。该区域是地下水溢出带,大量地下水在地形低洼的地方形成溢出泉。扇缘带以下河段,也是地下水的排泄处,在盆地北端基岩出露,构成盆地阻水边界,地下水无法直接进入下游盆地,而是随基底抬升而上升溢出,转化为地表水进入下游盆地。

但目前这种转换模式已发生根本性的变化。20 世纪 50 年代到 90 年代中后期,盆地灌渠实行高标准的衬砌,引起地表水下渗补给量大幅度减少,同时盆地由于长期超采地下水用于灌溉,补给量的减少和过度开采地下水引发地下水位大幅度下降,泉水溢出带泉水经历了由大到小并逐渐消失的动态变化过程,目前中游原泉水溢出带泉水已基本枯竭;扇缘带以下河段地下水排泄量大幅衰减,仅剩红水河补给石羊河干流,其他基本没有地下水排泄补给河道。

中游泉水的变化可通过对石羊河干流站菜旗水文站的来水过程进行分析,水文站基流代表泉水溢出对地表水的补给。采用基流切割方法,割除调水和泄洪过程后就可得到整个盆地泉水流量,分割结果见图 1。从图 1 中可以看出,泉水流量随年际基本呈单调衰减趋势,20 世纪 80 年代初泉水流量大于 2 亿 $m^3$,到2002 年仅 0.6 亿 $m^3$。

中游盆地地表水—地下水—地表水的复杂转换模式逐渐向地表水—补给地下水的单一模式转变。

### 4.3　下游民勤盆地

石羊河经红崖山水库进入下游民勤盆地,首先通过渠系被引入灌区灌溉,灌溉水入渗补给地下水。

民勤盆地地表水与地下水转换关系随流域水资源开发利用程度的提高而发生了改变。早期,因上游引用水量少,下游水量补给充分,地下水位高。在盆地南部地表水入渗转化为地下水,在盆地北部洼地大量出露形成尾间湖,地下水由南向北汇集中经历了地表水—地下水—地表水的循环转换过程。

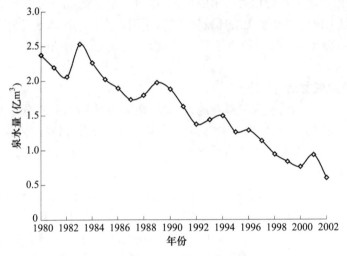

图 1　菜旗站泉水径流量年际变化

自 1969 年以后由于上游灌区生产发展较快,用水水平大幅度提高,致使进入民勤盆地径流锐减。石羊河进入民勤盆地年径流在 20 世纪 50 年代为 5.42 亿 m³,60 年代后期为 4.55 亿 m³,到 80 年代为 2.07 亿 m³,90 年代入境径流为 1.23 亿 m³,2000 ~ 2003 年年均仅 0.99 亿 m³。由于上游来水持续减少,盆地不得不大量开采地下水,目前盆地地下水开采量达 7 亿 m³,远大于来水量,造成盆地地下水位大幅度下降,到 80 年代境内天然湖、塘全部干涸消失,除人工对地下水的开采外地下水自由溢出水面的情况早已不存在。

下游盆地地表水与地下水之间的转换关系已变为地表水下渗补给地下水的单一模式。

## 5　结论和建议

流域水资源的过度开发,改变了流域天然水循环规律。水资源循环模式的变化,也改变了流域水资源的空间分布,致使盆地泉水枯竭,进入民勤盆地的水量逐年减少,下游天然绿洲萎缩,土地沙漠化、荒漠化、盐渍化程度和范围日益扩大,对流域生态环境造成了极大的破坏,引起整个流域生态环境平衡失调和水资源危机,严重影响流域经济和社会的可持续发展。

因此,应尽快对石羊河进行综合治理,对流域水资源进行合理配置,调整产业结构,强化节水措施,提高水资源利用效率,加强地表水、地下水统一管理,限制地下水开采,建立权威、高效的流域管理体制,制定适宜经济可持续发展和缓解流域生态环境的上下游分水方案,保护和改善下游生态环境,维持石羊河健康生命。

## 参 考 文 献

［1］ 李文鹏,周宏春,等.中国西北典型干旱区地下水系统.北京:地震出版社,1995

［2］ 高飞,张元禧.河西走廊内陆石羊河流域水资源转化模型及其时移转化关系.水利学报,1995(11):77~83

［3］ 钱云平,等.河西走廊水资源合理配置与管理对策.1999

［4］ 陈隆亨,曲耀光,等.河西地区水土资源及其合理开发利用.北京:科学出版社,1992

［5］ 王成,等.武威市水资源开发利用现状分析.武威市水利局,2000

# 治河应遵循养育生命的基本规律

刘红珍[1] 宋慧萍[2] 郭 浩[3] 宋伟华[1]

(1. 黄河勘测规划设计有限公司;2. 黄河水利委员会直属党委;
3. 黄河水利委员会人劳局)

**摘要:**从维持河流健康生命的理念出发,说明河流是有生命的,人与河流的关系应由过去的支配与索取转变为平等与合作的关系。从养育生命的视角看待河流的治理,则在治河过程中要遵循养育生命的基本规律。归纳了一切从实际出发、循序渐进、全面系统、发展创新等养育生命的基本规律,并结合河流治理说明其在实际工作中的应用,特别指出系统观包括空间尺度和时间尺度两个层面,而时间尺度上的系统思考更重要也易被忽略。

**关键词:**河流 生命 治理 养育 规律

## 1 河流是生命体

"维持河流健康生命"概念指出,人类对水资源不能过度索取,要留出足够的水量以维持河流的健康生命。该理论的提出,为河流的治理开发指明了方向、提供了坚实的理论依据。按照这一理念,河流是有生命的,河流的系统就像一个生命的系统:河水的流动,就像血液的流动,没有血液的流动生命将不复存在;河流上的工程就像是支撑生命体的骨骼,只要一块骨骼出问题,整个生命体就会感觉不舒服;散布整个流域的水文站、雨量站、气象站就像生命体的眼睛、耳朵和皮肤,感受外界的刺激与信息;而数字河流的建设,就像生命体的神经传输网络,把外界的变化、刺激迅速地传送到生命体的大脑——治河部门,大脑获取刺激的速度、获得的信息量以及大脑的智力水平,决定了大脑作出反应的速度和准确性……

就像生命体一样,河流系统的健康依赖于肌体每一部分的健康和身体的整体平衡。血液不流动、被污染,生命就会终结;骨骼老化、畸形,生命体不可能充满美感和生命力;视力不好,就可能发现不了问题;耳朵不灵,就会听不清声音;表皮受伤、破损,就不能感知外界的刺激;神经网络出问题,信息就不能及时传递;大脑的组成和思路不对,就不可能快速作出正确的反应。

一条河流就像一个有血有肉的生命,在提供给人类赖以生存和发展的水资源的同时,她也一样需要人类的关怀和爱护。

## 2 河流治理与养育

"维持河流健康生命"的理念并不仅仅意味着让河流生生不息,她的视角已把人类在自然界的定位从高高在上的统治者转换为平起平坐的合作者,摒弃了特权、命令和索取,强调平等、尊重与合作。从这种视角出发,人类只是大自然的普通居民,自然界的资源是全体生物所共有的,人类没有过度索取、损害其他生物利益的特权。因此,人类与河流的关系,也应该是平等与合作的关系,河流给人类以资源,人类还河流以健康。

我们称黄河、长江为"母亲河",是因为我们从她们那里索取资源以维持生命,当"母亲河"由于我们的过度索取而危在旦夕时,我们应当转换身份与态度,像养育脆弱的生命一样,养育河流,还母亲河以健康。

对河流的治理体现了人类征服、改造自然的勇气、智慧和力量,对生命的养育不仅需要这些,更不可缺的是耐心和持久。

## 3 治河要遵循养育生命的基本规律

生命的成长与发展过程是一个复杂、充满变化和不确定性的过程,在养育生命的过程中应当遵守一切从实际出发、循序渐进、全面系统、发展创新等基本规律。而水利建设与管理更是集合了自然和人类社会众多元素的极其复杂的巨大系统,在人类活动的影响下,河流的演变更加错综复杂、不确定,在对河流的治理上也更应遵循养育生命的基本规律。

### 3.1 尊重客观规律,一切从实际出发

养育生命最基本的原则就是要尊重事实、一切从实际出发。孩子淘气、坐不住,就不能强求他安安静静地听故事,让腼腆、内向的小孩当孩子王也不是一个明智的决定。同样,用清水河流的模式来治理黄河也是根本行不通的,因为黄河的特点就是水少、沙多、水沙不平衡,忽略了黄河的泥沙特点等于没有认识黄河。

任何事物都有个性和共性,我们不能只看到事物的共性而忽视它的个性。理解共性,我们能够掌握大原则、遵循大规律,但只有抓住了个性,我们才能从实际出发,在工作中不断开拓、创新。世界上没有两片完全相同的树叶,对生命的尊重,首先就体现在对其个性的承认和接纳,只有认同了生命的个性,才能针对问题真正做到对症下药。这就像在具体的工程规划设计中不可能完全照搬规范一样,各种计算规范是经大量的实践积累提炼出来的纲领性文件,具有普遍性、共性,但每一个流域和工程都有自身的特点,在规划设计中必须具体问题具体分析,不可能一本规范定天下。

### 3.2　循序渐进

养育生命必须循序渐进,来不得一点急躁。任何生命的成长和进化都是一个过程,有一些还是相当漫长的过程。在成长、变化的过程中各种条件相互作用、各种因素不断积累,在完成物质上量的积累和时间长度的积累后,成长的过程才会慢慢显现,任何急功近利、拔苗助长的行为对生命的整个过程来说都是没有好处的。因为急功近利只看到了眼前的利益,没有考虑对长远的影响,而拔苗助长更是违背自然规律的行为,这都是短视的行为。

对于河流的治理同样要循序渐进,我们不仅要做十年、二十年甚至五十年长远规划,更要做好每年可操作的年度计划。长远规划是治河的终极目标,但就像人不可能一口吃成个胖子一样,我们也不可能一步就实现远期规划。河流的治理必须一步步完成,每一步都从现状起步,落脚到当年的小目标,虽然每一步都达不到终极目标,但却始终向着终极目标靠近。这个靠近的过程就是物质和时间的积累过程、量变的过程,没有这个过程要想实现质的飞跃是不可能的。

### 3.3　全面系统

全面系统的观点是养育生命过程中必须遵从的最核心方法。系统观包括空间尺度和时间尺度两个层面,而时间尺度上的系统思考更重要也易被忽略。

#### 3.3.1　在空间上的系统观点

每个生命体都包括多个层面和特点,需要从不同的角度来理解。一条河流从地形特点上可分为上、中、下游,每一段都有不同的水沙特点;河流工程包括水库、堤防、桥梁、引排水工程等;河流哺育的生物包括陆生生物和水生生物……这方方面面都说明了生命体的复杂性。因此,对生命的养育就应从多个角度考虑问题,不仅要看到有利的一面,还要看到可能的危害性。

同时,空间上的系统观还告诉我们牵一发而动全身。任何一个组织都有其存在的环境,一个组织的内部行为并不完全是其自身的事情,而是会对其所在的大环境带来影响,因为事物是普遍联系的。各种事物之间总存在着丝丝缕缕的相互联系,任何一点终究是要放到面上、在一定的环境和系统中发挥作用。在对局部的工作完成后,局部的变化对系统的作用以及系统对局部的反作用都需要进行再研究。否则,如果忽略大系统的平衡,局部的所谓正确的决策很可能会造成无法弥补的集体大灾难。比如,森林的过度砍伐、发菜的过量采集,都是局部获利而全局利益受损的典型例证。

#### 3.3.2　在时间上的系统观点

以系统观处理问题,不仅要在空间上考虑到各种因素的相互关系和制约,更要考虑到时间的系统性,各种因素随时间的延续其相互作用不断变化,各种矛盾不断演变。在当前时间系统中各因素的关系,在另外一个时间并不一定存在,当前时间的主要矛盾在未来并不一定成为主要矛盾。比如一场洪水,在起涨的过程中,首先要保证下游的防洪安全,这时水库拦蓄洪水,下游的防洪是主要矛盾,水库防洪安全是次要矛盾;随着洪水的逐步加大,水库蓄水位逐渐升高,可利用的防洪库容逐步减小,当库水位达到一定数值时,水库本身的保坝问题变成主要矛盾,下游防洪安全退为次要矛盾。

时间上的系统观点在日常工作中是非常容易被忽略的,因为时间的推移带来了变化,而这些变化并不一定是能够被察觉或预知的,因此在工作中做到在时间上的系统性也是非常难的。这就要求我们在做工程规划时要考虑到时间的滞后性,每一个工程她的作用与影响并不是在刚建成生效时就完全出现的,而是随着时间的滞延慢慢出现的,比如修建大型水库对库区周边气候及生态的影响,不是一时能够显现的,而是通过时间的积累逐步暴露的。在对河流的治理上,最解决根本问题的措施,一开始并不一定能显现良好、巨大的效益,但只要坚持不懈,在时间和空间上量的积累完成后,根本的问题就可能解决。

### 3.3.3 全面系统的观点

在对具体问题的分析处理上,同时采用空间和时间上的系统思考,才能真正体会全面系统观的应用。比如在做一个工程时,首先要对工程条件有一个全面的认识,要收集水文、工程地质、生态环境、水土保持、社会经济等各方面的资料,不仅要研究现状的资料,还要收集历史资料和规划资料,就是既要看到工程的过去又要预见发展和将来可能的情况,不仅要看到有利的一面,还要看到可能的危害性。

全面系统观的关键在于找出处理问题的"杠杆点",亦即可引起结构重要而持久改善的点,一旦找到最佳的杠杆点,便能以小而专著的行动创造最大的力量。以全面系统的观点养育生命,遇到问题才能做到标本兼治。比如得了感冒、咳嗽,吃感冒药、止咳药只能缓解症状,要想解除最根本的问题,需要杀灭细菌、消除炎症,消炎药在这时是根本的,但我们也需要治标的感冒药、止咳药,来缓解病初的痛苦症状。就像水土保持一样,最根本的解决方法是把黄土高原、多沙粗沙区的生态环境彻底改变,即水土保持是治本。但生态环境的恢复和改善需要几十年甚至上百年的时间,所以在进行水土保持的同时,在生态环境恢复和改善前,为了减少下游河道的淤积,还需要修建小浪底、古贤、碛口等工程拦沙,即治标。这样治标为治本赢得时间、缓解本未根治的危害、避免由标而造成的不必要损失。即在时间和空间上同时应用系统思考而找到"杠杆点",从根本上解决问题。

## 4 科学、发展、学习、创新

现在人们日益认识到"当今世界,唯一不变的是'变化'"。发展的复杂性和不确定性是与时俱进的,产生大量"估算不准"、"难于(几乎是无法)预估"的因素,发展的不确定性如同混沌理论的"蝴蝶效应",个别因素的变动都可能导致完全不同的发展情景。而生命的历程就是一个变化发展的过程,我们对生命体的认识也是逐步深入的,每一阶段的认识都是在特定环境和条件下的产物,都有其局限性,因此要以科学发展的眼光看待生命,在学习和思考中发现问题,在探索和创新中实现发展。

## 参 考 文 献

[1] 李国英. 黄河治理的终极目标是"维持黄河健康生命". 人民黄河,2004(1)
[2] [美]彼得·圣吉. 第五项修炼.上海:上海三联书店,2003
[3] 张建云.中国水文科学与技术研究进展——全国水文学术讨论会论文集. 见:朱元生. 风险分析实践的感悟.南京:河海大学出版社,2004

# 黄河下游工情险情会商系统的研究和实现

丁　斌[1]　姚保顺[1]　郭　浩[2]　周　江[1]　郎文林[1]

(1.黄河水利委员会信息中心；2.黄河水利委员会人劳局)

**摘要：**本文介绍了以 JAVA、INTERNET、地理信息系统(WebGIS)、中间件等业界主流技术，开发完成的基于 Internet/Intranet 的"黄河下游工情险情会商系统"。给出了系统的基本框架、逻辑结构和功能结构，并对在系统中应用的关键技术进行研究和讨论。该系统已应用于实际的防汛工作中，它是"数字防汛"应用系统中的成功案例，其实现了面向"数字防汛"抢险报险等环节的应用需求，从而有效地支持了抢险会商决策。

**关键词：**WebGIS　工情险情　会商　数字防汛　地图服务中间件　远程标绘

## 1　概述

随着计算机技术的不断发展，信息技术已在水利行业得到越来越广泛的应用，传统的基于 GIS 的 C/S(Client/Server)结构模式的防汛应用系统在防汛工作中发挥了重要作用，但由于 C/S 结构本身的局限性，以及对空间数据的共享需求，传统的防汛应用系统已难以更好地满足防汛工作的要求，从而迫切需要开发出一套基于 WebGIS 的防汛应用系统。

"数字黄河"工程的启动，标志着治黄事业从传统治黄向现代治黄的历史性转变。而"数字黄河"工程建设是从"数字防汛"开始，"工情险情会商系统"又是"数字防汛"的重要组成部分。基于 WebGIS 的工情险情会商信息系统，是结合现代网络条件和现有技术开发力量而开发建设的面向黄委、省、市、县四级的应用系统，采用 B/S 的运行方式，并依据水利行业的特点，分别采用 JAVA、INTERNET、地理信息系统、中间件等业界主流技术实现了面向"数字防汛"抢险报险等环节的应用需求。

## 2　基于 WebGIS 系统的框架结构

### 2.1　系统基本框架

工情险情会商系统采用"数字黄河"工程的 J2EE 三层结构设计，三层体系结构,如图 1 所示。

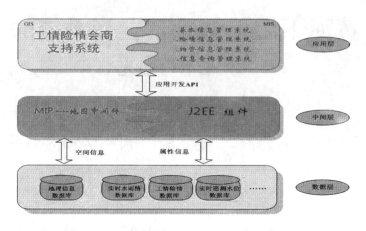

**图1　系统基本框架**

上层是应用开发层,专注于防汛会商的业务流程。快速搭建基本应用,保持高度的伸缩性和扩展性。主界面采取 GIS 可视化界面。底层负责数据收集和存储,侧重于建立完整、稳定的信息上报流程和建设科学的数据存储结构;数据库结构分为地理信息库,工情、险情库以及原有的实时水雨情库三部分。中间层专注于数据库平台与地理信息平台技术本身,为上层应用开发提供工具化接口,利用成熟的中间件产品提供的开发工具接口,能够快速移植和搭建各种防汛应用系统,选用了成熟的 WEBGIS 中间件 MIP,并在其提供的稳定开放的二次开发平台基础之上,搭建应用与其他原有业务系统紧密集成,最大限度地利用原有资源并将这些资源通过 GIS 平台充分展现;整个系统开发,采用面向数据库建设和应用开发两端,中间采用成熟技术的开发模式。

## 2.2　系统逻辑结构

系统中信息管理系统部分丰富了工情险情会商系统的数据采集。"黄河下游工情险情会商系统"是一个基于地理信息的应用系统,它包括工情险情会商系统和工情险情信息管理系统两部分。工情险情信息管理系统又有基本信息管理子系统、险情信息管理子系统、物资信息管理子系统、信息查询管理子系统四个系统组成。系统管理通过用户管理模式实现系统的黄委、省、市、县四级管理。各子系统实现自己的数据采集以及工作流程等,统计查询和有关统计报表由信息查询管理子系统实现。系统逻辑结构如图 2 所示。

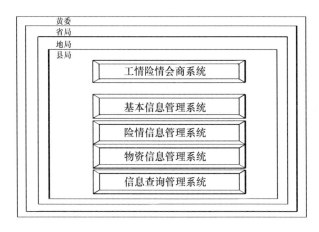

图2　系统逻辑结构图

## 2.3　系统功能结构

系统的建设是按照统一的数据库标准代码,统一的数据库表结构,实现了黄河下游工情险情信息资源的高度共享,系统功能设计分为会商系统功能设计和信息管理系统功能设计,主要功能设计如下。

### 2.3.1　会商系统功能设计

实现防洪预案信息管理、防汛档案资料管理与查询、实时水情信息、通过电子地图浏览和查询黄河基本情况、防洪工程基础信息查询、防汛部署基本信息查询、实时工情的上报和查询、防洪工程坝垛基础信息查询、防汛石料基本信息查询、遥测险工水尺的信息展示功能、河道大断面的定位功能、1∶25万电子地图防汛道路最短路径计算分析功能、险情报警自动漫游功能、遥感河势自动漫游功能、人工河势标绘和遥感河势分析、防汛专题对象位置信息描述分析、不同比例尺的地图集自动漫游等。

### 2.3.2　信息管理系统功能设计

采用Java开发技术,开发适用于黄委、省、市、县四级的工情险情信息管理系统,系统面向黄委、省、市、县四级防办人员,根据用户权限实现信息的安全控制,即对不同的用户,信息管理的范围和深度有所不同。实现的主要功能有:数据录入、修改和查询,数据传输和处理,实时险情上报、标注、报警和查询,上级险情批复、查询,信息查询统计,系统维护管理等。它包括基本信息管理系统、险情信息管理系统、防汛物资管理系统、查询统计管理系统,其中险情信息管理系统是MIS系统与GIS系统相结合的产物,它解决了险情的远程标绘和地图精确定位。

## 3 系统关键技术分析

### 3.1 应用中间件技术

在 WebGIS 的开发中采用了中间件技术,其地图服务功能中引入了国际上目前业界推崇的中间件技术。选用成熟的 WebGIS 地图应用服务器 MapXtreme 和地图服务中间件 MIP,他们为应用开发提供了一个高度可视化的、直观的组件,方便他们将地图功能集成到任何 Web 应用中。

WebGIS 中间件在技术上把底层的与应用无关的细节进行了彻底的封装,对二次开发用户完全透明,而把最终的应用系统的逻辑流程单独分离出来留给用户自行开发,从而大大降低了应用系统的开发难度,缩短了开发周期,提高了开发质量。

基于 WebGIS 中间件技术,在黄河流域(片)Intranet WWW 上开发在线虚拟会商大厅应用,所有的最终用户只需在自己的机器上安装浏览器(如 Microsoft Internet Explorer 或 Netscape)即可访问存放在服务器端的空间数据,并以电子地图为基础,进行相关工情、险情信息分析。

### 3.2 Java 技术的使用

在本系统中,使用了 Java 开发技术,采用当今流行的 B/S 方式。在开发中采用了 JavaBean 技术封装功能模块和 JavaServlet 技术开发统计报表,并针对工情、险情数据的特点开发了数据校验等软件包,实现了软件复用技术。真正做到了"一次开发、多次使用",提高了软件开发和维护的效率。

#### 3.2.1 开发了防洪工程数据校验软件包与管理软件包

由于 Web 应用系统的运行特点,表单需提交到 Web 服务器,开发了数据校验软件包,直接在客户端对用户录入的数据进行校验。在提交到服务器前,先对录入的数据进行检测。通过分析工情、险情各类信息的数据特点,用 JavaScript 开发了一组函数,尽可能地覆盖了各类情况,并在开发中不断地丰富,最终形成了数据校验软件包,开发人员只需根据表中各数据的特点,对照格式写到页面中即可。方便易用,并可扩展到其他 Web 应用系统。

#### 3.2.2 开发了方便灵活的 Serverlet 报表

在系统的建设过程中,规范了防汛业务报表的基础上,使黄委、省、市、县四级防汛机构统一了报表格式。包括险情的上报代电、出险工程的统计报表及各类防汛物资的统计报表等。采用 Java 中的 Serverlet 技术,将所要生成的报表格式写好后,根据参数来自动生成报表。保证县局、市局、省局、黄委打印出的报表格式相同,只是所汇总和明细的数量有所不同。所有的需显示报表的页面,可直接调用。如果报表以后根据防汛业务需要调整时,可只修改其对应的 Serverlet

即可。

### 3.3 远程标绘技术

基于 WebGIS 的防汛指挥远程地图标绘技术的试验研究工作,基本实现了险情分布、险情态势、灾情分布和灾情态势的自动生成。应用的关键技术如下。

#### 3.3.1 险情灾情标绘数据模型的建立与分类

数据模型的建立与分类如图 3 所示。其中,标绘实体的数据主要分为两大部分:空间数据和属性数据。空间数据主要记载地图标绘元素的形态控制点信息和实体描述信息。属性数据部分主要记载地图标绘元素中与空间数据无关的属性信息。

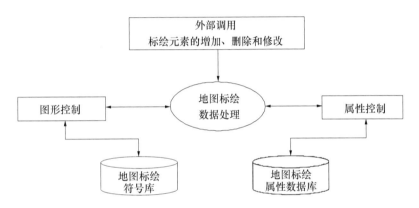

**图 3　险情灾情标绘数据模型的建立与分类逻辑结构**

#### 3.3.2 险情灾情标绘的设计思想和模型

地图标绘的设计思想和步骤:首先地图标绘处理部分接受用户提出的险情灾情标绘请求命令,然后分析这些请求,并且把它分解为相对独立的任务单元,再创建相应的任务执行序列,最后产生对应的 Tool 工具对象并提交给主程序框架,再由主程序激活 Tool 工具,执行不同的操作和处理,最终把结果数据以图形的形式反馈给用户,并显示在屏幕上,如图 4 所示。

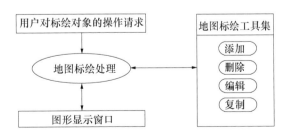

**图 4　险情灾情标绘处理模型结构**

### 3.3.3 险情灾情对象的标绘

地图标绘功能是在 MIP 编辑系统的基础上,运用系统提供的面向对象的二次开发库,采用面向对象的方法开发完成的。在进行标绘时,能够达到这样的目的:标绘简单美观,修改方便明了,并且对错误操作可进行限制。还有一些辅助的标绘功能可利用。例如缺省参数的存储、在操作过程中进行闪烁突出显示等。其中 MIP 提供的无缝交互方式是地图标绘对象的核心。利用灵活的地图标绘工具集制作所需要的险情分布图、灾情分布图和险情态势、灾情态势图。

## 4 结语

基于 GIS 的防汛信息系统在防汛领域中的应用已经成为一个趋势,基于 WebGIS 的防汛信息系统克服了传统的防汛信息系统的缺点,为工情险情等信息共享提供了便利的条件,用户不需要安装客户端 GIS 软件,直接通过 WWW 浏览器访问和使用 GIS 应用系统的各种功能,方便了防汛指挥工作的进行。

# 河流生态文明的构建

## ——对维持河流健康生命的社会学再思考

程朝旭[1]　宋慧萍[2]　田　捷[3]

(1.黄河勘测规划设计有限公司;2.黄河水利委员会;3.黄河水利委员会水文局)

**摘要:**河流生态文明是社会发展到一定阶段,人类在处理与河流的关系时所达到的文明程度。河流生态文明在人与河流的关系方面具有公平、整体性和可持续发展等特征。本文拟从社会学的立场探讨河流生命的均衡维护和人类生存、社会发展的密切关系,并对河流生态文明的构建途径进行探索。

**关键词:**河流　生态　社会学

文明是反映人类社会发展程度的概念,它表征着一个国家或民族的经济、社会和文化的发展水平与整体面貌。河流生态文明则是文明的一个方面,是人类对传统治河进行理性反思的产物,即人类在处理与河流的关系时所达到的文明程度。随着经济的发展和治河实践的丰富,黄河水利委员会以科学的发展观为指导,创造性地提出了"维持黄河健康生命"的新理念,这是人与河流关系领域中的一次新的认识飞跃,也是坚持人水和谐共处发展观的集中体现。以此为开端,人们把追求人与河流和谐相处的研究和实践活动推上当今河流治理开发主旋律的位置。它也预示着人类治河进入了一个新的文明时代,即河流生态文明建设时代。

## 1　关注河流的生存境遇

河流生态文明是指人们在改造客观物质世界的同时,不断克服改造过程中的负面效应,积极改善和优化人与河流的关系,建设有序的河流生态运行机制和良好的河流生态环境所取得的物质、精神、制度方面成果的总和。它反映的是人类处理自身活动与河流关系的进步程度,是社会进步的重要标志。

事实上,在人类漫长的进化史上,人类和河流的关系经历了一个从被动适应到主动适应的过程。原始社会,由于人类生存与发展的智慧和手段还没有打开,人们只是被动地适应、依附河流,并且处处受河流的束缚——古老文明的诞生均是来自河流的孕育,从而形成了简朴的"河流原始文明"。随着农业的诞生和生产力的发展,人类为了自身的生存与发展的需要,开始了自觉和不自觉地征服和改造河流的过程。历史进入近现代时期后,人类掌握了变革自然的强大能力,通过发展科学技术和生产力,不断增强人类对河流的"控制"与"征服"能力,形成了以"人类中心主义"的河流文明。

但是以消耗自然资源为基础的工业文明在创造了巨大的物质文明与技术文明的同时,所带来的水资源短缺、河流污染和生态破坏也是前所未有的。断流、沙尘暴、洪水等自然现象都是河流对人类的报复手段。事实上,人类与河流之间的对立和矛盾在短短的时间内,就已经发展到了严重对立的地步:河流生态环境恶化,水生生物多样性锐减,水资源危机显现,河流生态功能继续衰退,土地荒漠化越来越严重……这不仅给自然生态环境带来了巨大的破坏力,而且进一步削弱了工农业生产的原材料供给能力,严重制约了经济和社会的协调发展。

仅就我国而言,人口众多,资源匮乏,以世界9%的耕地、6%的水资源、4%的森林资源养活了22%的世界人口。而持续膨胀的人口、粗放型的经济增长方式,对河流的索取已超过河流合理的承载能力。我国是世界上水资源最为缺乏的国家之一,而污染更使病态的河流雪上加霜,七大江河水系中劣V类水质占41%;城市河段90%以上遭受污染;沙漠和沙化总面积达174.3万km²,每年还在以3 426km²的速度扩展;水土流失面积占国土面积的37%。世界银行的一项发展报告中指出,1997年,我国仅空气和水污染造成的经济损失就高达540亿美元,相当于国内生产总值的3%~8%[1]。

维持河流健康生命,寻求人与河流的和谐共生,才是人类社会永续发展之道。值得庆幸的是,近20年来,生态科学与环境科学飞速发展,为河流生态文明的兴起做了科学和理论的准备。20世纪50年代世界各地掀起的"绿色运动"、60年代的生态农业、70年代兴起的生态工程等又为河流生态文明的兴起奠定了实践基础。由此可见,河流生态文明是在对"人类中心主义"及其人类行为的深刻反思中逐渐成熟的,是人类必须做出的一次理智选择。

## 2　河流生态文明是一种崭新的河流文明形态

人与河流的关系是河流生态文明的基础,从传统治河手段到河流生态文明的构建首先是人对河流的认识、理解和态度发生重要变革的结果。

对河流生态文明的解释:从词源学意义上看,它与野蛮相对,指的是在社会物质文明已经取得成果的基础上用更文明的态度对待自然。从社会形态建构意义上看,河流生态文明将从有机论的角度,重新确立人和河流的地位,重新树立人的"物种"形象。也就是说,世界的"价值主体"应该包括人类以外的"非人类存在物"——有生命的动植物和没有生命的山川河流。人如果仅用自己的价值观来看待这个世界,是不可能处理好人与河流的关系的,必须用"人"和"物"(非人类存在物)两种尺度来衡量。这就要求人类必须承认河流也是有权力的,人类必须超越本能,把关心其他物种的命运视为人的一项道德使命,把人与河流的协调发展视为人的一种内在的精神需要和文明的一种新的存在方式。

如果说"非人类中心主义"是河流生态文明的基本理念,那么公平原则、整体原则和持续发展原则就是这一理念的具体体现。

### 2.1 河流生态文明从人文角度确认河流的内在价值,强调道德伦理上的公平原则

建设河流生态文明,一个关键问题是人类价值取向需要发生深刻转换,即要从科学与人文两个方向思考河流的价值对人类的深刻意义。在传统观念中,河流价值是以人的主体性为尺度的一种关系,它只是客体满足人的某种需要的属性,是一种效用关系。而观念的转变侧重于我们对河流的情感体验,体悟河流是人类生命的依托,河流生命的死亡必将导致人类社会的衰败,尊重河流、爱护河流并不是人类对其他生命存在物的慷慨施舍,而是人类自身进步的需要。在这种河流文明形态下,人类在河流面前将保持一种理智的谦卑态度,人们不再寻求对河流的控制、征服和掠夺,而是力图与河流和谐相处。科学技术不再是工具,而是维持河流健康生命、维护人与河流和谐关系的助手,在不断满足人类的长远利益前提下,人与河流相互作用、相互依赖、相互渗透。

### 2.2 河流生态文明在科学理性基础上,强调人与河流的整体性原则

只认识到河流的独立存在及其价值对人类的某些用途,其结果首先是以人为尺度来衡量河流带给人和其他物种的益处,看到的只是河流的局部效用,也就忽视了河流对于维护自然、人类、社会的终极意义。这种传统思维模式很难改变人类千百年来形成的对待河流的改造方式,即仅把河流当做资源和手段,竭泽而渔、强取豪夺地开发和利用。河流生态文明的整体性原则不仅强调人类与河流的有机联系,还展示了人类与河流乃至自然、世界作为一个整体共同面对危机的必要性和可能性。它把包括河流和人类在内的整个世界理解为一个整体,各部分之间的联系是有机的、内在的、动态发展的。作为这个大家庭中一个晚到的成员,人类虽然依据自己的聪明才智获得了巨大的生存空间,但我们的生存仍然离不开河流生态系统和其他生命的支撑。随着人类活动越来越深地渗透到地球家园的每一个角落,人类的命运与这个大家庭中其他成员的命运紧密地联系在了一起。

### 2.3 河流生态文明在社会结构上,表现为可持续发展原则

自然不是静态循环而是动态增长,这是一条根本法则。我国古代思想家将其概括为"生生不息",马克思则将其概括为"自然生产力"。这种增长力量,表现在人与河流的关系上,从维系人与河流的共生能力出发,用协调的机制来重新调

节社会的生产关系、生活方式、生态观念和生态秩序,把社会经济系统的运行控制在河流生态系统的承载范围之内,既维护河流生态系统的平衡和稳定,又使人类的生存和发展需要得到满足。诸如在生产方式上,运用生态技术和工艺,使人类生产劳动具有净化河流环境、节约和综合利用水资源的新机制;在生活方式上,人类个体的生活建立合理的社会消费结构,既不能损害河流的自然环境,也能维持其他物种的繁衍生存;在社会政策上,考虑如何组织好经济结构,以便协调人类与河流之间的关系 在制定决策上,使科学家、经济学家、人文学者对有重大影响的发展战略决策进行生态效益评估。

因此,河流生态文明体现出的是科学价值与人文价值的统一、局部价值与整体价值的统一、国家价值与人类价值的统一、当代价值与后代价值的统一,这也是河流生态文明不同于其他时代河流文明的价值融合。

# 3 探索河流生态文明构建途径,维持河流健康生命

追求人与河流的和谐关系,是中国几千年传统河流文化的主流。从某种意义上说,我国很早就拥有自己的"河流生态文化"。3 000年前,《孟子·梁惠王》里就说:"不违农时,谷不可胜食也。数罟不入洿池,鱼鳖不可胜食也。"[2] 2 000年前,秦朝就禁止毒杀鱼鳖。我国历朝历代都对对河流生态保护的法规或禁令。而从"文化"到"文明"的转变,是人们从事实认识,到科学认识再到价值认识的不断深化过程,表明人的主体意识的升华,因此也是更加理性的、全面的文明意识。

改革开放以来,我国的河流生态保护取得了巨大成就,但河流生态文明建设的任务依然沉重。因此,我们必须继续坚持以人为本,以人与河流和谐共存为主线,以"维持河流健康生命"为根本出发点,探索河流生态文明的构建途径。

## 3.1 通过道德体系建设来引导河流生态文明

生态道德是河流生态文明的重要组成部分,也是建设河流生态文明的精神依托和道德基础。只有大力培育全民族的生态道德意识,使人们对河流的保护转化为自觉的行动,才能破除人们长期固守的"人类中心主义"观念,解决思想认识的根本问题。因此,建设河流生态文明,必须把道德观念引入到人与河流的关系中,树立起人对于河流的道德义务感。这就要求通过宣传、教育,在人们心目中树立起善待河流、崇尚自然、尊重规律的意识,将生态文明的理念渗透到生产、生活的各个层面和千家万户,增强全民的生态忧患意识、参与意识和责任意识,形成人与自然和谐相处的生产方式和生活方式。

## 3.2 通过技术体系建设来保护河流生态文明

一条健康的河流是要呼吸和流动的,而河流的呼吸来自于它自身功能的健全。而要保持河维持自身功能的健全,就必须通过技术手段来保持其生态系统

与人类社会的和谐共生。因此,科学技术是实现和维持河流健康生命的重要手段。就黄河而言,结合我国自然、经济和社会特点,通过研究河流治理规律,发现河流治理开发过程中的新现象、新问题,利用水库、涵闸、堤防等工程手段和水量调度、水沙调控体系建设等非工程手段,实现"堤防不决口、河道不断流、污染不超标、河床不抬高"的治理目标。

### 3.3 通过约束体系建设来构建河流生态文明

河流生态文明的构建需要对人们经过长期的引导、教育而进行道德约束,同时,河流生态文明构建也需要政府和权力机关通过行政手段,出台必要的政策、制定相关法律法规来进行硬性约束。在制定计划及重大经济行为的拟议过程中,要充分发挥政府综合决策的作用,把河流生态系统的健康和经济发展目标结合起来,从源头上消除对河流生命的危害。要适时出台相关政策,用宏观调控手段引导河流生态文明建设的方向,调动各方参与的积极性。要充分发挥环境和资源立法在经济、社会生活中的约束作用,在各种经济立法中突出河流的价值,使经济发展与河流生态文明的协调发展在法律法规中得到充分体现。

总之,河流生态文明是一个崭新的河流文明形态,它是人类社会发展到一定阶段的必然产物。特别是人与自然和谐发展的科学发展观与"维持河流健康生命"的新理念更为河流生态文明构建奠定了坚实的理论基础。可以预见,河流生态文明建设将在推动整个国家乃至整个人类社会生产发展、生活富裕、生态良好的可持续发展道路上起到积极的作用。

### 参 考 文 献

[1] 世界银行. 1998 年发展报告.北京 :中国财经出版社,1998

[2] 黄立平.四书五经.北京:中国友谊出版公司,1993